CONSPIRADORES

Michael André Bernstein

CONSPIRADORES

Tradução de
MARIA BEATRIZ MEDINA

EDITORA RECORD
RIO DE JANEIRO • SÃO PAULO
2006

CIP-Brasil. Catalogação-na-fonte
Sindicato Nacional dos Editores de Livros, RJ.

B449c
Bernstein, Michael André, 1947-
    Conspiradores: um romance / Michael André Bernstein; tradução Maria Beatriz Medina. — Rio de Janeiro: Record, 2006.

    Tradução de: Conspirators
    ISBN 85-01-07219-2

    1. Galícia (Polônia e Ucrânia) – Ficção. 2. Aristocracia (Classe social) – Ficção. 3. Pregação judaica – Ficção. 4. Conspirações – Ficção. 5. Europa – História – 1871-1918 – Ficção. 6. Romance americano. I. Medina, Maria Beatriz. II. Título.

06-1344
    CDD – 813
    CDU – 821.111(73)-3

Título original norte-americano:
CONSPIRATORS

Copyright © 2004 by Michael André Bernstein

Todos os direitos reservados. Proibida a reprodução, no todo ou em parte, através de quaisquer meios.

Direitos exclusivos de publicação em língua portuguesa somente para o Brasil adquiridos pela
EDITORA RECORD LTDA.
Rua Argentina 171 – Rio de Janeiro, RJ – 20921-380 – Tel.: 2585-2000
que se reserva a propriedade literária desta tradução

Impresso no Brasil

ISBN 85-01-07219-2

PEDIDOS PELO REEMBOLSO POSTAL
Caixa Postal 23.052
Rio de Janeiro, RJ – 20922-970

EDITORA AFILIADA

ABERTURA

1925

Quando chega à meia-idade, espera-se que um escritor de sucesso entre em sua fase de introspecção, na qual cuida de suas realizações anteriores. Era mesmo com isso que ele concordava agora? O pensamento incomodou demais Alexander para que continuasse respondendo às cartas abertas em sua escrivaninha e, assim, levantou-se da cadeira ao lado da janela para esticar as pernas, certo de que a esta hora conseguiria caminhar até o lago sem encontrar ninguém.

A princípio, Alexander ficara lisonjeado com a sugestão de seu editor de que seria uma boa hora para relançar todas as suas obras anteriores. Pôde vê-las facilmente, expostas na vitrine de uma livraria, reunidas numa daquelas edições de aparência solene e uniforme que as famílias vienenses de classe média sempre pareciam dispostas a comprar, mesmo quando o dinheiro era escasso. Era o mais perto que conseguiam chegar das filas de volumes suntuosos e encadernados em couro, decorados com brasões de família, que podiam admirar nas bibliotecas da nobreza, agora que antigos palácios imperiais como Schönbrunn tinham sido abertos ao público. Estava claro que quase uma década de república nada fizera para diminuir o fascínio do povo pelos Habsburgo. Muito pelo contrário: as imagens do imperador Francisco José e sua noiva eram ainda mais predominantes do que na época em que estavam vivos, usadas para enfeitar tudo, de caixas de bombons a entradas para concertos ao ar livre. Podia-se desculpar o cidadão que acreditasse não ter acontecido nada de interessante desde o fim do seu reinado. O comércio da saudade imperial era uma das poucas indústrias estáveis do país, sobrevivendo a todas as crises econômicas, e, para os compradores mais aquinhoados com aspirações a um gosto mais elevado, um dos esboços eróticos de Klimt, uma cadeira de balanço de Josef Hoffmann ou uma jóia da Wiener Werkstätte alimentavam a mesma saudade do *glamour* perdido quanto as imagens padronizadas de cartão-postal da família imperial nos lares mais pobres. E também, admitia tristemente Alexander com seus botões, as suas próprias peças e contos.

Nos primeiros e difíceis dias depois da guerra, ele ficara apavorado com a possibilidade de ninguém mais se importar com seus escritos. O medo de ser desprezado, considerado obsoleto, fizera-o mandar discretas sondagens aos periódicos socialistas mais importantes, garantindo-lhes o seu apoio e lembrando aos editores que sempre usara sua pena para satirizar os absurdos do antigo regime. Tudo completamente desnecessário, afinal de contas. Sua obra nunca vendera tanto nem recebera críticas tão elogiosas, nem mesmo há 14 anos, quando o Ministério do Interior em peso estava por trás dele e os jornais, secretamente controlados pelo governo, coroavam-no como um dos mais promissores escritores jovens do país. Se o Barão von Kirchmayr, último chefe de polícia de Francisco José, ainda estivesse vivo, ficaria espantado e, é provável, desgostoso de ver como o seu ex-protegido andava bem sem o seu apoio. Ultimamente, havia sempre pelo menos uma peça de Alexander em cartaz nalgum ponto do país e, há alguns meses, uma farsa desajeitada como *O infortúnio do judeu*, montada de qualquer jeito, a toda a pressa, com as anotações de cadernos velhos durante os seus primeiros meses sem tostão na capital, fora ressuscitada com sucesso em longas temporadas, tanto em Salzburgo quanto em Viena. Agora, se conseguissem encomendar uma boa tradução para o inglês, falava-se até numa produção em Londres.

Pelos padrões de um Thurn und Taxis ou de um Rotenburg, Alexander não podia considerar-se rico, mas estava bem o bastante para que muito pouco restasse do jovem provinciano e ansioso que chegara a Viena vindo da Galícia, sonhando apenas em encontrar um editor para as suas cenas curtas e que o deixasse sentar-se no mesmo salão que os escritores famosos que freqüentavam o Café Central. Mas em menos de um ano, como se a sua própria carreira fosse um episódio de uma de suas fábulas meio melancólicas, meio cínicas, nas quais, por razões que o próprio Alexander jamais conseguira compreender, os vienenses de todas as classes pareceram redescobrir alguma parte esquecida de seus sonhos, viu-se quase tão famoso quanto os outros escritores que costumava admirar de longe. Em pouco tempo, saber que os seus *royalties* começavam a exceder os deles por boa margem criou um abismo tão grande entre Alexander e os escritores que se congregavam nos cafés literários quanto a sua falta de fama e dinheiro criara quando cruzou pela primeira vez as pesadas portas de madeira e vidro do Café Central e foi relegado à pior mesa do salão. Quando a sua renda aumentou, Alexander tornou-se um tipo de cigano urbano inquieto, o judeu errante de uma cidade só, como se descrevera numa das cartas mandadas à cidade natal, para Asher Blumenthal, o único amigo de adolescência com quem continuara a manter contato. Deslocava-se de bairro em bairro, insistindo sempre em contratos de curto prazo, embora deste jeito o aluguel fosse inevitavelmente mais alto, até que, mais por cansaço que por qualquer outra coisa, instalou-se no segundo andar de uma casa elegante na Bäckerstrasse, um dos isolados bairros vienenses, famoso por ter abrigado alguns dos maiores compositores do século XIX e, desde então, notório por receber mal qualquer tipo de artista vivo. Quando a renda do sucesso de seu segundo libreto de ópera, *Flores para os enforcados*, permitiu-lhe comprar a casa de campo que havia muito almejava, situada no lago mais belo de toda a região de Salzkammergut, pretendia seguir o mesmo ritmo de todos os outros prósperos visitantes sazonais e usá-la apenas durante os meses de verão. Mas em cada outono, quando chegava a época de fechar a casa até a próxima Páscoa seguinte, via-se cada vez mais relutante em voltar à capital. Enfim, Alexander decidiu simplesmente ceder ao seu desejo de solidão e agora morava o ano inteiro no campo, perto de Salzburgo. Nessa época, só voltara a Viena quando ensaiavam uma nova peça no Burgtheater e ele precisava estar por perto para supervisionar a produção e ser simpático com todos os críticos importantes. Bajular os ricos, impiedosos e bem-nascidos que controlavam a carreira de um escritor na época dos Habsburgo fora substituído por bajular os pobres, impiedosos e malnascidos que controlavam a carreira de um escritor na nova república parlamentar. Com ajustes mínimos de tom e vocabulário, Alexander descobriu que as mesmas frases que usara com sucesso com aristocratas como o diretor von Bruck e o Barão von Kirchmayr funcionavam igualmente bem agora com *Herr* Nebehaye, do jornal liberal *Nova imprensa livre*, e até com a terrível *Fräulein* Ruth Zuckerman, principal crítica literária do austro-marxista *A voz do trabalhador*. A principal diferença, pelo que Alexander podia dizer, era a qualidade do café e dos biscoitinhos servidos em suas reuniões e a rudeza com que lhe explicavam o necessário toma-lá-dá-cá.

A não ser pelo brilho tênue de seu grosso charuto e da luz meio enevoada da janela do escritório lá no alto, tudo daquele lado do lago parecia ter sumido nas ondas de escuridão negro-azulada que, no crepúsculo, parecia descer flutuando do círculo de montanhas em volta até a linha-d'água. Havia ainda algumas luzes visíveis do outro lado, em Sankt Wolfgang, onde ficavam os hotéis e pousadas de verão, mas vistas daquela distância só intensificavam a serenidade pela qual Alexander gostava de caminhar, sem ser perturbado, até recuperar o autocontrole. A proposta de publicar um volume provisório de *Obras reunidas* o fez sentir-se como se lhe pedissem que ajudasse a projetar o seu próprio cenotáfio, ainda mais porque seu editor queria que escrevesse uma série de prefácios de seus textos especialmente para esta edição. A idéia deste tipo de auto-avaliação retrospectiva assustou Alexander. Diversamente da maioria dos escritores que conhecia, tinha pouquíssimo interesse em falar de si mesmo, e menos ainda daquilo que os jornalistas chamavam de sua fonte de inspiração. Sem dúvida era por isso que, embora nunca tivesse conseguido livrar-se inteiramente de um certo desconforto quando lidava com atores e diretores, acabara escrevendo tanta coisa para o teatro, onde podia apresentar as palavras e paixões de seus personagens sem precisar de nenhum intrometimento invasivo em sua própria voz.

Mas, na verdade, a perspectiva do tédio de redigir um punhado de novos prefácios para a sua obra de antes da guerra não era a fonte da agitação de Alexander. Se fosse só isso, seria bem simples recusar a sugestão. Ganhava dinheiro demais para a Editora Europa e eles não o pressionariam muito; além disso, sempre podiam contratar algum acadêmico da universidade que adoraria ganhar alguns schillings a mais para escrever as introduções críticas no lugar de Alexander. Um prefácio de um ou outro famoso *Herr Professor* X talvez fosse mesmo preferível como estímulo às vendas, dando à edição a armadura pesada de um clássico autêntico. Não, o que o fizera sair de seu escritório quentinho para o frio da noite de agosto, quando já fumara mais do que o médico lhe permitia, era a sensação sinistra de que a proposta de Broderson tinha alguma ligação com a pequena fotografia de jornal que o vinha perseguindo desde a sua visita a Berlim há seis meses. Desde então, passara um tempo desproporcional tentando, alternativamente, verificar a identidade do homem na fotografia e afastar o problema do pensamento, sem nada conseguir.

Viajara para a Alemanha a convite do *Berliner Funkstunde*, um programa de rádio que pagava somas principescas para que escritores famosos lessem as suas obras. Nunca esperaria ganhar a mesma coisa na Áustria por algumas sessões em frente a um microfone, e a ocasião de ter intimidade sem contato pessoal, oferecida pelo novo meio de comunicação, era irresistível. A audiência foi ainda melhor do que ele e os seus contratantes da emissora esperavam. Para certo espanto de Alexander, a moda de suas ousadas vinhetas urbanas sobre a vida no antigo Império Habsburgo se espalhara também pela Alemanha, talvez porque o povo de lá encontrasse pouca coisa em sua própria dinastia deposta para recordar com saudade afetuosa. É claro que algumas causas perdidas eram mais vendáveis do que outras. Fosse qual fosse a razão, o público ficou tão entusiasmado que Alexander recebeu um convite sincero para voltar para mais leituras.

Na manhã seguinte, sentindo-se contentíssimo com a viagem e só um pouco irritado porque nenhum dos outros passageiros parecia reconhecê-lo como o famoso escritor estrangeiro cujos livros estavam à venda por toda a cidade, Alexander parou num quiosque da estação de trem e comprou meia dúzia de jornais para folhear na viagem de volta a Salzburgo. O diretor administrativo da emissora de rádio gabara-se de que agora havia mais de dois mil periódicos diferentes à disposição e parecia que pelo menos um terço deles estava dobrado em grandes montes perto da bilheteria para seduzir viajantes de todos os gostos. Ele planejara comprar principalmente publicações literárias e algumas revistas especializadas em rádio para ver se alguma delas seria um veículo adequado para a sua nova obra. Mas quando se preparava para pagar, viu um tablóide fino e mal impresso intitulado *Vozes Exiladas* e, num impulso, juntou-o à sua pilha. Fez isso principalmente porque continha um novo artigo de Alicia Chudo, emigrada russa branca, cujos relatos de sua experiência nos meses entre a queda do czar e a tomada do poder pelos bolcheviques gostara de ler há algum tempo. Em vez da tristonha autocomiseração que parecia caracterizar tantas reminiscências deste tipo, Chudo impressionara-o por seu humor e pela lucidez cruel e sem ilusões que via tanto o absurdo de seu próprio lado quanto o mal no lado inimigo. Isso, provavelmente, explicou por que fora banida dos jornais brancos mais prestigiados e obrigada a publicar os seus textos em periódicos obscuros como este jornal trimestral sem graça, do qual Alexander nunca ouvira falar.

Ele só foi ler o artigo no fim da tarde, quando alguma coisa na curvatura delicada das casas de fazenda de madeira, as varandinhas enfeitadas com tulipas no auge da floração da primavera e as conhecidas paredes amarelo-pálidas das estações locais, pelas quais seu trem expresso passava correndo sem parar, o fez perceber que se aproximavam da fronteira austríaca. O novo artigo tinha um tom bem diferente das obras anteriores de Chudo e tratava de um episódio pavoroso logo antes de sua expulsão permanente da Rússia, quando fora presa e interrogada pela Cheka como suspeita de ser uma agente contra-revolucionária. Diversamente de alguns amigos seus, não fora torturada fisicamente, mas durante dias a fio fora interrogada por equipes de inquisidores que se alternavam sem sequer lhe permitir mais do que uma ou duas horas de sono de cada vez, até que a exaustão, somada à ansiedade com o destino do marido e da filha adolescente, fizeram com que tentasse se matar em sua cela. Como obra escrita, Alexander achou a descrição de Chudo bastante vigorosa, mas na época eram publicadas tantas histórias parecidas que, aí pelo meio, começou a pular trechos do resto do texto. Assim, quase deixou de ver a fotografiazinha fora de foco no canto inferior direito, com a espantosa legenda: "Foto de um grupo que inclui o principal interrogador da autora". Inexplicavelmente, assim que seus olhos caíram sobre a imagem, Alexander sentiu que começava a suar de nervoso. Quase rasgou ao meio o papel fino tentando descobrir onde ela passara do relato de sua experiência na prisão para a identificação do homem na fotografia. Depois que se acalmou o bastante para procurar de forma mais sistemática, viu o texto bem ao lado, destacado com uma moldura preta e fina, numa coluna só sua na mesma página das biografias de três linhas que serviam de "Notas sobre os Colaboradores deste Número" do jornal. "Esta fotografia da delegação comercial soviética em visita no mês passado foi tirada por nosso próprio fotógrafo, cuja câmera quase lhe foi arrancada das mãos por agentes locais do Partido Comunista alemão quando viram o que fazia. O homem de pé com a cabeça meio virada, logo atrás do principal representante comercial, Georg Sklarz, está listado no protocolo oficial como Avrakham Shubin e descrito apenas como especialista em comércio exterior. Mas várias pessoas de confiança na comunidade de emigrados apresentaram-se em apoio à acusação de Alicia

Chudo e hoje acreditamos que ele seja um dos líderes mais impiedosos do órgão de Administração Política do Estado soviético, talvez até o braço direito de Felix Dzerjinski."

A foto estava borrada demais para que Alexander tivesse certeza, principalmente depois de tantos anos, mas quanto mais fitava a foto maior a incapacidade que sentia de expulsar a idéia de que, independente de como identificassem o homem agora — quer como Enviado Comercial Shubin, quer como torturador anônimo de Alicia Chudo, na Prisão Lubianka —, ele já fora Jakob Tausk, o brilhante ex-estudante de rabinismo que Alexander conhecera pouco antes de partir para Viena.

Tinham sido inseparáveis por apenas alguns meses, mas aqueles dias foram cheios da intimidade peculiar, da mistura de admiração mútua e rivalidade mal disfarçada de dois jovens judeus ambiciosos e desesperadamente pobres, numa cidade que não tinha como usar o talento deles. Pelo menos, Alexander sempre soubera que queria ser escritor, profissão pela qual Tausk nunca se incomodara em disfarçar o seu desprezo. Ao recordar o Tausk daquela época, o que mais ficara na mente de Alexander era o pouco valor que dava a qualquer tipo de sucesso mundano, ainda mais do tipo de aclamação pela qual Alexander ansiava. Mas quando Alexander desafiou-o a apresentar uma ambição mais digna, Tausk recusou-se a responder, descartando a questão como se fosse frívola demais para levar a sério. Para Alexander, era claro que Tausk não tinha idéia do que pretendia fazer, além de ficar na cama quase o dia inteiro, fumar uma sucessão interminável de cigarros fedorentos e remoer a expulsão do seminário do Rabino Pelz. Nunca explicou por que fora expulso, ou melhor, apresentava uma dúzia de versões diferentes, dependendo do seu estado de espírito. Mas na única vez que Alexander fizera uma piada de mau gosto à custa do rabino, reproduzindo, ou assim o imaginara, o tom do próprio Tausk, este encarou-o com nojo, como se olhasse algum animal doente, e disse, calmamente, que se Alexander voltasse a falar daquele jeito do seu professor seria a última vez que usaria a língua. Então, da mesma forma abrupta, como se nada estranho tivesse acontecido, começou a especular sobre onde poderiam arranjar dinheiro emprestado para jantar no restaurante do Meir, numa daquelas gordurosas mesas coletivas em que se tinham conhecido.

Alexander não lembrava mais se tiveram êxito ou não em sua busca, mas logo depois daquela noite parara de se encontrar com Tausk. Não fez nenhum esforço para escrever a Tausk de Viena e ficou chocado quando ouviu o boato de que o conde-governador contratara Tausk para ajudar a protegê-lo de assassinato. O pobre Asher Blumenthal acabou confirmando o boato e admitiu que Tausk o aterrorizara durante um ano inteirinho, obrigando o relutante contador a agir como informante da polícia, assim como, para ser perfeitamente honesto, von Kirchmayr fizera com o próprio Alexander. Na época dos famosos assassinatos da Praça da Catedral, em abril de 1914, Tausk já ocupava o cargo de espião-chefe do conde Wiladowski e referências evasivas a ele surgiam de vez em quando nos jornais. A princípio, esses assassinatos, cometidos nos próprios degraus da igreja, atraíram a curiosidade de todo o Império, mas sua fama foi obscurecida quase imediatamente pela loucura muito maior que logo engoliu todo o continente. Como as mortes ocorreram sob os olhos de Tausk, por assim dizer, Alexander sempre supusera que o espião-chefe tivesse sido discretamente demitido por incompetência e mandado para a mesma prisão com que ameaçara tantos cidadãos em sua breve estada no cargo. Para Alexander, havia algo de repugnante na possibilidade de que tal pessoa, personagem que pertencia ao terreno das fábulas habsburguesas que transformara em sua propriedade literária, tivesse simplesmente trocado de farda e roteiro e ressurgido num palco bem maior com o poder de atemorizar um país inteiro.

Assim que chegou em casa, Alexander resolveu tentar descobrir o que realmente tinha acontecido com Jakob Tausk. Seus ex-patronos tinham ensinado a Alexander o truque de cair nas boas graças dos homens de poder e ele não era homem de deixar em desuso uma boa lição só por causa de uma mudança de regime. Seu relacionamento com Michael Skubl, o novo chefe de polícia vienense, era bastante íntimo e prontamente lhe escreveu, pedindo-lhe ajuda para resolver o mistério. Quando Alexander inventou a desculpa de que precisava das informações para uma nova peça em que estava trabalhando, Skubl, freqüentador tão entusiasmado do teatro quanto qualquer um dos seus aristocráticos antecessores, pôs todos os recursos do seu departamento a funcionar na solução do problema. Mas a julgar pelos resultados, a coleta de informações caíra de forma lamentável desde a época de von Kirchmayr. Em vez do grosso dossiê com que Alexander contara, tudo o que o mensageiro particular de Skubl conseguiu entregar na casa à beira do lago foi um maço fino de folhas de papel e uma carta de desculpas, ambos descansando agora em sua escrivaninha, ao lado do contrato do editor.

Skubl explicara que, como a província onde ocorrera o crime não pertencia mais à Áustria, os arquivos locais não estavam mais disponíveis para inspeção direta. No entanto, por uma questão de cortesia profissional, um dos seus colegas estrangeiros concordara em dar uma olhada no caso, não tendo descoberto registros de processos legais envolvendo algum Jakob Tausk. Os arquivos públicos de Viena também não foram de muita ajuda. Finalmente, surgiram documentos de um arquivo secundário que confirmavam que Tausk fora mesmo funcionário do Ministério do Interior, de 1912 até algum momento de 1914, mas a papelada estava estranhamente incompleta e, mesmo antes do início das hostilidades, em agosto de 1914, o nome de Tausk sumira inteiramente dos arquivos. É claro que muitos documentos governamentais, principalmente os que diziam respeito à ampla rede de espiões do antigo governo, tinham se perdido ou sido mal arquivados nos meses antes da proclamação da república e seria imprudente tirar alguma conclusão de mais uma ocorrência de um fenômeno tão generalizado.

Alexander parou de ler por um momento para espantar-se com a perfeição com que Skubl absorvera a retórica do seu emprego. "Seria imprudente tirar alguma conclusão" era a frase perfeita para um burocrata austríaco, utilizada por gerações de autoridades imperiais e agora igualmente útil na boca dos seus sucessores republicanos. Quando chegou em casa à noite e despiu a farda, será que Skubl congratulou-se por ter representado tão bem o seu papel naquele dia ou um pensamento destes interferiria em sua capacidade de repetir o papel sem nenhuma falha pelo resto do seu mandato? No caderninho que guardava no bolso da lapela para estas ocasiões, Alexander rabiscou rapidamente a fórmula, na intenção de usá-la em conjunto com alguns outros ditos característicos de Skubl num pequeno esquete cômico passado durante o reinado de Maria Teresa, um século e meio atrás.

Era, reconhecidamente, um jeito nada generoso de retribuir a um homem que tivera um trabalho considerável para ajudá-lo, mas depois de ter lido até ali Alexander sentia tudo, menos generosidade. E o seu humor azedo não melhorou com o último parágrafo da carta de Skubl, o que o fez sair imediatamente da casa. No que dizia respeito à recente e suposta fotografia de Berlim, Skubl disse somente que, dado o clima político atual na Rússia, era impossível dar muito crédito a acusações publicadas num jornal como *Vozes Exiladas*. Não havia como dizer quem trabalhava ou não para o OGPU, mas, falando como profissional, ele agia partindo do princípio de que todos os que vinham da Rússia estavam ligados, de uma forma ou de outra, à polícia secreta soviética. Como os seus colegas da Alemanha pensavam da mesma maneira, mantinham sob vigilância rigorosa todos esses visitantes e verificaram que, embora Avrakham Shubin tivesse entrado no país como membro credenciado de uma delegação comercial, voltara para casa uma semana antes dos outros integrantes do grupo; na verdade, na mesma noite em que aquela fotografia fora tirada pelos amigos de Chudo. Mas — e aqui Alexander tinha tanta certeza do que Skubl escreveria a seguir que se permitiu um gemido teatral e exagerado antes mesmo de ver a frase concreta — "não se deve tirar conclusão alguma de detalhes tão circunstanciais". A relutância compreensível de encorajar boatos não comprovados fazia Skubl hesitar em incluir o item final enviado da Alemanha, mas como Alexander só estava interessado em obter informações secundárias para a sua obra dramática e não em criar problemas no jornalismo político tendencioso, não havia problema em deixá-lo ver como eram complexas as fantasias da comunidade de emigrados e que tipo de boato a polícia tinha de examinar hoje em dia. Segundo uma certa Ekaterina Galitzina, viúva de um recente fugitivo da Rússia que morrera num acidente de automóvel pouco depois de se instalar em Berlim, seu marido tivera em seu poder provas indiscutíveis de que vários líderes bolcheviques importantes, inclusive alguns que agora estavam envolvidos na luta pelo controle do partido, tinham sido agentes duplos do czar. Ele estava a caminho de entregar estas provas aos jornais quando foi atingido por um carro em alta velocidade e morreu instantaneamente. É claro que, quando a ambulância chegou, nenhum tipo de documento importante foi encontrado com ele e a investigação meticulosa da polícia não encontrou sinal de nada além de um atropelamento infeliz com fuga do responsável, do tipo que vinha ficando cada vez mais comum, ainda mais num bairro de má-reputação como o Scheunenviertel. Mas para o pessoal da redação do *Vozes Exiladas*, a explicação era óbvia: as provas de Galitzine eram tão terríveis que Dzerjinski tivera de mandar a única pessoa em quem confiava para garantir que jamais fossem publicadas, ainda que isso significasse pôr em risco o seu agente mais valioso. O homem que usava o nome Shubin cruzou a fronteira uma só vez para cumprir uma única missão; assim que terminou, desapareceu e a conclusão óbvia era que nunca mais se ouviria falar dele.

Alexander observou o último dos seus finos charutos arquear-se elegantemente na água e sumir. Deixara de propósito o resto deles dentro de casa, sabendo que, não fosse assim, fumaria todos antes do fim do passeio. Nada na carta de Skubl deveria tê-lo perturbado tanto, mas repetir isso para si não ajudava nada. Em vez de se acalmar, ficou mais agitado do que nunca, principalmente por ver-se tão abalado com uma história que, verdadeira ou não, realmente não lhe dizia respeito. Na época em que Tausk estava bem instalado em seu cargo de espião-chefe do conde-governador, Alexander morava em Viena e fora do alcance das suas maquinações. Mas talvez não inteiramente. Alexander tirara o caso todo da cabeça há anos, mas naqueles primeiros dias, quando costumava refletir sem parar sobre isso, concluíra que a sugestão de enredá-lo devia ter vindo de Tausk. Um escritorzinho judeu da Galícia, ainda não publicado e sem nenhum interesse nem contato político, que morava numa vaga num quartinho sórdido na Kleine Schiffgasse, dificilmente atrairia a atenção de um homem como o Barão von Kirchmayr, a menos que o interesse do chefe de polícia tivesse sido direcionado por uma voz persuasiva da cidade natal de Alexander. E como Tausk levara Asher para um interrogatório formal antes mesmo da "entrevista" do próprio Alexander com von Kirchmayr, era difícil não ver o caso todo como uma campanha em duas frentes, voltada para enredar os dois juntos. A princípio, é provável que Asher tenha sido a presa mais importante dos dois. Por meio do Clube Mendelssohn, tinha oportunidade de ligar-se aos judeus mais destacados da província, inclusive até aos Rotenburg, e podia relatar as suas atividades sem despertar suspeitas. Ninguém, contudo, poderia prever o tamanho do sucesso de Alexander, nem mesmo levando em conta toda a ajuda que recebera secretamente do governo. Ver Alexander tornar-se um personagem louvado no mundo literário vienense foi um bônus inesperado para todos os envolvidos. Tausk, em especial, devia ter gostado de acompanhar de longe, sabendo ao mesmo tempo que tinha o poder de arruinar Alexander, bastando revelar ao Estado os serviços que ele mesmo ajudara a obrigá-lo a prestar.

Mas essas eram apenas especulações sem base de muito tempo atrás, provavelmente sem nenhuma relação com a história de Chudo. A fotografia intrigante era apenas isso: uma imagem tão indistinta que podia retratar metade dos judeus que Alexander conhecia. Em seu artigo, a própria Chudo admitia que nunca ouvira o nome de seu interrogador. Nenhum dos outros carcereiros o mencionara nem o chamara de nada além de Camarada, como se fosse perigoso simplesmente proferir-lhe o nome. Costumava andar acompanhado de um companheiro malvestido que parecia servir-lhe de guarda pessoal e intermediário junto ao resto do pessoal da prisão e que demonstrava, até onde Chudo podia avaliar, ter menos medo dele que os outros chekistas. Mas, como o homem não acompanhara seu chefe até Berlim, não havia fotografia dele para comparar com nenhum dos antigos conhecidos de Tausk. Todo o tempo em que Alexander repassava estes fatos, tentando entender o que significavam, se é que significavam alguma coisa, tinha a sensação desagradável de estar revendo uma de suas próprias tramas complicadas e transformando-a numa sátira contra si mesmo. No mundo de suas peças e romances, como nos contos de fadas e lendas que imitava até em suas obras mais irônicas, tudo era profundamente interligado e, quando uma aventura específica terminava de forma infeliz, os leitores ainda assim sentiam-se reconfortados ao ver as vidas dos personagens entretecidas com tamanha argúcia. Para Alexander, a sofisticação era uma virtude estritamente superficial, um tom no qual brilhava, mas que só usava como revestimento do ritmo deliberadamente simples da fábula em que se baseava a sua complexidade. No entanto, desde que saíra de Berlim esta necessidade de simplificação vinha transformando tudo numa paródia macabra. Afinal, o que alguém como Jakob Tausk fazia matando gente para o OGPU? Era tão absurdo como se os personagens de suas pinturas prediletas no Kunsthistorisches Museum decidissem passear por todas as telas. De repente, imaginou um grupo dos demônios deformados de Bosch tropeçando numa das cozinhas tranqüilas de Vermeer, onde continuariam a beber ruidosamente enquanto a luz da manhã fluía suave pela janela alta de vidros chumbados e uma única mulher pensativa despejava o leite de uma talha de cerâmica, num jarro de mesa azul-escuro e branco. Era exatamente assim que Alexander se sentia em relação ao reaparecimento de Tausk. Ele pertencia exatamente ao lugar onde Alexander o retratara em dúzias de esquetes, ao lado de Asher, os Rotenburg, o Conde-governador Wiladowski e o resto deles, e era pura maldade por parte de Tausk — quase uma profanação pessoal — reescrever-se, como se todo o mundo que Alexander construíra com tanto esforço nos volumes sucessivos que Broderson estava tão ansioso para reeditar não merecesse mais que uma olhada para trás.

Talvez os escritores chatos contratados por *A voz do trabalhador* estivessem certos, afinal de contas, e ele não entendesse mesmo muita coisa sobre as pessoas. Mas dificilmente estariam em condições de lhe dar conselhos, embora naquela época esta parecesse ser a especialidade da casa. Como aquela impossível Zuckerman, que implicava com todo mundo que conhecia, mas era tão dedicada a seu maravilhoso rabi Marx que preferiria morrer a proferir uma única palavra que não pudesse apoiar-se numa citação de algum dos seus textos sagrados. Alexander fora forçado a ouvir o bastante de seus sermões nos últimos dois ou três anos para que ele mesmo adquirisse, por força da repetição, um estoque de frases do mestre. Se acabasse concordando com as *Obras reunidas* e quisesse dela uma resenha adorável, talvez devesse escrever a Moscou e ver se o camarada Shubin, a/c Prisão Lubianka, aceitaria escrever a introdução de um dos volumes. Como era aquilo que ela adorava citar de Marx, sobre tudo o que era importante na história, que acontecia duas vezes, a primeira como tragédia, e a segunda como farsa? Que bobagem. Ele conhecia a farsa e a tragédia, e apostaria sua reputação profissional em que Marx entendera tudo ao contrário. Na verdade, como é que *algum* austríaco conseguia acreditar nessa tolice quando a história mostrava claramente que, nos países do Danúbio, tudo acontecia *primeiro* como farsa e só mais tarde, depois de uma pré-estréia na província em modo cômico, era adotado pelo resto do mundo e reencenado como tragédia? Alexander parecia recordar que Tausk desprezava essas analogias literárias improvisadas, mas se andava mesmo trabalhando para os bolcheviques, com seus teatrais congressos do partido e a sua floreada propaganda, não há dúvida de que tinha aprendido a disfarçar a repugnância. Na verdade, era exatamente a literariedade deliberada das pistas que ligavam o agente amedrontador de Dzerjinski, o enviado comercial Shubin e Jakob Tausk que mais incomodava Alexander. A história toda continha elementos de um melodrama de costumes que lembrava, de forma desagradável, alguns dos seus próprios sucessos fáceis. Um detalhe específico era tão embaraçosamente familiar que evitou mencioná-lo a Skubl. Desde as primeiras críticas a *O infortúnio do judeu*, Alexander divertira-se batizando os seus personagens mais obtusos e presunçosos com o nome de alguém que o tivesse contrariado antes em sua carreira. Os nomes eram suficientemente disfarçados para que Alexander pudesse demonstrar uma inocência espantada caso algum dos seus alvos o questionasse e, com o passar dos anos, o jogo se transformara mais numa piada particular do que num desejo de vingar-se dos críticos, cuja maioria, de qualquer forma, estava havia muito tempo esquecida. Somente Asher e talvez Tausk, se ainda estivesse vivo, saberiam da brincadeirinha. Assim, era impossível para Alexander dizer se o nome adotado pelo assassino do OGPU em sua viagem a Berlim fora ou não escolhido segundo um princípio semelhante, mas quem quer que tivesse crescido na fronteira entre o Império do czar e o de Francisco José teria reconhecido que Avrakham Shubin era um equivalente russo perfeito de Avraham Pelz, nome do único homem em cuja presença Tausk dissera sentir-se "sem valor". Fora Pelz que empurrara Tausk de vez para o mundo secular, condenando o seu aluno mais talentoso a viver naquele reino que o ensinara a ver como um reino de trevas espirituais, onde até as palavras da Lei saíam da boca dos homens já trazendo vestígios bestiais. Adotar o nome do seu professor para o mais imundo dos propósitos seria um ato de vingança — contra o Rabi Pelz, contra o que ele mesmo se tornara ou contra os dois ao mesmo tempo — do qual o Tausk que Alexander conhecera seria bem capaz. Alexander não era vaidoso a ponto de achar que o gesto de Tausk estava voltado contra ele. A trivial diversão de escritor a que se permitia estava sendo usada para fins muito mais malévolos. Se Alexander viesse a saber disso um dia não teria importância para Tausk. Era com o próprio ato de aviltamento que ele se preocupava; o resto não passava de anedota.

 A suspeita de Alexander de que todos esses fios só se entreteciam em sua própria imaginação não era muito tranqüilizadora. Até a serenidade do caminho deserto entre a densa floresta e a beira d'água, que em geral restaurava o bom humor de Alexander, deixou-o tão inquieto como se tivesse tomado a balsa da noite para cruzar o lago até o bar do Hotel Imperatriz Elisabeth. A esta hora o lugar já estaria mesmo fechado há muito tempo e daí a pouco a turma da manhã estaria chegando para servir o desjejum no terraço. Embora estivesse há várias horas caminhando do lado de fora, no ar frio da noite, Alexander não estava cansado nem com fome, mas seus sapatos tinham se encharcado com o orvalho do chão e ele ansiava por um dos charutos que deixara tolamente para trás em sua escrivaninha. A julgar pelos primeiros traços leves de vermelho e dourado que surgiam acima do monte Zwölverhorn, logo seria uma manhã gloriosa em Sankt Wolfgang. Agora, entretanto, tudo — as casas, as colinas e a água — ainda estava envolvido numa cerração suave e luminosa e as árvores pareciam simples manchas sob diluída névoa que engrossava o ar da madrugada. Estava na hora de ir para casa. Jamais conseguiria libertar-se de pensar em Tausk recorrendo a um homem como Skubl. Não era de trabalho policial que Alexander precisava e iludira-se ao pensar assim. As pessoas envolvidas nos problemas da cidade na época dos assassinatos da Praça da Catedral seriam mais úteis e ele pretendia entrar em contato com o máximo possível delas nas próximas semanas. No fim, a única defesa contra deixar que a sua história fosse imaginada por outros em seu lugar era aceitar a missão de contá-la ele mesmo. Ao subir a escada estreita, passando da cozinha no rés-do-chão para o escritório, decidiu como responderia a Broderson. Não era apenas o seu legado de escritor que estava em jogo agora. Concordaria em publicar as provisórias *Obras reunidas*, mas em vez da costumeira série de prefácios separados para cada volume, a introdução da edição inteira seria, sozinha, um livro novo, escrito especialmente para a ocasião e dedicado "à memória dos companheiros da minha juventude, Asher Blumenthal, na Palestina, e Jakob Tausk, onde quer que esteja hoje".

◆ ◆ ◆

A cada semana que passava, a escuridão começava a chegar mais cedo. Os segadores tinham terminado de ceifar os campos da borda da mata atrás da casa de Alexander, e as hastes cortadas que deixaram para trás pareciam prender cada fiapo de luz até o anoitecer. Alexander estava mais calmo agora, enquanto olhava pela janela do escritório. A irritabilidade que sentira depois de ver a fotografia de Shubin dissipou-se aos poucos com a tarefa delicada de iniciar a correspondência com pessoas que nunca vira, inclusive personagens importantes como a condessa Elisabeth von Alpsbach, viúva de um dos maiores proprietários de terras daquela que fora a sua província natal. Segundo Skubl, que, a despeito das dúvidas anteriores de Alexander, mostrou-se indispensável ao apresentar uma lista de nomes e endereços úteis, somente a morte heróica do conde na guerra fizera com que todos esquecessem que estivera envolvido, pelo menos indiretamente, nos assassinatos da Praça da Catedral. Os arquivos centrais da polícia, em Viena, revelaram que houve um debate considerável sobre a prisão de Ernst von Alpsbach como cúmplice, mas o auto-sacrifício do seu irmão mais novo durante os assassinatos e a ausência de provas definitivas da culpa de Ernst pouparam-no da ignomínia de um julgamento público. Circulou até uma história de que a viúva estaria escrevendo ela mesma um tipo de memória da família. Sua própria origem, aparentemente, era muito menos distinta do que os Alpsbach esperariam para a mulher do herdeiro da família e, talvez, ela tivesse decidido escrever para compensar a sensação de inferioridade social. Alexander resolveu aproveitar esta informação para aproximar-se dela como escritora, quase, como colega, e pedir-lhe ajuda para entender melhor o que acontecera nos bastidores dos círculos aristocráticos durante o último ano antes da guerra. Considerando o que Skubl lhe contara sobre o marido, Alexander foi discreto demais para referir-se diretamente aos assassinatos, mas tinha certeza de que, se era verdade que a condessa tinha ambições literárias, ela não deixaria de aproveitar a oportunidade para discutir o que sabia ou apenas imaginava sobre um episódio tão dramático com um escritor famoso como ele.

Em cada uma das cartas que enviou, Alexander ajustou sua abordagem inicial à que imaginava ser mais provável de provocar uma resposta. Mas como, muitas vezes, tinha pouquíssimas informações para começar, além de um nome e uma breve descrição da posição social ou da profissão da pessoa, redigir estas cartas já exigia um certo volume de romantização e, embora nem todos se incomodassem em responder-lhe, teve um retorno suficiente para dotá-lo de um rico estoque de pontos de vista e incidentes característicos que poderia, mais tarde, aproveitar. Esta era uma das analogias habituais de Alexander, e ele a usava de maneira estritamente prática e artesanal. Planejava usar tudo o que os seus missivistas lhe escrevessem como um pintor incorpora elementos diferentes de seus vários esboços numa única composição nova, combinando livremente, por exemplo, um rápido desenho a carvão do perfil de uma desconhecida, numa barraca no mercado, feito anos atrás, com um estudo mais recente em lápis e aquarela de rostos numa reunião política cheia de gente. A longa experiência fazia Alexander partir do princípio de que seus missivistas só concordariam em ajudá-lo se garantisse a cada um que somente as suas idéias seriam indispensáveis. Estava disposto a lisonjear todo mundo em sua lista, de grandes condessas a pequenos funcionários públicos aposentados, com imparcialidade profusamente democrática, mas para seu espanto não houve necessidade de nada disso. Pelo contrário, quase todas as respostas começavam com o reconhecimento de como era parcial e fragmentada a compreensão do próprio missivista a respeito dos acontecimentos. Longe de pretenderem uma visão geral confiável, foi exatamente a sensação de alguma coisa que ficara não tanto desfeita quanto incompreendida que fez várias pessoas a quem escreveu responderem tão pronta e extensamente às perguntas de Alexander. A busca de compreender aqueles meses frenéticos de tanto tempo atrás parecia extrair de todos os que tentavam uma declaração parecida de espanto e desorientação, aparentemente tão inevitável, apesar de bem menos tranqüilizadora, quanto o "era uma vez" do início dos contos de fadas. Mas essas declarações de incerteza eram regularmente acompanhadas de um ceticismo marcante, às vezes até de hostilidade manifesta, contra as outras versões da história em circulação. A verdade toda talvez nunca fosse conhecida, mas segundo os vários missivistas isso não era razão para que Alexander confiasse na versão interessada de mais ninguém. Não havia sequer um acordo sobre quais eram os atores mais importantes do drama e, conforme as cartas começaram a se acumular, as contradições e a rivalidade mal disfarçada entre as várias histórias tornaram-se tão atraentes quanto cada um dos verdadeiros relatos. Ainda assim, a correção de ponto de vista à qual Alexander mais resistiu foi também a única em que praticamente todos os seus correspondentes pareciam unir-se. Para eles, Tausk não era o personagem principal do drama. No máximo, fora como ferramenta habilidosa de um governador de província corrupto que Tausk obtivera alguma importância. Nem mesmo Asher, que Tausk importunara tão impiedosamente, via-o como algo além disso. Para Alexander, essas revelações inesperadas eram tudo, menos confortadoras. Era-lhe quase possível imaginar um enredo que ligasse a sombria figura capaz de inspirar medo até nos guardas da Lubianka ao Tausk que conseguira impor a sua vontade a toda uma província do Império, mas não se Tausk estivesse apenas executando as idéias de algum desgastado aristocrata Habsburgo. Uma vida assim parecia profundamente impossível de narrar, pelo menos nos termos que Alexander antevira.

Até então, assim que chegava ao que parecia ser um beco sem saída nalgum de seus textos, Alexander tomava isso como sinal de que estava no caminho errado. Desta vez, entretanto, ao invés de ficar tentado a abandonar a nova obra, sentiu-se obrigado a avançar pelos próprios obstáculos que lhe retardavam o progresso. A possibilidade de escrever deliberadamente alguma coisa que não pudesse ser lida como mais um item de nostalgia habsburguesa exercia uma atração mais forte do que tinha previsto. As declarações de solidariedade aos editores socialistas que Alexander fizera no fim da guerra não tinham sido tão cínicas quanto gostava de fingir para si naquela época; é verdade que os seus primeiros textos continham numerosas cenas satíricas que ridicularizavam a vacuidade do antigo Império, às vezes de forma tão contundente que von Kirchmayr o convocava e avisava-o de que era hora de conter a sua imprudência. O próprio barão achava os esquetes de Alexander bastante divertidos e acreditava que a fama de ousadia só poderia ajudar a confirmar a credibilidade do escritor junto aos radicais cujas atividades deveria relatar à polícia, mas outros membros do governo não tinham a mesma tolerância de Kirchmayr para com o humor judeu e consideravam um erro permitir qualquer zombaria vinda de fontes tão vis. Mais poderoso que qualquer censura, contudo, o próprio tempo parecia ter tirado todo o veneno de sátiras como as de Alexander. Suas cenas mais sarcásticas eram lidas hoje como recordações afetuosas e nostálgicas, principalmente pela geração mais nova, porque o mundo que viam ali descrito tinha morrido para sempre e os seus representantes mais fiéis estavam há muito enterrados nos mausoléus familiares ou nas sepulturas anônimas e coletivas da guerra. Como poderia o riso dos seus leitores não estar coberto de afeição quando a história já dera um veredicto muito mais duro do que qualquer um que Alexander poderia lançar sobre os seus personagens? Os alvos da zombaria dele tinham perdido também o poder de causar mais danos e, com esta perda, transformaram-se nos personagens tocantes de uma fábula que provocam aquela solicitude protetora com a qual o passar do tempo envolve aos poucos todas as lendas da infância. Mas e se os antigos demônios não tivessem ficado tão inofensivos, afinal de contas, e prosperassem como sempre, só que com fardas diferentes e outros títulos? Havia algumas coisas que talvez nem os vienenses seriam capazes de transformar em mais uma guloseima de marzipã, e Alexander foi tomado pela idéia de que, caso conseguisse pensar num modo de acrescentar este último e mais estranho dos seus "Contos da Galícia" às *Obras reunidas*, desvelaria uma dessas coisas.

Apesar de todo o prazer que tinha com o seu sucesso, Alexander jamais cometera o erro de identificar-se com os admiradores que ostentavam títulos de nobreza. Pouca coisa revoltava-o mais que a maneira como os cortesãos dos exilados Habsburgo com pretensões ao trono tentavam usar obras como a sua para patrocinar fantasias de voltar ao poder. Há três anos, quando *Um casanova das províncias*, de Alexander, estreara no Burgtheater, o ajudante-de-campo do imperador, Conde Trautmannsdorff, enviara aos bastidores uma guirlanda de congratulações envolta nas cores negra e amarela dos Habsburgo com um cartão efusivo assinado simplesmente "Trautmannsdorff". A princípio, Alexander não pôde deixar de sentir-se lisonjeado. Quando Francisco José ainda governava o Império, um Trautmannsdorff ficaria horrorizado com a idéia de admitir a existência de alguém como Alexander Garber. Mas quando este leu o bilhete de Trautmannsdorff e viu-se louvado como "um fiel combatente pela monarquia", o seu prazer transformou-se em nojo. "O inimigo do meu inimigo é meu amigo" sempre lhe parecera uma máxima vazia e nem mesmo as vergastadas cruéis das *Fräuleins* Zuckerman do mundo teriam feito com que se sentisse grato por um Trautmannsdorff considerá-lo agora digno de uma guirlandinha.

Uma coisa, pelo menos, ficava clara com tudo o que conseguira juntar até agora sobre os assassinatos da Praça da Catedral: fora um episódio sobre o qual nem o Conde Trautmannsdorff nem *Fräulein* Zuckerman gostariam de ler e, em seu atual estado de espírito, esta percepção foi suficiente para fazer Alexander avançar, apesar de suas dúvidas sobre a capacidade de tirar daí uma história coerente. Para ele, a harmonia formal de sua obra sempre fora importante e, sem dúvida, responsável pela impaciência mútua entre ele e os críticos de vanguarda. Mas até neste aspecto as suas preferências eram puramente instintivas. As discussões abstratas sobre arte sempre o deixavam indiferente e, embora lesse com toda a atenção cada discussão do seu trabalho, não importava quão obscura fosse a publicação onde saísse — ao mesmo tempo, é claro, em que afirmava nunca se incomodar em olhar as críticas —, jamais conseguira entender por que alguém capaz de escrever uma prosa decente gostaria de perder tempo com uma forma tão chata e tão mal paga quanto as polêmicas literárias. Agora, entretanto, enfrentava um dilema projetado para desconcertá-lo. A história que o atraía parecia exigir exatamente o tipo de ponto de vista fraturado e mutável que lhe dava tão pouco prazer como leitor e pelo qual, afinal de contas, nunca mostrara nenhuma tendência como autor. Era inútil conversar sobre o seu problema com homens práticos como Broderson e Skubl e, desde que não tinha mais de manter Kirchmayr informado sobre o mundo literário, Alexander evitara o máximo possível ter contato pessoal com outros escritores. Assim, foi como um presente totalmente inesperado que, quando mais precisava de ouvidos atentos, encontrou uma aliada apaixonada em Alicia Chudo. Ela fora uma das primeiras pessoas a quem Alexander escrevera ao voltar de Berlim, não só para dizer-lhe com que força o seu artigo o afetara, mas também para admitir que talvez tivesse conhecido e até mesmo sido amigo do homem que lhe causara tanto sofrimento. Aos poucos, um tipo de intimidade discreta cresceu entre os dois escritores, auxiliada, pensava ele, pelo fato de que ambos contentavam-se em confinar a relação inteiramente à página escrita, sem arriscar-se a estragá-la com um encontro pessoal. Para Alexander, a disposição da colega a ajudar lembrava-lhe às vezes uma das velhas sábias que surgiam regularmente em seus contos da Galícia para ensinar ao herói as virtudes da vida simples e camponesa, só que, como ela causticamente lhe recordou, Alicia não era velha, jamais fizera nenhum trabalho braçal na vida e achava que o comentário de Marx sobre a "idiotia da vida rural" era a única observação exata de toda a sua perniciosa obra. Também não era religiosa, avisara-lhe bruscamente, e preferiria com toda a certeza que ele nunca a imaginasse como voz de alguma profunda sabedoria espiritual vinda das longas vigílias na prisão com apenas os evangelhos e os últimos contos de Tolstói como companheiros. As celas da Lubianka eram cheias demais para estas cenas de conversão e, sob Dzerjinski, diversamente da época czarista, os livros eram totalmente proibidos. Além disso, ela detestava relatos de despertar espiritual e considerava-os quase tão responsáveis pelo infortúnio do seu país quanto os panfletos dos agitadores vermelhos. Sua falsa irritação deliciou Alexander. Não só Chudo tinha uma inteligência formidável como, o que era mais útil, parecia adorar exatamente o mesmo tipo de questões para as quais ele não tinha paciência. Estava fascinada pela tentativa de Alexander em descobrir o que acontecera a Tausk e, quando ele se queixou de que não conseguia avançar nada no caso e muito menos determinar se Tausk e o enviado comercial Shubin eram o mesmo homem, sua única resposta foi pedir uma cópia das várias cartas que Alexander recebera sobre o assunto. Três semanas depois de ter-lhe enviado um grosso pacote com tudo o que reunira até então, Alexander recebeu um telegrama de Berlim, que dizia apenas: "Chego Salzburgo três dias. Hospedada Caroline Potiorek Schrannengasse 12. Venha lanchar 15 horas. Chudo."

◆ ◆ ◆

Um convite para ser padrinho de casamento do filho mais velho do Conde Trautmannsdorff surpreenderia menos Alexander do que esta invasão nada bem-vinda em sua solidão de uma das poucas pessoas a quem atribuíra discrição suficiente para não transformar-se num incômodo. Será que estava errado na avaliação que fizera dela e que, por baixo da escritora sutil e de idéias claras que admirava havia apenas outra emigrada russa histérica, ávida para envolver todo mundo em suas autodramatizações? Ainda que tornasse o encontro o mais breve que a educação permitisse, era quase certo que o dia inteiro seria desperdiçado. Provavelmente acabaria tendo de alugar um quarto para passar a noite, para não ter de viajar de volta a Gschwendt depois do escurecer. Passou as horas seguintes recriminando alternativamente a si mesmo por ter-lhe escrito, e a Chudo, por tê-lo desapontado. Aos poucos, Alexander forçou-se a se acalmar e a avaliar a sério a possibilidade de que ela tivesse mesmo alguma coisa importante a lhe dizer. Entretanto, por mais que tentasse, via-se incapaz de imaginar o que poderia ser e, quando finalmente chegou a hora de partir para Salzburgo, estava irritadíssimo com toda a situação.

Pelo menos, a viagem de trem pelas montanhas íngremes, com o lago num brilhante azul Memling à luz do sol de fim de outono, ajudou a restaurar parte de seu bom humor, e na hora em que pôde avistar a grande fortaleza de Hohensalzburg e as torres do palácio do príncipe-arcebispo, sentiu-se capaz de renovar a sua resolução de aproveitar ao máximo o estranho capricho de Chudo. Nessa época do ano, a antiga cidade não estava muito cheia, mas ainda assim Alexander ficou contente porque a amiga de Chudo morava na margem direita do rio Salzach, a uma caminhada de poucos minutos, cruzando a ponte, do centro elegante da cidade. Encontrou o prédio sem nenhuma dificuldade e viu, pelos nomes gravados na porta, que Potiorek morava no segundo andar, no que parecia, pelo menos do nível da rua, ser um apartamento confortável e espaçoso. Alexander demorou-se alguns minutos do lado de fora, tentando determinar com antecedência o tom que adotaria para atravessar os primeiros momentos inevitavelmente incômodos do encontro que o esperava lá em cima.

No fim das contas, a sua hesitação foi inútil. Antes que chegasse à porta da frente, ela se abriu diante dele e uma mulher baixinha, de cabelo escuro, enrolada num casaco de pele grande demais e nada novo, saiu bruscamente do prédio e ficou na rua, fitando-o durante vários segundos.

— Bem, *Herr* Garber — saudou-o com voz levemente áspera e divertida, com apenas um sutil vestígio de sotaque russo —, como é óbvio que o senhor é educado demais para arriscar-se a incomodar duas velhas damas tocando a campainha, achei que devia descer e poupar-lhe o embaraço de ficar aí fora esperando. Embora fosse mais confortável fazer as apresentações lá em cima, estou muito contente em conhecê-lo e peço desculpas se o espantei com meu telegrama. Sou Alicia Chudo — acrescentou, desnecessariamente.

Então, num gesto que Alexander jamais esperaria de alguém que parecia tão segura de si e que se esforçara bastante para acalmar muitas dúvidas que ele alimentava por estar ali, estendeu-lhe a mão, acompanhada de uma reverência leve mas inconfundível, como a que uma menina faria no seu primeiro baile ou ao saudar os convidados num jantar oferecido pelos pais. Alexander sabia que ela devia ter mais de quarenta anos e não tentava parecer mais nova do que era, mas a combinação de uma coqueteria quase residual com a sua natural formalidade era uma reencenação tão óbvia de quem ela já fora em outro país e em outra época, que Alexander sentiu-se consternado por não ter trazido flores ou bombons para oferecer-lhe.

Mas a sua falta de previsão também deu a Alexander uma oportunidade que ele logo aproveitou. Tomou imediatamente a mão dela e baixou o rosto no beijo simbólico de inumeráveis peças teatrais austríacas, inclusive muitas das suas, ao mesmo tempo que sorria do exagero cômico do ritual, como se ele e Chudo dividissem uma piada sobre uma convenção tão claramente absurda.

— Claro, minha cara senhora, claro, compreendo perfeitamente. — E continuou: — Estou absolutamente encantado em conhecê-la. Apenas esperava aqui até conseguir decidir-me aonde levaria a senhora e sua amiga para um café. Estamos bem perto do Café Bazar, que tem doces decentes e uma bela vista do rio, mas que também é o ponto predileto dos tipos literários de Salzburgo. E há o Tomaselli, lá no Alter Markt, onde talvez haja uma variedade um pouco maior de doces. Mas como não sei aonde sua amiga já a levou, estava num verdadeiro dilema sobre o que sugerir.

Para alívio de Alexander, Chudo sorriu em todos os momentos certos com a formalidade zombeteira do seu discurso. No entanto, por trás da aparência divertida, o olhar de Chudo era distante e curioso, o rosto marcado pela fadiga apenas controlada por uma forte disciplina pessoal. Diversamente das mulheres austríacas de bom berço, que ainda achavam deselegante usar óculos em público e, em conseqüência, tinham um tipo de olhar sonhador e voltado para dentro que não passava da manifestação fisiológica de perceber o mundo através de uma névoa míope, Chudo usava o mesmo par de óculos grossos de tartaruga que Alexander lembrava-se de ter achado um tanto engraçados na fotografia da contracapa de um dos seus livros.

— Há pouco falei de duas velhas senhoras — respondeu ela, inclinando-se levemente na direção de Alexander sempre que falava, como se quisesse proteger as suas palavras de alguém que pudesse ouvi-las —, mas foi somente uma figura de linguagem. Na verdade, estou aqui completamente sozinha. Caroline foi a Munique passar uns dias e me emprestou o apartamento. Se não fosse assim, provavelmente eu não viria. Desde a minha experiência com o seu velho amigo na Rússia, passei a ter horror de dividir um lugar com alguém. Assim, pode ver que sou só eu a convidar. O Tomaselli será perfeito.

Embora o alemão de Chudo fosse gramaticalmente perfeito e, em certos momentos, até elegante, nada podia ser mais distante da ondulação rítmica e contínua da fala austríaca do que as emissões em *staccato*, emolduradas por breves silêncios, com que ela disparava as suas frases. E também não soava como alguém de Berlim, embora fosse lá que tivesse passado mais tempo depois de ter sido expulsa da Rússia. Ao ouvir Chudo contar-lhe a sua viagem enquanto caminhavam juntos pelo cais e depois cruzavam a ponte rumo ao Alter Markt, Alexander teve a impressão de que ela se apropriava da nova língua como um extranacionalista que tivesse dominado os seus mecanismos mas que nunca se sentiria à vontade dentro dela.

Era espantosa a quantidade de bolo que uma pessoa tão miúda conseguia consumir sem se sentir nem um pouco enjoada. Chudo estava na terceira fatia, depois de decidir que, em vez de escolher entre os vários que Alexander recomendara, seria mais lógico prová-los um de cada vez. Entre os doces, cada um dos quais acompanhado por mais uma xícara de café preto e forte, bebido, para escândalo evidente do garçom, sem creme, Chudo olhava em volta para as elegantes vestes de inverno das damas que faziam do Tomaselli o seu ponto de encontro regular às tardes e, em vez do comentário irônico que Alexander esperava, aprovou claramente a atmosfera de sonolência bem alimentada que ali reinava. Ela captou a expressão surpresa e balançou levemente a cabeça, como se quisesse dissipar os comentários mais cortantes dele antes que os proferisse em voz alta.

— Aprendi a não julgar com tanta rapidez as pessoas cujo único crime é se divertirem, ainda que a sua conversa não seja exatamente do tipo que me deixaria tentada a participar — disse-lhe. — Ninguém aqui se importa com o que viemos conversar, o que simplesmente deixa a nossa própria conversa menos restrita. Além disso, para mim é difícil ficar indignada com gente cujos principais vícios são a paixão pelos doces, um pouco de malícia e muita fofoca. Sabe como definem um homem decente no meu antigo país? Como alguém que sabe que tem de se comportar feito um porco para sobreviver, mas que não se diverte muito com isso. Bem, vi muitos porcos que, quanto pior é seu trabalho, mais se divertem e, assim, sinto-me à vontade por saber que estou num salão com pessoas cuja única reação por me desaprovarem é fingir que não existo. Já notou como todas as mulheres olharam para longe assim que me viram nesse casaco ridículo de que tanto gosto, ao passarmos pela porta? Principalmente a dama com o broche de esmeralda na mesa do meio. Ela nos estudou até chegarmos aqui, mas sem nunca levantar os olhos do seu prato. É óbvio que o reconheceu e não consegue imaginar o que está fazendo aqui com uma mulher vestida como eu e que, assim, não pode ser a sua amante nem uma protetora rica.

Alexander olhou na direção indicada por Chudo e reconheceu Johanna von Welden, mulher cujo marido de classe média fizera fortuna durante a guerra fornecendo ao exército imperial munição cuja taxa de falhas era uma desgraça tão grande que quase foi preso como sabotador. Em vez disso, numa solução típica do gabinete de guerra durante aqueles últimos meses caóticos, decidiram dar a Welden um título de nobreza, na esperança de que isso o encorajasse a baixar a margem de lucro e melhorar a qualidade dos seus produtos. O fabricante recém-enobrecido não fez nada disso, mas desde então a República fora declarada, Johanna reinventara-se como partidária fanática dos Habsburgo, anti-semita apaixonada e a encarnação viva dos valores pré-industriais da velha Áustria. Para sua infinita tristeza, não perdera um só parente na guerra e, assim, não podia usar uma vestimenta de luto que combinasse com a sua nova posição mas, depois de muito choro e lamentação, primeiro com o seu confessor e depois com uma habilidosa costureira judia que encontrara, decidiu-se por um chapéu negro de severa elegância com um véu delicado que servia para protegê-la do pó das ruas e, ao mesmo tempo, sugerir, sem afirmar abertamente, que ela também participara diretamente da calamidade da nação.

Alexander encontrara um número suficiente de mulheres como ela para acreditar que fossem tão inofensivas como Chudo supunha. Se algum dia fossem responsáveis por algo além da disposição dos convidados num jantar nacionalista, tinha certeza de que a vida dele sofreria uma visível virada para pior. Mas, como não havia a menor possibilidade de isso acontecer, Alexander não teve vontade de discutir a questão com Chudo que, ele suspeitava, provavelmente não se deixaria convencer, nem mesmo tratando-se de gente do próprio país dele. Além disso, Alexander estava se divertindo muito a ouvir o fluxo interminável de teorias de sua companheira sobre tudo o que cruzasse o seu campo de visão para pensar em questionar as suas conclusões. Ela era a pessoa de mente mais teórica que ele jamais encontrara, mas o aspecto mais fantástico e redentor, do ponto de vista dele, era que a tese principal de Chudo parecia ser a extrema perniciosidade de toda tendência a teorizar demais. Enquanto fazia incursões impressionantes numa esculpidíssima torta de creme de nozes com três camadas, Chudo deu uma conferência completa sobre o tema, durante a qual Alexander contentou-se em sorrir e concordar com a cabeça, na esperança de que assim agindo se eximiria de demonstrar que entendia o que ela estava dizendo.

— O grande vício do meu povo — o tom da voz de Chudo alertou-o de que estava no processo de sumariar os seus pensamentos e, assim, Alexander tomou o cuidado de prestar bastante atenção — um vício que em boa parte imitamos dos alemães, aliás, é esquecer que a única verdade que importa já está sempre ali, na nossa frente, oculta aos olhos e irreconhecível não devido à sua complexidade, mas à sua própria condição de coisa comum. Gastamos todo o nosso tempo à procura de alguma lei ou padrão misterioso por trás da existência humana e, assim, ficamos cegos às contingências aleatórias e ocasionais que acabam configurando quem somos e que tipo de mundo fazemos. — Com precisão admirável, tanto o discurso quanto o último pedaço de torta chegaram ao fim.

— Eis alguém que poderia fazer até Ruth Zuckerman se calar. Ora, ela conseguiria pensar, falar e comer Zuckerman rumo ao nada. — Alexander imaginou a cena com alegre expectativa. Quando ficou claro, no entanto, que apesar de todos os seus diligentes sinais com a cabeça e sorrisos sinceros, Chudo ainda assim esperava algum tipo de resposta, Alexander decidiu que a jogada mais segura seria fazer pouco do seu discurso ressaltando que, principalmente na Áustria, onde as idéias abstratas sempre foram vistas como se tivessem um leve cheiro de vulgaridade e sedição, a concepção de Chudo, com certeza, seria bem-vinda. E acrescentou que, como judeu que, pelo menos em princípio, ainda esperava pelos sinais da vinda do Messias, considerava a busca de presságios ocultos e significados misteriosos em acontecimentos aparentemente fortuitos como obrigação quase religiosa. Mas era um dever que estava disposto a abandonar a seu pedido, assim como já fizera com todas as outras injunções da sua fé.

Em vez de sorrir com a tentativa de piada, Chudo sentou-se muito ereta em sua cadeira e fitou-o com o mesmo olhar perscrutador e curioso que notara quando se encontraram pela primeira vez na frente da casa da Schrannengasse.

— O senhor escreve comédias maravilhosas, *Herr* Garber — disse ela, finalmente, numa voz que não tentava esconder a fadiga —, mas não há razão para se fazer de bobo num lugar que já tem bobos demais. — Ao dizer isso, ela fez um gesto amigável com a cabeça na direção da mesa de von Welden, cujas ocupantes agitavam-se barulhentas com suas estolas e regalos antes de voltar para jantar em casa. — O senhor é a refutação perfeita de todas as bobagens que Wagner escreveu sobre os judeus artistas.

Chudo pareceu encontrar nova energia ao lançar-se no que Alexander temeu que pudesse vir a ser um rol vigoroso e desagradável das suas falhas. Por um momento, perguntou-se se um novo doce desviaria a atenção dela, mas abandonou essa esperança quando ouviu-a começar outro de seus inconfundíveis acessos discursivos.

— Lembra-se de como ele afirmou que os judeus jamais conseguiriam ir além do elemento racional na arte, de modo que sempre seriam críticos e analistas do que os outros criavam? Bem, com o senhor, pelo contrário, tudo é instinto, talento e encanto, mas sem nenhum sinal de inteligência analítica nem de faculdade crítica. Mas são essas exatamente as qualidades de que precisa para terminar o trabalho que começou. Para um escritor não há problema algum em usar o cérebro, ainda que queira ver a sua obra encenada no

Burgtheater, possuir uma casa no Wolfgangsee e convidar uma irritante refugiada russa para um lanche no Café Tomaselli.

— Sabe quem foi a última pessoa que falou comigo quase nos mesmos termos? — O olhar contente dela mostrou-lhe que Chudo reconhecera de imediato que ele acabara de dar um passo importante em sua direção. — Foi décadas atrás, na minha cidade natal, antes que eu fosse a Viena pela primeira vez. Só havia duas pessoas a quem mostrei os textos que escrevera nos três anos anteriores e que planejava levar comigo para a capital. Asher Blumenthal, que elogiava tudo o que eu punha em suas mãos como se fosse um manuscrito perdido de Schiller, e outro amigo, que guardou os meus cadernos durante mais de um mês antes de devolvê-los e, com a maior seriedade, insistiu para que eu queimasse tudo até aprender a pensar como adulto e ter algo que valesse a pena escrever.

— Jakob Tausk?

Mais que perguntar a Alexander, Alicia estava tentando cercar o nome com pontos de interrogação como um ato de autopreservação, do modo como um camponês seguraria o seu rosário caso sentisse a presença de algo mau.

— Sim, quem mais senão Tausk? Do jeito que era quando o conheci, mais perdido em seu exílio do seminário do Rabi Pelz do que a senhora hoje em seu exílio da Rússia. Pelo menos, a senhora foi capaz de trazer consigo aquilo em que acreditava quando cruzou a fronteira pela última vez. Para Tausk foi diferente. Teve de deixar para trás tudo o que era importante para ele, no único lugar a que jamais deu importância. Pode trabalhar para Dzerjinski hoje em dia, mas não consigo acreditar que as opiniões de seus novos senhores lhe importem mais do que as do conde-governador, a quem serviu antes da guerra.

Por algum tempo, nenhum dos dois falou. Alexander temeu que a comparação entre o destino dela e o de Tausk ferisse Alicia, mas quando examinou-lhe o rosto notou que, pelo contrário, ela parecia estar mais em paz do que nunca desde que tinham entrado no café. Estavam sentados em lados opostos da mesinha de mármore, com a intimidade silenciosa de pessoas que não precisam de palavras para sentir-se à vontade. Lá fora já estava bem escuro e, exceto pelos lampiões que iluminavam as pedras do pavimento com vibrações de luz que diminuíam lentamente, a praça inteira em frente ao Tomaselli estava completamente deserta. Como previra, era tarde demais para que ele voltasse para casa, e pediu ao *maître* que telefonasse para o Goldener Hirsch, confirmasse a reserva que fizera para aquela noite e lhes avisasse que chegaria lá bem tarde. O que quer que fosse importante o suficiente para que Alicia fosse até Salzburgo contar-lhe era quase palpavelmente audível nas hesitações entre as frases dela, mas Alexander sabia que qualquer esforço para apressá-la seria inútil e, um tanto para sua própria surpresa, descobriu que a impaciência com que chegara à cidade naquela manhã já se dissipara bastante.

Estavam sentados há muito tempo e Alexander começava a sentir necessidade de esticar as pernas. Parecia frio demais para sugerir um passeio noturno e na verdade não havia nenhum lugar para ir, já que todos os prédios históricos interessantes estavam fechados há horas. Para muitos de seus conhecidos vienenses, não havia nada de estranho em sair do café predileto àquela hora, passar depressa em casa para trocar de roupa e seguir diretamente para o jantar, e ele conhecia vários restaurantes de primeira classe na vizinhança. Mas, por morar sozinho no lago durante vários meses do ano, Alexander perdera o hábito de comer mais que um sanduíche à noite. Acendeu um charutinho para ajudar a digestão e contentou-se em escutar o murmúrio amortecido dos garçons limpando as mesas próximas. Chudo também parecia estar descansando, profundamente absorta nos próprios pensamentos; os olhos estavam meio fechados, os óculos cuidadosamente dobrados e pousados ao lado da xícara vazia de café à sua frente. Mas depois de outro quarto de hora, sentiu a crescente necessidade dele de mudar de cenário quase no mesmo instante em que ele mesmo a percebeu. Endireitou-se, pôs os óculos de novo e fez-lhe um sinal solidário com a cabeça:

— Bem, este lugar com certeza merece a fama que tem e adorei termos vindo aqui. O que proponho agora, no entanto, só se o senhor tiver tempo, é claro, é voltarmos juntos para a Schrannengasse. A caminhada nos fará bem e tenho de voltar ao apartamento de qualquer modo, já que deixei todas as luzes e o aquecimento ligados e não quero que Caroline fique sobrecarregada com as minhas extravagâncias quando voltar de Munique. Além disso, depois de tanta permissividade aqui, creio que vai demorar um pouco antes que qualquer um de nós esteja disposto a jantar. Acontece que fui ao mercado hoje de manhã e gostaria de preparar uma ceia leve para nós mais tarde. Primeiro, entretanto, acho que já é hora de pôr a nossa cabeça para trabalhar a sério nesta sua história da Galícia. O que o senhor acabou de dizer sobre Tausk me mostrou como eu estava certa ao vir visitá-lo.

◆◆◆

A noite estava muito mais fria do que parecia dentro do café, e na hora em que chegaram à Schrannengasse os dois se alegraram por ela ter esquecido de desligar o aquecimento. Tinham esticado um pouco o passeio para admirar a cidade sob o céu de um negro azulado brilhante e límpido, com apenas uma curva fina de luar suspensa como uma meia pincelada sobre as cúpulas. Vista apenas em sombras, a Catedral do Arcebispo e as numerosas igrejas paroquiais perdiam boa parte de seu pesado triunfalismo e ficavam, se não translúcidas, no mínimo menos maciças, envoltas numa escuridão que era muito mais concreta que a simples pedra. Alexander, que só sentira indiferença quando caminhara por elas durante o dia, viu-se revigorado de prazer enquanto guiava a sua companheira pelas ruas estreitas que se abriam em mais uma praça vazia, decorada como um palco com casas elegantes e igrejas que eram, elas mesmas, suntuosos palácios barrocos. Não sentiram necessidade de comentar os vários prédios quando se aproximavam deles e simplesmente continuaram a caminhar, prosseguindo a conversa anterior como se nunca tivessem se levantado da mesa. Ainda assim, quando, mais tarde, Alexander recordou aquela noite, percebeu com que força tudo o que viram entretecera-se em suas palavras, passando a fazer parte daquilo que disseram, do mesmo modo que a trama de uma tela específica e as camadas prévias de tinta aplicadas antes que o artista finalmente decida o seu tema tornam-se parte da composição final.

Foi em frente à pesada porta de carvalho, guarnecida de dobradiças de ferro, que servia de entrada lateral da Igreja Franciscana, que Chudo desviou-se de repente do que vinham conversando no momento anterior e disse:

— Fiz papel de boba lá no final, caro *Herr* Garber, não o senhor, e peço desculpas por tê-lo tratado de forma tão leviana. Não pensei que eu fosse me entender melhor por causa de um comentário jogado à toa num café por alguém que conheci há poucas horas, mas foi exatamente o que aconteceu e seria ignóbil da minha parte não admitir isso. Suponho que seja isto o que faz suas comédias durarem em minha lembrança, mesmo quando não sinto muito interesse pela trama nem pelos personagens. Um deles diz alguma coisa de passagem, sem ligação com o enredo, mas isso fica comigo depois que já esqueci a maior parte das falas sérias das peças sérias daquela temporada. Mas aquilo de que falamos agora *é* difícil e não acho que o senhor possa tratá-lo como assunto secundário, não importa o quanto prefira instintivamente trabalhar assim. O que disse sobre o exílio me fez querer contar-lhe que o que aprendi em minha própria vida é, simplesmente, que todo amor é acompanhado da possibilidade de perda. E quanto mais profundo o amor, mais constante é a dor quando o que antes foi tão valorizado parece desaparecer para sempre. Seja uma pessoa, um pedaço de litoral ou o som de um idioma, quando alguma coisa básica para a nossa identidade nos é arrancada nada no mundo volta a ser o mesmo. Nem a distância geográfica importa. A pátria perdida pode ser tão remota quanto a Palestina para os judeus de hoje na Rússia ou tão próxima quanto a distância entre a sua cidade natal e o seminário de onde Tausk foi banido. Todos vivem comparando o exílio com a morte de um ente querido, mas para mim isso parece basicamente errado. É mais como uma traição da qual é impossível se curar por completo, porque a possibilidade do caminho de volta continua a existir. Para nós, exilados, a esperança também faz parte do tormento. A espera inútil de reconciliação, de uma mudança de idéia na pátria que tornasse possível voltar, não aprofunda constantemente a dor da vida de todo exilado? Ainda mais quando esses sonhos são sempre sonhados inutilmente, no estrangeiro.

 Alexander acreditou que essas palavras dirigiam-se a ele, mas sentiu-se grato pela escuridão que tornava impossível a Chudo ver como ele devia estar impassível. Podia dizer, pelo tom de voz dela, que falava do fundo de seu ser, mas havia nele alguma coisa que não reagia nem às abstrações mais profundamente sentidas; e só conseguia dar algum sentido emocional à descrição dela traduzindo-a numa lembrança pequena e pessoal dos seus próprios primeiros meses em Viena. Sabia que o dom da empatia de Chudo faria com que entendesse as suas recordações privadas como a forma mais sincera de responder-lhe, e enquanto caminhavam lentamente pelos quarteirões elegantes do centro da cidade rumo à ponte que unia as duas margens do Salzach, começou a contar-lhe os seus primeiros meses na capital. Descreveu o cheiro empanzinador de querosene velho e suor que permeava todo o bairro, a parede negra imunda e coberta de fuligem e o telhado apodrecido e manchado da casa vizinha, para o qual dava a janelinha minúscula do seu quarto, o céu sempre pesado de fumaça, pó de carvão e neblina e a fome que o deixava exausto mesmo antes que o dia começasse. Mas, em meio a toda esta sordidez, o que mais o fazia sofrer era o temor constante de ter de voltar para a Galícia como um fracassado. Certo verão, dividiu um quartinho com o aprendiz de uma cervejaria próxima, ousado o bastante para contrabandear a namorada à noite, passando pela senhoria adormecida. Enquanto os dois estavam juntos na cama, Alexander tinha de passar as horas da madrugada, antes que a moça escapulisse de novo, perambulando sozinho em Viena, com esperanças de evitar que a polícia o prendesse como vagabundo. Mas, como contou a Chudo, em vez de lamentar a imposição, descobriu que: "Nunca me senti mais como eu mesmo do que quando andava de lá para cá na sala de espera da Estação Ferroviária Oriental, fingindo que esperava um trem, ou me sentava nos restaurantes que ficavam abertos a noite toda perto da estação, observando as poucas prostitutas da rua e os estivadores sem trabalho que procuravam abrigar-se da neblina noturna. Mesmo depois, quando pude pagar um apartamento só para mim, com uma escrivaninha decente e os meus manuscritos empilhados ao meu lado, não me reconhecia de maneira tão completa em meu ambiente como naquela época, naqueles duros bancos de madeira da sala de espera da terceira classe. Alguma coisa dentro de mim sentia que eu pertencia àquilo ali, junto das outras almas que tinham sido abandonadas para sempre mas que, de algum jeito, ainda estavam decididas a sobreviver. Não só o estudante pobre, o homem traído ou a amante envelhecida que sabe que está perdendo o homem que adora para uma rival mais nova. É verdade que esses tipos sempre foram peças básicas das minhas comédias e talvez eu tenha facilitado demais as coisas para mim, mas ultimamente venho pensando mais sobre uma criança deixada aos cuidados de estranhos indiferentes pela mãe com quem contava para explicar-lhe o mundo, ou o soldado traumatizado de família nobre que volta da guerra para um país que não reconhece mais. Para ambos, a única vivência que tem importância real tornou-se completamente inexprimível e me pergunto se conseguiria escrever uma peça em que esses dois aparecessem no palco e nunca dissessem uma só palavra, enquanto todo mundo corria daqui pra lá aos gritos, diagnosticando o seu problema."

— E seriam acompanhados por um aluno da *yeshiva* expulso para um reino povoado de demônios e cascas sem alma e que sente que se torna um deles? — especulou Alicia. — Fico me perguntando, como ele se encaixaria na sua nova trupe? A *commedia dell'arte* atualizada de Alexander Garber. Se o caso é fazer uma peça com esses abandonados, provavelmente a resposta é não, pelo menos não se quiser continuar a ter suas peças produzidas no Burgtheater. Mas antes de deixarmos a margem do rio e entrarmos na Schrannengasse, gostaria de dar mais uma olhadinha na cidade velha. Às vezes, em Berlim, sabe, tenho noites como as que descreveu, quando ia observar as pessoas na estação de trem. Só que o que faço é caminhar durante horas até quase amanhecer e procurar um lugar alto nalgum parque acima da cidade para esperar o nascer do sol.

Eles caminharam bem devagar pelos últimos quarteirões e viram as estrelas suspensas em ordem lúcida bem acima do Mönchsberg, claras como fagulhas de neve num trilho de ferro.

A primeira coisa que Chudo fez depois de tirarem os casacos e galochas foi preparar chá num enorme samovar antigo, presente de seus pais aos Potiorek antes da guerra, quando as duas meninas ainda trocavam visitas anuais de verão. Ela tomava chá à moda russa, pegando um pouquinho de açúcar, colocando-o na boca e dissolvendo-o aos poucos com cada gole do líquido quente e forte. Quando já tinham se aquecido bem, ela entrou no quarto e voltou com um maço que Alexander reconheceu como sendo o das cartas que lhe enviara. Ela abriu espaço na mesinha diante deles, onde colocou o dossiê, e, pelos seus modos, Alexander poderia dizer que agora tratava de negócios, uma escritora profissional a ponto de dar conselhos a um colega com problemas.

— Será que alguém na sua cidade gosta mesmo dos que moram lá? — começou ela. — A julgar pela maneira como ainda falam uns dos outros nestas cartas, com certeza não parece. Fico pensando com meus botões que terreno ideal seria para um espião da polícia, já que as pessoas que teria de vigiar mal podem esperar para delatar-se umas às outras. No entanto, o que realmente salta aos olhos, e no princípio foi muito difícil para mim ver isso, já que, seja qual for o nome que use hoje, o seu Jakob Tausk é uma figura tão apavorante em minha vida, é como a maioria dos seus correspondentes está intrigada por você começar perguntando por ele. Mas não parecem nada surpresos com um estranho que lhes escreve para perguntar o que aconteceu há mais de uma década. Nem um pouco. Lendo as entrelinhas, tenho a sensação de que alguns deles passaram anos esperando que alguém entrasse em contato, refletindo cuidadosamente sobre as respostas que estariam dispostos a dar. E aí a sua carta chegou. Só que continha perguntas totalmente diferentes daquelas que tinham previsto e, assim, há esta mistura estranha de alívio e espanto em suas respostas. A maioria deles não parece se lembrar de muita coisa sobre Tausk, exceto que todos o detestavam profundamente. É claro que não pensavam nele há um tempo enorme e não estão muito curiosos com o que foi feito dele, mas também não relutam em falar sobre tudo o que ainda recordam pessoalmente sobre ele. Mas aí comecei a me perguntar: se as pessoas que procurou não ficaram nervosas com as perguntas sobre sua relação com Tausk, o que é que os preocupa tanto? Por que todo este esforço para colocá-lo em guarda contra qualquer coisa que algum dos ex-vizinhos poderia lhe contar? Tem de ser mais do que apenas o resto de antigas rixas. Há alguma coisa na história toda que os deixa muitíssimo pouco à vontade. Não posso dizer com certeza se foi medo ou embaraço que senti, mas seja o que for que tenha acontecido lá na Galícia depois que o senhor partiu para Viena e Tausk foi trabalhar para o governador da província, isso ainda perturba quase todos os seus missivistas. Qualquer um que examine estas cartas chegaria a uma conclusão parecida e tenho certeza de que, se o senhor perguntar ao seu amigo policial, ele lhe dirá exatamente a mesma coisa. Mas reconhecer todos esses sinais de mal-estar não me deixou mais perto de conhecer-lhe a causa. Tenho de admitir que estava ficando frustradíssima. Era tão torturante quanto olhar por muito tempo para um dos grandes retratos que Velázquez pintou de Felipe IV e perceber a sombra clara de uma pintura completamente diferente por baixo, logo abaixo da superfície, sem jamais conseguir determinar com exatidão o que foi coberto e substituído pela imagem do rei. Sem dúvida, as coisas ficariam por aí se um dos seus missivistas não me ajudasse sem querer a ver a imagem meio escondida que quase deixei passar. Como na verdade é na sua história que estamos trabalhando e não na minha, eu devia ter adivinhado que a primeira pista viria como coisa secundária. Está numa das cartas que o senhor não se incomodou em marcar à margem com comentários e posso, com certeza, entender por quê. Mas é um documento divertido por mérito próprio. A missivista assina-se *Frau*

Hofrat Simeon Pichler-Ziolkowski (que nasceu Sophie Pichler) e conta-nos várias vezes que o marido é um dos advogados mais bem-sucedidos e importantes de Viena. Parece que o seu pai tinha uma posição semelhante na Galícia e, pelo menos segundo ela, era um sócio de confiança do velho Moritz Rotenburg. Em suas lembranças, o evento mais importante de toda aquela época foi o seu quase casamento com Hans Rotenburg, herdeiro de todos os milhões dos Rotenburg, que a cortejava sem cessar, mas que ela acabou rejeitando devido às suas idéias políticas impossíveis. Não se recorda de jamais ter visto Tausk e não sabe por que o senhor lhe escreveria a seu respeito, já que "gente na posição da minha família não tem tratos com a polícia secreta". No entanto, ela acrescenta que, se Tausk tivesse feito seu serviço direito, e foi aqui que eu esperava que ela dissesse alguma coisa sobre a prevenção dos assassinatos da Praça da Catedral, teria prendido Elisabeth Demetz, responsável não só pela política desagradável do jovem Rotenburg como também pela corrupção moral de alguns dos melhores partidos dentre os aristocratas solteiros da cidade. Ela continua no mesmo teor durante várias páginas, revelando-se mais desagradável a cada parágrafo e alegremente ignorante de como está soando. Acabei rindo alto. Mas aí um dos seus parágrafos me atingiu com mais força do que tudo mais no dossiê inteiro. Perto do fim da carta, pouco depois de despejar outra longa queixa contra a menina Demetz, a ex-*Fräulein* Pichler diz: "E, afinal de contas, além de todos estarem preocupados com o meu noivado iminente com Hans Rotenburg, havia tanta coisa acontecendo naquele inverno que ninguém do meu círculo teria tempo para se preocupar com algum espião do conde-governador. O senhor deve lembrar-se de que foi o inverno mais frio em mais de uma década e que a província sofria um revés econômico que atingiu quase todo mundo. Acho que os Rotenburg foram os únicos a não serem afetados por tantos fracassos comerciais e me lembro de ouvir meu pai e minha mãe cochichando que, de algum jeito, Moritz Rotenburg tinha de estar por trás de todas as falências, já que parecia estar se aproveitando tão bem delas. Papai não parava de dizer que, se pudesse prever a estratégia de investimentos de Rotenburg, todos nós também estaríamos fazendo fortuna com a depressão." Para mim, não parece que seu pai e Rotenburg fossem assim tão íntimos, se Pichler não fazia idéia do que pensava o financista.

Alexander interrompeu.

— Esta é apenas uma das razões pelas quais não pude levar a sério nada em sua carta. Além disso, ouvi falar no nome do marido dela algumas vezes em Viena, mas nunca com muito respeito. É um advogado de segunda classe que vive tentando atrair favores cumprindo missõezinhas para gente influente. Skubl, que é meio esnobe nessas coisas, já o descreveu como tendo o temperamento de um garçom que sempre dá o troco errado a favor de si mesmo.

— Bem, é claro que ela está mentindo sobre o pai e o marido. Provavelmente, também sobre Hans Rotenburg, mas isso não tem nada a ver com o que torna a carta tão importante. Olhe de novo e verá o que me chamou a atenção.

Alicia, que tinha se aproveitado do desabafo de Alexander para servir-se de outra xícara de chá, pousou-a na mesa e continuou lendo em voz alta.

— "Pelo menos em nossa mesa, papai estava muito mais preocupado com o risco de violência dos grevistas do que com as intenções dos espiões da polícia. Todas as pessoas sensatas da cidade achavam que o conde-governador era mole demais com os possíveis criadores de problemas e queriam que o exército fosse chamado para manter a ordem. Veja, metade dos trabalhadores estava se unindo aos vermelhos, liderados por um agitador profissional chamado Nathan Kaplansky, e a outra metade, ou pelo menos todos os judeus pobres entre eles, fora completamente hipnotizada por um estranho rabino milagroso da Rússia — esqueci o nome, mas tenho certeza de que há bastante gente que ainda se lembra dele — que, na verdade, acreditavam que fosse o Messias. Para ser justa, não eram apenas os judeus desempregados. Muita gente que devia ter mais bom senso caiu também sob o feitiço do homem. Ele e Kaplansky foram mais dois fracassos deste Tausk por quem o senhor tanto se interessa, já que não os deteve a tempo, assim como não impediu Elisabeth de arruinar o meu noivado. Pessoalmente, não consigo ver como um espião de província fracassado poderia ser um tema muito interessante para alguma de suas peças, mas tenho certeza de que o senhor é que sabe, e estarei sempre satisfeita em ajudar um conterrâneo como o senhor. Da próxima vez que uma peça sua for encenada no Burgtheater, seria um grande prazer para mim e para o meu marido comparecer à estréia e encontrá-lo em pessoa. Agora que estamos em contato e o senhor tem o nosso endereço, espero que possamos contar em figurar na lista de convidados oficiais de suas estréias."

— Quando o rei da Inglaterra usar um quipá! — murmurou Alexander com um sorriso. Mas logo quebrou o clima leve repetindo que estava tão perplexo quanto antes sobre o que havia de útil na carta de Sophie.

— Não exatamente na carta — respondeu Alicia —, mas no que ela me fez lembrar. Temo que nós, emigrados, sejamos tão ruins quanto a sua Sophie Pichler. Parece que passamos mais tempo brigando entre nós sobre pequenas diferenças doutrinárias do que nos organizando contra os bolcheviques ou nos ajudando uns aos outros. Mas ainda há algumas pessoas em nossa comunidade que aprendi a admirar, e uma delas, em especial, tornou-se uma amiga querida, embora eu a veja muito pouco. Seu nome é Sonia Sonnenschön e ela é médica de uma das clínicas gratuitas para os pobres na área de Scheunenviertel. Apesar do sobrenome alemão, ela é bem russa. Sua família vivia em Odessa desde o início do século passado. É uma das pessoas mais decentes que conheço e a única razão pela qual a vejo tão pouco é que trabalha demais em sua clínica. Às vezes, no entanto, consigo convencê-la a tirar uma tarde de domingo de folga e aí tomamos café juntas e passeamos pelas avenidas, olhando as vitrines das lojas chiques e batendo papo. Ela é muito tímida e, ao contrário da maioria de nós, emigrados, não gosta de falar do seu passado, mas com o tempo consegui fazer com que me contasse sobre sua infância. Há um ramo da história de Sonia que se encaixa tão bem com o que a tal Pichler-Ziolkowski lhe escreveu que, quando cheguei naquela parte da carta, dei um pulo e gritei tão alto que a senhoria veio bater à minha porta, pensando que eu tivera um derrame. Por mim, estou convencida de que encontramos o personagem que faltava e que todo mundo está tentando apagar inteiramente do quadro. Mas estou tão ansiosa para resolver o problema que não confio em mim completamente para avaliar a informação com objetividade e, se você me disser que o que digo não faz sentido nenhum, não vou discutir. Pelo menos, não muito.

Alexander esperou alguns instantes antes de ajustar o seu olhar para encontrar o dela e, num tom de voz ao mesmo tempo impaciente e indulgente, insistiu que lhe dissesse o que descobrira.

— Não sei por quanto tempo mais consigo conter a minha curiosidade — disse-lhe com um sorriso.

Mas era impossível apressar Alicia. Ela chegara de Salzburgo com a sua própria história, não com uma única imagem reveladora, e esta história só se desdobraria segundo a sua própria lógica interior.

— Sonia me contou que, durante toda a infância, adorava o irmão mais velho, Robert, como um herói — recomeçou Alicia —, e até hoje ainda leva consigo a foto dele para toda parte. Deve ter sido tirada em 1910 ou 1911 e ele parece bem bonito, embora talvez só por ser tão jovem, e todo mundo que era jovem e saudável naquela época parece-me bonito hoje em dia. Mais tarde, comecei a achar que o maior pecado do jovem é não ser mais feliz quando tudo ainda é tão possível. De qualquer modo, Robert estava tentando ao máximo fazer uma cara feroz para o fotógrafo, mas há alguma coisa não muito convincente no resultado. Pelo menos, é o que parece na fotografia de Sonia. O que é inconfundível é o esforço que ele fazia para transformar-se num poderoso espécime físico. Sonia me contou que, como vários judeus de Odessa em sua geração, ela e o irmão estavam decididos a não se deixar intimidar por ninguém. Apesar de todas as restrições legais e sociais, iam fazer tudo o que quisessem com a sua vida, ao contrário dos pais. Parece que Robert ficou muito conhecido na região como atleta e venceu várias competições de ginástica e tiro na província, enquanto Sonia foi uma das primeiras moças de sua escola a mostrar-se realmente promissora como cientista. Mas nalgum momento entre o fim da escola secundária e o início da universidade, Robert começou a perder-se. Mudou-se de Odessa e perambulou pelo país, usando às vezes documentos falsos para passar para os territórios ocidentais dos Habsburgo. Sustentava-se com biscates e, ela sentia vergonha de dizer, talvez também com contrabando e pequenos furtos. Embora soubesse o quanto gostava dele, ou talvez exatamente por saber e não querer desapontá-la, parou de escrever regularmente e, durante meses seguidos, ela não tinha contato com o irmão. Então, certo dia, ele voltou a escrever de repente e parecia o irmão de que se lembrava, só que ainda mais otimista e cheio de energia do que antes. A princípio Sonia e os pais ficaram felicíssimos, mas embora as cartas continuassem a chegar, havia alguma coisa em seu ardor que, para ela, parecia excessiva e quase maníaca. Nada disse aos pais sobre as suas suspeitas e, de qualquer modo, Robert logo passou a escrever separadamente para ela. Contou-lhe como a sua vida se transformara quando conhecera um professor, Moses Elch Brugger, que o tirara de um abismo de autocomiseração e desesperança que, como ele agora podia ver, acabaria por levá-lo ao suicídio.

"Quando eu e você começamos a nos corresponder — prosseguiu Alicia —, recordei as histórias de Sonia sobre o irmão e acabei perguntando a ela se poderia ler as cartas de que tanto falava. Nunca tinha lhe pedido nenhum favor antes e, embora fosse óbvio que ela achara esquisito e meio invasivo, concordou, e no fim de semana seguinte, quando nos encontramos para tomar café, trouxe consigo uma grande pasta com as cartas de Robert. Foi isso que mantive comigo todo esse tempo e agora só preciso encontrar os trechos certos para ler para você, para que possa ver o que começou a me deixar tão excitada. Acho que vou começar com esta aqui, escrita quando Robert havia acabado de sair da prisão. Foi preso por surrar um homem que o insultara numa briga de bêbados nalguma taberna. Robert não tinha idéia do que ia fazer a seguir e descreve assim a sua situação:

Certa noite, estava perambulando perto dos limites da cidade, procurando um lugar para passar a noite, e senti alguém bater no meu ombro por trás, mas quando me virei para dar um tapa na pessoa senti meu pulso ser segurado por uma moça que, em vez de fugir, sorriu-me e disse:

O rabi nos diz que nunca se deve tentar pegar a faca que cai, mas às vezes esta é a única coisa misericordiosa a fazer.

Encontrei tantas almas feridas em minhas perambulações que não tinha mais interesse de conversar com outra delas, ainda que fosse tão bonita quanto essa moça. Mas estava exausto e faminto e ela parecia bem alimentada, o bastante para eu achar que talvez soubesse onde encontrar uma refeição quente e um abrigo. Não é que eu não reconhecesse o tipo; as estradas estão cheias de fugitivos desesperados procurando alguma causa à qual se entregarem e, em geral, você sabe como a fraqueza e a piedade sentimental me repelem. Na minha experiência, a maior parte dos pregadores dos abrigos são anti-semitas que acham que os judeus são responsáveis por todos os males da Rússia. Foi por isso que a palavra *rabi* me surpreendeu tanto. Não há escassez de homens santos em busca de novos seguidores, mas não homens santos que falem sobre facas e que tenham mulheres tão bonitas para transmitir a sua mensagem.

Decidi ir com ela e, para minha surpresa, descobri que, em vez da costumeira casa de orações arruinada, ela me levou a uma casa meio dilapidada, mas bastante grande, num bairro operário perto do rio. A casa fora cedida ao rabi por um de seus seguidores locais, que normalmente a aluga a trabalhadores empregados numa das fábricas Rotenburg, e quando cheguei havia umas oito pessoas morando ali juntas, todas inteiramente devotadas ao seu mestre. Preparei-me para ouvir um comprido sermão como paga pela refeição e pela cama. Mas o rabi tinha se isolado com um dos seus constantes ataques de enxaqueca e não apareceu nenhuma vez durante os primeiros dias em que fiquei na casa. Naquele tempo todo, só quem me falou longamente sobre o rabi foi Hannah Altschuler, a garota que me levou e que todo mundo chamava pelo apelido, Linnetchen. A não ser quando falava de Brugger, Linnetchen parecia bastante comum, mas o que ela disse sobre o seu primeiro encontro com o rabi bastou para que eu me decidisse a fazer as malas e partir no momento em que Brugger se recuperasse o bastante para sair do quarto.

— Certo dia, no meio do verão — ela me contou —, ouvi uma voz desconhecida conversando com alguns colegas no pátio da Biblioteca Judaica Livre e alguma coisa no tom de voz do homem me fez baixar o livro que estava lendo e sair para ver quem era. Assim que cruzei a porta da frente, o estranho, que estava encostado na pequena fonte de pedra, afastou-se dos outros com quem estava falando e olhou diretamente para mim, como se me esperasse aquele tempo todo. Seu rosto entrou na luz. Era belo, de um jeito que nunca achei que fosse possível. Virei-me imediatamente, sabendo que, se olhasse por mais tempo, mesmo que só por alguns segundos, nunca mais conseguiria desviar os olhos e todas as outras coisas passariam a ser, para mim, feias e horríveis. Sei que acha que é exagero, mas você não viu seu rosto!

Bem, o que posso lhe dizer é que a sua expressão de adoração altruísta e ilimitada a um homem com quem senti no mesmo instante que não tinha como competir foi mais do que eu podia suportar e, assim, tentei mudar o seu estado de espírito da melhor maneira possível: chocando-a com uma obscenidade.

— Então você foi à casa dele e fodeu com ele na mesma hora ou esperou para ver se o restante combinava com o rosto? — perguntei. No entanto, longe de ficar ofendida, Linnetchen me pareceu grata, porque a minha pergunta dava-lhe a oportunidade para falar mais sobre a primeira vez e, até então, a única em que Brugger tocara o seu corpo. Sem dúvida a sua descrição do sexo com Brugger seria tão apaixonada quanto o resto da história, mas quando começou a se perder nas lembranças a porta atrás dela se abriu e uma voz meio cansada interrompeu-a.

— De novo não, Linnetchen, por favor, ou nosso novo amigo aqui vai pensar que somos tão malucos quanto as russas que se vergastam até o orgasmo e se convencem de que Cristo está se apossando de suas almas. — Foram as primeiras palavras que ouvi Brugger proferir! Então, com voz meditativa, acrescentou: — É verdade, sempre amei o ar do rosto de uma jovem e dos seus olhos quando ela está sendo penetrada. É um tipo de olhar quase inocente e perplexo que vem do corpo todo, e não somente do rosto. Não vê de verdade, é como se fitasse para dentro. Mas ainda somos judeus, afinal de contas, e temos padrões de êxtase mais restritos.

A meus olhos, não havia radiância alguma no rosto do homem que entrou na sala. Pelo contrário, parecia pálido e cansado, com vestígios da enxaqueca ainda visíveis por trás dos olhos. Mas o que mais me surpreendeu foi que se vestia com roupas inteiramente européias, sem nenhuma lembrança dos trajes hassídicos. Ele abrira mão até do quipá e usava o cabelo bem curto, que lhe destacava a testa. Todos os ternos eram muito bem cortados no estilo inglês e ele me lembrava bem mais os patrocinadores ricos que costumavam entregar os prêmios anuais no clube atlético pan-russo do que algum rabino que eu já tivesse visto. Como parecia ter dores de cabeça com freqüência, quase sempre seus grandes olhos castanhos davam a impressão de que estava sem dormir havia dias. Falava com todo mundo da casa de um jeito cortês, quase formal, mas leve, como se todas as suas palavras o divertissem, seja qual fosse o seu efeito nos ouvintes. Fiquei pensando se Linnetchen já contara a Brugger tudo sobre mim, porque o rabi dispensou todas as apresentações formais. Independente de qual fosse a razão, começou a falar comigo como se nos conhecêssemos há muito tempo e estivéssemos simplesmente continuando uma conversa já começada antes. Brugger me levou até a janela grande do segundo andar e, apontando para o telhado de cobre verde da grande sinagoga, disse:

— Sabe, nós judeus podemos morrer solitários, mas sonhamos em comum. É isso que torna tão fascinante ensinar os injustiçados que vêm a mim. Chegam cheios de sentimentos de vergonha, cumplicidade e humilhação e nunca se sabe o que vai sair quando percebem que sempre foram bastante fortes para livrar-se disso tudo: uma borboleta, um falcão ou até mesmo um abutre. Cada história que ouço é única, mas as perguntas e as minhas respostas são sempre as mesmas: rabi, conseguirei ser livre? Todas as opções sempre foram suas. Mas quando vejo uma cidade como esta, começo a me perguntar quanto medo será preciso para salvar as pessoas de si mesmas. Talvez seja exatamente isso que você veio me ajudar a entender. Vamos dar um passeio juntos, para que eu possa livrar minha cabeça da dor e você possa me mostrar o que preciso fazer para completar o trabalho.

"Imagine: ele disse isso *para mim*!

Finalmente, Chudo levantou os olhos das páginas que segurava perto do rosto enquanto lia e exclamou:

— É claro que foi isso que o pegou! Não foi a bela Linnetchen, embora ela e Robert logo tenham se tornado amantes, e não foi a estranha intensidade de Brugger. Não, foi o fato de este homem, adorado por seus seguidores, precisar com tanta clareza dele, Robert Sonnenschön! Não é isso que sempre surge como tentação irresistível? A revelação de que fomos escolhidos pelo escolhido, que só este líder espantoso teve visão suficiente para reconhecer os nossos dons e que somente ele, a quem daí para a frente seguiremos para onde ele mandar, valoriza-nos como realmente merecemos!

Alexander fez um sinal de assentimento, agora tão preocupado com a maneira de Chudo contar a sua história quanto com a ansiedade de Robert em suas cartas.

— Robert continua:

...e sei que você está com medo de que eu nunca chegue ao ponto certo, mas é preciso que entenda como tive a minha idéia — disse ela a Alexander enquanto folheava as páginas, até que encontrou o trecho que procurava:

Todos os *shtetl* da região reservada aos judeus gabam os seus próprios rabinos milagrosos e Brugger só sente desprezo pela tribo toda de gananciosos curadores da fé. A oração é apenas um tipo de escuta concentrada, diz ele, não o prelúdio de um espetáculo de magia. Certa vez, um dos visitantes ocasionais que às vezes comparecem às suas lições de sábado clamou por um milagre como aquele famoso do rabino de Buczacz, que curou uma menina epilética. Brugger mandou pôr o homem para fora da sala e disse a todos:

— Não há mais milagres isolados. Achei que tinha pelo menos ensinado isso a vocês. Ou veremos o cumprimento de tudo o que nos foi prometido como povo que somos ou continuaremos escravos para sempre. Quando aprenderem a crer o bastante para entregar-se por completo sem exigir truques de salão, será este o primeiro milagre, que provocará todos os outros que virão. Digo-lhes, a alma não é a testemunha de um acontecimento externo, mas a própria arena na qual o acontecimento ocorre. Não foram necessários milagres nem revelações que me mandassem para junto de vocês e não preciso de homens e mulheres que se ajoelhem diante de mim. Tudo o que quero é que se levantem comigo ainda mais alto, para o cumprimento do que significa ser totalmente humano. Sou o criador dos meus próprios milagres, assim como cada um de vocês, e assim é desde o início dos tempos.

Às vezes, depois de um sermão mais apaixonado, Brugger volta para o seu quarto exausto e aí nenhum de nós o vê durante os próximos dias. Foi durante uma dessas ausências, sem que nenhuma decisão explícita fosse declarada, que Linnetchen e eu simplesmente assumimos a direção cotidiana dos discípulos. Coletamos os subsídios prometidos por seus partidários ricos na cidade, organizamos a compra das provisões da semana e distribuímos as tarefas domésticas diárias que o próprio Brugger não tem o menor interesse em supervisionar, nem quando está bem, mas cuja negligência o irritaria demais. Ele detesta a imundície e o tumulto de um pátio hassídico típico, do tipo que tantos jornalistas "sofisticados" acham tão autêntico e cativante, principalmente se são judeus esclarecidos com um quê de nostalgia, escrevendo para leitores que pensam igual a eles em Berlim e Viena. A fama de Brugger está se espalhando depressa e às vezes alguns discípulos invejosos de outras dinastias hassídicas mais antigas tentam criar problemas nas aulas e então cabe a mim defender o rabi. Pelo menos os meus anos de competição atlética finalmente servem para alguma coisa, Sonia! Estou começando a treinar os seguidores mais leais, ensinando-os a proteger Brugger, se necessário com os punhos.

Alicia começava a interromper a leitura com mais freqüência para complementar o relato de Robert com o que soubera através de Sonia, e baixou novamente a carta para acrescentar:

— Sim, ele começou somente com os punhos, mas quando o grupo ficou mais experiente incluiu também treinos regulares com armas de fogo de pequeno porte. Seu gosto pelas pistolas acabou sendo tão útil quanto os seus anos aprendendo ginástica. Deve tê-los transformado num grupo e tanto!

Ela pegou outra vez o maço de folhas de papel e, com um ar de desagrado, continuou:

Depois que mandamos para casa um ou dois criadores de caso de outra cidade com a cara cheia de sangue, não houve mais provocações de candidatos a rivais. Alguns mercadores ricos que dominam o conselho judeu local daqui se alarmam com qualquer coisa que possa atrair a atenção do governo da província, mas nenhum deles quer chamar a polícia; isso só revelaria a crescente falta de controle deles sobre a sua própria comunidade. Parece que são tão fracos aqui quanto os anciãos da nossa cidade e passam todo o seu tempo temendo as autoridades e xingando-se uns aos outros. Mas quero que você saiba que o próprio Brugger nunca me deu ordens diretas de treinar ninguém. Tenho medo que você ache que enlouqueci e estou correndo por aqui atacando pessoas para conquistar as graças de algum charlatão. Mas não é isso, Sonia. Não mesmo. Sei o que estou fazendo e por quê. Ele é a única pessoa que já me ensinou alguma coisa importante sobre mim e sobre o mundo. É difícil para os outros reconhecerem o quanto ele tem a lhes oferecer porque a maneira como ensina é muito diferente de tudo o que já viveram. Por exemplo, há alguns dias, perto do fim de um dos seus sermões, seus olhos me buscaram em meu lugar de sempre, ao lado da porta, de olho atento em todo mundo que entra na sala. Olhando diretamente para mim, Brugger começou a contar a história do riso alegre do Rabi Akiva ao ver raposas selvagens saírem das ruínas carbonizadas do Templo de Jerusalém. Enquanto todos os outros rabinos derramavam lágrimas de angústia com aquela visão terrível, Akiva repreendeu-os por sua falta de fé.

— Se a desolação prevista nas Lamentações foi cumprida até o último detalhe, como podem duvidar que a Redenção que nos foi prometida não virá com a mesma certeza?

A voz de Brugger se elevou, mas ele nunca desviou os olhos de mim. Disse que todos os sábios concordam que, antes de vermos a Redenção, cairá sobre nós uma época de grande tribulação. Na geração em que virá o Filho de Davi, o ponto de encontro dos estudiosos se transformará num bordel, os jovens humilharão os mais velhos, tremerão de medo diante daqueles.

— Numa época assim — disse Brugger — a violência torna-se o modo de contato mais limpo. Permite ao puro tocar o vil sem se tornar imundo também. É por isso que tantos rabinos timoratos gritam: "Pois que venha, mas que eu não o veja." E quem pode dizer que o seu desejo não é ouvido no céu e que o dia da libertação se retarda por causa da sua covardia? Mas o nosso tempo é agora e não repetiremos a sua blasfêmia. Se a violência vier, vamos recebê-la com a alegria da alma e, se tivermos de ver grande tribulação, que a recebamos como o portal da Redenção.

Naquela noite fui eu e não Brugger quem caiu, queimando de febre e sem forças para me mover. Tiveram de me levar até a minha cama e me disseram que lá fiquei semiconsciente por mais de uma semana, aos cuidados de todos na casa, até que me recuperei inteiramente. Não se preocupe, Sonia, não corri nenhum perigo verdadeiro. Mas estava certo de que as palavras do rabi foram dirigidas especificamente a mim e continham uma ordem que não podia ser declarada em voz alta. Finalmente entendi o que esperam de mim e sinto uma onda imensa de gratidão por ter sido eu, que fracassei em tudo, o escolhido para esta tarefa.

Novamente Alicia baixou o maço para dizer a Alexander que, depois desta carta, Robert começou a escrever a Sonia quase todos os dias, mensagens suplicantes e ansiosas, quase inteiramente sobre o seu mestre. Começou a lhe pedir que abandonasse o estudo de medicina para juntar-se a ele, mas as cartas a apavoraram tanto que, algum tempo depois, se viu incapaz de respondê-las.

— Ela nunca se perdoou pelo seu silêncio. Robert podia estar fora do alcance de suas palavras, mas a culpa de não ter tentado continua a persegui-la. O mais triste de tudo é que até hoje Sonia ainda pensa sobre algumas palavras de Brugger que Robert citou em suas cartas e, agora, está convencida de que o homem que fez o seu irmão enfrentar estas questões deve ter possuído uma alma extraordinária, para o bem ou para o mal. Há algumas semanas, num dos nossos passeios, Sonia pegou uma das cartas do irmão da velha pasta de couro que leva para toda parte e logo encontrou um trecho que sublinhou a lápis anos atrás, quando o leu pela primeira vez, e ao qual obviamente voltara muitas vezes desde então. Nele, Robert diz que Brugger dedicara um sábado inteiro a um sermão sobre o conceito de alma e concluiu dizendo que a única imagem que já o ajudara a entender aquela palavra foi como "a parte do homem que vê o sonho. O que realmente importa é viver de modo que todo o nosso ser, a parte que é o sonhador e a parte que é a testemunha do sonho, estejam igualmente em jogo em tudo o que se faz."

"Quando Sonia leu estas linhas para mim, não pude afastar a idéia de que o modo de Brugger falar sobre a alma era bem próximo do que já ouvira a própria Sonia falar! Indiquei isso a ela, que admitiu não ter muita certeza de que seria capaz de resistir mais do que o irmão ao feitiço do rabi. Talvez já suspeitasse disso na época e tenha sido por isso que se convenceu de que era inútil viajar até a Áustria para tentar salvar Robert. Neste caso, seria a ela mesma que estaria salvando ao ficar na universidade. Robert, que fizera apelos incansáveis à sua lealdade o tempo todo em que moraram juntos, nunca se queixou dela por não lhe responder, mudança que Sonia não podia deixar de atribuir à influência de Brugger, mas a tristeza dele com a ausência da irmã era evidente em cada carta. Ele se descrevia caminhando pela estação ferroviária no único dia da semana em que o trem expresso de São Petersburgo parava ali a caminho de Viena para observar o desembarque de passageiros, na esperança de que um deles fosse Sonia. Só quando todos partiam e a plataforma ficava completamente vazia ele finalmente desistia e voltava para casa. Era perseguido pela idéia de que a hora de mudar de lado estava chegando e que, quando chegasse a hora, estaria sozinha, isolada do seu povo e do seu quinhão na herança. Pouco antes da Páscoa, ela recebeu um último dilúvio de cartas, que ele deve ter remetido, uma depois da outra, no espaço de poucos dias. Havia uma mudança sutil mas inegável no tom de Robert nestas cartas; como Sonia me deu permissão para deixar você copiar tudo o que precisar para o seu livro, logo verá o que quero dizer. Elas chegam a um ponto em que Robert parece ter desistido de convencê-la e, pela primeira vez em meses, pergunta-lhe sinceramente sobre os estudos e deseja-lhe boa sorte. Embora obviamente as cartas tenham sido escritas com muita pressa, nelas ele parece menos frenético do que nos meses anteriores, mas também mais distante, como se a sua calma fosse a de um viajante cuja jornada não mais a incluísse. E então veio o completo silêncio. A princípio Sonia sentiu um quase alívio por não encontrar outro envelope grosso à sua espera na portaria quase toda noite. Mas logo o seu alívio deu lugar primeiro à preocupação e depois a uma sensação de pavor que era quase pânico. Não havia ninguém a quem pudesse pedir informações. O governo russo não ajudaria uma judia a localizar um parente desaparecido que atravessara a fronteira ilegalmente e, como Robert entrara na Galícia sem passaporte, seria perigoso avisar alguém a seu respeito do lado austríaco da fronteira. Tudo o que Sonia tinha era o nome de uma cidade da qual jamais ouvira falar e um endereço geral de entrega de onde Robert lhe escrevia e onde ia buscar a sua correspondência. Ela enviou várias cartas e dois telegramas para lá, mas não obtve nenhuma resposta. Já tinha arranjado documentos adequados para a viagem e obtido uma licença da escola para trazer Robert para casa com ela quando recebeu um documento de uma página, num magnífico papel cor de marfim decorado com a águia de duas cabeças dos Habsburgo, perguntando se, como único parente, ela pretendia recolher os restos mortais do falecido prisioneiro Robert Sonnenschön, condenado por assassinato e incêndio premeditado e executado segundo os artigos concernentes do código penal. Se desejasse aproveitar a oportunidade, poderia por favor informar às autoridades prisionais quando deveriam aguardar a sua chegada? Se não pudesse informar-lhes seus planos por escrito nos próximos seis dias, o preso seria sepultado às custas de Sua Majestade Imperial, no cemitério público, num setor reservado aos membros da fé mosaica. Trouxe esta carta também, mas veja como está assinada: "Respeitosamente, Dr. Karl Fernkorn, Primeiro Secretário Médico do Departamento de Segurança do Estado". E olhe — o polegarzinho de Chudo indicou o pé da página que segurava defronte a Alexander — imediatamente abaixo do selo oficial do governador da província, Conde Otto Wiladowski, dá para ver claramente uma outra assinatura à mão, "aprovada para comunicação pública: Jakob Tausk".

• ◆ •

Só então quando a própria Chudo baixou o maço de folhas em sua mão, Alexander tirou seus olhos do rosto dela para olhar por um bom tempo pela janela. Espantou-se de ainda estar totalmente escuro lá fora. Não tinha idéia de por quanto tempo ficara à escuta, mas a julgar por sua exaustão, supunha que devia ser quase de manhã. Mas o céu não estava mais claro do que quando chegaram, depois do passeio pela cidade velha. Só alguns dias depois, quando estava de volta à sua escrivaninha em Gschwendt, redigindo suas impressões daquela noite, é que percebeu com que perfeição começara a recobrir a história dela com as suas próprias cenas imaginárias, improvisando mesmo enquanto ela ainda falava. Para Alexander, essas elaborações eram o modo de a história reproduzir-se, tão inevitável e obrigatória quanto o desejo sexual. Naquela noite na Schrannengasse, embora Alexander tivesse a clara impressão de que ele e Chudo tinham ficado sentados, imóveis, um na frente do outro enquanto ela falava, isso também devia estar errado, já que o fogo seguia bem aceso e o chá no grande samovar fora renovado. Alguém deve ter se levantado para cuidar de ambas as tarefas domésticas enquanto conversavam, assim como alguém — supôs que só poderia ter sido ele — deve ter fumado os charutos cujos resíduos eram claramente visíveis no cinzeiro entre as duas xícaras de chá meio cheias e o açucareiro de prata. Sem dúvida o Dr. Stechel ficaria desapontado com ele por ter quebrado o seu regime durante vários dias seguidos. Sentiu-se quase como se estivesse sendo arrastado contra a vontade para fora de um sonho poderosíssimo quando Chudo apareceu, olhando de cima para ele em sua cadeira e lembrando-lhe que o jantar que ela prometera mais cedo estava pronto há algum tempo.

Uma mesinha oval estava preparada junto ao fogão de aparência moderna que ocupava a maior parte da cozinha.

— Espero que não se incomode de comer aqui — disse Chudo. — Por enquanto prefiro não lidar com garçons e donos de restaurantes. Acho que Caroline não cozinha muito em casa, ou pelo menos não tem à mão muitos temperos, mas assim podemos continuar a nossa conversa sem temer sermos ouvidos.

Apesar de todas as suas desculpas, ela preparara uma refeição que, embora muito mais simples do que se dignariam a apresentar, humilharia os maiores *chefs* de Salzburgo. Alexander divertiu-se ao descobrir que, pelo menos nesta área, ela era capaz da mais transparente falsa modéstia. Durante os longos anos de sua posterior amizade, os dotes culinários dela continuaram a ser o seu único talento em que um orgulho justificável pelo que conseguira fazer se revelava pelas repetidas afirmações de incerteza. Em geral, Alexander achava que cantar louvores aos outros era atividade tão gratificante quanto ir ao dentista, mas adorou dizer a Alicia como achara soberbos seus pratos, em parte, talvez, porque ela nunca deixava de corar de prazer com o cumprimento. Naquela noite, preparara peitos de frango recheados com repolho e maçã, assados com uma mistura aromática de páprica doce e um toque de canela, acompanhados por um refogado perfeito de cogumelos selvagens banhados em vinho branco. A sobremesa foi um improviso, preparado com imaginação com os pãezinhos recheados da manhã, transformados num pudim de pão pontilhado de mirtilos e caramelado com açúcar e geléia de ameixa.

O tempo todo, enquanto comiam, Alexander examinou Alicia com tanta atenção como se observasse uma atriz famosa no triunfo do Burgtheater num papel tão exigente para a platéia como para a artista. Mesmo agora, embora a sua história, ou melhor, a sua estranha ventriloquia da história de Sonia Sonnenschön o tivesse emocionado, apesar do instintivo desagrado que sentia por toda aquela histeria típica dos *shtetl*, Alexander não estava inteiramente certo das intenções de Alicia ao contá-la. Decidira-se a não tirar nenhuma conclusão, preferindo deixar que o relato dela se desenrolasse como se não tivesse nenhuma ligação mais direta com ele do que uma outra historinha qualquer sobre os últimos dias dos judeus da Galícia antes do desmoronamento do Império. Sabia que se arriscava a parecer obtuso, mas a impaciência dela em ter Alexander não só como platéia mas como parceiro no mesmo pé de igualdade em sua excitação era pelo menos tão importuna quanto a dele de entender o que significava a história. De repente, Alicia empurrou os pratos da sobremesa para um lado, inclinou-se na direção de Alexander e, com um olhar quase exultante, disse:

— Viu? O selo de Wiladowski e a anotação de Tausk encerram tudo. A história de Sonia deve ter acontecido na sua cidade e é dela que todos estavam envergonhados demais para falar. Não uma conspiração política, mas esse pregador corrupto que parece ter aterrorizado metade da cidade para ser tratado como se fosse o Messias. Foi o rabi do pobre e maluco Robert Sonnenschön que todos se ocuparam em cobrir de tinta em suas lembranças, para que nenhum vestígio dele ainda fosse visível. Só que isso é uma coisa que nunca se consegue fazer com sucesso total. Não é preciso acreditar no seu famoso médico da mente vienense para conhecer bem os seres humanos! Não é como ser comunista por alguns anos na juventude e depois acalmar-se para assumir os negócios da família. Mal posso dizer-lhe quantos senhores respeitáveis se encantam com a lenda da sua própria adolescência ousada. Não importa o quanto hoje se pareçam com os seus pais; gostam de pensar que um flerte juvenil com a política radical garante-lhes a condição de pensadores "avançados" pelo resto da vida. Ter estado numa lista da polícia como "personagem suspeito", ainda que somente por poucos meses, pode ser exibido com prova de idéias de invejável independência, mas não há nada de heróico em ter caído no conto de um redentor de esquina.

Neste momento o ceticismo inicial de Alexander já fora varrido pela corrida desenfreada da excitação de Alicia. O que ela lhe contou sobre o rabi era parte do que vinha procurando desde que Broderson lhe falara da idéia das *Obras reunidas*. Mas a questão não era tanto ver a história pelos olhos dela. Do mesmo modo como há percepções que não sabemos que temos até que as ouvimos de outra pessoa, Alexander viu-se inteiramente à vontade na história cujas bases Alicia fornecera. Esta lenda dela permitiu a Alexander voltar à sua própria cidade natal como se fosse um cenário montado, um lugar cheio de possibilidades, suas, mas ao mesmo tempo inteiramente inventadas. E assim foi de todo natural para ele interrompê-la e comentar o que ela mesma ainda estava explicando.

— Não, com certeza há pouquíssimo heroísmo em ter sido enganado por alguém como Brugger. É tudo humilhante demais e não consigo pensar em motivo mais forte do que este para o silêncio. Também é fácil entender por que uma mulher tão orgulhosa de si mesma e tão desalmada quanto Sophie Pichler-Ziolkowski seria imune à atração de Brugger. Não há dúvida de por que ela não tem dificuldade de mencioná-lo em sua carta enquanto todos os outros precisam agir como se ele nunca tivesse existido. De qualquer modo, ela está certa. Se Tausk era o principal espião do governador da província e aprovou o aviso da morte de Robert, podemos supor que teria vigiado Brugger, e o fato de não ter prendido o pregador nem impedido os assassinatos da Praça da Catedral não é muito favorável à sua eficiência. Mas este tipo de incompetência com certeza não se parece com o homem que você conheceu na Lubianka, logo podemos ainda não estar vendo os fios que ligam as histórias. O que você disse antes sobre a pintura debaixo dos retratos que Velázquez fez de Felipe IV me levou a pensar num tipo completamente diferente de obra de arte. Sempre que vou a Viena, mesmo que só por alguns dias, reservo algum tempo para visitar os manuscritos iluminados do Museu Albertina. Gosto de pensar que há alguma coisa na descrição da vida cotidiana num Livro das Horas que não é muito diferente da minha Galícia — quero dizer, da Galícia das minhas peças e contos —, só que sem os judeus.

— Não entendo o que você quer dizer com isso — disse Alicia, mais cortante do que pretendia, intrigada com a aparente inconseqüência da observação.

— Bem, o que estou pensando — explicou ansiosamente Alexander — é a maneira como os personagens das diversas cenas estão sempre completamente absortos em suas próprias atividades, sem pensar no que fazem os vizinhos, ainda que estejam a poucos metros de distância, envolvidos nas situações mais desesperadoras. Um bando de saqueadores pode estar assaltando alguns viajantes no primeiro plano à esquerda enquanto à direita outros patinam alegremente num lago gelado ou brincam em torno de uma fogueirinha, enquanto longe, ao fundo, uma criada sopra as mãos congeladas ao passar por um grupo de caçadores que voltam para a casa com um cervo que conseguiram matar. É assim na minha cidade também, pelo menos do modo que a vejo. Com todos tão envolvidos no que estão fazendo, não admira que nenhum deles entenda o quadro todo. Mas o artista anônimo que pintou estas cenas sabia que era necessário incluir tudo, não importa quão ridículo, porque é a única maneira de representar o que é essencial e ainda continuar humano.

Alicia recuperou o equilíbrio anterior e concordou com a cabeça.

— É, agora entendo. Lá em Moscou, tinha alguns momentos assim, observando a concentração com que as mulheres tentavam escolher as batatas ainda não estragadas do pequeno estoque disponível nas lojas. Faziam o possível para preparar uma alegre refeição noturna para a família e, ao mesmo tempo, imaginavam em que porta os homens de Dzerjinski iam bater naquela noite. Mas uma idéia ainda me perturba, Alexander, e não vejo como o seu Livro das Horas vai me ajudar aqui: e se alguém quiser viver apenas o que é essencial e não se importar mais em continuar humano? Como ele se encaixaria na sua cidade?

— Não escreva o meu romance antes de mim, Alicia. Não seria justo.

PRIMEIRA PARTE

Dezembro de 1912

1

Naquele ano, a neve pareceu chegar bem mais cedo que de costume. Seja como for, em dezembro a vida normal da cidade já se arrastava até quase parar por completo. O combustível vinha acabando, a lenha e o carvão estavam caríssimos, principalmente para os operários mais pobres, cujas fileiras tinham aumentado nos últimos cinco anos, até dar a impressão de que logo não sobraria mais ninguém para cuidar das fazendas em volta. Mesmo quando as fábricas pararam de contratar novos trabalhadores e começaram a mandar embora os que tinham empregado há pouco tempo, foi como se todos os recém-chegados ficassem perplexos demais com a sua miséria para lembrar o caminho de volta às aldeias. Era comum encontrar famílias inteiras amontoadas procurando abrigo junto aos muros do cais ao longo do rio, e todos os dias os jornais noticiavam mais um corpo encontrado ali, morto de frio. Por toda a cidade os canos de água congelavam-se repetidas vezes, e até os mais prósperos elaboravam esquemas complicados para o caso de ser impossível tomar um banho quente ou lavar a roupa. Quase todo mundo que trabalhava nalgum escritório do bairro comercial comia nos restaurantes próximos sempre que possível. Embora fossem caros, se comparados com a comida feita em casa, em geral havia um fogo bem vivo num dos cantos e as mesas cheias encorajavam uma sociabilidade sempre reanimada, não importava como estivesse isolador o tempo lá fora. Mas os nervos de todo mundo estavam à flor da pele e várias amizades e casos de amor antigos mostravam-se perigosamente abalados e com risco de desmoronar com o peso do inverno.

Deve ter sido duas semanas mais ou menos antes dos feriados de Natal que Asher Blumenthal, de 28 anos e ainda somente um auxiliar de contabilidade na Companhia Sobieski de Importação e Exportação, saiu cedo do escritório certa tarde, na esperança de conseguir pegar o bonde e evitar a longa caminhada até em casa. Mas, novamente, a maioria dos vagões congelara nos trilhos e a idéia de se arrastar a pé o caminho todo pela ponte Nepomuk até o seu sombrio apartamento no bairro Josef era desmoralizante demais. Há alguns dias queria evitar o Clube Mendelssohn, mas a possibilidade de aquecer-se de graça ao lado do enorme forno antigo de tijolos no centro da sala de leitura, de ver os conhecidos abajures verdes instalados ao longo das paredes do fundo atrás das poltronas de couro confortavelmente gastas e a certeza de ouvir pelo menos algumas vozes familiares mostraram-se irresistíveis. Em geral Asher saía do clube estimulado demais, cansado e excitado ao mesmo tempo, zangado com a fluência dos que falavam e ainda mais irritado consigo mesmo por não ter tido força de vontade para interrompê-los e mostrar a todo mundo como achava ridículos os seus pronunciamentos. Quanto mais ricas as famílias, mais apaixonados se mostravam os membros mais jovens do clube ao insistir em sua disposição de aproveitar qualquer mudança que pudesse provocar um tipo de vida inteiramente novo. Numa vez ou outra, quase todos eles se levantavam nas reuniões depois do jantar e declaravam desejar alguma grande crise que a tudo transformasse, um momento de verdade, para o bem ou para o mal, que arrebentasse como um tornado a trivialidade sufocante da sua rotina diária. O fraseado mudava de tempos em tempos, mas soava sempre com algum floreio ao mesmo tempo sonoro e totalmente convencional.

    O próprio Asher via com ceticismo os inumeráveis programas elaborados para o aprimoramento geral. Ter a pretensão de saber o que ajudaria os outros quando a sua própria vida parecia tão frustrante soava-lhe absurdo. Mas, às vezes, estar presente naquelas exaustivas sessões noturnas, com a troca furiosa de panfletos com clubes semelhantes de Odessa e Varsóvia e os planos cada vez mais grandiosos para redimir o povo judeu, fazia com que até Asher se sentisse um pouquinho importante. Durante algumas horas, tentava obrigar-se a ignorar o fato óbvio de que estava escutando uma dúzia de esperanças contraditórias, todas amontoadas de forma incoerente e todas elas, na verdade, nada além de versões confusas de uma só queixa: "Nenhum de nós jamais se sentiu realmente vivo em nossos lares ou em nosso país. O que estaremos arriscando se sairmos de uma coisa tão desolada quanto a vida que nossos pais e professores já planejaram para nós? Todos sabemos como são espiritualmente amortecedores os seus valores e como suas expectativas estão longe de tocar o nosso âmago. Se tivermos primeiro a coragem de mudar a nós mesmos, veremos com que rapidez o mundo mudará conosco!" Então os cigarros e cachimbos se acendiam de novo, começava outra rodada furiosa de debates, alguém pedia bebidas ou que a última moção fosse votada e, antes que todos voltassem às suas casas para dormir, faziam uma coleta para assinar mais um novo jornal ou para ajudar a mandar uma delegação a uma reunião semelhante em outra cidade. Enquanto todos terminavam o último cigarro, havia a luta inevitável e prolongada sobre quem teria a última palavra até que toda a questão se dissipava, sem um vencedor claro, numa série de despedidas irritadas. Mas logo atrás de toda esta excitação e intensidade, havia na verdade um estupor calmante, como se cada um aprendesse a cochilar de maneira muito agradável por dentro enquanto gritava objeções a todos os outros. Apesar do volume ensurdecedor da maioria das conversas, de algum modo essas noites também pareciam apaziguadoras e tranquilas.

— Judeus polemistas! Estou cansado de suas discussões intermináveis! — era o que Asher costumava murmurar para si mesmo no caminho de casa, tarde demais e sem nada ter ganhado com as horas passadas em tal companhia. — Bem — concluiu, enquanto descia a Mariahilferstrasse na direção do Clube Mendelssohn —, nesta noite é melhor ser um judeu polemista do que um judeu congelado.

Nessa parte da cidade, todos os lampiões das ruas ainda funcionavam e, embora houvesse neve demais para que as equipes de trabalhadores enviadas pela prisão mantivessem limpas as calçadas, pelo menos o governo cuidava para que os condenados ali salgassem o passeio várias vezes por dia. Ainda que temesse parecer um camponês, Asher agora usava sempre uma capa de inverno enorme e fora de moda, de feltro de lã pesado com botões de chifre, que encontrara numa loja de penhores no bairro Josef. Era muito mais quente do que qualquer agasalho que conseguiria comprar e, enquanto se esforçava para caminhar com o corpo todo inclinado para a frente contra o vento da noite, apreciava o sabor da gola de lã levemente úmida que levava à boca ao baixar a cabeça. Asher detestava o nome do clube, escolhido pelo comitê fundador há uns 25 anos como homenagem ao sem dúvida eminente, mas para ele totalmente insuportável, Moses Mendelssohn. O pai de Asher, Eliezer Blumenthal, o famoso autodidata, livre-pensador e falido da comunidade, admirara Mendelssohn tremendamente e costumava ler em voz alta para os filhos, como sua versão de texto esclarecido do *shabbath*, página após página dos entediantes lugares-comuns de Mendelssohn sobre a bondade humana básica e o significado ético universal do judaísmo.

— Como se nós, crianças, déssemos importância àquelas palavras compridas quando o que queríamos era sair e brincar com os outros garotos — costumava queixar-se Asher ao amigo de escola Alexander Garber alguns anos mais tarde, quando eram adolescentes e iam juntos para casa depois da aula. O que Asher achava especialmente divertido era que, para quase todo mundo na cidade, inclusive, talvez, um bom percentual dos seus judeus, o nome Mendelssohn só fazia lembrar o neto do filósofo, o famoso compositor e regente e, o que era mais delicioso, conhecido apóstata que se convertera ao cristianismo. Sempre que dizia que ia ao clube depois do jantar, os colegas de trabalho de Asher supunham que havia um ensaio em andamento e lhe perguntavam quando seria o concerto público.

— Na verdade — Asher costumava dizer à sua senhoria bisbilhoteira —, gostaria que alguém tentasse organizar uma noitada musical usando os membros do clube. Que barulheira horribilíssima sairia.

Mas os três, Blumenthal, Eliezer e Asher, achavam impossível não admirar a elegância da colunata da entrada do clube e, quando Asher ainda era menino, passeavam juntos pela cidade só pela alegria de ficar defronte dela, cheios de espanto por um lugar tão bonito estar à disposição de judeus como eles. Em momentos assim, Eliezer suspirava contente e dizia ao filho como eram afortunados por serem súditos de um imperador como Francisco José. O prédio todo fora projetado exatamente para impressionar, construído perto do centro da cidade pela Seguradora Allianz antes que a mania de fazer tudo parecido com um reformatório ou quartel se tornasse sinal de bom gosto. Quando a seguradora precisou se expandir para um prédio ainda maior durante um dos períodos intensos, mas em geral curtos, de energia otimista aos quais todos os diversos estratos do Império pareciam estar sujeitos num ciclo irregular de entusiasmo e apatia a se alternarem, a sede original foi arrendada a longo prazo, com a fiança de alguns judeus mais ricos, e convertida em clube particular. Como nenhum dos outros clubes sociais admitiam judeus, a falta de um lugar adequado só seu era, há muito tempo, fonte de vexação para os líderes da comunidade, e a disponibilidade inesperada de um dos edifícios mais atraentes de toda a província foi interpretada como mais uma prova do favor especial com que a sua existência era vigiada pelos poderes mais altos. No entanto, nos últimos anos, os ciclos de expansão e contração, que já tinham sido bem previsíveis, ficaram cada vez mais irregulares e todos perderam a conta de quando devia chegar outra fase boa. Naquele inverno, os estados de espírito que antes já existiam em estrita alternância pareceram convergir: um cansaço total, de doer os ossos, misturou-se à certeza de que algo maravilhoso romperia a exaustão se ninguém se rendesse ao desespero. As emoções mais contraditórias coexistiam e exprimiam-se num murmúrio agitado e nervoso, audível como um tema secundário e subterrâneo por trás das conversas fora isso monótonas e previsíveis.

Como as ruas estavam quase vazias e os flocos de neve que caíam tornavam impossível ver mais do que alguns passos à frente, não havia nada que distraísse Asher em sua caminhada e ele se viu incapaz de interromper o trote de sua mente, como um bem treinado cavalo Lipizzaner, pela rotina familiar de suas obsessões. Na maior parte do tempo, quando não se preocupava com os seus deveres no escritório, principalmente com a papelada interminável envolvida na importação de sabão barato de Cosini & Filhos, em Trieste, pensava em como seria improvável que encontrasse uma amante regular, mais ainda uma esposa, ou que aprendesse hebraico, ou mesmo que conseguisse que sua senhoria engomasse direito as suas camisas, para que não precisasse se envergonhar de chegar ao trabalho, pela manhã, parecendo amarfanhado e negligente. Embora às vezes conseguisse sair com alguma das mulheres do clube para tomar um café à tarde, as poucas que ousara abordar não o encorajaram a convidá-las de novo e ele ligou sua rejeição ao estado de seu colarinho e à sua ignorância de hebraico. Tinha certeza de que, se apenas pudesse se vestir direito, conseguiria impressionar com a sua elegância; ou então, se soubesse hebraico, poderia mostrar o seu desdém por trivialidades como roupas da moda e desviar a conversa para temas emocionantes como o cultivo de vinhas na Galiléia e a possibilidade de obter permissão das autoridades turcas para a instalação de mais povoados judeus. Na falta de ambos, ficava à beira das discussões, na esperança de que alguém notasse o olhar que ele considerava irônico e a sombra de um sorriso superior. Se nenhuma dessas abordagens parecia funcionar, acabava passando a desejar que talvez alguma mulher mais sensata decidisse que o seu salário medíocre, mas certo e a aposentadoria garantida seriam, a longo prazo, mais atraentes que os sonhos loucos e as carteiras vazias dos grandes faladores do clube.

Na verdade, Asher tentara aprender hebraico uma vez ou outra no decorrer de vários anos, sem muito sucesso. Anos depois, quando Alexander lhe pediu que recordasse aquele período, tentou explicar como a experiência toda fora frustrante. "Eu podia conviver com a idéia bizarra de ler e escrever da direita para a esquerda" — escreveu ele — "e até com a forma esquisita das letras, mas uma língua impressa sem vogais, de maneira que antes de aprender uma palavra não era possível decifrá-la na página nem mesmo procurá-la no dicionário, parecia-me muito perversa. Mesmo hoje, aqui em Haifa, ainda parece. Mas naquela época, a própria estranheza da língua me atraía tanto quanto me impedia de progredir. Não é que eu pensasse nela como uma Língua Sagrada, como o idioma da Criação ou alguma coisa remotamente parecida. Sempre senti um desprezo saudável por todo tipo de bobagem mística, tanto as nossas quanto as dos góis. Provavelmente esta é a única herança útil que meu pai deixou aos filhos. Mas talvez pela simples razão de serem tão obviamente arcaicas, as letras, individualmente, pareciam carregadas de mistério. Mais que tudo, acho que era a idéia abstrata do hebraico, não a língua real, que me atraía. Depois que o clube organizou aulas à noite três vezes por semana, acabava me matriculando por algum tempo e depois perdia o interesse, e assim sempre tinha de reiniciar vários meses depois, sem avançar muito de onde começara da primeira vez. Quando queria pedir uma xícara de café com açúcar, percebia que não sabia mais, ou talvez nunca tivesse aprendido, as palavras que significavam 'xícara', 'pires', 'servir' e 'colher', e assim acabava dizendo alguma coisa como 'pegue aquilo e faça aquilo e traga-me aquilo e eu vou beber'. De qualquer modo, foi também uma época em que se podia ouvir um fanfarrão em cada esquina do Império gritando os méritos do seu próprio dialeto racial. Várias vezes achei que o meu interesse pelo hebraico só contribuía para um tribalismo já insalubre e, assim, vivia disposto a perdoar a minha preguiça. Os jornais diziam que agitadores tinham começado a incentivar o povo a recusar-se totalmente a falar alemão.

Queriam que todo mundo agora se comunicasse apenas na língua estrangeira que imaginavam que os seus ancestrais tinham balbuciado antes de começar a gozar dos privilégios da civilização austríaca. Como jamais poderiam conceber coisas tão indispensáveis quanto seguro de vida e aposentadoria, ou a trama de alguma comédia sofisticada como as suas, em dialetos que nunca precisaram exprimir idéias mais complicadas que a criação de ovelhas ou a destilação de álcool de cereais? Ouvindo algumas dessas polêmicas, não podia evitar de ver o contraste entre o alemão claro e regular que todos nós aprendemos desde o nascimento, tão útil para tudo, de cartas comerciais e patentes de engenharia aos poemas de Schiller e os debates no Parlamento, e a combinação impossível de consoantes dos vários idiomas eslavos que cada vez mais éramos forçados a suportar, não só nas ruas mas até em empresas respeitáveis como a Sobieski. Não estava convencido de que se poderia excetuar o hebraico, que eu raramente ouvira alguém falando. Os únicos exemplos reais foram algumas frases mal entendidas murmuradas durante as orações nas poucas ocasiões, em geral os grandes dias consagrados, em que meu pai decidia complementar a nossa dose de textos éticos de Mendelssohn com uma visita à sinagoga. A elas, poderia acrescentar hoje a vivência de meia dúzia de *slogans*, pronunciados de um modo que, para mim, pareciam irritantes e excessivamente presunçosos por alguns palestrantes sionistas que vieram explicar ao clube as virtudes morais da drenagem dos pântanos e da cultura da laranja em Eretz Israel. Nenhum desses encontros ajudou muito a promover o meu zelo de hebraísta. Lembro que por algum tempo discuti se não seria estrategicamente vantajoso tornar-me um defensor apaixonado da autodeterminação judaica. As mulheres costumavam achar muito atraente este tipo de homem e supus que, se conseguisse parecer bastante inflamado por um ideal, talvez um pouco daquele entusiasmo se transferisse diretamente para mim. Afinal de contas, a vastidão árida da minha vida sexual estava precisando de tantas reformas quanto os desertos da Palestina e, indiscutivelmente, ficava bem mais perto. Além disso, a fama de homem de princípios profundos que ainda por cima dominava as técnicas contábeis mais avançadas poderia encorajar alguns empresários do clube a me oferecer um emprego melhor do que a vaga miserável que tinha na Sobieski, onde trabalhava por um salário insultuoso sem nenhuma oportunidade de boa promoção."

Os devaneios de sucesso que atormentavam Asher e o levavam a ir ao Clube Mendelssohn com mais regularidade do que gostaria de lembrar começavam a parecer mais implausíveis do que nunca naquela noite de inverno. No momento em que cruzou as portas imponentes do clube, já havia uma longa fila de casacos e galochas no armário do saguão. Asher logo viu que teria problemas para encontrar um cabide vazio e temeu que algum imbecil saísse com as suas galochas, deixando as próprias para trás. Que, claro, seriam pequenas demais. Mas também percebeu que a sua exasperação tinha pouco a ver com esses incômodos mesquinhos e ficou tão envergonhado por estar envergonhado que quase juntou suas coisas e foi embora. Mas depois de demorar-se vários minutos no vestíbulo, olhando fixamente as poças que se formavam nas lajotas a seus pés, enrolando e desenrolando o cachecol no pescoço uma dúzia de vezes, decidiu que uma hora ou duas de companhia talvez ajudassem a dissipar o seu mau humor. Assim, tentando limpar a irritação do olhar, foi em frente e entrou no salão principal.

Uma vez lá dentro, surpreendeu-se ao ver quão pouco era necessário para animar o seu estado de espírito e não se preocupar mais com galochas. Havia uma quantidade ilimitada de chá gratuito e uma mesa com pilhas enormes de sanduíches e tortinhas de ameixa. O chá preto maravilhosamente quente, servido em copos altos com limão e três cubinhos de açúcar, e a deliciosa geléia de ameixa dentro de um berço de massa gordinho, tudo arrumado em grande quantidade para quem quer que entrasse na sala de jantar com paredes de lambri, embora, até onde Asher conseguia lembrar, não fosse aniversário de ninguém nem data oficial do Estado. Ele se instalou o mais perto possível do fogão de tijolos e sentiu seu calor penetrar pelas roupas congeladas, primeiro bem devagar e depois com intensidade crescente, até que o suéter de lã dupla que vestira antes de sair do escritório ficou desconfortável. Só depois do terceiro copo de chá, quando sentiu-se tão satisfeito que a única coisa que faltava para completar a sensação de bem-estar físico seria uma dose ou duas de aguardente de ameixa, é que pensou em perguntar a um conhecido que estava por perto que, como ficou aliviado ao observar, parecia comer e beber tudo o que estava ao seu alcance com mais avidez do que ele:

— Devemos este presente de Nabucodonosor à generosidade de quem?

— Não se lembra? — respondeu-lhe Fischbein com a boca ainda cheia de torta. — Faz algumas semanas que o filho de Moritz Rotenburg voltou de seus estudos na Suíça e em Londres e o pai está tão feliz de tê-lo em casa de novo que quer comemorar a ocasião da forma mais pública possível.

— Bem, suponho que isto significa que ele finalmente encontrou alguma coisa para Hans fazer. Se for trabalhar com o pai, não poderá mais passar os dias nas lojas elegantes dos grandes bulevares da Europa dando ordens às vendedoras — foi a resposta desdenhosa de Asher.

Intimamente, ele não conseguia deixar de imaginar toda uma seqüência de imagens vibrantes do que o jovem Rotenburg fazia com essas obsequiosas vendedoras depois que a loja fechava à noite. Mas até para si a tentativa de sarcasmo soou forçada. Ter inveja de uma família tão rica quanto os Rotenburg parecia a Asher perfeitamente normal, parte do que, com certeza, todo mundo ali sentia. Sua própria presença no clube, como a de Fischbein, era um ato de caridade de Rotenburg, já que Moritz pagava as mensalidades de alguns judeus mais pobres de famílias respeitáveis, duas categorias às quais com certeza os Blumenthal pertenciam, e Asher sentia o ressentimento natural de qualquer devedor que não só sabe que jamais será capaz de pagar a dívida, como também que, para o credor, a soma envolvida é pequena demais para ter importância. Mas, junto da inveja, sentiu dentro de si uma onda súbita e embaraçosa de excitação, forte o bastante para deixá-lo sem fôlego, com a possibilidade de realmente encontrar, e em situação tão íntima, o único herdeiro de uma das maiores fortunas da Europa. Asher não pôde deixar de sentir-se fascinado com a idéia do dinheiro de Rotenburg, e sentiu-se suficientemente humilhado com o seu próprio espanto para suprimir todos os seus vestígios na conversa com Fischbein. Lembrou-se de repente de um dos antigos provérbios irritantes do seu pai: "A única coisa que um homem ganha se esfregando nos ricos são buracos no paletó"; e meio que como homenagem a um homem cujos conselhos achava que não valia a pena nem ridicularizar, Asher jurou que, se Hans alguma vez o convidasse a ir à famosa casa dos Rotenburg na cidade, vestiria o seu paletó mais velho, aquele que usara na prova de contabilidade e que estava puído demais para ser usado no trabalho. Com todos os remendos que o cobriam, nem o ouro dos Rotenburg conseguiria abrir mais um buraco naquela roupa, por mais que Asher se esfregasse no príncipe judeu do mercado de ações.

Mas se um convite algum dia viesse a ser feito, teria de ser em outra noite. Embora um dos Rotenburg tivesse fornecido os meios e o outro a razão da festa, nenhum dos dois se incomodou em aparecer pessoalmente. Asher não foi o único membro a considerar a ausência deles um insulto pessoal e subiu e desceu as escadas trocando histórias maliciosas sobre o apego excessivo do financista a seu filho. Deu uma olhada nas diversas salas, caso alguém que conhecesse estivesse indo para casa na mesma direção e sentisse vontade de dar uma paradinha nalguma das muitas tabernas do caminho. No rés-do-chão, na sala de jantar, quando ficou claro que ninguém queria comer nem beber mais nada, a mesa foi esvaziada pela gorda criada eslovena, cuja cintura e quadris largos prometiam uma alegria calorosa que se chocava de forma desconcertante com os seus olhos calculistas e céticos. Aos poucos o branco fogão Meissen, com os azulejos em forma de favos ainda irradiando calor, o avançado da hora e a neve contínua e grossa que caía lá fora espalharam um torpor agradável por todos os que ainda não tinham ido embora. Até Asher, que não tivera sucesso na busca de um tardio companheiro de copo e se instalara temporariamente na sala de leitura, sentiu menos vontade de ficar remoendo o desprezo de Hans Rotenburg e concentrou-se no último número de *A Nova Ordem*, periódico vienense que convencera o bibliotecário do clube a assinar.

O sentimento em relação a Hans era bem menos tolerante na enfeitada suíte particular que dava diretamente para a Radetzkyplatz, que antes servira de escritório pessoal ao presidente da seguradora e hoje era usada pela diretoria do Clube Mendelssohn como sala de reuniões. Muitos membros importantes tinham desistido de esperar por Hans mesmo antes que Nicholas, o mordomo inglês que Moritz Rotenburg trouxera de uma viagem de negócios décadas atrás, chegasse com um bilhete trazendo as desculpas formais de Rotenburg por ele e por seu filho. Os que ainda estavam lá, contudo, ficaram furiosos, não só por terem ficado à espera de um reles garoto de 23 anos como também, mais ainda, por saberem que não tinham a menor possibilidade de reagir. Para homens como Rudi Pichler e Gerhard Himmelfarb, que dependiam de Rotenburg para viver, a grosseria de Hans era uma provocação calculada, com a intenção de mostrar a todos indiferença por suas opiniões. Embora fosse quase impossível ver alguma coisa pela janela a não ser as luzes fracas e cintilantes do Restaurante Metrópole do outro lado da praça, Pichler continuou de pé, com o rosto contra o vidro, observando ocioso a neve envolver a grande estátua eqüestre do príncipe Frederick von Schwarzenberg que ali fora erigida há meio século. Até a filha de Pichler se apaixonara por Hans, e Rudi temia que esta última gota de insolência só fosse aumentar o prestígio do rapaz aos olhos da moça. Parecia que quanto menos Hans se mostrava, mais todos falavam dele. Durante os 15 meses que estivera no exterior, Hans tornara-se um daqueles personagens lendários sem uma verdadeira lenda. Já antes do seu retorno circulavam pela cidade boatos contraditórios sobre ele, que se espalhavam, dizia-se, dos líderes da comunidade judaica à escrivaninha do próprio conde-governador. Tinha-se como certo que Hans, como futuro possuidor de uma das maiores fortunas privadas do país, era vigiado de perto pelas autoridades e, já que uma carreira importante no governo ou nas forças armadas era-lhe vedada por ser judeu, a Seção Política do Ministério do Exterior mantinha-o sob vigilância regular, embora sutil, sempre que viajava. Pouquíssimo do que dizia ou fazia deixava de ser registrado nalgum dossiê secreto da polícia. A sua presença em reuniões de exilados políticos em Zurique e Londres foi cuidadosamente anotada e falou-se de convocá-lo ao consulado e ameaçá-lo de tirar-lhe o passaporte. Mas como ele mal dissera alguma coisa nessas reuniões, nas quais, de qualquer modo, pelo menos metade dos participantes era de agentes pagos pelos governos russo, alemão ou austríaco, decidiram que não havia necessidade imediata de ação oficial. Seja como for, Hans passava muito mais tempo acumulando uma série de amantes caras e servindo de aprendiz dos cabeças de algumas grandes empresas estrangeiras com as quais os Rotenburg faziam negócios do que se relacionando com revolucionários famosos. Os especialistas de Viena estavam atônitos, sem saber o que fazer dele. As opiniões se dividiam: Hans seria um mulherengo mimado, fingindo-se de revolucionário para dar um tipo de clima diferente à atração já poderosa de sua riqueza e boa aparência, ou um conspirador político esperto ocultando-se atrás da máscara de sedutor despreocupado? Havia também, é claro, a possibilidade de que estivesse simplesmente agindo como emissário do pai, acumulando informações úteis para os negócios cada vez mais disseminados do velho. Como Hans ficara famoso como sionista apaixonado na época da escola secundária, quando vários professores seus denunciaram-no secretamente ao governo por demonstrar "a lealdade dúplice típica de sua raça", alguns elementos do Ministério continuavam a vê-lo como personagem de potencial importância na bizarra fantasia judaica de levar o povo hebreu de volta à sua Terra Prometida. Todo este projeto irritava e espantava, alternadamente, os especialistas do Ministério do Exterior, que nunca sabiam se deviam levá-lo a sério, mas como não era prático esmagar de repente o movimento, era preciso encontrar um jeito de fazer esses devaneios servirem aos interesses do Império. Dada a rivalidade natural entre o Exército, o Ministério do Interior e o Ministério do Exterior, cada um deles suspeitava que Hans acabaria como funcionário secreto de algum dos outros. O resultado imediato de toda esta especulação de alto nível foi a decisão conjunta dos vários departamentos de não interferir, pelo menos por enquanto, com as atividades de Hans, por mais provocadoras que parecessem. Na cadeia, Hans não seria útil a mais ninguém, mas se achasse que ninguém o observava acabaria, sem dúvida alguma, revelando a que interesses realmente servia. Assim, talvez o boato de que Hans fora abordado por alguém importante ligado à questão de uma pátria judaica ou talvez com a promessa de um pequeno posto diplomático, num lugar onde sua raça e sua linhagem pouco distinta não constituíssem barreira insuperável, tivesse sido divulgado pelo próprio governo para desacreditá-lo com antecedência caso, mais tarde, ele se mostrasse mais problemático do que se previra. No entanto, o mais provável é que esta abordagem nunca tenha acontecido, mas depois que entrou no circuito de fofocas da cidade passou a fazer parte da lenda de Hans, e a própria multiplicidade das histórias em que aparecia dava-lhe uma importância na mente de seus conterrâneos que ia bem mais longe do que tudo o que ele realmente fizera.

Hans ouvira algumas dessas histórias contraditórias sobre si e achou-as todas igualmente irritantes. Diversamente do pai, não percebera ainda a utilidade de ter versões mutuamente exclusivas sobre si tão amplamente disseminadas. Garantir o máximo de flexibilidade para suas próprias ações através da manipulação das discrepâncias do modo como os outros o viam parecia a Hans uma admissão desnecessária de fraqueza. Tinha certeza de que o sucesso só vinha do máximo possível de audácia. Meses antes de partir, ficara enojado com a passividade dos tagarelas do Clube Mendelssohn — "sionistas de samovar", era como ele os chamava — e parou de freqüentar os seus debates intermináveis, mesmo depois que Elisabeth Demetz insistiu para que continuasse a acompanhá-la. Disse-lhe que mais discursos não o interessavam, a menos que pudesse convencer-se de que levariam à ação direta. A discussão entre eles irrompeu com mais aspereza do que antes numa noite lamacenta de julho, poucas semanas depois que ela decidiu adotar o nome Bátia como símbolo de sua intenção de emigrar para a Palestina. Saíra direto da aula de hebraico no clube para visitar Hans em seus aposentos no segundo andar da mansão Rotenburg, que ele convertera num apartamento independente, separado do resto da casa. Com a mesma rapidez com que caíram na ladainha de queixas agora tristemente familiar, Bátia não pôde deixar de pensar como era amargo brigar num quarto cuja decoração fora responsabilidade dela mesma. Lembrava-se de ter encomendado o sofá azul-escuro com desenhos suaves de estrelas douradas, em que agora se sentavam, e do seu prazer quando finalmente chegou de Praga. Apesar da fama generalizada de sedutor de vendedoras, Hans raramente comprava coisas para si e ficou contente por confiar a Bátia todas as decisões sobre o seu apartamento. Uma travessa de frutas e uma jarra de cristal cheia de água gelada, que faiscava com a condensação, estavam numa bandeja matizada perto do sofá. Atrás deles, uma garrafa de vinho branco elevava-se num gracioso suporte de terracota. O suporte de garrafas fora o presente de aniversário que dera a Hans no ano anterior e Bátia não tinha certeza se sua posição ali era uma sutil proposta de paz ou se ele simplesmente esquecera que ela é que o tinha dado. A temperatura mal caíra desde o meio-dia e Bátia contentou-se em sentar-se em silêncio por alguns minutos, pressionando o copo de vinho contra a testa, mas era óbvio que Hans esperara a sua chegada a noite toda e estava ansioso para mergulhar diretamente em suas lamentações armazenadas. Em momentos assim o contraste entre a aspereza agressiva da voz dele e a delicadeza natural dos seus traços tornava a sua raiva ainda mais desconcertante. Hans parecia-se muito com a mãe falecida, embora nele os traços de Dina parecessem mais angulosos e determinados, talvez em função do temperamento que tensionava linhas e curvas que, não fosse assim, deixariam transparecer uma suavidade maior do que ele permitiria que alguém percebesse. As duas ou três vezes em que Moritz vira Hans dormindo depois de adulto — uma delas quando entrou no quarto de Hans, tarde da noite, e encontrou-o cochilando na cama, completamente vestido, de sapatos inclusive, e algumas vezes perto do fogo, no inverno, com os braços cruzados sobre uma pilha de papéis que escorregavam lentamente de seu peito — este homem tão controlado sentiu o coração doer de tristeza ao ver até que ponto a semelhança entre Hans e a mãe viera à tona. Para Moritz, era como se a timidez delicada de Dina se soltasse momentaneamente num jovem rosto masculino, liberto da consciência do despertar. Os olhos castanho-claros de Hans eram emoldurados por sobrancelhas grossas, de curvatura suave, e Bátia costumava pensar que, se ele fosse dominado por um temperamento diferente e mais introvertido, poderia facilmente cultivar a aparência de algum dos retratos famosos de músicos e escritores do início do século anterior. Devia ter sido tola o bastante para dizer-lhe isso, já que agora ele se esforçava para demonstrar sua indiferença a tudo o que fosse ligado às artes. Parecia gostar de cercar seus argumentos com as palavras mais crassas e vulgares e, naquela noite, encontrou uma comparação especialmente irritante para puni-la por tê-lo deixado esperando tanto tempo enquanto conversava com os amigos no clube.

— A nossa política — começou ele, antes mesmo que Bátia pousasse o copo de vinho — não devia ser mais tolerante com o fracasso que as empresas do meu pai. Não há nada de nobre nem de romântico na incompetência e não vejo por que deveria ficar sentado pacientemente, ouvindo as fantasias políticas dos outros, se não confio em nenhum deles para gerenciar uma tabacaria de esquina. Mas ainda que essa multidão de sonhadores do clube conseguisse mandar alguém para a Palestina, a idéia de transformar o lugar numa segunda Galícia, com seu próprio Clubezinho Mendelssohn em cada cidade, é bem sem graça. Principalmente quando há tanta coisa a fazer aqui mesmo. Além disso, pense em com quem você vai emigrar. Com meia dúzia daqueles escriturários de péssima aparência que o meu pai ajuda, que andam pelo clube fitando as mulheres com seus olhos úmidos e suplicantes e aquele sorriso ridículo e afetado? Todos têm o mesmo tipo insuportável de olhar derrotado e não acredito que passar alguns meses vestido de árabe vá mudar isso. Não se lembra do que você me disse depois do baile de Sucot, há dois anos? Eu, por mim, não esqueci nem uma palavra. Você veio até onde eu estava, sozinho no jardim, colocou os braços em torno do meu pescoço, meio rindo e meio furiosa, e começou a falar tão alto que os outros não puderam deixar de nos olhar, embora nós dois tenhamos fingido não notar. "Diga-me, Hans", foi o que você falou com a sua voz mais fingida e zombeteira, "por que tantos rapazes desta cidade usam óculos e se vestem tão mal? Pelo menos você consegue ver direito sem lentes no nariz, e assim talvez eu acabe mesmo indo para casa com você. Quantos séculos de servilismo você acha que são necessários para produzir uma cara como a daquele camarada ali? Imagine que figura ele faria pelado, com aqueles braços compridos e peludos e o pinto todo mole e esquisito! Estou cansadíssima de tanta melancolia e introspecção. Todos são almas supersensíveis de mesa de bar, prontos a fugir para casa aterrorizados assim que alguém lhes eleva a voz na rua." Mas um mês depois, Bátia, você quis de repente que eu passasse a pentear meu cabelo para ficar mais parecido com algum delicado poeta romântico. Para mim, essa dedicação sua a tudo isso não passa de encenação. É como se você experimentasse uma fantasia atrás da outra para ver qual delas fica melhor e simplesmente não consigo levar nada disso a sério como você gostaria.

A princípio, Bátia ouviu atentamente enquanto Hans a repreendia, mas conforme ele prosseguia ela sentiu que a sua atenção ia se afastando e começou a olhar a sala, estimulada tanto pela fadiga quanto pela sensação de que era a última vez que estaria ali como namorada dele. Embora a sala estivesse cheia de curiosidades raras, trazidas de outras partes da casa, seus olhos demoraram-se nos pequenos objetos que mais gostara de lhe dar, principalmente a pequena cigarreira de olho-de-tigre na escrivaninha e a estante de partituras em madeira vergada que ele nunca usara, e de repente sentiu-se cansadíssima e ansiosa para voltar para a sua própria casa e a sua própria cama. Por trás da malevolência das palavras dele, Bátia percebia agora com que vigor Hans sentia que precisava distanciar-se dela e convenceu-se da futilidade de tentar dissuadi-lo. Havia muitas coisas com que poderia responder e várias delas lhe cruzaram a mente enquanto ele falava, mas o impulso de prolongar a briga e provar que estava certa dissipou-se quando a inutilidade do esforço ficou clara para ela. Sim, é óbvio que dissera muitas coisas idiotas na noite do baile e, quer tenham-na ouvido, quer não — coisa de que tinha bem menos certeza do que Hans afirmava agora —, sentia vergonha da sua crueldade. Fora a primeira vez que bebera tanto champanhe e a excitação da noite, as horas passadas dançando com uma orquestra cigana especialmente contratada, apesar das objeções dos membros mais conservadores do clube, e a certeza de que Hans Rotenburg, que todas as moças da cidade desejavam, estava apaixonado por ela deixaram-na tão tonta e exibida quanto uma menina de 14 anos. Quando correu até ele no jardim, na verdade só queria que ele sentisse um pouco da sua própria empolgação, ao mesmo tempo que parecesse uma das mulheres ousadas e experientes sobre as quais adorava ler. Nada disso desculpava o que dissera, mas era injusto que Hans usasse aquilo para descartar o que ela acreditava. E era também desonesto. E todas as outras coisas que ela lhe dissera no jardim? Com a memória maravilhosa de Hans, deixar o restante de fora só podia ser de propósito. Talvez ela estivesse meio alta naquela noite, mas não a ponto de esquecer o estranho olhar dele quando Bátia bradou que todos aqueles rostos deprimentes lá dentro só fortaleciam a sua convicção de que "o que precisamos agora é de fazendeiros e operários judeus, e não de mais advogados, rabinos e escriturários! Sei que a próxima geração vai parecer e agir de forma totalmente diferente e quero fazer parte desta transformação, não apenas ficar aqui e fazer um bom casamento!"

Finalmente Hans parara com as acusações e o seu rosto tinha uma expressão que ela reconhecia, mas que nunca esperara ver quando estivessem juntos e sozinhos: era dura e teimosa e encarava quem o desagradava como se a pessoa estivesse sendo demitida de sua mente, como um subordinado insatisfatório cuja presença se tornasse cansativa. Mas aí, enquanto recolhia suas coisas, zangada e humilhada, Bátia recordou, de repente, a fúria de Hans anos atrás quando defendeu o pobre Sandor na hora em que os outros colegas de escola o atacaram depois da aula e jogaram seu dever de casa na neve. E como todo mundo na escola se espantara com a insolência com que Hans respondera ao idiota pomposo daquele professor de história quando fez uma piadinha sobre os judeus gananciosos que, na guerra, vendiam ao exército fuzis com defeito. Não importava no que ele parecia acreditar agora; foram esses momentos e não o sobrenome Rotenburg que a fizeram se apaixonar por ele e sonhar com os dois indo juntos, como delegados, a uma convenção sionista, ajudando-se entre si nos discursos, dividindo abertamente um quarto, ambos inflamados pela excitação de estarem juntos como parceiros numa causa que era toda deles. Bátia tinha suficiente autocontrole para não recordar a Hans essas imagens. Independentemente do que significassem para ela, para Hans tudo o que dissesse sobre isso agora só pareceria mais encenação. Ela chegava a concordar em parte com isso e sabia, melhor que ele, como tinha prazer com as mudanças do seu próprio entusiasmo, por causa do otimismo e da energia que elas lhe traziam. Mas, ao contrário de Hans, para quem julgar os outros parecia ter-se transformado num prazer por si só, Bátia tendia naturalmente a ser mais tolerante com tudo o que fizesse alguém sentir a vida com mais alegria. Compreendia, também, que não fora nada disso que fizera Hans deixar de gostar dela. Ele não achava mais agradável estar com ela, e todo o resto não passava de um desdobramento da mudança fundamental dos seus próprios sentimentos. É possível defender-se de quase todas as acusações, menos a de não ser mais desejável. Hans podia zombar dela com teatralidade, mas nada, em toda aquela triste noite, foi encenado de modo mais transparente que a forma como ela o deixou ajudá-la a vestir o casaco, acompanhá-la pela escadaria larga e curva até a porta da frente e trocar despedidas no tom de voz mais normal possível. Foi tudo bem educado e horroroso, parecendo uma cena de alguma peça medíocre, e só quando Bátia voltou a ficar sozinha, com a porta do quarto trancada e as roupas cuidadosamente penduradas no guarda-roupa, é que se jogou na cadeira ao lado da cama e chorou sem controle até adormecer.

Quando Hans voltou para o andar de cima e percebeu que Bátia realmente fora embora, sem as reafirmações e reconciliações de última hora que tinham marcado todas as brigas anteriores, primeiro se espantou e depois sentiu-se aliviado, como se ficasse surpreso por ter atingido um objetivo do qual só tinha consciência indireta quando Bátia chegara naquela noite. Até então, não decidira se aceitava ou não a sugestão do pai de estudar no exterior, mas agora tinha certeza de que precisava sair daquela casa e daquela cidade se queria ser mais do que simplesmente o filho de Moritz Rotenburg. Romper com Bátia era igualmente necessário, embora soubesse que ela não o via da mesma forma que os outros. Mas a necessidade dela de ver os dois como parte de uma história na qual ele não acreditava mais parecia uma restrição impossível. Diversamente dos heróis dos romances de Dostoiévski, que ela lera de um só fôlego em noites insones de encanto e admiração e nos quais vivia encontrando paralelos, que para Hans soavam totalmente implausíveis, como o próprio caso de amor dos dois, ele nunca pensava em si como um angustiado que buscasse alguma verdade espiritual mais elevada. Pelo contrário, sentia-se atraído pelo tipo de sangue-frio distante que concebia como antítese da histeria romântica de Bátia, que desdenhava, mas à qual se supunha demasiado suscetível. Como muita gente instintivamente calculista, Hans precisava ver a si mesmo como bastante fácil de cair presa de superexcitação, que tinha de exercer o maior controle possível sobre as próprias emoções.

Foi para proteger-se desta sensibilidade supostamente excessiva que evitou estar sozinho com Bátia nos meses anteriores à sua partida para a Inglaterra. Além dos preparativos necessários para uma viagem tão longa e da distração de um namorico rápido e sem graça com Sophie Pichler, Hans passou parte de cada semana com vários auxiliares importantes no escritório do pai, aprendendo alguns fundamentos da administração das empresas Rotenburg. Quando dois grandes amigos seus, Ernst von Alpsbach e Christoph von Hradl, com quem Hans formara um grupo de leitura que passara do estudo dos textos marxistas mais antigos à aquisição de uma grande coleção de panfletos revolucionários clandestinos, tentaram brincar com Hans por dividir o seu tempo entre a observação do acúmulo de quantias imensas e as leituras sobre como abolir por completo a propriedade privada, Hans ouriçou-se, irritado. Insistiu que, se queriam aprender alguma coisa sobre o mundo moderno, logo perceberiam que não havia nada de contraditório entre as suas duas atividades:

— Tenho certeza de que, para aristocratas como vocês dois, cujo dinheiro da família vem das suas terras, os princípios da organização social moderna e racional são estranhíssimos. É aí que ser um Rotenburg me dá muita vantagem. Não tem nada a ver com o fato de que o meu pai talvez seja mais rico que os de vocês; é que o sucesso dele depende de estar afinado com as forças econômicas implacáveis que estão sempre mudando. Não há espaço para sentimentos ou saudades no mercado nem num movimento político que leve a sério a tomada do poder. Tudo o que esteja ligado ao trabalho tem de ser impiedosamente lógico e eficiente, não importa o que acabe sacrificado no processo. Provavelmente Marx e o meu pai se entenderiam muito bem, ou pelo menos concordariam de onde vem hoje em dia o verdadeiro poder. Com certeza aprendi mais sobre o que é preciso para administrar uma organização trabalhando no escritório nestes últimos meses do que em qualquer um dos nossos debates.

Continuaram discutindo assim pelo resto da gloriosa tarde de outono, caminhando juntos sob a dupla colunata de antigas nogueiras que tornava famosa Weidenau, a propriedade dos von Hradl no campo. De longe, as vozes dos ceifadores chegavam aos seus ouvidos e os painéis de vidro da estufa, onde a mãe de Christoph se ocupava cuidando de suas flores exóticas, brilhavam em vermelho e dourado ao sol do fim da tarde, como se a própria luz os transformasse nas janelas bisotadas de alguma antiga igreja de aldeia. Se a Ernst ou Christoph ocorreu que a presença de Hans ali como seu amigo, sem mencionar a paciência deles ao deixar que os repreendesse ao seu modo sardônico e insistente, era prova de que as antigas famílias do Império não estavam tão esclerosadas como ele afirmava, não deixaram perceber. Nenhum judeu ousaria falar assim com seus avós e Philip von Hradl, pai de Christoph, cujas dívidas lhe davam ampla base para que quisesse manter as boas graças dos Rotenburg, sentia-se bastante incomodado com a intimidade entre seu filho e o de Moritz. Mas até o próprio imperador começava a fazer ajustes assim e com mais humor do que lhe costumavam atribuir. Segundo o Conde-governador Wiladowski, que estava em Viena naquela época, pediram a Francisco José que aprovasse a nomeação, para um cargo importante da igreja, de um novo bispo chamado Cohn e, quando viu o nome, ele simplesmente voltou-se para o seu ajudante-de-ordens, o Conde Trautmannsdorff, e sem nenhuma inflexão na voz, perguntou: "Pelo menos ele é batizado?" Embora nunca fossem explicar isso assim, Christoph e Ernst admiravam Hans pelas mesmas razões que Bátia e dispunham-se a tolerar a sua ironia aguda e nem sempre agradável, nunca aliviada pelo senso de humor, porque achavam que ele era mais sério do que os dois, e ainda eram muito jovens para ver isso como uma qualidade acima de quase todas as outras.

Hans tomou como sinal auspicioso que as cidades para onde o pai queria mandá-lo eram também centros de atividade política subversiva, de onde os panfletos que ele e seus amigos liam eram contrabandeados para a Áustria. Sua ânsia natural de dominar qualquer grupo era atenuada, embora nenhum dos outros participantes percebesse, pela aguda consciência de como era frágil a base de experiência que havia por trás de suas afirmações, e achou que, se comparecesse a diversas reuniões radicais na Inglaterra e na Suíça, poderia dar um polimento final em sua educação política. Quando finalmente partiu, avisou aos amigos que não esperassem que suas cartas incluíssem alguma menção aos vários contatos clandestinos que faria no estrangeiro, ostensivamente por medo de ser pego pelos censores postais do governo, mas na verdade porque queria preservar a sua independência de quaisquer restrições externas, principalmente a opinião dos outros integrantes do seu grupo. Hans estava tão inclinado a deixar que os amigos soubessem exatamente o que ia fazer quanto o pai a deixar seus sócios num empreendimento saberem os detalhes de todos os outros negócios em que estava envolvido ao mesmo tempo. Embora escutasse os diversos líderes radicais com a curiosidade de um aluno inteligente ansioso para aprender e testar-se frente aos professores mais renomados da época, Hans nunca se filiou formalmente a nenhum partido, preferindo manter em aberto a possibilidade de trabalhar com vários deles, ainda que costumassem ver-se uns aos outros como terríveis rivais. A possibilidade de acrescentar o nome e os recursos de Hans às suas fileiras era suficiente para persuadir os organizadores partidários, fora isso rigidamente sectários, a lhe conceder uma tolerância que jamais teriam com nenhum recruta menos atraente, e Hans aproveitou-se desta liberdade para escolher entre as várias facções. Sua preferência instintiva ia sempre para as teorias mais insubmissas. Quando finalmente resolveu-se a voltar para casa e organizar sozinho uma célula revolucionária, foi a autoridade científica e puramente lógica das análises históricas dos revolucionários que o convenceu e ele acreditou nela com a mesma certeza que sentira ao observar o pai especulando com as variações dos preços do ferro e do aço. O que o estimulava, mais que tudo o que conhecera antes, era a confirmação de sua crença numa ciência rigorosa da revolução, tão irrefutável quanto a prova de uma fórmula matemática.

No caminho de volta da Suíça, Hans ficou em Viena durante algumas semanas e daí, depois de antes pedir ao pai que não dissesse a ninguém a data exata de sua chegada, voltou da capital no expresso noturno e foi recebido na estação somente por Nicholas, que o levou diretamente à mansão Rotenburg. Nos dias seguintes e sem nada da resistência que Moritz esperara, Hans concordou em voltar a trabalhar ao lado dos principais auxiliares do pai para preparar-se para o dia em que herdaria a empresa. Mas Moritz notou que o filho evitava qualquer conversa íntima que não tivesse relação com os negócios e parecia ainda mais distante e reservado do que antes de partir. Embora a notícia de sua volta tivesse se espalhado depressa pela cidade, até onde Moritz podia dizer pelas perguntas aos criados, somente quatro ou cinco rapazes do grande círculo de conhecidos de Hans foram convidados para ir à casa. Segundo o Dr. Demetz, Hans sequer se incomodou em voltar a fazer contato com Bátia. Moritz imaginou que Hans talvez estivesse mais ferido do que deixara perceber com a notícia de que Bátia e o garoto von Alpsbach estavam se encontrando, uma relação que também angustiava muito os pais dos dois, mas se Hans se sentiu incomodado nunca mencionou nada a ninguém. Pelo menos durante o tempo que passou longe, sua preferência sexual pareceu ter-se deslocado de moças como Bátia Demetz e Sophie Pichler para mulheres da classe operária. Recentemente, viera com a idéia excêntrica de alugar um apartamento no dilapidado bairro Josef, motivado, sem dúvida, pela necessidade de um lugar para receber certo tipo de mulher que era impossível levar à casa do pai. Embora Moritz não ficasse nem um pouco alarmado com tais caprichos e visse-os como expressão de uma frivolidade inofensiva por parte de alguém que, para a sua idade, era absolutamente sério e contido demais, também não via razão para que Hans cortasse os laços com o seu antigo círculo. Foi exatamente para ajudar a reintegrá-lo à comunidade local que Moritz organizara a recepção no Clube Mendelssohn, mas quando o filho lhe mandou, do novo apartamento, um bilhete de duas linhas meia hora antes do momento em que deveriam sair juntos para a festa, dizendo apenas que não se sentia bem o bastante para comparecer, Moritz ficou desanimado demais para ir ao clube sozinho. Mandou Nicholas em seu lugar para pedir as necessárias desculpas, sabendo que, já que todo mundo ficaria furioso com ele e atribuiria sua ausência e a de Hans à arrogância, não fazia sentido esforçar-se para dar uma explicação aceitável em pessoa. Não tinha desejo nenhum de demorar-se na companhia de pessoas como Gerhard Himmelfarb, que o detestava por causa de seu dinheiro, e Rudi Pichler, que devia gostar tanto dele quanto Gerhard, mas tinha uma filha em idade de casar e ainda sonhava futilmente em uni-la a Hans. Moritz não tinha prazer em ferir o sentimento dos outros. Mas, em última instância, o que todo mundo no clube pensava dele não fazia a menor diferença para o grande financista e, pelo menos nesta avaliação, embora a cidade coberta de neve estivesse inteira entre os dois, pai e filho estavam mais unidos naquela noite do que podiam perceber.

◆ ◆ ◆

Enquanto todos no Clube Mendelssohn se queixavam da ausência de Hans, ele mesmo tentava, sem sucesso, acender um bom fogo no apartamento que acabara de alugar. Do lado de fora da porta, na escada estreita do prédio de três andares, tudo estava saturado com o cheiro de querosene e banha barata, e camadas grossas de fuligem agarravam-se permanentemente às paredes, como uma imitação das cortinas negras encontradas nos lares de classe média quando morria algum membro importante da família. Dentro, era igualmente tristonho. As janelas não eram lavadas há anos; e a sala propriamente dita estava quase completamente nua. Os únicos objetos visíveis eram duas cadeiras raquíticas de madeira, um fogão velho, uma escrivaninha que fora pregada ao chão e uma cama de ferro sem colchão; tudo o mais fora apressadamente removido pelos locatários anteriores, que tinham ido embora sem pagar o aluguel e levaram com eles tudo o que fosse fácil de transportar. Enquanto ia de um lado a outro, procurando um lugar para descansar a braçada de livros que trouxera consigo, Hans sentiu-se arrependido pela centésima vez de sua falta de praticidade desde que voltara. Precisou tentar várias vezes antes de finalmente conseguir que o monte de carvão barato e retalhos de jornal velho pegassem fogo e foi forçado a admitir para si mesmo que, se queria tornar o lugar habitável, teria de contratar alguém de confiança para cuidar disso o mais cedo possível. O senhorio poderia conseguir uma faxineira que viesse regularmente, mas como já não podia pedir a Bátia Demetz que cuidasse da compra da mobília necessária, precisaria chamar *Herr* Lászny, gerente do Magazine Koppensteiner, para que viesse dar uma olhada nos cômodos. Era quase certo que seria a primeira vez que Lászny entraria num apartamento deste bairro, mas os Rotenburg eram importantes demais para que ele hesitasse em oferecer os seus serviços.

Agora, contudo, caía o crepúsculo e Hans concluiu com relutância que levaria algum tempo para que o apartamento pudesse ser usado para mais do que algumas reuniões apressadas e preliminares. Naquela noite, esperava apenas quatro visitantes: Christoph von Hradl, Joachim Gerling, Leo von Arnstein e Manfred Langer. Eram os participantes mais leais do seu antigo grupo de leituras e teriam de formar o núcleo da célula revolucionária. Todos tinham se perguntado se Hans convidaria Ernst von Alpsbach, que todos, exceto, talvez, os próprios Ernst e Hans, costumavam considerar o amigo mais íntimo de Hans. É verdade que Ernst era o único cuja inteligência Hans respeitava inteiramente, mas a amizade dos dois fora marcada, desde cedo, por uma certa cautela mútua que era mais do que a mera rivalidade natural de dois rapazes privilegiadíssimos e de vontade férrea. Hans quase completara o seu estágio em Londres e já tomava as providências para seguir para Zurique quando Sophie Pichler escreveu-lhe para contar que Ernst e Bátia estavam romanticamente ligados. A má vontade de Sophie para com Bátia era tão transparente que tornou mais fácil para Hans tratar a notícia como algo que não tinha mais relação direta consigo. Ele disse a si mesmo que Ernst e Bátia pertenciam a uma fase anterior do seu próprio desenvolvimento. Havia até algo lisonjeiro na idéia de que esses dois personagens do seu passado se tornariam amantes assim que ele não estivesse mais por perto. Para sua surpresa, no entanto, agora que estava de volta à cidade, acordava às vezes no meio da noite imaginando se tinham estado juntos naquele dia e, antes de voltar a dormir, tinha de obrigar-se a desfazer uma série de imagens tristemente vivas dos dois deitados nus no quarto de Ernst, rindo de algum absurdo seu que tinham recordado. Christoph e os outros também admiravam Ernst e não havia dúvida de que ele tinha autoridade pessoal suficiente para estabelecer-se como rival dentro da célula. Ainda assim, Hans concluíra que não tinha escolha senão convidar Ernst; agir de outra maneira seria admitir as suas dúvidas e, portanto, fez questão de mostrar a todos os outros o bilhete no qual enfatizava o quanto esperavam pela participação de Ernst. Contudo, alegrou-se quando este pediu desculpas educadas por não estar com eles naquela noite.

Em parte, Hans lamentava genuinamente a ausência de Ernst. Embora tivesse decidido desde o princípio assumir sozinho a liderança da pequena célula, tinha a desconfortável consciência da tensão entre a sua confiança científica no triunfo iminente do movimento e o desejo de cometer um ato de "justiça revolucionária". Um gesto destes seria a melhor maneira de legitimar o seu papel no grupo. Ele não se parecia em nada com os revolucionários profissionais que observara no exterior e sentia que seus companheiros distinguiam-se principalmente por uma preguiça mental e emocional nada inspiradora. "Todos eles não passam de meros diletantes", era como explicava isso a si mesmo enquanto esperava que encontrassem a casa. A própria incompetência deles o obrigava a pensar em modos de enrijecer a firmeza coletiva do grupo. Hans acreditava que a história dera-lhe uma oportunidade única, já que, neste mesmo instante, a necessidade do país e a de sua própria célula estavam em perfeita harmonia: ele e seus camaradas precisavam forjar a sua determinação nalgum grande feito e o Império precisava de um ato direto de guerra revolucionária para que alguma mudança significativa acontecesse. Foi por sentir-se pronto a deflagrar a primeira fagulha desta guerra que Hans se dera ao trabalho de voltar para casa e trabalhar com o material humano que conseguisse recrutar.

Como se para confirmar todas as dúvidas de Hans a seu respeito, Christoph e os outros mal cruzaram pela porta e começaram a queixar-se da dificuldade em encontrar o apartamento. Nenhum deles se incomodou em tirar o casaco. Em vez disso, ficaram todos ali de pé, num semicírculo desajeitado, apertando-se contra o fogão, visivelmente perplexos com o capricho de Hans de reunir-se ali em vez de em sua casa. Até Gerling e Langer, os dois participantes de classe média que sempre ficavam num silêncio tão respeitoso diante dos seus camaradas mais eminentes que todos passaram a chamá-los de "nossos beneditinos revolucionários", não se esforçaram para disfarçar seu desconforto. Enquanto os observava impassível do seu lugar junto à janela, Hans sentiu-se cada vez mais contente com a sua decisão. Fazer todo mundo reunir-se ali acabaria fortalecendo o seu domínio sobre o grupo. Quanto mais fossem arrancados da rotina familiar, mais se voltariam para ele em busca de um objetivo. Além disso, ali todos podiam ir e vir com muito mais liberdade que em seus próprios bairros. Já havia agitadores muito mais perigosos tentando sublevar os desempregados do bairro Josef para que a polícia desse demasiada atenção a um grupo de garotos ricos do outro lado da cidade. Uma das tradições nacionais respeitadas era que os rapazes de sua origem arranjassem amantes na classe trabalhadora, e Hans tinha certeza de que não teria dificuldade para deixar transparecer que era este o seu objetivo ao se instalar naquela parte da cidade. Os policiais, achava Hans, só descobriam o que já estavam procurando e, assim, tudo o que precisava para tranquilizar os espiões do governo era chegar bêbado algumas noites, acompanhado dos amigos e de garotas de qualquer bar próximo. Fariam tanto barulho que alguma família da vizinhança com certeza daria queixa. Então, Hans pagaria a multa que lhe seria imposta, as expectativas de todos estariam satisfeitas e ninguém mais prestaria atenção em suas atividades.

Enquanto Hans observava os camaradas olharem em volta desanimados atrás de alguma coisa para beber e de lugar para sentar, ocorreu-lhe que, pelo menos nesta noite, havia uma vantagem adicional, embora imprevista, no estado do apartamento. Seriam impossíveis discussões longas em tais circunstâncias. Quem estava batendo os dentes e de barriga vazia não sentiria a menor vontade de envolver-se num debate sobre a teoria revolucionária, pelo menos não quando todos tinham lugares confortáveis para ir assim que o ouvissem e se sentissem à vontade para partir. Depois que as visitas já estavam de pé, juntos e sem jeito por alguns instantes, esperando que Hans começasse os trabalhos, ele, que estava semi-recostado no parapeito da janela, endireitou-se de repente, andou até o meio da sala e apertou a mão de todos com um ar de prazer apressado mas amigável. Pediu desculpas pelo estado inacabado do apartamento, mas seu tom de voz deixou claro que via o conforto físico como questão de menor importância e estava certo de que todos pensavam da mesma maneira. O mais importante, disse-lhes, era ter um lugar para se reunirem regularmente, fora da supervisão da polícia ou dos criados das suas famílias. Mas quando Christoph lhe perguntou se não faria mais sentido se pelo menos um ou dois deles fossem a Viena e fizessem contato com alguns dos grupos radicais de lá, Hans logo o interrompeu e disse que, se tinha aprendido alguma coisa no estrangeiro, era a necessidade de que as células clandestinas separadas trabalhassem de forma independente umas das outras, para que, se alguma acabasse comprometida, não levasse consigo nenhuma das outras.

— Além disso — continuou —, pensem em quanto tempo levaria para nos estabelecermos na capital, fazer os contatos certos e encontrar algo de útil a realizar pela causa. É óbvio que seremos muito mais produtivos ficando bem aqui, onde já conhecemos a situação e podemos organizar algum tipo de ação sem necessidade de trazer de fora gente desconhecida e potencialmente perigosa. Com este lugar no bairro Josef para tirar a polícia do rastro, podemos começar a acumular algumas armas no porão e, se algum de nós conseguir se infiltrar na madeireira e na tecelagem para fazer contato com os camaradas que já estão agitando ali secretamente, conseguiremos juntar um ato exemplar de terror político com uma greve em massa. Mas não se enganem, a greve é uma questão secundária para nós. A nossa missão, aquela que prometi aos líderes de Zurique e que temos a força de vontade e a determinação de realizar, é o próprio terror. Ainda que os próprios trabalhadores ainda não saibam tudo a respeito, podem estar certos de que se levantarão para imitar quem quer que dê o exemplo mais ousado. A ação em massa sempre se desenvolve depois de uma façanha de sacrifício individual, nunca ao contrário.

Embora Hans tentasse manter a voz homogênea e profissional, não havia como duvidar da excitação que sentia assim que começava a falar do terror como instrumento político. Todos os outros a registraram quase no mesmo instante e sentiram-se um pouco embaraçados por testemunhar uma emoção tão íntima tomar conta de um amigo cujo autocontrole costumavam admirar. Para Christoph, parecia-se, a ponto de deixá-lo nervoso, com a maneira como ele se imaginava quando ensinava a alguma mulher do bordel exatamente como agir para aumentar-lhe o prazer. Leo e Christoph trocaram um olhar rápido e depois voltaram imediatamente os olhos para longe, desconcertados com a semelhança da sua reação. Ambos se espantaram ao ver que, para Hans, a simples idéia do terror político podia despertar uma intensidade que só tinham conhecido em vergonhosos encontros eróticos, e perguntaram-se como seria ter uma dedicação tão forte e profunda a uma causa além dos seus próprios prazeres momentâneos. Hans percebeu o olhar, mas já conquistara o ponto decisivo. Ninguém fizera objeção alguma à sua conclamação à violência e, fosse qual fosse a estratégia que surgisse, pretendia tratar esse silencioso consentimento inicial como um compromisso tão impositivo quanto um contrato legal. Para dar a impressão de uma reunião aberta, teria de mantê-los ocupados falando por mais algum tempo, mas no que lhe dizia respeito tudo o mais que fosse abordado naquela noite não passaria de bate-papo inútil.

Como se ainda fosse um garoto de escola, Joachim Gerling começou, instintivamente, a levantar o dedo para mostrar que queria falar e corou intensamente quando percebeu o que estava fazendo. Puxou a mão de volta a meio caminho e passou a cutucar os enormes lóbulos das orelhas, como se esta sempre tivesse sido sua intenção. Sem a presença de Ernst para encorajá-lo, Gerling sempre tentava apegar-se o máximo possível ao homem mais forte do grupo. Hans sabia disso, mas até ele estava despreparado para a inépcia com que Gerling tentou ganhar-lhe as graças. Com um olhar de absoluta seriedade, perguntou se, à luz da tensão crescente entre os operários judeus organizados e os socialistas católicos, o grupo não poderia usar alguns contatos antigos de Hans no movimento sionista para ajudar a construir uma ponte entre os dois movimentos. Por um instante, Hans ficou tentado a simplesmente rir de tamanha tolice. Em vez disso, decidiu que fingir levar as idéias de Gerling a sério para discuti-las era a melhor maneira de recompensar um seguidor natural por sua futura lealdade e, mais importante, mostrar a todos ali que o que tornava uma idéia digna de ser discutida não era o seu mérito intrínseco, mas apenas até que ponto refletia alguma coisa que o próprio Hans já dissera. Assim, fez questão de balançar a cabeça, pensativo, com as palavras de Gerling e pareceu refletir antes de responder.

— Bem, por enquanto, Joachim, ainda não estou nada convencido de que essa divisão seja tão profunda quanto alguns gostariam que acreditássemos. — Hans manteve os olhos bem fixos em Gerling e dirigiu-se a ele com a mesma intimidade respeitosa que costumava reservar exclusivamente para Ernst. — Não há por que tirar conclusões apressadas e pessimistas. Não acredito que a chamada questão racial tenha muito peso na classe operária. Afinal de contas, não estamos falando de camponeses, mas sim de um proletariado industrial com a consciência de classe mais desenvolvida do país. Todos nós temos de aprender a analisar a situação de maneira mais dialética e não mostrar condescendência com os trabalhadores, imaginando-os mergulhados em superstições medievais. É óbvio que toda esta hipocrisia é fomentada pelo governo, para colocar os vários grupos uns contra os outros. Depois da revolução você verá que todos os problemas de nacionalidade do Império serão resolvidos facilmente, com base na solidariedade de classe. Levar estas coisas a sério agora, sob as nossas circunstâncias, é apenas contra-revolucionário. Por que acha que as autoridades encorajam gente cheia de vento como os recrutadores sionistas? Pense só, todos têm passaportes perfeitamente legais que lhes dão permissão de pular de cidade em cidade para fazer as suas reuniões. Nunca ouvi falar de um jornal sionista censurado ou um líder exilado. Por que você acha que as coisas são assim? Porque, falando em termos objetivos, as fantasias deles são totalmente reacionárias; o máximo que fazem é tirar a energia do trabalho revolucionário genuíno. Percebo que nenhum de vocês sabe muito a esse respeito, mas gastei muitas horas investigando-os e, acreditem, na multidão em que se movimenta esse tipo de gente — e temo que isso hoje inclua o nosso ex-camarada von Alpsbach e a sua nova namorada —, essas correntes não deixam de ter certo poder de atração. É exatamente por isso que aquilo em que concordamos esta noite é tão importante. Ao contrário de todos esses reformadores de mesa de bar, o que estamos fazendo é planejar uma coisa imediata e impossível de não ver. Não é mais um plano para algum futuro distante, mas para agora mesmo, algo que podemos fazer sozinhos, uma ação única, pura e impiedosa para demonstrar que já temos o poder de atacar o governo sempre que quisermos. Pense em quantos trabalhadores se levantariam espontaneamente para se unir a nós se tivessem um sinal de que o próprio Conde Wiladowski nos teme. O que conta agora é demonstrar a vontade de agir. Uma façanha que seja absoluta, acima do medo, dos cálculos ou do interesse pessoal. Lembram-se de tudo o que Vera Zasulich conseguiu na Rússia quando matou um único porco reacionário? Quando o júri a absolveu, dizem até que alguns oficiais mais graduados do exército ficaram tão impressionados com a sua coragem que não conseguiram deixar de aplaudir. Quem tem a ousadia de nos dizer que não podemos ser tão férreos quanto os nossos camaradas russos?

De repente, Hans desviou os olhos de Gerling e fez esta última pergunta a todos. Era importante trazê-los de volta à conversa. Nenhum deles dava a mínima importância aos sionistas e Hans não queria que pensassem que o tópico tinha para ele importância mais do que periférica. Christoph, que herdara a infeliz tendência dos rapazes von Hradl de ter um recuo prematuro da linha capilar numa cabeça pequena, quase cupular, fitou os outros com o olhar intrigado e abstraído de alguém que observa, pela ponta errada de um telescópio, alguma espécie nova, desconhecida e bem pouco atraente. Com o seu habitual tom de voz meio entediado, meio irritado, ressaltou que até na Rússia, a se crer em seus próprios panfletos, a maioria dos partidos revolucionários tinha renunciado ao assassinato como instrumento político.

O ceticismo de Christoph era exatamente o que Hans esperava. Ele aprendera com o pai que, para dominar uma reunião sem deixar dúvida alguma sobre quem estava no controle, era preciso encontrar pelo menos um adversário influente na mesa para derrotar. Várias vezes, antes de negociações importantes, Hans vira Moritz combinar que um de seus sócios secretos faria o papel de líder da oposição e se deixaria vencer, de modo que, ao testemunhar a derrota, ninguém mais ousasse questionar os planos de Moritz. Agora, Hans aproveitou a oportunidade e interrompeu von Hradl antes que ele desse o passo crucial para discordar do que Hans propusera e desenvolver a sua própria contraposição.

— Ouça, Christoph, é claro que sei tão bem quanto você que mudaram a tática por lá. Estive na reunião na Suíça em que os líderes russos explicaram as razões da sua decisão e todos enfatizaram que era apenas uma medida temporária. Mas mesmo que não fosse assim, não vejo por que precisamos nos sentir obrigados a seguir o exemplo dos outros. É óbvio que a situação da Rússia é diferente da nossa. Com o percentual de operários aumentando a cada mês em nosso país, estamos muito mais perto de uma verdadeira situação pré-revolucionária aqui do que eles poderiam sonhar em Moscou ou São Petersburgo. Ainda estarão fugindo da polícia do czar bem depois de já termos abolido títulos e distinções de classe. Estou pensando em escrever um panfleto sobre esta mesma questão e, quando estiver pronto, vou mostrar a todos para que o comentem e o mandarei ao exterior, para ser impresso como documento coletivo da nossa célula. Logo o mundo inteiro verá que a nossa provinciazinha atrasada pode produzir revolucionários tão dedicados como qualquer uma das cidades famosas da Europa. E por que não? Quando Saint-Just exigiu a cabeça de Luís XVI, não era mais velho do que nós. Uma revolução não pode furtar-se a usar o terror e quem tiver medo de derramar sangue está com os inimigos do progresso humano. Se aprendi alguma coisa em todas aquelas noites ouvindo debates em salas de reunião clandestinas muito mais frias do que este apartamento — posso lhes dar minha palavra! — é que é preciso uma clareza de idéias inabalável para exigir um sacrifício real de si mesmo e dos outros. Pretendo conquistar com as minhas próprias ações o direito de exigir essas coisas e espero o mesmo de cada um de vocês. Em nossa próxima reunião, sugiro que todos tragam uma proposta sobre quem deveria ser o nosso primeiro alvo. Até então terei tempo de tornar este lugar confortável o bastante para uma discussão mais longa, de modo que possamos começar a decidir um plano de ação específico. No entanto, está claro que precisamos aprender mais sobre explosivos. Se tivermos instruções confiáveis, poderemos usar o porão daqui para fabricar bombas. Vou descobrir tudo o que puder a este respeito. Enquanto isso, Leo e Christoph, vocês deviam sair mais para caçar com seus parentes e velhos amigos do regimento de cadetes. Deste modo, manterão a prática de tiro e podem também ouvir alguma fofoca útil sobre os visitantes importantes do Castelo, mais detalhes sobre a segurança, qualquer coisa que possa nos ajudar a estar à frente da polícia secreta. É péssimo que Ernst não esteja mais conosco, já que os conhecimentos de sua família seriam úteis para que soubéssemos o que pretende o Conde Wiladowski. Posso ver que todos vocês estão ansiosos para ir para algum lugar mais quente e assim não vou prendê-los mais. Foi uma reunião produtiva. Só tomem o cuidado de, quando descerem as escadas e fizerem algum barulho ao sair, dar a impressão de que beberam demais. Vou fechar tudo depois que se forem e nos veremos de novo amanhã na cidade.

◆◆◆

Meia hora depois, quando Hans saiu do prédio, a neve tinha diminuído um pouco, mas foi uma luta abrir a pesada porta da frente contra a pressão do monte alto de neve soprada contra ela pelo vento da noite. A maior parte do bairro Josef ainda não fora pavimentada e a diferença entre rua e calçada já desaparecera há semanas. Além das pegadas frescas dos amigos, não havia sinal de atividade em lugar nenhum perto da casa. Até os espiões da polícia deviam ter desistido e voltado para redigir seus relatórios. Passando os olhos pela rua comprida e curva, pela fila de casas sombrias e desajeitadas sob a claridade pálida do reflexo da luz das estrelas, Hans não conseguiu perceber uma única linha de fumaça saindo de alguma das chaminés da vizinhança. Localizadas no que adivinhava serem interseções de ruas, os poucos lampiões a gás que ainda funcionavam tinham um brilho trêmulo e anêmico que só enfatizava o frio.

Ficou contente por ser tarde demais para encontrar o pai e explicar-lhe por que não pudera ir à festa. Embora Hans nunca tivesse ocultado a indiferença que sentia pelas obrigações sociais, o sofrimento de Moritz com a falta de vontade do filho em acompanhá-lo nas atividades do Clube Mendelssohn deixava em Hans a sensação de que talvez estivesse agindo errado. Como muita gente impelida pela dor óbvia que provocam a admitir que agiu de maneira injusta, Hans, depois de um surto inicial de compaixão, começou logo a pensar em seu pai com mais irritação do que culpa e, ultimamente, achava exasperante qualquer contato com ele que não fosse sobre os negócios da família.

— A não ser que eu tenha uma terrível falta de sorte — refletiu Hans quando iniciou a caminhada rumo ao centro da cidade —, ele estará dormindo profundamente quando eu chegar em casa e só terei de conversar com ele amanhã.

Hans não pensara em como voltaria ao seu próprio lado da cidade e, depois de alguns poucos quarteirões, começou, quase por hábito, a procurar uma carruagem que pudesse pagar para levá-lo até em casa. Mas àquela hora não havia veículos de aluguel no bairro Josef. Continuou a andar rapidamente rumo ao centro da cidade, com seus passos naturalmente longos deixando uma trilha comprida de pegadas frescas na neve. Apesar do frio, Hans descobriu que a caminhada não o incomodava. O ar quase congelado serviu para limpar-lhe a mente do peso da reunião e dissipar a fumaça de tabaco acumulada cujo gosto ainda podia sentir na boca e nos pulmões. Um chá quente com aguardente, seguido por um longo banho, seria suficiente para reanimá-lo. Ao parar por um instante sob o círculo de luz de um dos raros lampiões de rua que funcionavam, Hans levantou a gola de pele contra o vento, verificou rapidamente o relógio de bolso e calculou que estaria em casa dali a três quartos de hora. Mas assim que se resignou com a idéia de que não encontraria um carro e se acostumou com o ritmo de sua caminhada rápida, gozando a suavidade da neve fofa e nova sob as botas, espantou-se com um veículo que parou alguns metros à sua frente, obviamente esperando que ele chegasse ao alcance da voz. No entanto, quando Hans se aproximou viu que havia pouca coisa no cocheiro tiritante ou em seu cavalo magro que indicasse algum conforto e rapidamente decidiu-se a continuar andando. Mas, ao passar pelo carro sem reduzir o passo, a porta se abriu e um homem chamou-lhe o nome, esperando, claro, também ser reconhecido. Embora Hans não tivesse a menor idéia de quem poderia ser o passageiro, alguma coisa em seu tom de voz indicou tanto um queixume ofendido caso o reconhecimento demorasse muito quanto a certeza desencorajadora de que exatamente esta ofensa estava a ponto de acontecer. Quando Hans não deu sinal de que entraria, o personagem amontoado lá dentro esticou de repente o braço e, em sua ansiedade de ajudá-lo a alcançar o degrau gelado para entrar no carro, agarrou-o pelo ombro num ângulo tão torto que por um momento Hans perdeu o equilíbrio e quase fez os dois caírem de cara na rua. Mal conseguiu manter-se de pé e, mais espantado do que irritado, permitiu-se ser puxado para dentro e colocado no banco de madeira diante do desconhecido.

Estava escuro demais dentro do carro para ver algo além de um rosto magro, totalmente dominado por um par de olhos castanhos opacos e aquosos, debaixo de sobrancelhas hipermóveis que pareciam subir e descer de acordo com alguma ligação complexa com o estado emocional do dono. Apesar do frio, estava sem chapéu mas, talvez em compensação, tinha se enrolado numa imensa capa de lã que parecia grande o bastante para conter alguém com o dobro do seu tamanho. Enquanto Hans ainda se ajeitava no assento e tentava descobrir o máximo possível sobre o seu novo companheiro de viagem, o homem inclinou-se na direção dele até que seu rosto quase o tocasse e começou a falar num ritmo tão sem fôlego que era como se estivesse decidido a prender Hans em seu lugar somente com a torrente de palavras.

— Bem, você vai ou não fechar a porta e aquecer-se? Há um cobertor de lã aqui que não parece muito esfarrapado e até um coche malcuidado como este ajuda a proteger um pouco do vento. Você teve sorte de eu passar bem agora. A esta hora da noite, nenhum outro carro virá aqui, ainda mais com este tempo horrível. Provavelmente você não conseguiu me reconhecer lá de fora, cego com tanta neve, mas acabo de vir do clube, onde comemorava o seu retorno. Sim, sim, foi um grande sucesso, embora eu deva dizer que você fez muita falta esta noite, principalmente para nossos amigos comuns dos grupos de estudo sionistas. Mas estou contente por poder lhe dar uma carona. Com certeza você se recorda que fomos apresentados em... ora, onde é que foi, já faz algum tempo? De qualquer modo, sou Asher Blumenthal. É claro que quando o vi de pé ali, junto ao poste de luz, soube logo quem você era. Há alguém na cidade, mesmo entre os góis, que não reconheça Hans Rotenburg? Bem, é um verdadeiro prazer encontrá-lo de novo e poder lhe dar uma ajudinha. Adoraria que todo mundo lá no clube pudesse ver como minha noite se transformou! Parece que sou o único que acabou encontrando você! Está bem acomodado agora? Onde posso deixá-lo? Moro a poucos minutos daqui e gostaria de convidá-lo para tomar alguma coisa em meu apartamento, mas minha senhoria, que é um verdadeiro terror, não tolera de forma alguma visitas depois das nove. Se está com muita pressa de chegar em casa, eu poderia desembarcar quando passarmos pela minha casa e você continuaria, mas agora que nos encontramos de novo depois de tanto tempo, não seria bom conversarmos um pouco?

Em qualquer outra noite Hans provavelmente fugiria o mais depressa possível de alguém como Asher Blumenthal. Mas alguma coisa na ansiedade desesperada do homem fez Hans hesitar. Bem antes de partir para o exterior, Hans começara a treinar-se para procurar qualidades nos outros que algum dia lhe pudessem ser úteis, ainda que nem conseguisse ter certeza de como, e com o mesmo calculismo rápido que dominava a maior parte das suas escolhas, decidiu deixar que este estranho encontro prosseguisse por mais algum tempo. Se era capaz de escutar as tolices de Gerling, por que não ouvir este tal de Blumenthal? É claro que levá-lo para a mansão Rotenburg estava fora de questão e o único lugar que Hans conhecia onde poderiam sentar-se e conversar com conforto àquela hora era o Metrópole. Perguntou educadamente se Asher gostaria de ir com ele até lá beber alguma coisa, na confiança de que, apesar do avançado da hora, o camarada se agarraria ao convite. Na verdade, Blumenthal aceitou instantaneamente, sem sequer fingir que pensava no assunto. Gritou a mudança de destino ao cocheiro lá fora, com um prazer evidente em sua voz de dar o nome do restaurante mais elegante da cidade, e depois, como se já se tivesse recarregado sua energia apenas com a idéia do que o esperava e com medo de que a isca prometida lhe fosse retirada no último momento, começou a falar ainda mais depressa do que antes.

— Bem, devo dizer que é uma oferta muito generosa de sua parte. Não sabia que o Metrópole recebia clientes tão tarde da noite. Mas tem certeza de que haverá um carro por lá para me trazer para casa depois? Se não, eu me sentiria um idiota de ter vindo até aqui só para ir para lá de novo e voltar a pé mais ou menos de onde parti, não concorda? Então está combinado. Perfeito! Há pouco, no clube, pensei comigo mesmo como uma boa aguardente de ameixa seria a coisa exata para terminar a noite do jeito certo. Para lhe dizer a verdade, nunca estive no Metrópole, embora já tenha passado muitas vezes por ele e pensado em tomar alguma coisa. Você deve estar se perguntando o que estou fazendo pagando um veículo, mas veja, economizei tanto dinheiro por não ter jantado hoje devido aos sanduíches e bolos que seu pai comprou para a festa que decidi me presentear voltando para casa de carro. E agora, por ter podido salvá-lo de forma tão inesperada de congelar até a morte lá fora, sinto-me como se esta fosse a oportunidade de pagar a *Herr* Rotenburg pela sua generosidade.

Embora Asher não desse tempo para nenhuma resposta à sua explosão, era claro que esperava do seu ouvinte algum reconhecimento. Com Asher, a interrupção era fisicamente impossível e o silêncio considerado ofensivo e, assim, mesmo quem estivesse muito mais preocupado do que Hans em agradá-lo acharia difícil tal tarefa. Hans, que não tinha nenhum interesse em amoldar-se a Asher, fitou-o em silêncio com o sorriso vago que sempre adotava quando tentava decidir-se sobre uma pessoa sem se comprometer em nada. Depois de mais algumas frases, Asher começou a ficar cada vez mais inquieto por não receber nenhum dos sinais de encorajamento que esperava e, quase no meio de uma frase, dando apenas uma pausa mínima para inspirar, de repente mudou o seu tom de expectativa excitada para o de um lamento ofendido.

— Bem, com certeza posso ver que nada disso lhe interessa, mas não há necessidade de deixar assim tão claro. Provavelmente você pensa que é verdade o que dizem, que falamos demais em dinheiro. É como a piada velha da minha irmã, que sempre que um judeu é cumprimentado por causa de um terno ou relógio novo, sente imediatamente a necessidade de declarar que comprou-o numa liquidação e só pagou metade do preço. Mas ela diz isso com afeição, de dentro, como se diz, com o coração aberto, e é bem diferente da maneira como você está aí sentado me julgando. Tenho certeza de que é fácil desdenhar este assunto quando se é Hans Rotenburg, que nunca tem de pensar duas vezes na hora de comprar o que vê numa vitrine ou de parar para tomar alguma coisa no Metrópole sempre que tem vontade. Provavelmente você nem sabe quanto dinheiro tem na carteira agora, não é? Os ricos nunca se incomodam em contá-lo antes de sair de casa, porque partem do princípio que sempre há o bastante. Mas gente como eu pode lhe dizer a quantia total que tem no bolso, as suas economias, o seu fundo de aposentadoria, tudo até o último centavo! Tenho certeza de que você tem a própria mesa pronta à sua espera nos hotéis mais luxuosos e que tudo é colocado na sua conta e assim, se não tiver vontade, não precisa carregar coisa tão sórdida quanto moedas de verdade. Bem, para alguém na minha posição o mundo é um lugar bem diferente, e assim, se vamos continuar a ser amigos e gozar de um encontro agradável e íntimo, terei de pedir-lhe que não pareça tão superior.

A idéia de simplesmente dar um tapa em Blumenthal, que estava se perdendo em seu discurso que nem o pior tipo de ator principal de alguma trupe de província, passou de repente pela mente de Hans, mas a intimidade física exigida pelo gesto era desagradável demais. Em vez disso, decidiu divertir-se testando o efeito de vários tipos de reação numa pessoa dessas, começando com um aceno de cabeça levemente tranqüilizador mais ou menos na direção de Blumenthal acompanhado de um murmúrio afável, embora um tanto indistinto, de boa vontade. Para surpresa de Hans, que não esperara uma inversão tão instantânea, bastou aquele leve sinal de interesse para que Asher modulasse a sua ária de dignidade ferida e voltasse ao tom de voz mais alegre de sua declamação inicial.

— É claro que está tudo bem. Tenho certeza de que você não queria ser rude e essas desculpas me bastam. E se eu mesmo soei um pouco ríspido, não me orgulho de admitir que também sinto muito. Estas últimas semanas foram difíceis para todo mundo, por isso acho que estamos um pouco sensíveis demais. Sabe, não é fácil para mim estar sentado defronte de alguém que há muito tempo queria conhecer e que acaba sendo silencioso como um gói. Para mim é um pouco difícil acreditar que você ainda é mesmo um de nós, se é que entende o que quero dizer. Aqui estou eu partilhando todos os meus pensamentos e na verdade você não me disse nem uma palavra sobre o que está sentindo. Mas estou ansiosíssimo com a possibilidade do meu primeiro trago no Metrópole e de ouvir a sua resposta a uma idéia minha sobre um assunto importantíssimo. Sabe, tenho um plano e estou convencido que será de grande proveito para nós dois.

◆◆◆

Numa região tão a leste do império de Francisco José, o prestígio cultural de Paris era sério rival do de Viena, ainda mais, talvez, porque a cidade entendia a palavra "cultura" principalmente como estabelecimentos culinários. Na verdade o gerente do Metrópole nunca estivera propriamente em Paris, mas no início da carreira participara de um curso de aprendizes no verão em Nice e, desde então, sonhava em criar a sua própria versão dos grandes estabelecimentos encontrados no Boulevard des Anglais. O resultado foi um dos poucos lugares na cidade que desdenhava toda de qualquer tentativa de parecer um café vienense e, em vez disso, era decididamente formal e francófilo em sua arquitetura e decoração. Embora ninguém chegasse ao ponto de esperar que os funcionários soubessem alguma palavra de francês, ainda assim todos eram cuidadosamente treinados para imitar a suposta arrogância dos seus colegas parisienses, tarefa na qual, sob o domínio autocrático do formidável *maître* Anton, tinham admirável sucesso.

No entanto, toda noite depois das 23 tolerava-se uma atmosfera mais informal e fechava-se a ornamentada sala de jantar principal, com a sua fila de candelabros e cortinas de seda verde, refletidas em quatro pesados espelhos dourados inseridos em nichos próprios nas paredes laterais. A cozinha também se fechava e o *chef*, juntamente com Anton e o pessoal mais antigo, ia para casa dormir, e somente um pequeno grupo de jovens aspirantes ficava a postos para servir os clientes que quisessem vir tomar alguma coisa mais tarde ou fazer um lanche frio numa das salas menores. Era uma forma lucrativa de livrar-se de todas as sobras do jantar e o gerente, que afinal de contas aprendera alguma coisa útil em sua estada na França, calculou corretamente que os clientes que chegassem a uma hora dessas provavelmente não confeririam a conta com tanta atenção quanto os freqüentadores de um horário mais convencional e, assim, aumentou mais 15% os preços já exorbitantes de tudo. Entretanto, como bom austríaco, também estava bem a par de como contornar os regulamentos burocráticos que controlavam o ramo e cuidou para que a sua extorsão não contrariasse nenhuma lei imprimindo, no alto do cardápio da ceia, uma notinha, pouco legível na luz fraca das salas laterais, dizendo que haveria uma "sobretaxa noturna" em todos os itens consumidos no local depois de certo horário.

Foi para uma dessas salinhas que Hans e Asher foram levados e, depois de superar o desapontamento inicial e bastante visível por, no fim das contas, não comer no famoso salão do Metrópole, Asher estudou cuidadosamente o cardápio, leu a nota sobre o aumento de preços à noite e ajeitou-se na cadeira com total contentamento, pois o aumento de um custo já inimaginável mais que compensava a leve redução dos ornatos da decoração.

Hans, que ficou surpreso por estar com tanta fome, pediu comida suficiente para os dois. Sabia o cardápio de cor e decidiu-se rapidamente pelo frango *à la gelée* e pelo coelho defumado frio com geléia de groselha, acompanhados por uma salada de batatas e vegetais cultivados pelo próprio *chef*. Pediu também uma porção dupla da especialidade do restaurante, peito de ganso frio em fatias finas, que chegou à mesa com uma cesta de pãezinhos com sementes de papoula e metade de um cheiroso *pumpernickel* em sua própria tábua de corte. Em vez de vinho de mesa, escolheu uma garrafa de antigo Madeira, recordando que um dos sócios ingleses de seu pai insistia sempre que não havia nada melhor para afastar o frio. Experimentou um copo, gostou de ver que o homem estava certo e começou a servir-se de tudo o que estava ao seu alcance, preocupado, primeiro, somente em restaurar suas forças, sem dar muita atenção ao sabor do que estava comendo. Depois de alguns minutos, contudo, notou que Asher não tocara em nenhum dos pratos e era ostensivamente ignorado pelos jovens garçons, que continuavam a girar em torno de Hans. Rapidamente corrigiu a situação com um olhar cortante e, sentindo-se agora aquecido e alerta, decidiu ver exatamente em que tipo de conversa se metera.

Era claro que Asher ainda estava remoendo sua explosão anterior e Hans decidiu-se a antecipar-se a qualquer pedido de desculpas que Asher estivesse prestes a formular.

— Blumenthal, é claro que você sabe que não estou nem um pouco incomodado com nada do que você disse na carruagem. Longe disso. Além do mais, acho que você foi muito gentil em me oferecer carona. Admito que estou curioso sobre o que está pensando; mas, francamente, não estou muito atualizado sobre o que tem acontecido no clube. Ninguém lhe pediu que viesse me procurar esta noite, não é?

O espanto de Asher com a pergunta foi de uma sinceridade tão óbvia que Hans não duvidou dele, mas ainda assim ficou aliviado quando o outro lhe garantiu que agira inteiramente por iniciativa própria.

— Eu queria dizer alguém como meu pai, é claro — explicou Hans. — Mas gostei de saber que não foi assim. Foi apenas uma idéia boba, não dê atenção. Aliás, tenho certeza de que, se você gosta, eles têm um excelente *slivovitz* aqui. Por favor, vá em frente e peça o que quiser. Pelo que me contou, já faz tempo que você comeu e assim pedi alguns ótimos pratos frios para dividirmos. Por favor, sirva-se.

Stefan, o favorito dos numerosos primos de Anton, fora encarregado da supervisão da equipe da madrugada e, sentindo a possibilidade de uma boa gorjeta, mandou embora os outros garçons e tomou a seu cargo servir Hans Rotenburg e seu estranho companheiro. Trouxe meia garrafa do *slivovitz* mais antigo do restaurante e colocou-a diante de Asher com uma reverência profunda e formal que conseguia combinar um elegante pedido de desculpas pela desatenção anterior com um olhar que dizia que somente na companhia de um Rotenburg uma pessoa como essa ousaria entrar no Metrópole. Felizmente para os nervos de Hans, Asher ficou suficientemente deliciado, fosse pela deferência da nova cortesia de Stefan ou pela visão da garrafa em sua mão, para não dar atenção à zombaria no rosto do garçom. Em vez disso, serviu-se de todo o *slivovitz* que a delicada taça de licor colocada à sua frente comportava e esvaziou-a de um só gole. Repetiu o gesto três ou quatro vezes, com rapidez e determinação espantosas, estalando os lábios tão alto a cada gole que o olhar de Stefan passou da diversão complacente para alguma coisa mais parecida com indisfarçável apreensão. Mas Asher não prestava mais atenção nenhuma ao garçom. Olhou satisfeito para Hans e, com o máximo cuidado de enunciar claramente cada sílaba, disse-lhe:

— Hum. Sim, que delícia. E que bela sala também. É bem o lugar para dois homens do mundo como nós discutirem coisas sérias, hein? Este *slivovitz* realmente é melhor do que tudo o que já provei. Tenho de tomar cuidado para não me embebedar. Com meu organismo delicado, é provável que isso não demore muito. Pulmões fracos. Hereditário, como a coitada da minha irmã. Nossa maldição ancestral. Os pobres e os judeus. Em dobro para os judeus pobres. Mas você não sabe nada disso, não é? Não quero ofender. Só que, às vezes, é difícil não pensar em como tudo isso é injusto. Provavelmente nunca mais voltarei aqui, mas para você todo este lugar grandioso não passa da taberna da sua esquina.

— Talvez eu entenda melhor do que imagina. Acho que está certo de se zangar com tanta injustiça à nossa volta. Só que me parece que não se pode fazer muito a respeito se você vê tudo em termos tão pessoais. E realmente não entendo por que você fala tanto em ser judeu o tempo todo, como se isso fosse a chave de tudo. Mas vamos deixar este assunto para depois. Vejo que na garrafa só há o suficiente para mais um copo, e assim deixe-me fazer as honras e lhe servir mais um. Está ficando muito tarde e nós dois precisamos ir para casa dormir. Assim, diga-me, qual é o assunto importante que você queria discutir?

— Tudo bem — concordou Asher com bastante alegria. Agora não se incomodava mais de ser interrompido, pois isso permitia que se concentrasse no *slivovitz* à sua frente. Acabou também se servindo de algumas fatias de peito de ganso com pão e só depois de terminar de engolir os dois com enorme concentração sentiu-se pronto para continuar falando. — Mas tem de me deixar aproveitar. Cá estou eu, depois da meia-noite, no Metrópole, bebendo *slivovitz* e comendo iguarias caras com Hans Rotenburg. Você não pode se espantar de eu não ter tanta pressa quanto você para resolver as coisas. Você come com Hans Rotenburg o tempo todo. Não era bem isso que eu queria dizer. Eu só estava brincando. Foi um tipo de cumprimento. Não sou assim tão sem tato, sabe, nem mesmo quando bebo um pouco demais.

— Claro que não; na verdade, é óbvio que você é esperto. Dou-lhe a minha palavra, planejo contar aos amigos com quem estive mais cedo esta noite como foi interessante encontrá-lo. Já é hora de eles todos também conhecerem alguém como você.

Imediatamente, um ar de astúcia suspeita e penetrante materializou-se no rosto de Asher, tão em desacordo com a sua expressão de um segundo antes que quase pareceu que a tivesse simplesmente tomado emprestada de um depósito de máscaras teatrais de caras e atitudes já prontas para uso em cada nova cena ou ocasião.

— Por que isso? — perguntou. — Estão procurando um bom contador em cuja discrição possam confiar? Não prometo nada, sabe, antes de examinar todos os documentos, mas posso lhe garantir, sem me gabar, que sou muito bom em meu trabalho. Mesmo que ninguém na Sobieski pareça apreciá-lo — acrescentou, numa amarga conclusão.

Por um instante Hans ficou genuinamente perplexo com esta última explosão. Precisou de um momento para imaginar no que Asher devia estar pensando mas, assim que o conseguiu, o absurdo da situação fez com que risse pela primeira vez na noite toda.

— Não, não, meu caro Blumenthal, eu não estava pensando em sua profissão, embora com certeza acredite que você deva ser um excelente profissional. Só queria dizer que os meus amigos precisavam conhecer alguém com a sua amplidão de pontos de vista e a sua história pessoal. Eles não têm nenhuma idéia sobre experiências como as que você vem me descrevendo e, com a sua ajuda, gostaria de corrigir isso.

Mas, de modo bastante estranho, o ar suspeitoso não foi trocado por outro do variadíssimo repertório de desconfianças de Asher. Pelo contrário, se Asher concluíra alguma coisa com o seu treinamento profissional, foi que, quando um rico se dá ao trabalho de fazer um cumprimento a alguém inferior, isso só quer dizer que precisa de algum serviço especial e que seja barato. Não fosse assim, bastaria contratar alguém para a tarefa pelo preço de mercado e poupar-se da necessidade de ser tão bem-educado. Algo no tom de voz de Hans parecia confirmar a sua intuição.

— Isso é muito lisonjeiro, Rotenburg — respondeu —, mas, afinal de contas, você não vai partir logo para Viena ou algum outro lugar do tipo?

Assim que for embora, vai esquecer os novos conhecidos que fez aqui. É uma das principais coisas que pretendo discutir com você.

— Vá em frente, estou ouvindo.

— Bem, eu estava pensando, lá no clube, todo mundo estava dizendo que você vai trabalhar com o seu pai e me ocorreu que, neste caso, sem dúvida passaria muito tempo em Viena. Uma vez que esteja lá, será somente como filho de Moritz Rotenburg que as pessoas vão levá-lo a sério. Claro que você ainda tem todo o dinheiro do seu pai para gastar e as garotas de lá provavelmente são bem mais dispostas a se divertir do que a nossa variedade doméstica, mas quem sabe se você não seria apenas mais um judeu ambicioso de bolso cheio? Tenho uma idéia para que você se estabeleça por conta própria e obtenha aquele tipo de fama que tem peso com as pessoas certas, uma fama que traga um tipo de prestígio que vai além do dinheiro

— Desculpe, mas não estou entendendo nada. Por que acha que vou para Viena? Agradeço por tentar me ajudar, mas, honestamente, estou perdido. Há quanto tempo você pensa nisso? E se não tivesse me encontrado?

— Bem, para ser perfeitamente honesto, a idéia toda me veio de uma só vez quando o reconheci ali, debaixo do lampião. É verdade que só ouvir dizer que você ia trabalhar com seu pai esta noite no clube mas, não sei como, assim que os nossos caminhos se cruzaram eu soube exatamente o que queria lhe dizer. Vê-lo hoje foi exatamente a inspiração de que eu precisava. Não se preocupe, tem algo para mim também nisso; não é só benevolência da minha parte. Mas vou chegar lá depois de lhe contar o meu plano. De qualquer forma, na minha opinião, você precisa é de uma estratégia para se estabelecer em Viena numa esfera totalmente diferente da do seu pai e, sei o jeito exato de conseguir isso. Um amigo meu, Alexander Garber, que cursou a Escola Comercial comigo, partiu para a capital para se tornar dramaturgo. Ele sempre sonhou em ter uma peça encenada no Burgtheater. Bem, não sei se houve algum progresso nesta direção, mas nesse meio-tempo ele me escreveu para contar que se tornou um dos editores de um pequeno periódico literário. A circulação paga é mínima, mas Alexander diz que os seus artigos são lidos por toda parte e que as suas críticas podem ajudar a fazer ou derrubar um artista novo. Até o Clube Mendelssohn o assina, e, assim, é fácil dar uma olhada no último número. Agora, sei que revistas assim vivem sempre desesperadamente necessitadas de capital e estão o tempo todo em busca de novos talentos promissores. E quem, percebi de repente quando nossos caminhos se cruzaram, poderia cumprir com brilho estas funções além de o meu próprio conterrâneo Hans Rotenburg e Alexander? Não entende? Você se oferece para custear as despesas do jornal, como sócio secreto, e ao mesmo tempo se torna um dos colaboradores regulares. E assim, quase instantaneamente, passa de total desconhecido a uma força cultural a ser levada em conta!

— Céus, Asher. É claro que fico tocado com o seu desejo de me ajudar, mas até você vai ter de concordar que este esquema é bem extravagante. Toda essa inspiração foi mesmo provocada pelo nosso encontro acidental? Quero dizer, aqui está você avançando e fazendo todos esses cálculos sem me perguntar se algum deles tinha a mínima base real. Mesmo supondo que eu fosse para Viena e quisesse ter um nome independente lá, o que lhe deu a idéia de que tenho algum talento para o jornalismo literário? Ou que eu gostaria de financiar uma revista de que nunca ouvi falar só porque é editada por alguém de nossa cidade com quem você estudou anos atrás?

Por essa hora a comida já havia acabado e os garçons tinham levado os pratos enquanto os dois conversavam. A garrafa de Asher já estava vazia, é claro, mas Hans surpreendeu-se ao ver que a sua também. Fez um sinal a Stefan para que trouxesse mais duas garrafas, só para ver Asher balançar a cabeça para contrariar a ordem e insistir que não queria beber mais nada antes de acabar de explicar suas idéias. O tom de voz de Asher ficou cada vez mais persistente quando sentiu que sua oportunidade lhe escapava.

— Sei que pode soar forçado — admitiu —, mas pense nas oportunidades. Você diz que não está interessado em jornalismo literário, mas com certeza há alguma coisa que gostaria de escrever para uma platéia um pouco maior que o povo desta pobre cidade. Quem disse que, com seu apoio, *A Nova Ordem* precisaria limitar-se às artes? Talvez esteja mais interessado em questões legais, negócios ou talvez o problema judaico. Como colunista regular, você estará livre para desenvolver o tema que preferir. Parece-me que, se jogarmos as cartas certas — sim, *nós*, e daqui a poucos instantes você verá como — seria fácil redirecionar a publicação. A princípio, se estiver hesitante, você sempre pode me pedir conselhos e ajuda para revisar o seu texto, até conseguir andar com as próprias pernas como escritor, por assim dizer, e uma vez que obtenha a fama de ter uma nova visão e uma forte base patrimonial, não será difícil para você e Alexander manobrar os outros membros da diretoria e tomar o jornal todo. Você não tem idéia de como é atraente a combinação de talento e dinheiro para quem não tem nenhum dos dois. Assim que o seu golpe tiver sucesso, poderei abandonar meu emprego horrível aqui e me unir a vocês para tomar conta do lado financeiro e publicitário do jornal. Não me incomodaria em arriscar escrever algum texto de vez em quando também e tenho certeza de que nós três juntos poderíamos expandir a empresa e tomar conta da cidade. Como triunvirato, seríamos irresistíveis, convidados a todos os salões e estréias, e todo mundo teria de dar atenção a tudo o que disséssemos. As pessoas daqui nunca acreditariam no nosso sucesso. Só de saber a inveja que sentiriam eu ficaria satisfeito um ano inteiro.

— Desculpe-me por estar rindo — interrompeu Hans, finalmente —, mas você precisa parar para respirar antes de fazer com que sejamos convocados a Schönbrunn para aconselhar o imperador sobre o governo do país e a escolha das óperas a patrocinar. Nunca pensaria em você como um entusiasta, meu caro Blumenthal. Estou completamente tonto. É claro que tudo isso não faz sentido algum e, não finja estar ofendido, você deve estar vendo isso com tanta clareza quanto eu. Mas, sabe, o seu plano não deixa de ter aspectos interessantes. E agora acho que precisamos mesmo de mais bebidas. Incomoda-se se eu pedir ao garçom papel e tinta também? Quero anotar algumas coisas que você mencionou, porque tenho certeza de que não vou conseguir lembrá-las amanhã. Agora, você disse que este jornal... como é mesmo? Isso!... *A Nova Ordem*, está quase falido. Bem, é claro que disse, com outras tantas palavras. Não se preocupe, ninguém aqui nunca ouviu falar dele, então a quem vou passar o boato, mesmo que quisesse? Só estou tentando entender as verdadeiras possibilidades. Não vão acusá-lo de trair nenhuma confidência. Há alguns minutos você conquistava Viena com toda a ousadia e agora parece tão nervoso como se o seu patrão descobrisse que anda tirando dinheiro da caixinha das despesas. Por favor, não! Não se ofenda com o meu modo de dizer as coisas. É tarde demais para começar tudo isso outra vez. Vamos trabalhar juntos para ver se no que você me contou há alguma coisa da qual se possa extrair algo de útil. Para nós dois, quero dizer.

— Mas não está pensando mesmo em ir para Viena? — perguntou Asher com voz chocada. — Não acredito que não aproveitaria a chance de sair daqui outra vez, a menos que seja por causa de alguma garota por quem esteja apaixonado... Mas você nunca deixaria alguma coisa assim ficar no seu caminho, não um homem com as suas oportunidades! Então deve ser alguma outra coisa. Espere só um minutinho, você não está pensando em usar minha sugestão só para você, está? E me deixar de fora para apodrecer aqui para sempre?

— É claro que não — garantiu-lhe Hans. — Não, a ambas as suas perguntas. Vou para casa daqui a alguns minutos, mas primeiro quero escrever o seu endereço. Vou entrar em contato com você daqui a alguns dias e então poderemos levar adiante essas idéias. Enquanto isso, quero que pense em duas coisas. Em primeiro lugar, se vamos trabalhar juntos algum dia, terá de ser feito aqui e não em Viena; e, em segundo lugar, não vou financiar nada que esteja sob o controle dos outros. Ser um patrono da cultura me atrai menos do que ser um escritor e não sou tão descuidado com o meu dinheiro como parece que você pensa. Mas parte do que você disse sobre o jornal me interessa, ainda que exija um exame bem mais profundo. Bem, agora deixe-me chamar um carro e pagarei o cocheiro para levá-lo aonde quiser ir. É justo. Afinal de contas, você me trouxe aqui às suas custas. Sim, o que é? Não há mais nada que possamos fazer esta noite, então por que ainda está tão agitado?

— Mas eu nem cheguei a uma das formas mais importantes de você me ajudar!

— Desculpe-me. Achei que a parte sobre administrar o jornal com Alexander e eu fosse exatamente isso.

— Isso era para ajudar você! Acho que é bem óbvio que qualquer vantagem que eu possa ter com o plano vai levar muito tempo para se materializar. Já admiti que improvisei boa parte da coisa enquanto conversávamos e, é claro, ainda acho que é um plano maravilhoso, mas a minha esperança original era bem mais modesta. Lembra-se da senhoria terrível que não me deixaria convidar nem alguém como você para tomar alguma coisa tarde da noite no meu apartamento? Bem, não importa, mas é assim que ela é. De qualquer modo, você pode imaginar como é impossível para mim receber adequadamente uma garota com tamanhas restrições. Não gosto do tipo de hotel onde se alugam quartos por hora; já estive num deles algumas vezes e sempre tive medo demais de ser roubado ou surrado para me sentir à vontade. Não tenho vergonha de admitir que em ambientes assim não sou realmente capaz, bem, você sabe o que quero dizer, de reagir como um homem de verdade. Assim, não tenho nenhum lugar aonde ir à noite para um encontro íntimo. O que eu esperava, sabe, é que às vezes você me deixasse usar o seu apartamento no bairro Josef.

Quando Hans começou a lhe perguntar como Asher sabia de seu apartamento, o contador simplesmente fitou-o com uma expressão superior e respondeu:

— Ora, vamos, quem está sendo absurdo agora? É claro que todo mundo no bairro sabia que você desejava um apartamento "secreto" no momento em que começou a procurar. Virou a fofoca de toda a vizinhança. As pessoas ficaram apavoradas, com medo que os aluguéis subissem! Mas deve haver muitas noites em que você não vai lá e se eu pudesse saber quais são poderia usá-lo uma ou outra destas noites, isso transformaria toda a minha vida social. Bem, sim, talvez eu esteja exagerando outra vez, mas não sei como convencê-lo da diferença que faria para mim saber que teria um apartamento discreto e aconchegante aonde pudesse levar algumas convidadas. Nem preciso dizer que tomaria todo o cuidado para não comprometê-lo de modo algum e me parece que ter alguém respeitável dando uma olhada de vez em quando em seu apartamento pode ser útil como medida de segurança.

Nisso Hans levantou os olhos irritado e, numa voz mais dura do que usara antes, murmurou que não achava que a polícia fosse invadir o seu apartamento, ainda que ficasse no bairro Josef.

— Não, não quis dizer a polícia — continuou Asher, envolvido demais em sua própria história para dar muita atenção à interrupção de Hans. — Por que se incomodariam? É só que eu poderia cuidar para que o lugar estivesse sempre limpo e houvesse sempre bastante roupa de cama lavada e carvão ou lenha, mais quaisquer provisões que você quisesse ter à mão para quando viesse. Não espero que concorde agora, mas, por favor, prometa, pelo menos, que vai pensar a respeito e me dará a resposta em pessoa. Você não pode imaginar o quanto isso significa para mim.

Hans ficou em silêncio e deixou Asher continuar falando até esgotar o tópico. Então prometeu pensar seriamente na oferta de Asher, explicando que estava cansado demais para fazer isso naquele momento. Fez um sinal a Stefan para que trouxesse a conta, e Asher, ao perceber que extraíra tudo o que podia do encontro, levantou-se para partir, deixando que um dos garçons o ajudasse com o casaco, sem pensar no desagrado óbvio com que o homem segurava a peça de roupa.

— Foi maravilhoso! — disse Asher, assim que se viu totalmente enrolado outra vez. — Vou pegar emprestado um desses excelentes cigarros para a viagem até em casa e já vou. Mal terei tempo de me barbear e trocar de camisa antes de voltar ao trabalho, mas não deixaria de conversar com você por nada. Sim, boa noite, *Herr* Rotenburg. Ou melhor, bom dia. Não se esqueça de me dizer o que pensa de minhas sugestões. E, por favor, lembre-se de dar meus cumprimentos ao seu distinto pai. Estarei esperando ansioso por notícias suas. Até logo.

◆ ◆ ◆

Se Asher tivesse se virado para dar uma última olhada na sala antes de sair para a neve, teria ficado espantado com a repugnância com que Hans o observou partir pela porta envidraçada do Metrópole. Stefan, que percebeu a expressão de Hans, achou que era para si mesmo, e, instintivamente, recuou para a cozinha fechada, achando que perdera a gorda gorjeta que esperara a noite toda. Mas a irritação de Hans nada tinha a ver com o serviço do restaurante e, se Bátia estivesse ali, poderia explicar o seu estado de espírito por experiência própria. Simplesmente, nada é mais irritante para um rico do que ser considerado tolo só por causa da sua riqueza. Mas esses erros de avaliação acontecem o tempo todo e, por mera defesa pessoal, a suscetibilidade dos ricos tornou-se extraordinariamente sensível com relação aos seus dons intelectuais ou artísticos. O respeito extravagante prestado pela maior parte da humanidade às grandes fortunas é contrabalançado pela teimosia com que uma parte menor acha que é especialmente superior por demonstrar indiferença por reles vantagens materiais. Quando o rico em questão também gosta de ver-se como um pensador ou artista original, o problema de como os conhecidos menos ricos reagem a ele torna-se dolorosamente agudo. É claro que os olhos deles se voltam para a capacidade do amigo rico de lhe aliviar as angústias diárias com uma simples assinatura estratégica num pedido de empréstimo; ele, por outro lado, preocupa-se em obter dos outros o reconhecimento de seus talentos em terrenos distantes dos talões de cheque e extratos bancários. É provável que a incompreensão mútua termine em queixas e acusações, declaradas ou não, e talvez quase fosse melhor, antes de haver danos, que ambos os lados fossem obrigados a ouvir o aviso que as babás austríacas costumavam gritar aos pequenos aos seus cuidados quando as brincadeiras ficavam mais turbulentas: "Cuidado, isso vai acabar mal!"

Felizmente, Hans não tinha a menor tendência artística nem se iludia, apesar de todas as suas leituras de textos radicais, achando que seus ensaios curtos e escassos fossem uma contribuição importante para a teoria revolucionária. Mas, pelo menos em comparação com outros de sua idade, nada acontecera que o fizesse duvidar de seus dotes intelectuais em geral. Com bem menos razão, também se orgulhava de um discernimento equilibrado sobre a natureza humana. Em conseqüência, a torrente de planos improváveis e pedidos invasivos de Asher, todos os quais dependiam, para seu sucesso, da estupidez palpável do seu pretenso alvo, conseguira irritar Hans profundamente. Ser tomado por um tolo mimado por alguém tão aflito quanto Asher Blumenthal era realmente ofensivo. Sua polidez compensadora para com Asher foi menos um estratagema calculado do que a manifestação da necessidade de voltar a fazer uma boa idéia de si mesmo. Precisava de tempo para suprimir a raiva de Asher e a irritação consigo mesmo por ter ficado tão exasperado com um joão-ninguém como aquele. Contrariamente à suposição de Asher, a promessa de Hans de pensar a sério sobre a sua proposta não fora motivada por algum sentimento de culpa pela disparidade de suas posições econômicas. As expressões de boa vontade de Hans pretendiam, em vez disso, exibir a sua característica que ele mais admirava, a capacidade de pôr de lado friamente os preconceitos pessoais para extrair de qualquer situação o máximo de vantagem para os seus objetivos a longo prazo. Encontrar um jeito de dar um fim útil ao seu encontro apesar da total aversão a Asher era o modo de Hans restaurar o mecanismo sempre delicado do seu orgulho. Podia esquecer qualquer ataque direto à sua vida privilegiada, já que considerava corruptor o dinheiro do seu pai, não o dele mesmo, e, de qualquer modo, as teorias econômicas em cujo interesse pensava em recrutar Asher já tinham eliminado há muito tempo as questões de responsabilidade individual pela injustiça social. A ansiedade desesperada de Asher para mudar de situação, por mais implausíveis que fossem os meios, fazia dele um acréscimo potencialmente útil à célula de Hans. É claro que não como um membro igual aos outros, não importa o que fosse necessário lhe dizer, mas estava claro que Hans precisava de alguém para cuidar do apartamento e Asher seria ideal para isso. Além do mais, nenhum dos outros membros da célula sentia qualquer coisa parecida com a angústia pessoal contra o mundo que inundava Asher. Com Marx, Hans aprendera como a burguesia usava o "exército de reserva dos desempregados" para manter os salários baixos. Por que, então, a revolução não poderia usar o crescente "exército de reserva" de escriturários descontentes para manter os seus refúgios limpos e aquecidos?

A agradável superioridade pressuposta nas ruminações de Hans restaurou o seu bom humor e, nos dias seguintes, sempre que pensava em maneiras de adaptar os planos de Asher à necessidade do movimento conseguia fazê-lo sem deixar que seu rancor lhe nublasse a capacidade de avaliação.

Mas se alguém como Hans dificilmente seria tão obtuso quanto imaginam os Ashers deste mundo, também é verdade que dificilmente os necessitados gostariam que sua indigência lhes fosse mostrada com desdém tão indiferente, como se as diferenças que viam como determinadas somente pela disponibilidade de um suprimento suficiente de dinheiro fossem, na verdade, um reflexo do seu caráter. Asher sabia que se comportara de forma extravagante e estava pronto a desprezar-se por isso. Mas, em sua cabeça, Hans estava longe de ser inocente de tudo o que acontecera. Na verdade, Asher via o seu excesso de falas e gestos como uma tentativa reconhecidamente patética mas provocada de romper a reserva da generosidade entediada e avaliadora de Hans, reserva emocional baseada, ainda que Hans não quisesse reconhecer, exatamente na serena amplidão da sua reserva financeira. Longe de alegrá-lo, a justiça da queixa de Asher contra Hans só levou Asher a reflexões mais cáusticas, mas em seu âmago jazia o nó indigesto e amargo que lhe recordava como seria muito mais fácil para Hans esquecer o encontro do que para ele. Hans era cinco anos mais novo mas, devido apenas ao seu afortunado nascimento, já vivenciara muito mais do mundo do que Asher teria a possibilidade de conhecer ao longo da vida. No entanto, de forma curiosa, pareceu a Asher que a condescendência de Hans o forçara a ter algumas de suas melhores idéias. Apesar de gostar das fofocas da capital trazidas pelas cartas de Alexander, Asher nunca antes pensara em tomarem juntos o jornal. Perdeu pouco tempo lamentando a necessidade de envolver alguém tão inadequado quanto Hans em seu plano, em parte porque já vivera o bastante para perceber que, para ter sucesso, seria preciso que se vendesse muitas vezes e em parte porque achava que, independentemente do que acontecesse, o interesse de Hans arrefeceria bem depressa. Logo se contentaria com uma ou outra interferência ocasional, embora, sem dúvida, irritante. Por enquanto, o que importava era o olhar de interesse súbito e cortante que Hans lhe lançara assim que Asher mencionara o jornal. Por que Hans admitiria pelo menos algum grau de curiosidade sobre *A Nova Ordem*, ao mesmo tempo que insistia em não querer ir para Viena nem tornar-se escritor, era um enigma para o qual Asher não tinha solução, mas sabia que logo surgiria alguma, caso o projeto avançasse. Era de se esperar que Hans tentasse usá-lo de algum modo, mesmo que Asher ainda não sentisse como nem para quê. Mas registrou com bastante clareza o desconforto de Hans com as suas explosões emocionais e decidiu que manter o personagem de judeu irritável e excessivamente excitado, papel que dificilmente seria estranho ao seu repertório, podia dar-lhe vantagens inesperadas no futuro. Era sempre boa idéia deixar que os outros o considerassem mais tolo do que realmente era. Ao mesmo tempo, fazer-se de bobo para alguém tão imaturo e seguro de si quanto o herdeiro Rotenburg excedia provavelmente a sua própria capacidade de autocontrole e Asher temeu que, no futuro, assim como naquela noite no restaurante, seria provável que as suas explosões de sentimentos feridos fossem mais autênticas do que encenadas. Na prática, contudo, as coisas pareciam muito mais promissoras do que imaginaria possível há apenas algumas horas. O verdadeiro problema era determinar se alguma coisa resultaria daquela conversa.

 Quando tentou fazer um inventário sistemático de impressões úteis, Asher descobriu que, apesar do cuidado com que observara Hans, tinha pouquíssima coisa em que se basear. Mas se estava claro que Hans não era tão estúpido quanto Asher de início supusera e, tinha de admitir, até esperara, também não era tão esperto quanto obviamente pensava ser. Assim, Asher passou os dias seguintes usando todo o seu talento de contador para montar colunas elaboradas nas quais listava qualidades e motivos seus e de Hans e calculava, a partir delas, como explorar melhor as vantagens que conseguisse discernir em sua posição, até que o seu caderno começou a parecer-se com os planos de batalhas usados nos colégios militares para ensinar aos jovens recrutas a ciência da guerra. Mas os exércitos, como sempre testemunhamos, só aprendem a travar a guerra anterior e ficam tristemente despreparados para a que virá. Assim, não surpreende muito que o único resultado tangível do mergulho febril de Asher na alta estratégia tenha sido uma confusão pavorosa no modo como tratou as negociações da Sobieski a respeito das barras de sabão que a empresa queria importar de Trieste, até que seus parceiros comerciais italianos apareceram com um contrato muito melhor do que o previsto originalmente e os patrões de Asher duvidaram ainda mais de sua adequação para um cargo de responsabilidade.

2

O primeiro luxo de verdade a que Moritz se permitiu assim que teve dinheiro bastante foi instalar uma lareira enorme no quarto da casa elegante que comprara alguns anos antes do nascimento de Hans e, com o passar do tempo, conforme ia marcando a sua ascensão com uma série de residências cada vez mais imponentes, foi sempre com a lareira que ele mais se preocupou e a cuja localização dava mais atenção, feliz de deixar a cargo de Dina todas as outras decisões. Quando criança, dormindo com meia dúzia de aprendizes no dormitório improvisado no sótão do mestre, Moritz acordava todas as manhãs, de outubro até o fim de abril, tão enrijecido pela umidade e pelo frio que não importava como fosse frenético o trabalho do dia, nunca conseguia se aquecer por completo, e agora dava ordens para que colocassem na lareira do seu quarto, toda noite, lenha suficiente para manter o fogo aceso e constante do anoitecer até a alvorada, mesmo nos meses de verão, quando Dina, assim como os seus médicos, lhe garantiam que tanto calor assim não só era desnecessário como até mau para sua saúde. Nesses dias, embora fosse comum não se sentir muito bem no fim da tarde, continuava, como há muitos anos, a ficar acordado durante boa parte da noite, movendo-se inquieto entre a cama cheia de travesseiros para apoiar um par de antigas mesinhas de escrever feitas para viajantes — presente de aniversário do grão-rabino de Viena — e a escrivaninha simples, na qual havia o tempo todo um bom estoque de papel em branco. Dedicava-se, ao acaso, aparentemente, à sua correspondência confidencial, da qual boa parte era escrita num código baseado nas letras hebraicas que ele mesmo inventara anos atrás. Depois de algum tempo Moritz parava de ler para tomar algumas notas num dos cadernos pautados simples, idênticos aos usados por gerações de meninos de escola austríacos, e a seguir largava-os para dar uma olhada na pilha de panfletos de história e misticismo judaicos que as numerosas doações para caridade faziam chegar à sua porta. Era este o mundo que se esforçara para construir, de pedra em pedra, de moeda de ouro em moeda de ouro, com nada além de sua própria vontade indômita, inteligência e disciplina pessoal; era um mundo mais variado e amplo do que quem teve uma infância como a sua jamais conceberia, mas quando olhava em torno do quarto e via os frutos tangíveis de tanto esforço, Moritz tinha certeza de que conseguiria se afastar de tudo naquela noite sem sentir falta de nada.

Judeu, pai, homem de importância em sua comunidade e seu país. Ele era tudo isso e, enquanto lhe restasse tempo, continuaria a dar o melhor de si em todos esses papéis, mas nenhuma das suas atividades, nem ninguém que lhe fosse realmente importante e em cujo nome estivesse sempre pronto a superar-se, atingia-o no fundo do coração. Dina foi a última pessoa, talvez mesmo a única, por quem sentira algo a mais, mas ultimamente, embora o retrato dela pendesse da parede acima da escrivaninha e a sua fotografia estivesse no porta-retratos oval ao lado da cama, descobrira que tinha dificuldade de lembrar como ela era ou sobre o que conversavam. Moritz tinha uma consciência nada sentimental da sua capacidade e podia fazer um balanço de seus talentos e limitações da mesma maneira desapaixonada com que analisaria a contabilidade de uma empresa na qual pensasse em investir. Mas não sentia nenhum apego especial pelo empreendimento de ser Moritz Rotenburg, e nem o prazer que tinha com o seu sucesso espetacular nem a frustração quando os planos davam errado e afetavam a sua sensação de ser meio impessoal com relação a si mesmo. Sabia que, mais do que a riqueza, era esta aura, que ouvira um dos seus sócios de Londres chamar de "o famoso distanciamento Rotenburg", que o separava dos outros, e às vezes permitia-se perguntar a si mesmo, com um toque da mesma autopiedade que normalmente desprezava, se os escriturários mais comuns que empregava não se ligavam mais intimamente à própria vida do que ele. Bem, pelo menos alguns deles. Com certeza não as nulidades sem esperança cuja mensalidade do Clube Mendelssohn ele pagava. Recentemente, deixara a cargo dos outros membros da diretoria decidir quem mereceria este apoio, mas quando ainda entrevistava pessoalmente os candidatos era óbvio para Moritz que a maioria deles vivia principalmente de sua própria ansiedade e planos fantásticos.

Agora, Hans de repente interessava-se por um deles. Ou, pelo menos, fingia se interessar, no mínimo para irritar o pai. Os dias que se seguiram à festa tinham sido extremamente desagradáveis. Quando Hans finalmente desceu para tomar o café-da-manhã no dia seguinte, insistiu em contar uma história absurda sobre ter sido abduzido por um dos "casos de caridade" de Moritz, que jurou conhecer *Herr* Rotenburg do clube e que depois passou a martelar os ouvidos de Hans durante horas.

— Pergunte aos garços da madrugada no Metrópole se não acreditar em mim — insistiu Hans, quando Moritz pareceu duvidar. — O primo de Anton não parava de olhar a nossa mesa, claramente espantado com a velocidade com que o seu protegido bebeu e comeu tudo o que foi colocado ao seu alcance.

O nome Asher Blumenthal pouco significava para Moritz. Lembrava-se com carinho de Eliezer, que fora uma das almas mais gentis da comunidade, apesar da falta absurda de praticidade e de viver endividado. Moritz pagara o seu funeral e patrocinara de boa vontade as mensalidades do filho no clube mas, além disso, não saberia responder a nenhuma das perguntas estranhamente detalhadas que Hans lhe despejou sobre a família. Pelo esboço de Hans, Asher parecia ainda mais desorientado que o pai, mas sem o amável otimismo do velho. Para Moritz, contudo, havia pouco a escolher entre as ilusões com que os judeus mais pobres da cidade tentavam manter elevado o seu estado de espírito e as intrigas mesquinhas com as quais um malogro amargurado como Gerhard Himmelfarb buscava compensar a sua longa história de cálculos errados e quase falências. Os Himmelfarb já tinham sido a família judia mais rica da cidade e Gerhard jamais conseguira perdoar os mais bem-sucedidos. Nas reuniões do clube, sempre que Gerhard abria a boca para dirigir-se à diretoria, o ressentimento que nele supurava como um abscesso surgia, como se por uma lei de equilíbrio cósmico, coberto pelo tom mais insípido de sentimentalismo e benevolência. Havia toda uma ladainha de palavras que era incapaz de pronunciar sem acrescentar um *tremolo* prolongado, como um pianista desajeitado que tenta disfarçar a falta de técnica mantendo o pé no pedal de sustentação pelo máximo de tempo possível. Ouvir simplesmente o modo como o homem proferia as palavras *distinto* ou *genuína alma judaica*, cada sílaba mais melosa que a anterior, era o bastante para provocar um esgar de repugnância que Moritz tentava ao máximo disfarçar antes que ficasse evidente para os outros. Talvez o estranho rabino milagroso sobre quem Moritz ouvira recentemente alguns boatos alarmantes não fosse assim tão maluco e a cidade estivesse mesmo cheia de almas perdidas que só um cataclismo poderia salvar. Neste caso, Moritz esperava não estar vivo para ver e estava decidido a fazer tudo o que estivesse ao seu considerável alcance para que também passasse por seu filho e o deixasse ileso.

É possível amar alguém de forma tão completa e irrevogável que seja menos uma emoção do que uma função física involuntária, tão fundamental para a existência diária como respirar, e ainda assim, na verdade, não gostar nem um pouco desta pessoa? Parece que sim. Se o bem-estar de Hans exigisse, Moritz cederia a própria vida quase sem hesitar, mas tinha pouquíssimo prazer com a companhia do filho e tentava, sem deixar que o rapaz percebesse, evitar passar muito tempo com ele a menos que fosse absolutamente necessário. A não ser quando isso daria aos seus inimigos uma arma potencialmente perigosa, Moritz era incapaz de levar a sério a mania de Hans de substituir uma conversa de verdade por arengas políticas. Nesses dias, falar normalmente com os outros parecia apenas enervar Hans. No instante em que qualquer voz que não fosse a sua emitia mais do que duas ou três frases consecutivas, Hans desenrolava todo um repertório de gestos e olhares que quase gritavam como era difícil para ele continuar prestando atenção a um lixo tão maçante. Às vezes, seus olhos ficavam visivelmente vidrados e ele curvava-se para a frente em sua cadeira como se estivesse totalmente exausto e incapaz de continuar combatendo a necessidade de dormir. Em outros momentos, seu corpo começava a agitar-se e tensionar-se como se reunisse forças para lançar-se ao próximo monólogo e, então, o cenho franzido de impaciência exasperada que brincava em seu rosto quanto mais se sentisse obrigado a ouvir outra pessoa transformava-se num exagero quase de caricatura. Para Moritz, que sempre achara mais útil guardar para si as suas opiniões e descobrir o que os outros à sua volta pensavam encorajando-os a dominar a conversa, era espantoso como fazer discursos parecia animar seu filho, pelas contas azedas do pai, quase no mesmo grau em que um diálogo de verdade o fatigava.

Moritz observara as atividades do filho com ceticismo crescente desde o seu triunfo nas provas finais, quando Hans e Ernst von Alpsbach tinham dividido o primeiro lugar da província e foram selecionados para receber o reconhecimento especial da visita de uma autoridade do Ministério da Educação. Desde então, tudo o que ouvira dizer sobre Hans ou soubera pelo rapaz irritava Moritz diretamente e tornava o esforço de planejar com tanto cuidado o seu futuro parecer um gasto extremamente insensato do seu próprio capital emocional e intelectual. Mas Moritz também suspeitava que, embora fosse provável que jamais admitissem um ao outro, ele e Hans dividiam uma ambição dinástica a cujas exigências ambos estavam dispostos a sacrificar-se. Todo mundo sabia que, em Schönbrunn, o velho imperador enfrentava dilema semelhante com os próprios herdeiros problemáticos, e parte da afeição que os súditos sentiam por Francisco José baseava-se numa sensação obscura e até mesmo, se não tivesse sido encorajada pelo próprio Palácio como parte da sua propaganda, levemente desrespeitosa de identificação com um pai que suportava tantos desapontamentos na família. Mas, pelo menos, os Habsburgo tinham uma série aparentemente interminável de sucessores oficiais e, se um deles caísse, a linhagem propriamente dita não ficaria ameaçada.

Então por que ele e Dina não conseguiram ter mais filhos? Houve um tempo, anos atrás, em que Moritz fora obrigado a suportar esta pergunta com bastante freqüência de conhecidos suficientemente irritados com a visão de sua prosperidade para tentar feri-lo. A indagação sempre vinha com uma untuosidade que mal lhe disfarçava a malícia, como se bastasse perguntar para ressaltar que os céus não permitiriam que uma injustiça ficasse sem punição — ainda mais aquele abismo indecente entre a fortuna de Rotenburg e a do interlocutor. Para Moritz, contudo, era uma pergunta surpreendentemente pouco venenosa. Os magros salários dos pais de Dina tinham servido para alimentar os meninos da família, não as cinco meninas, e o nascimento de cada uma delas fora tratado como calamidade. Três irmãs morreram de tuberculose antes da adolescência e a própria Dina mal sobrevivera até a idade adulta. O parto de Hans quase a matou e durante vários anos ela e Moritz temeram outra gravidez. Mas ela nunca mais concebeu e, aos poucos, seus temores foram substituídos pelo sentimento oposto, de vergonha, pois acreditava que sua esterilidade feria o marido. Esse tipo de pensamento quase nunca ocorreu a Moritz, cuja atenção era totalmente consumida pela série de vinte anos de ações cuidadosamente camufladas, cada uma mais arriscada que a precedente, para levar seus investimentos financeiros a novas indústrias. Moritz estava convencido de que os modos inteiramente novos de fabricação estavam a caminho de se tornar lucrativos. Mas, como quase ninguém na Áustria se dispunha a aproveitar-lhes o potencial, Moritz teve de assumir todos os riscos sozinho. O lucro desses investimentos apequenou tudo o que havia em termos de empreendimentos mais convencionais e, com o tempo, catapultou Moritz para um nível de riqueza totalmente diferente daquele dos empresários que tinham sido seus iguais havia apenas vinte anos. No final da primeira década do novo século, Moritz fora várias vezes o único investidor austríaco a participar das negociações secretas para investimentos econômicos conjuntos com industriais alemães como Rathenau e Oetker. Voltava dessas reuniões só para partir de novo dali a alguns dias para outro centro financeiro, e houve meses inteiros em que não jantou em casa. Dina e Hans se acostumaram a conversar com ele no café-da-manhã, enquanto passava os olhos pela correspondência, ou quando se sentava numa cadeira do lado de fora do grande banheiro do andar de cima, onde se barbeava enquanto um conjunto de malas era desfeito e outro novo, idêntico em tudo ao primeiro, era cuidadosamente enchido de roupas limpas para mais uma viagem. Nenhum dos dois duvidava do amor de Moritz, mas com freqüência era difícil para eles distinguir este sentimento de uma benigna desatenção. Aos poucos, Dina fez do bem-estar do menino o centro de sua vida e, desde quando ele começou a falar, transferiu toda a sua ambição para Hans. Para Moritz, às vezes parecia que tinha perdido a melhor parte da única amiga e parceira de cuja fidelidade emocional sempre tivera certeza. Nada deixou isso mais claro do que ver Dina e Hans andando de braços dados quando o menino acabara de fazer nove anos e todos foram juntos assistir ao festival anual de algum santo polonês ou lituano, Moritz nunca conseguia lembrar-lhe o nome, em cuja homenagem flores vermelhas e velas brancas eram postas a flutuar sob a grande ponte numa noite quente de verão e a banda local, com suas fardas militares, tocava uma mistura esquisita e desconcertante de valsas alegres e tristonhas canções ciganas. Havia alguma coisa na intimidade dos dois, na maneira como Hans aceitava que a mão da mãe lhe ajeitasse a gola da roupa azul de marinheiro, com a camisa branca engomada e os botões de latão brilhante, quando teria se encolhido com desconforto para escapulir caso Moritz tentasse o mesmo gesto, e na concentração com que Dina cuidava para que o menino se sentisse feliz com o sorvete de baunilha e chocolate que lhe compraram na barraca montada temporariamente na praça perto da Catedral, que excluía Moritz com tanta clareza que, de repente, ele sentiu pesar sobre si um sentimento totalmente inesperado de privação. Foi uma sensação momentânea que ele afastou deliberadamente e sem examiná-la a fundo, mas um certo isolamento ocupou o seu coração naquela noite da festa e de sua sombra imperceptível ele jamais saiu por completo.

Depois que Hans voltara de sua viagem, não importava o tópico que qualquer um dos dois levantasse; a conversa logo escorregava para acusações mútuas. Moritz sabia que tinha tanta culpa quanto Hans, mas continuava cedendo ao impulso de dizer alguma coisa que sabia que ia irritar o filho. Mesmo quando tentava concordar com Hans, o esforço costumava sair pela culatra. Fritz Lászny, da Koppensteiner, enviara um educado bilhete de agradecimento por ter sido encarregado de mobiliar o apartamento de Hans na Maximilianstrasse e, quando Moritz garantiu a Hans que entendia por que o filho queria ter o seu próprio lugar para receber amigas, a única resposta de Hans foi a irritação de ser tema das especulações dos outros.

— Que círculo impressionante de informantes o senhor tem, meu pai — explodiu ele. — Aposto que as histórias sobre mim lhe são regularmente repetidas naquele clube de que tanto gosta. Asher Blumenthal me disse que o pessoal de lá fofoca sobre mim, mas não imaginava que isso acontecia também no seu círculo. Caso faça alguma diferença, na verdade até agora não levei mulher nenhuma até o apartamento, embora bem que isso poderia começar logo, já que todo mundo, o senhor inclusive, parte do princípio de que foi por isso que eu o aluguei. A única razão pela qual comecei a procurar um lugar só meu é para ter aonde ir depois de manhãs como esta. Acha que é fácil ficar aqui e me pôr a trabalhar depois de brigar com o senhor? Além disso, ninguém tem mais nada a falar a não ser sobre o meu apartamento? Todos estão tão convencidos de que abri um bordel particular que este tal Blumenthal teve até o desplante de me pedir para usá-lo para seduzir balconistas também.

Para surpresa de Hans, no entanto, em vez de sair embaraçado da discussão, o pai simplesmente levantou os olhos e perguntou:

— E o que você lhe respondeu?

— Eu não disse nada — retrucou Hans. — O que espera que eu faça com um pedido desses? Espanta-me que o senhor mesmo não esteja mais ofendido.

Moritz ignorou o tom de voz de Hans e continuou, falando mais para si do que para o filho.

— Se quer o meu conselho, Hans, empreste-lhe o apartamento de vez em quando, quando tiver certeza de que não vai precisar dele. Conheço o tipo, uma pobre nulidade. Não se esqueça de que eu mesmo não tinha mais do que alguns centavos quando cheguei aqui. Ele é um solitário e não pode pagar um lugar para se encontrar com a namorada. Ajudá-lo talvez não seja muita coisa, mas não vejo como isso faria mal a alguém e pode deixar duas pessoas felizes por algum tempo.

Hans encarou o pai, subitamente consciente de há quanto tempo os dois moravam sozinhos naquela casa enorme. Não estava disposto a ceder diretamente, mas sua voz ficou menos estridente. Fingiu um olhar de chocado moralismo.

— Como o senhor ficou cínico, meu pai. Eu devia ter adivinhado. O senhor é o libertino da família, não eu. Talvez esteja mesmo na hora de se casar outra vez. Ou será que o senhor também quer a chave, para poder usar o apartamento e fazer alguma coisa que não seria adequado aqui? Claro que só estou brincando. Mas devo admitir que sua tolerância é maior do que eu esperava.

— Acho que eu só entendo melhor a solidão a cada ano. — Moritz deu de ombros. — Mas não me importo. Faça o que achar melhor. Pelo menos, Blumenthal nos deu um motivo para sorrir. Vou pedir a alguém que me mostre quem é quando eu for ao clube. Se teve coragem de fazer um pedido desses a você assim do nada, não pode ser uma pessoa completamente inútil para outras coisas.

— Foi exatamente o que pensei. — Hans aproveitou a oportunidade para terminar a conversa num tom amigável. — Veja, pai, tivemos idéias parecidas a manhã inteira. Estou até procurando algum trabalho de meio expediente para Blumenthal.

Moritz sentiu que Hans se esforçava para conseguir uma boa saída e fez o possível para ajudá-lo. Viu o filho partir sem remorsos, aliviado porque as coisas tinham se passado relativamente bem entre eles e contente por estar sozinho outra vez. Seu gênio para os negócios dependia da flexibilidade imaginativa que lhe permitia prever resultados alternativos e muitas vezes contraditórios para qualquer situação; lamentar um estado de coisas que tinha certeza que não poderia consertar era profundamente estranho ao seu temperamento, e ele fez o máximo para aceitar o fato de que se sentia quase tão isolado em sua própria casa quanto no mundo lá fora. Sempre vira a recusa de investir em projetos impossíveis como o começo da sabedoria, mas, desde a morte de Dina, até os seus estratagemas mais audazes continham um elemento de irrealidade. Como o seu término só poderia ser deflagrado com a própria morte, tinha de considerá-los em certo sentido como póstumos, e o fato de passar boa parte de sua vida interior habitando em um mundo hipotético costumava fazer o presente parecer igualmente irreal. Tarde da noite, quanto Nicholas finalmente foi mandado para a cama depois de verificar o fogo mais uma vez e trazer a Moritz a última xícara de caldo quente, o investidor reuniu toda a sua vacilante energia e sentou-se à escrivaninha para voltar à correspondência que não podia confiar a mais ninguém. Em sua maior parte, essas cartas tratavam do mecanismo complexo pelo qual conseguia transferir grandes quantias para o exterior, apesar dos esforços do governo para restringir o movimento de capitais para fora do país. Sabia que o desenvolvimento econômico do Império arrastava-se cada vez mais atrás das outras grandes potências e que o único jeito de preservar a sua fortuna era aumentar as parcerias com industriais estrangeiros. As diretorias entrelaçadas das quais agora fazia parte tinham um inconfundível elemento dinástico e ele observava seus sócios criarem os filhos para assumir os negócios quando não pudessem mais administrá-los. O período de Hans no exterior tivera a intenção de prepará-lo para o mesmo papel, mas o resultado fora desanimador. Os parceiros de Rotenburg em Londres e Zurique estavam pelo menos tão bem informados das atividades políticas de Hans quanto a polícia secreta, e Moritz viu-se obrigado a gastar uma energia que não tinha para tentar consertar o dano que Hans causara aos seus planos. Estava claro que, para que Hans fosse aceito pelos sócios estrangeiros de Rotenburg, teria de voltar ao exterior por um período mais longo e provar a sua confiabilidade. Para Moritz, mandar Hans viajar de novo não era uma idéia inteiramente malvista. Seria mais fácil mantê-lo longe de problemas num país onde os contatos de Hans fossem limitados e as leis contra atividades políticas mais complacentes. Embora Moritz tentasse não levar a sério os discursos revolucionários do rapaz, sabia que, se Hans algum dia resolvesse concretizar sua retórica de algum modo impossível de ser atenuado pela riqueza de Moritz, as conseqüências seriam calamitosas, não só para Hans pessoalmente, mas para toda a comunidade judaica.

Muitos daqueles mesmos sócios que se chocaram com as imprudências políticas de Hans intrigavam-se quase da mesma forma com a insistência de Moritz em ficar numa cidadezinha tão insignificante, em vez de estabelecer-se numa das capitais do mundo. Do ponto de vista deles, muitas vezes as escolhas de Moritz eram quase tão excêntricas quanto as do filho. Mas Moritz tinha tanto desejo de sair da cidade onde vivera com Dina quanto de abandonar o judaísmo e, em sua cabeça, as duas ações estavam curiosamente ligadas. Não alimentava nenhum patriotismo convencional nem crença religiosa, mas a idéia de mudar de onde morava só porque outro lugar era maior e mais poderoso era tão pouco atraente quanto converter-se a uma fé estranha porque os seus seguidores eram mais numerosos e estavam em melhores condições. Podia administrar igualmente bem os seus negócios financeiros em qualquer lugar e, sem Dina, não tinha interesse nos prazeres sociais que uma esfera maior poderia lhe oferecer. Pelo contrário, sentia um leve desagrado por homens que tinham deixado a província em troca de Viena ou Londres assim que puderam e, em sua vida pessoal, como nas negociações comerciais, Moritz preferia diminuir a sua mundanidade. Contrariamente às fofocas de alguns membros do clube, contudo, o desejo de Rotenburg de ficar entre eles nada tinha a ver com a vontade de ser o homem mais poderoso de uma arena pequena. Sua riqueza e seus contatos políticos seriam facilmente suficientes para lhe garantir lugar de destaque onde quer que residisse, e a sua influência era tão respeitada em Londres e Frankfurt quanto em Viena. Mas a casa que construíra com Dina era onde pretendia morrer e, embora suspeitasse que provavelmente Hans se instalaria em outro lugar, este pensamento não era suficiente para que ele fizesse o mesmo.

Moritz esperara terminar seus arranjos financeiros antes de abordar a questão do papel de Hans nos negócios internacionais da empresa, mas a notícia da tolice do rapaz o obrigara a combinar as duas questões bem mais cedo do que pretendia. Proteger o filho da própria imprudência teria de assumir a precedência sobre todos os outros projetos de Moritz, e o que tornava tudo isso ainda mais amargo é que Dina não estava mais lá para ficar contente porque o filho finalmente atraía parte tão grande da atenção do marido.

No clube, os problemas de Moritz com Hans fascinavam os membros mais antigos. Já há anos nenhum deles ousava se opor a Moritz, e vê-lo questionado, ainda que fosse preciso outro Rotenburg para fazer isso, prometia ser imensamente gratificante. Ou pelo menos deveria ter sido, caso não enfrentassem problemas semelhantes em sua própria casa. Os Pichler, que tinham planejado ardentemente unir sua Sophie a Hans, queixavam-se a quem quisesse ouvir que tinham perdido por completo o controle sobre a filha. Até um camarada basicamente tranqüilo e decente como Viktor Demetz, que aceitara o rompimento entre Elisabeth e Hans sem dar importância demasiada ao seu desapontamento, admitia que o envolvimento da filha com este rapaz von Alpsbach, caso que estava destinado a terminar de forma horrível assim que ele se cansasse dela, chocava profundamente a ele e a Rosa, que tinham começado a brigar o tempo todo para saber quem era mais culpado pelo comportamento da moça. Os choques ferozes entre pais e filhos que tinham fornecido material tão rico para os escritores da geração anterior envolviam agora também as filhas mais espertas. Pelo menos aos olhos do Clube Mendelssohn, todos concordavam que as famílias judias eram especialmente suscetíveis a crises deste tipo e, por falta dos conventos e padres confessores dos seus vizinhos católicos, mais de um casal de pais angustiados levava silenciosamente as filhas para Viena na esperança de que algum dos novos médicos da mente, que em sua maioria também eram judeus e assim, supunham erradamente, não revelariam aos góis segredos embaraçosos, pudessem exercer uma influência calmante sobre a sua progênie. Havia, sem dúvida, alguma coisa louvável no fato de que agora todo este torvelinho envolvia filhos de ambos os sexos, mas o fato de que os judeus eram ao mesmo tempo as principais vítimas e os patronos financeiros dos seus supostos curadores parecia a muitos deles um leve excesso de zelo no desempenho do seu papel de súditos com as idéias mais abertas do Império. Era quase tão ruim quanto ter de realmente escutar a mais recente música sem melodia simplesmente porque, por um sentimento de dever cultural, tinha-se financiado o compositor.

Moritz, cuja correspondência começava a incluir monografias nas quais esses mesmos médicos, longe de demonstrar alguma discrição, descreviam os mais indecentes escândalos familiares de seus pacientes com detalhes lúbricos, não sentia a menor tentação em deixar que tais homens se imiscuíssem em sua vida particular. A idéia de surgir em suas descrições de casos causava-lhe profunda repugnância e, embora só tivesse uma preocupação limitada com o que se diria dele depois de sua morte, enquanto estivesse vivo estava decidido a usar o seu poder para controlar como seria contada a própria história. O mais importante era tentar impedir que a vida de Hans sofresse uma virada catastrófica. Nem Moritz nem Dina tinham sentido algum desejo de misturar-se com a aristocracia local, da qual a maioria dos integrantes, com exceção do Conde-governador Wiladowski, era ainda mais maçante que os judeus ricos do Clube Mendelssohn, mas era diferente observar Hans fazer amizade com jovens cadetes como Chrissi von Hradl ou o herdeiro von Alpsbach, que ultimamente vinha causando tanto sofrimento à família Demetz. Embora Moritz soubesse, melhor do que ninguém, como estavam pesadamente hipotecadas as propriedades da maioria dos nobres da província, passara a partilhar com atraso o prazer de Dina pelo sucesso social do filho. Já fazia muito tempo, contudo, que Hans não voltava para casa parecendo satisfeito com uma noitada com os amigos, e a declamação agressiva de lemas sobre "a condição das classes trabalhadoras", que agora ocupava o lugar de principal forma de entretenimento do rapaz, era marcada por uma falta de alegria que nenhuma veemência conseguiria disfarçar. Moritz suspeitava que pais e filhos acabam, inevitavelmente, desapontando-se entre si, mas nunca previra que seu filho se transformaria em alguém que só conseguisse aprender ouvindo as próprias palavras. Desde o seu retorno, os discursos dogmáticos de Hans soavam amargurados e havia uma nota nova que Moritz não conseguia identificar direito, mas que, se tivesse menos bom senso, ficaria tentado a chamar de desespero. Um homem mais paciente que Moritz talvez conseguisse esperar que passassem os primeiros espasmos sarcásticos do rapaz até que o tom de voz zangado se dissipasse o bastante para permitir vislumbrar a possível infelicidade que estaria por trás deles. Mas Moritz, cuja paciência nos negócios era lendária — como uma aranha venenosa à espera da sua presa, como retratavam-no os panfletos anti-semitas de Viena em suas caricaturas xilogravadas —, não conseguia sentar-se atento durante um quarto de hora durante as arengas do filho. O fato é que havia trabalho importante demais a ser feito e, embora o empresário que havia nele não pudesse deixar de sentir-se desagradavelmente próximo do desprezo pelo descuido com que Hans punha-se a desperdiçar as oportunidades que recebera, a parte animal de Moritz, que sabia que estava morrendo, via às vezes o seu amor pelo próprio filho manchado por uma inveja vergonhosa da força do rapaz e da sua falta de dor física. Ainda recordava como os seios da garçonete tinham roçado acidentalmente em sua mão na noite em que convidara os alunos premiados para beber no clube depois das provas, e sentiu na boca um gosto amargo com a idéia de que, provavelmente, fora a última vez em que tocaria de novo o corpo de uma moça.

— Nunca imaginei que morrer fosse uma coisa tão ignóbil — pensou. — Não admira que todo mundo adie esse momento o máximo possível. Realmente é péssimo que eu não possa contratar alguém para morrer em meu lugar. Não deve ser muito pior que viajar para a Palestina para drenar os pântanos.

Mais zombarias de si mesmo do tipo que sionistas como a ex-namorada do filho desdenhavam. Para eles, esta era apenas outra deformação característica do exílio. Ainda assim, embora isso não lhe desse crédito junto a Elisabeth Demetz e seu grupo, Moritz era um dos poucos judeus ricos do Império que apoiavam a causa sionista. Mas fazia isso menos por fé no restabelecimento de uma pátria judaica do que como melhor forma de dar aos judeus algo específico pelo que lutar. Passara a acreditar que os sentimentos políticos apaixonados, desligados de qualquer política prática, só levavam a uma autodramatização teatral, e todas as ações de Hans nestes últimos dezoito meses confirmaram a crença de Moritz. Havia questões urgentes entre eles que tinham de ser resolvidas antes que a extensão dos seus investimentos no exterior se tornasse conhecida do governo, mas quanto mais tempo evitasse envolver Hans diretamente, mais seguro seria para os dois. Felizmente, a vaidade natural de Hans convencera-o do contrário, e sempre que saía de casa passava nas pontas dos pés pelo escritório do pai, certo de que, se Moritz o ouvisse, insistiria em que passassem juntos uma noite tediosa. Naqueles últimos dias, em especial, o medo de Hans de ser chamado para uma longa conversa tinha ainda menos base que de costume. O fato de Hans ocupar parte tão grande da atenção de Moritz só fortalecia o desejo do velho de não se cansar ainda mais discutindo com o filho. De qualquer modo, era vital que ninguém, nem Hans, nem o Ministério em Viena e menos ainda o conde-governador e seu espião judeu, suspeitasse de que os recursos de Moritz estavam sendo redirecionados para aquela que se tornara a sua única meta, na versão prática de um negociante, como Moritz começara a vê-la, do rito da Páscoa para proteger o primogênito de todos os perigos que o futuro pudesse lhe reservar.

◆◆◆

Alguns dias depois, explodiu a primeira manifestação em frente aos portões da Madeireira Hollweg. Foi um caso triste, organizado por homens desesperados de fome e medo, e nenhum dos trabalhadores ainda empregados na empresa participou do protesto. A polícia local recusou educadamente a oferta do Conde-governador Wiladowski de convocar a milícia e, num quarto de hora, conseguiu dispersar os piqueteiros quase congelados. Como as ordens incluíam prender "os líderes", a polícia pegou meia dúzia de manifestantes que pareciam agitar os braços com energia pouco comum e arrastou-os para a cadeia, embora a vontade de elevar a temperatura do corpo com certeza bastasse para explicar a animação dos presos. Além de algumas blasfêmias e um ou outro punho levantado, nem esses supostos organizadores nem os seus companheiros ofereceram à polícia alguma resistência mais séria. Sem dúvida, é difícil para homens vestidos de farrapos e com estômago vazio defender sua posição contra uma companhia de soldados autoritários, com seus pesados casacos regulamentares de feltro grosso e botas ferradas, que chega disposta a fazer cumprir com cassetetes a proibição de qualquer reunião pública não autorizada. Mas já que era em boa parte impossível para os austríacos acreditar que qualquer ameaça à paz do Império fosse mais do que uma aberração momentânea, não houve acusações contra nenhum dos presos, libertados com velocidade misericordiosa depois do pagamento de multas simbólicas que lhes varreram todos os recursos financeiros que família e amigos ainda possuíam. A sabedoria demonstrada pelo governo ao manter o moral dos seus beleguins da província com uma concessão generosa de comida e equipamento, mesmo nos meses mais duros da recessão, foi devidamente admirada pelos cidadãos leais de todo o Império. Em lugar nenhum se encontrou recruta novo que desgraçasse a farda demonstrando alguma simpatia infeliz pela turba que era chamado a reprimir. Ainda mais perturbadora, do ponto de vista dos círculos radicais, era a ausência de solidariedade entre os recém-demitidos e os que ainda se agarravam aos seus empregos. O medo de perder o pouco que tinham e a consciência desanimadora da sua vulnerabilidade obrigavam os operários a uma identificação tristonha com a política dos empregadores, não importa até que ponto drasticamente baixo fossem reduzidas as suas condições de trabalho. Logo, uma das poucas crenças que ainda uniam os vários campos de trabalhadores era a raiva do inexplicável colapso econômico e a certeza compensadora de que a crise atual era culpa de criadores de caso vindos de fora, quer fossem identificados como especuladores ricos de Viena e Londres, quer como hordas clamorosas de gente vinda das fronteiras orientais do império em busca de trabalho. Como os judeus eram considerados elemento predominante nos dois grupos, passaram a ser vistos com má vontade cada vez maior e, naquela época de Natal, constatou-se o primeiro sucesso geral na cidade do tipo de panfleto anti-semita que, antes, era recebido com indiferença e até desagrado pela maior parte da população.

 No Clube Mendelssohn, as opiniões dividiam-se sobre como reagir a essas provocações raciais cada vez mais gritantes. Para os membros mais antigos, as acusações selvagens de linha nacionalista ou a torrente de insultos de algum provocador ocasional eram reveses momentâneos que não deviam ser combatidos de modo desproporcional nem perturbar o progresso inevitável, embora às vezes frustrantemente tardio, rumo à tolerância universal. O anti-semitismo dos semi-instruídos era, para eles, uma característica social dada; desagradável, mas em última instância incapaz de provocar danos graves. Sabiam que o próprio imperador desprezava os criadores de caso que queriam forçar uma cunha entre um grupo de súditos e os outros, não por alguma ternura pelos judeus, é preciso admitir, mas por um desdém patrício e instintivo pela opinião do populacho. "Adequadamente considerados" — e com isso a Corte queria dizer simplesmente "observados do ponto de vista da Dinastia Real e Imperial" — havia poucas diferenças discerníveis entre as várias ordens inferiores e, com certeza, nenhuma que justificasse clamor tão impertinente. O berço indistinto dos agitadores tornava risível a sua pretensão a ter superioridade sobre quem quer que fosse, mesmo sobre os judeus, e era impossível para um membro da casa real levar a sério diferenças raciais que não fossem acompanhadas também pelas genealógicas.

Mas, como os judeus de classe média nada sabiam das razões da condenação declarada de Sua Majestade aos provocadores anti-semitas, a sua lealdade à casa imperial só aumentou e nunca foi anunciada com tanta paixão como no dia que se seguiu a um pronunciamento mais ofensivo do que de costume sobre "a questão judaica" que lhes chamou a atenção. Além disso, muitos membros mais ricos do Clube Mendelssohn tinham sofrido perdas financeiras graves durante a atual recessão e a sua maior angústia era manter intactos os negócios até que o mercado financeiro melhorasse, e não as idiotices que sempre surgiam da sarjeta em momentos assim. Moritz Rotenburg, cujos investimentos incluíam agora uma participação significativa numa fábrica de Manchester e num banco holandês, era um dos poucos que na verdade se beneficiaram da recessão, já que os negócios que perdia na Áustria eram mais que compensados pelo aumento relativo do valor dos seus rendimentos estrangeiros. Mas, como no caso de tantas decisões suas, era impossível estimar a proporção que poderia ser atribuída à esperteza ou à sorte, já que nunca explicava qual a sua estratégia geral, que muitas vezes nem parecia que tivesse. Na verdade, os relatos concisos que às vezes fazia e que poderiam envolver uma análise geral da situação eram tão contraditórios que confundiam qualquer um que tentasse entender, quem dirá prever, o próximo passo de Moritz. Sua devoção ao governo eleito e à dinastia dominante continuava sem igual e era acompanhada de doações generosas aos tesouros dos principais partidos políticos de centro, assim como às instituições de caridade patrocinadas por membros da casa real. As várias *yeshivas*, ou escolas de hebraico da torá talmúdica, e as sociedades de auxílio comunitário administradas por rabinos também viam os seus pedidos de fundos atendidos sem queixas, e a fama de benevolência e solidez financeira de Rotenburg logo se espalhou além dos centros comerciais e dos *shtels* empobrecidos do Império. Até o famoso *Rabbinerseminar* de Viena era agora em boa parte sustentado pelas doações de Rotenburg, e cada vez mais os volumes de estudos judaicos que saíam de sua gráfica traziam dedicatórias copiosas à profunda sagacidade judia de um benfeitor tão inspirado. Ao mesmo tempo, suas contribuições à causa sionista e, em especial, ao Fundo Nacional Judeu aumentavam num bom percentual todo ano, parecendo confirmar a piada corrente nos círculos judeus céticos de Viena que definia um sionista como "um judeu que quer mandar outro judeu para a Palestina, com o dinheiro doado por um terceiro judeu". Se soubessem a extensão e a diversidade da largueza de Rotenburg, os mesmos cínicos vienenses podiam divertir-se ainda mais com transposição tão gritante para o terreno particular do conhecido princípio de diversificação dos riscos no mercado de ações, em que cada doação constituía um tipo separado de política de seguro contra uma calamidade não prevista por completo em nenhum tipo isolado de cobertura. Quando começou a dedicar a empreendimentos estrangeiros uma percentagem desproporcional do capital investido, adquirindo, além das suas parcerias britânicas em expansão, participação significativa em empresas desconhecidas como a indústria pesada norte-americana, suas manobras poderiam ter sido vistas com facilidade como dupla traição, demonstrando, como aconteceu, a falta de compromisso com as próprias causas que ele mesmo defendia, o império Habsburgo e a luta sionista por uma pátria judia.

Os judeus mais pobres da cidade, no entanto, tinham outras preocupações. Se mantinham o emprego, ficavam presos entre a hostilidade dos colegas e o desejo de fazer causa comum com eles contra as exigências cada vez maiores dos empregadores. Se desempregados, eram rapidamente levados a sentir que a crise de vagas devia-se em boa parte à sua presença na cidade. Na longa fila de ansiosos candidatos a empregos que se amontoava toda manhã na frente de qualquer fábrica que os boatos afirmassem oferecer algumas horas de trabalho temporário, os judeus eram empurrados e mandados de volta para casa — onde quer que fosse — para parar de tentar tirar a comida da boca dos bons austríacos. Os socialistas e comunistas, cujas querelas antes se tinham voltado para os pontos mais delicados da teoria econômica, agora aproveitavam um repertório abundante de dialéticos insultos raciais, e passou a ser uma questão de considerável prestígio polêmico acusar o adversário de defender "uma ciência judia", em vez da verdadeira ideologia do proletariado. Era freqüente que ambos os combatentes nessas disputas fossem eles mesmos judeus, mas é claro que isso não reduzia em nada a sua veemência. Os dois tinham certeza de ter a história do seu lado.

Mas a cidade era tão coerente em seus preconceitos quanto em todas as suas outras paixões. Assim, apesar de estar empregado numa empresa que, até na época mais próspera, mantivera uma cota rígida de judeus, a famigerada confusão de Asher no caso do contrato de Trieste não foi usada, ao contrário da expectativa de todos, como base para a sua demissão. Durante duas semanas, seu estômago foi um banho ácido de medo e nervosismo, e nem o dia mais frio do ano impediu-o de andar de um lado a outro como uma aparição póstuma, o rosto coberto de uma fina camada de suor sempre renovada. Na época da festa anual de Natal, Asher sentiu que estava perto de um colapso nervoso total e temeu seriamente sofrer ataques de soluço incontroláveis caso alguém lhe perguntasse quais os seus planos para o Ano Novo. Embora apenas algumas semanas tivessem se passado, o encontro com Hans Rotenburg parecia mais distante do que as provas de formatura de Asher e, quando se permitia pensar nelas, toda a esperança que alimentara sobre o encontro só o atormentava por sua absurdez. É claro que não recebera nenhuma notícia de Rotenburg no intervalo e, quanto tentou escrever uma carta queixosa lembrando a Hans a promessa de responder logo, e ainda mais em pessoa, o tom que se viu incapaz de controlar, de vaidade ferida, súplica, falso orgulho e rogo servil, ficou desagradável demais para que a enviasse. Assim, foi ainda mais espantoso que, não bastando que a empresa não demitisse Asher, o chefe do seu setor ainda lhe sorrisse na festa anual e lhe desejasse um bom feriado. Os colegas escriturários mais astutos especularam imediatamente que o diretor, que se orgulhava de nunca ter permitido a um judeu subir além de gerente de divisão, decidira, numa leal imitação do Imperador, escolher exatamente esta oportunidade para mostrar-se superior aos nacionalistas vulgares de todas as faixas ordenando uma anistia geral a todos os judeus que ainda empregava. A adoção do anti-semitismo pela ralé dera-lhe um tom inteiramente inadequado e homens como *Herr* Diretor Hehemann dispunham-se a abandonar os antigos preconceitos para que ninguém pensasse que compartilhavam das opiniões do *hoi polloi*. Como resultado, o pagamento de Asher naquele mês incluiu até o bônus de Natal que nunca lhe fora pago antes porque, como explicou o funcionário que fazia a folha, esses bônus visavam na verdade a ajudar a pagar as oferendas das missas de Natal e Ano Novo e não somente a suplementar o salário.

    Mas Asher mal terminara de contar o seu dinheiro quando o medo, que era como se fosse um punho agarrando e soltando algum ponto do seu peito, transformou-se, como era tão comum acontecer, em raiva. Ficou furioso com o seu empregador por ter o poder de provocar-lhe tamanha ansiedade, com Hans Rotenburg por ter esquecido a sua promessa e deixado que se desesperasse atrás de alguma outra fonte de salvação para aquela situação miserável e consigo mesmo por ter sido tão vergonhosamente vulnerável aos caprichos dos outros. Agora, sempre que passava com pressa na frente do Metrópole, tendo de obrigar os olhos a não fitarem a sala na qual se sentara há tão pouco tempo, sentia tamanho surto de humilhação que se encolhia.

O resultado imediato desses sentimentos foi a decisão de evitar qualquer lugar onde pudesse ser forçado a ver os Rotenburg. Ficou o mais possível longe do clube, preferindo correr para casa depois do trabalho e fazer as suas refeições nos restaurantes miseráveis do seu próprio bairro em vez de demorar-se perto do centro da cidade. Em conseqüência, não soube que, várias noites seguidas, Hans Rotenburg deixara com o porteiro o recado de que desejava ser informado caso Asher Blumenthal entrasse no prédio.

Quando Asher mudou o lugar onde comia, mudou também, é claro, a composição dos seus companheiros de mesa. A princípio evitou conversar com alguém na sala deprimente e mal iluminada onde tentava, o máximo possível, evitar que a colher e o garfo tocassem o tampo de madeira engordurada da mesa, no qual as manchas e muitas vezes os pedaços de carne e batatas deixados por seus antecessores eram bem visíveis. Mas, embora para Asher fosse meio degradante ver com que rapidez fora aceito como "freguês da casa" numa pensão tão dilapidada, consolou-se em parte com a fantasia de que a sua superioridade em relação aos outros fregueses era fácil de ver. No bairro Josef, havia tanta probabilidade de ouvir iídiche, polonês ou russo quanto alemão e Asher fez questão de fazer o seu pedido com todo o cuidado, evitando as inflexões cantadas e as mudanças de vogais associadas aos judeus mais pobres. Não fez isso por algum embaraço devido à sua raça que, de qualquer modo, constituía a maior parte tanto do bairro como um todo quanto do público do restaurante, mas como manifestação audível de sua educação e de sua posição profissional. Ficou mais aliviado do que perturbado quando ninguém pareceu prestar atenção a estes sinais e começou a sentir a indiferença geral a ele como redução bem-vinda do fardo que costumava sentir ao fazer alguma exibição pública dos fragmentos disparatados da sua própria identidade. E assim, nas noites seguintes, Asher começou a relaxar o suficiente para ouvir as conversas circundantes por si sós, e não para descobrir se alguém falava dele. À sua volta, quer fossem sílabas suaves e rápidas acompanhadas de um olhar ansioso sobre os ombros de quem falava ou explosões mais altas, guturais e desafiadoras, as expressões de choque das mesas vizinhas serviram tanto para acalmar Asher quanto para estimular a sua sensação de distante solidariedade. As frases apressadas eram, ao mesmo tempo, pungentes e levemente maçantes, do mesmo modo que uma angústia cortante, expressa em algumas fórmulas repetitivas, pode atingir o ouvinte indiferente que sabe que nada pode fazer para ajudar.

Só bem devagar Asher notou como as palavras em torno dele refletiam com exatidão o seu próprio sofrimento. Quando até as fileiras dos trabalhadores mais militantes, que há pouco tempo sentiam um orgulho estável ao pensar em si como membros de um proletariado mundial, dividiam-se segundo as mesmas linhas de raça e nacionalidade que a consciência de classe lhes ensinara a considerar coisa vazia, muitos ativistas judeus viram-se duplamente abandonados. Cada vez mais mal-recebidos nas assembléias públicas e nos comitês secretos criados para planejar uma resposta unificada à Confederação das Indústrias, reagiram com dor e confusão amortecida, em vez de raiva. Além da tensão diária de simplesmente sobreviver e manter intacta a família durante os dois ou três meses seguintes — e todos concordavam que a situação tinha de melhorar dali a pouco tempo — o pior era ser rejeitado pelo movimento em que tinham depositado todas as esperanças. Era fácil para Asher acreditar que os compreendia, mesmo a partir das falas desconexas às quais prestava atenção, em parte porque as conversas tratavam da mesma coisa durante horas e horas toda noite, mas principalmente porque estava surpreso ao ver-se tão solidário com o dilema deles. Embora a sua concentração em si mesmo transformasse a política num desvio frívolo da questão preponderante dos seus dias — ou seja, garantir o bem-estar pessoal de Asher Blumenthal —, tinha o mérito compensador de deflagrar um jorro de solidariedade rápido, embora raso, por qualquer pessoa cujo sofrimento conseguisse identificar. Com mais agudeza que as meras palavras, a forma como eles se sentavam, amontoados nos bancos, levantando os olhos assustados sempre que a porta se abria por um momento, deixava notar a sua confusão. Era como se Asher presenciasse todos eles serem inexoravelmente dominados por uma vergonha que nunca mais os abandonaria. Em seu ponto máximo, havia o desespero do vizinho da direita, que se virava para quem quisesse ouvir pedindo garantias de que não seria demitido nem teria de ver os três filhos passarem fome. Mas na maioria das vezes o que Asher ouvia era a humilhação de homens cujo emprego miserável os mantinha vivos, mas pagava pouco demais para que pudessem pensar em constituir família. Moravam sozinhos, num dos quartos imundos sem encanamento nem calefação que constituíam a maior parte das moradias do bairro Josef, e eram obrigados, todos os dias, a suportar o desdém dos senhorios e as agressões dos chefes. Tudo isso Asher podia reconhecer e sentir. A mistura de medo e vergonha do salão tinha um cheiro inconfundível para quem o reconhece no próprio corpo, e Asher teve a sensação desagradável de encontrar mais de si mesmo naquela atmosfera do que quando comera no Metrópole e até mesmo, para se ater à verdade, no Clube Mendelssohn.

Mas o sentimento de solidariedade costuma ser totalmente enervante, ainda mais quando nada se pode fazer para ajudar, e Asher logo se preparou para impedir o desvio de sua energia por canais tão pouco habituais e repô-la no curso apropriado. "A questão trabalhista" sempre o atraíra muito menos do que as outras duas bandeiras da época, "as mulheres" e a "questão judaica", pois nestas, pelo menos, podia antever a promessa de uma mudança imediata de suas próprias condições de vida, e até então a afirmação mais clara sobre a sociedade como um todo que já se ouvira Asher proferir, além do ódio violento aos seus superiores imediatos no trabalho, era o total apoio à emancipação feminina, principalmente na esfera sexual.

Como Asher também gostava de ver-se como conhecedor de ideologias às quais permanecia indiferente, surpreendeu-se porque nenhuma das vozes à sua volta parecia atraída por algum dos partidos que uniam programas especificamente judaicos com as idéias socialistas ou marxistas. As diferenças sutis entre as plataformas das várias facções eram assunto de intenso debate entre os membros mais jovens do Clube Mendelssohn, principalmente aqueles que também estavam matriculados em suas aulas de hebraico. Já que Asher tinha boa probabilidade de ficar e ouvir esses debates depois de um jantar especialmente satisfatório, não podia deixar de ligar o choque de teorias com os rumores diligentes de sua própria digestão. Naquela noite, olhando os últimos pedaços do ensopado de carneiro de cor suspeita em seu prato, Asher não parava de pensar que estava perdendo o jantar de Hanukah oferecido gratuitamente pela diretoria do clube. A visão da comida que acabara de engolir deixou-o saudoso, com dolorosa clareza, do ganso assado, das batatas fritas e do delicioso repolho roxo que era sempre a sua parte predileta do banquete de Hanukah e lembrou que fora exatamente há dois anos, depois de um banquete assim, que Leo Drobizky tentara fazer com que se interessasse por entrar num desses movimentos de nome esquisito. Fora principalmente o tom insistente e irritante de Drobizky, o jeito como sua voz quase se quebrava de tanto sentimento quando falava em combinar o compromisso da "dignidade do trabalho" com a criação de uma pátria judia que repelira Asher, e no dia seguinte, quando pensou sozinho no caso, foi incapaz de dar significado concreto aos lemas que pareciam inflamar imbecis pretensiosos como Drobizky. Asher achara ridículo associar o conceito de "dignidade" a qualquer trabalho que já realizara, e drenar pântanos na Galiléia ou colher laranjas antes do sol nascer não conseguia conjurar-lhe a necessária imagem correspondente. Mas para ele estava bem claro que, pelo menos em Os Cinco Hussardos, nome esplendidamente inadequado que Isaac Meir dera ao seu restaurante, Drobizky também não teria muito sucesso como agente recrutador. Os trabalhadores judeus em cujas conversas Asher prestava intermitente atenção não buscavam uma nova fé política; tentavam, como fosse possível, compreender a série de catástrofes que lhes destruíra a vida que tinham passado a década anterior construindo. Era difícil imaginar qualquer um deles na Palestina, difícil para Asher e obviamente ainda mais difícil para eles. Mas, voltando ao caso, para Asher era impossível visualizar a Palestina, a não ser como um lugar totalmente abstrato, povoado por fervorosos vinhateiros socialistas que faziam um esforço inimaginável para produzir vinhos absolutamente intragáveis, ideólogos nacionalistas bombásticos que, em sua fantasia, louvavam o poder redentor do trabalho braçal com vozes que lembravam horrivelmente o seu pai no ponto máximo do moralismo, a ler sermões seculares de *shabbath* tirados dos textos deprimentes de Moses Mendelssohn, e malucos rematados que insistiam em que os judeus só seriam respeitados quando aprendessem a cavalgar pelo campo vestidos de berberes e armados até os dentes como bandoleiros das estradas, o grupo todo vigiado com suspeitas por um untuoso efêndi turco com a mão estendida para receber o suborno obrigatório. Asher sabia que a sua descrição não passava de um compêndio de clichês vulgares, mas tinha certeza de que a Palestina invocada pelos sionistas austríacos também não passava de uma fantasia sentimentalista, e não via razão para rejeitar a grosseria deliberada do seu quadro em favor das exortações sentimentais de homens como Leo Drobizky.

Talvez devêssemos admitir que as emoções e idéias, assim como os sons físicos, têm cada uma a sua própria ressonância específica e que as pessoas só conseguem ouvir os tons para os quais já estão predispostas. O restante é ignorado, assim como um animal não presta atenção aos sons que identifica como inofensivos ou que estão fora do seu alcance auditivo. Deste modo, não é que Asher ignorasse, mas simplesmente não levava em conta tudo o que, em princípio, fosse alheio a ele em Os Cinco Hussardos. Em conseqüência, é provável que não tivesse notado muitos incidentes dos mais peculiares que aconteciam à sua volta. Mas isso não surpreende, já que a pergunta nunca é apenas "Revelador de quê?", mas também "Revelador a quem?" Quando, alguns dias depois, Asher decidiu, depois de um jantar de Ano Novo especialmente deprimente e mal-preparado, que o seu exílio já durara bastante e estava na hora de voltar ao clube, ficou deslumbrado ao encontrar a carta de Hans à sua espera. Ainda assim, apesar de lhe perguntarem várias vezes, foi incapaz de dar ao pessoal do clube alguma informação sobre os mestres religiosos itinerantes do elenco que surgira nos arredores da cidade e que começavam a atrair um séquito considerável de judeus mais pobres no bairro Josef. Esses pregadores, fossem ou não rabinos formados, insistiam todos no título e era óbvio que esperavam encontrar novos alunos num proletariado judeu desmoralizado pelo anti-semitismo dos seus colegas de trabalho. Os homens que saíam do bairro Josef para ouvir os seus sermões tinham acabado de ser expurgados dos movimentos trabalhistas e estavam mais motivados pela necessidade de simples companheirismo e recuperação do seu perdido senso de comunidade do que por alguma sede de instrução religiosa. A maioria dos rabinos não devia ter entendido isso direito, pois mudavam-se depois de pouco tempo, desapontados com a falta de dedicação prolongada, mas alguns encontraram abrigo na cidade e ficaram, e cumulativamente sua influência era maior do que seria possível prever.

Embora morasse no bairro onde esses pregadores encontravam a maior parte do seu público, Asher não tinha curiosidade nenhuma sobre eles e dera pouca atenção quando vários fregueses de Meir começaram a falar com entusiasmo de ter ouvido um mestre novo e estranho que parecia conhecer Marx tão bem quanto a Torá. No entanto, antes ainda que algum desses pregadores misturasse política em seus sermões, sua popularidade incomodara tanto a polícia secreta quanto os conselhos de trabalhadores socialistas, e todos mandaram os seus próprios agentes secretos para descobrir o que estava acontecendo. Mas poucos pregadores eram fluentes em alemão e falavam a seus seguidores numa mistura sempre variável de iídiche, russo e polonês, incompreensível não só para os espiões do governo como também para os informantes dos sindicatos, agora em grande parte arianizados. Se Asher estivesse na platéia, provavelmente só conseguiria explicar um pouquinho melhor o que estava sendo dito. Mas também é possível que, se participasse dos debates noturnos nas mesas de Meir, como gabou-se mais tarde a Hans e aos outros conspiradores, ou se a sua percepção de ouvinte estivesse atenta a uma faixa maior de freqüências, fosse convidado a ouvir o mais escandaloso desses rabis. Teriam contado a Asher que este falava alemão tão bem quanto os dialetos e que entre os seus seguidores havia várias mulheres bonitas e desapegadas, perspectiva que, quase com certeza, seria suficiente para tentá-lo a comparecer e impedi-lo de voltar ao Clube Mendelssohn.

SEGUNDA PARTE

Janeiro de 1913 — Abril de 1913

1

— Não, deixe ele acabar. Quero que todos ouçam o que Nathan pensa. — Brugger levantou a mão do púlpito improvisado no qual se apoiava e sorriu para Nathan Kaplansky, encorajando-o a continuar as suas perguntas. Os murmúrios hostis na sala continuaram e o grupo de discípulos do rabi que começava a avançar na direção de Kaplansky, com os curtos bastões de madeira visíveis dentro dos casacos, voltou ao seu lugar, de guarda junto à porta dos fundos. — De qualquer modo — continuou Brugger, olhando para a pequena sala no porão, cujo teto baixo e as paredes irregulares e tortas davam a impressão de amontoar a todos numa única massa — o que ele diz é verdade. Nunca afirmei ter trabalhado numa fábrica como a maioria de vocês, quer dizer, antes de serem demitidos. Mas isso não significa que não possa compreender o seu sofrimento. A dor não é propriedade privada. Pertence a todos nós: a vocês, a suas esposas e filhos e, com certeza, a alguém como Nathan, que trabalhou ao lado de vocês durante vinte anos antes que o sindicato que ajudou a fundar o expulsasse. Não lancem a sua raiva sobre um de nós. Não se sentiram assim da primeira vez que vieram me ouvir? A maioria de vocês provavelmente não punha os pés numa *shul* desde crianças e tenho certeza de que no ano passado a idéia de visitar um rabino pareceria coisa que só idiotas e velhas supersticiosas fazem. Choro ao pensar no desespero que os trouxe à minha porta, mas alguns de vocês voltaram toda semana e começaram a trazer os amigos, embora saibam que não posso lhes arranjar emprego nem obrigar os chefes a lhes darem mais que uma esmola quando finalmente voltarem a contratar. Se percorreram todo o caminho e desceram esses degraus para agüentar alguém como eu, com apenas uma parede fina entre vocês e o rio congelado lá fora, é porque procuram alguma coisa que os ricos não podem lhes dar, nem mesmo se abrissem os seus cofres, como José distribuindo o trigo dos celeiros do faraó. Mas esta noite tenho certeza de que também não precisam de um sermão piedoso. Em vez disso, vou lhes contar uma história sobre o que vejo acontecer aos judeus desta cidade e depois avaliem se compreendi vocês ou se um descrente como o nosso amigo Nathan aqui está certo sobre mim.

Kaplansky ia protestar que Brugger prometera deixá-lo terminar e o interrompera com mais eficiência do que Sonnenschön e o seu bando de trogloditas. Mas aprendera, quando dirigia reuniões no sindicato, que era inútil protestar e, assim, sentou-se de novo, espantado por ter sido tão bem manobrado por este pregador na frente dos seus próprios ex-camaradas.

Brugger parou e olhou para Kaplansky. Mais tarde, Kaplansky jurou que, quando seus olhos se cruzaram, o outro tinha uma expressão zombeteira, levemente curiosa, como se os dois estivessem envolvidos num joguinho particular no qual Brugger se sentisse um pouco desapontado por ganhar com tanta facilidade. Mas o momento passou e Kaplansky nunca conseguiu ter certeza de que esta impressão não era uma ilusão causada pelos lampiões tremulantes de querosene colocados atrás de Brugger para fornecer a única fonte de luz da sala.

De repente, Brugger deixou Kaplansky de lado e voltou a falar para o resto do público. Falava numa voz normal de conversa, sem nenhum dos floreios de retórica comuns num mestre religioso.

— O que vejo — disse-lhes — é uma longa fila de homens que ficaram parados no frio diante da porta das fábricas desde bem antes do sol nascer, mas o sol não aparece, e a única diferença entre o momento em que começaram a chegar, às quatro e meia da manhã, e o início do dia de trabalho regular é que, ao amanhecer, pode-se perceber um pouco melhor como todos estão emaciados e desgastados. Então, às seis e meia, o gerente acaba aparecendo para anunciar que a empresa provavelmente vai contratar alguns extras, mas ao ver que há tantos ali reunidos não quer desperdiçar o tempo de ninguém nem encorajar falsas esperanças. Então, diz aos judeus que podem ir todos para casa naquela mesma hora porque não há trabalho para eles. Os judeus olham em volta, chocados com a forma objetiva com que lhes falam, como se fossem de espécie diferente de todos os outros na fila, e quando nenhum dos trabalhadores cristãos faz objeção, não têm escolha senão levantar os ombros e partir em silêncio. O dia vai ficando cada vez mais frio e depois de algum tempo uma nova tempestade começa a varrer as ruas. Ao meio-dia o gerente reaparece e diz que ainda espera contratar alguém, mas que só devem preocupar-se em ficar aqueles capazes de provar que completaram o serviço militar. Mais homens vão embora, desta vez com um olhar de inveja para os que ainda estão na fila. Às três da tarde, os que sobraram mais parecem uma coluna de esguios bonecos de neve congelados ali do que candidatos em busca de trabalho e, quando o gerente abre o portão e repete a promessa anterior, desta vez mandando embora todos os que não forem paroquianos da congregação vizinha de Santa Catarina, os que dão meia-volta mal são capazes de caminhar até em casa. Agora só restou talvez uma dúzia de almas, tiritando, mas certas de que os seus méritos vão acabar lhe valendo o emprego. Finalmente, ao anoitecer, o gerente surge pela última vez, cheio de tristeza, para dizer que a administração concluiu que não estão em condições de contratar ajuda extra. Quando aos poucos eles entendem a notícia, um dos que ficaram agita o punho no ar e, virando-se para o camarada ao lado, cospe: "Viu? Aqueles malditos judeus é que tiveram sorte!"

Kaplansky não percebeu se estava com alguma expressão específica, mas deve ter demonstrado sua surpresa com a eficácia da história — que achava já a ter ouvido antes com pequenas diferenças — porque, agora, Brugger olhava claramente para ele.

— Não fique tão espantado, Nathan — disse Brugger, com sua voz destacando Kaplansky com uma boa vontade que parecia genuína. — Não é apenas uma historinha boba. Mas, sim, sei como a injustiça dói. Sei como nos queima as entranhas, como faz os fiapos de comida que pomos na boca terem gosto de serragem, como contamina os sonhos quando tentamos dormir. Em tudo o que você diz, ouço o grito coletivo de que não dá para continuar assim por muito tempo. Você tem medo de daqui a pouco não conseguir mais segurar a raiva e nem ousa pensar nisso, porque teme que o que vai fazer só consiga piorar as coisas. Talvez espere que eu lhes diga o mesmo que os outros rabinos, mas não vim aqui para lhes dar uma aula de paciência. Vocês já ouviram coisas assim mais de mil vezes. Não, vim aqui para lhes dizer que têm toda a razão de estarem zangados. Já é hora de derrubar os tiranos que os oprimem e abalar seu trono até que sejam eles, e não vocês, que gritem por clemência.

Enquanto continuava falando, o comportamento de Brugger pareceu mudar. Em vez de ficar mais apaixonada, sua voz tornou-se mais fria e entrecortada, como se não falasse mais a um grupo de judeus angustiados e desanimados, mas desse ordens a um exército nos portões de uma cidade sitiada.

— Logo as nossas reuniões estarão cheias de traidores e espiões. Mas até agora não encontraram o caminho da nossa porta e ainda posso lhes falar livremente. Ouçam com atenção, porque não haverá muitas outras noites assim.

— Disse que não vim lhes pregar paciência, mas dizer-lhes que, se forem fortes o bastante, os Últimos Dias estão ao seu alcance. O Apocalipse não é apenas concedido pelo céu; precisa ser merecido pelos que forem suficientemente ousados para exigi-lo e estejam dispostos a fazer o possível para que venha. Mas antes de podermos nos libertar, precisamos podar tudo o que for venenoso e tenha crescido entre nós desde que fomos forçados ao exílio. Todo chefe que aumentou o nosso sofrimento e todo covarde que retardou a nossa libertação são nossos inimigos e assim devem ser tratados. Esta não foi sempre a nossa maior fraqueza, a esperança de encontrar um caminho indolor para a liberdade? Mas a dor é boa quando faz parte de uma grande cura e não se devem temer facas afiadas quando uma infecção tem de ser purgada. Assassínio não é assassínio numa guerra santa. Logo virá o dia em que os vira-latas das ruas se cansarão de lamber a putrefação que podamos como se fossem membros gangrenados. Mas quem, dentre vocês, posso acreditar que se dedicará à nossa causa? Cujos olhos queimam com o desejo de ver o novo dia?

— Antes de voltarem para casa hoje, quero fazer a vocês todos uma pergunta simples: qual é o modo mais fiel de avaliar um acontecimento? Bem, Nathan, o que você acha? Qual seria o seu padrão de medida?

— O efeito sobre a vida das pessoas.

— Bem, com certeza esta é uma resposta sábia, mas diga-me, como alguém pode saber quais serão todos os efeitos dos seus atos? Às vezes é preciso agir primeiro e confiar que Deus e o dia seguinte trarão o resultado certo.

— Tudo bem, então. A justiça da causa.

— Bravo! — fez Brugger, zombeteiro. — Tenho certeza que todos nós acreditamos nisso junto com você. Só que as pessoas têm muitas maneiras diferentes de decidir o que é justo e, às vezes, uma grande causa precisa de ações que parecem injustas para ajudá-la a triunfar. O que os primogênitos egípcios fizeram de mal aos judeus para que o Anjo da Morte caísse sobre eles na época da Páscoa? Quem seria mais inocente do que aqueles bebês? Mas sua morte foi necessária e, portanto, justa. Da próxima vez, possivelmente não sejam somente os primogênitos que terão de morrer, mas também seus pais. É por isso que quero lhes dar uma resposta diferente. Podem não concordar comigo hoje, mas da próxima vez que forem mandados embora dos portões de uma fábrica ou impedidos de comparecer à assembléia de trabalhadores, lembrem-se do que eu lhes disse aqui: no decorrer da história, a única medida fiel de um acontecimento é a quantidade de sangue que se derramou em seu nome.

◆◆◆

A maioria dos outros já tinha saído há muito tempo. Brugger, como sempre depois dos seus sermões, andava inquieto de um lado para o outro da sala, à espera de que as ruas lá fora voltassem a se esvaziar para que pudesse retornar, sem ser mais perturbado, à casa alugada que ele e seus seguidores mais próximos dividiam. Sonnenschön e alguns discípulos estavam de pé ao fundo, em silêncio, sabendo que não deviam interromper seu mestre neste momento, mas sem querer deixá-lo sozinho. Continuavam lançando olhares suspeitos a Kaplansky que, de todos os visitantes, continuava sentado em seu lugar, aparentemente perdido em pensamentos, observando sem falar os movimentos de Brugger. Embora pensasse em Kaplansky como se já estivesse morto, uma casca vazia cuja falta de alma Brugger lhes ensinara a reconhecer, Sonnenschön sentiu ciúmes da atenção que o rabino dera ao ex-organizador sindical. Juntamente com o emprego, perdera a autoridade sobre os outros trabalhadores e Sonnenschön não conseguia entender por que Brugger ainda parecia levá-lo a sério. Quis várias vezes ir até Kaplansky e jogá-lo de volta na neve, mas sabia que, apesar do ar distraído, Brugger estava atento a tudo o que acontecia na sala e Sonnenschön jamais faria uma coisa dessas sem uma ordem direta.

Independente do que o rabino planejava, era claro que ainda não terminara com Kaplansky. Com subitaneidade surpreendente, Brugger não estava mais do outro lado da sala, mas de pé, bem na frente de Kaplansky, convidando-o para voltar para casa com eles e quebrar o longo jejum da noite. Brugger fez um gesto a Linnetchen para que se juntasse a eles e sussurrou-lhe algumas palavras. Havia algo no modo brincalhão e impetuoso como ela se inclinou para pegar a mão de Kaplansky e reforçar o convite do rabino que fez o sangue fluir para o rosto de Sonnenschön. A postura da moça lembrou a Robert a noite em que ela o levara para conhecer Brugger e parecia conter a mesma promessa sexual que vencera a sua hesitação. Para alívio de Sonnenschön, Kaplansky recusou, inventando algum outro compromisso, mas a confusão com que o fez deixou, de forma bem mais clara que qualquer admissão direta, como tudo o que acabara de testemunhar o perturbara.

— Então vamos caminhar todos juntos até o fim da próxima rua — anunciou Brugger, ajudando Kaplansky a levantar-se e fazendo sinal aos outros para trancar tudo e unir-se a eles assim que terminassem. Quando Sonnenschön alcançou os dois homens, estavam envolvidíssimos numa conversa alguns metros mais abaixo na rua, insensíveis ao vento. Kaplansky devia ter exprimido finalmente algumas das suas objeções, embora Sonnenschön tivesse chegado tarde demais para ouvi-las. Mas entendeu boa parte do que os dois disseram e, mais tarde, fez o máximo para redigir uma descrição exata de suas palavras para a irmã na Rússia. "Foram momentos como estes", confessou a Sonia, "vendo-o de pé na neve com somente três ou quatro pessoas em volta, sem se importar que algum de nós ouvisse ou entendesse o que estava dizendo, que me ligaram a este homem para sempre, como se eu tivesse feito votos matrimoniais."

Brugger falava numa voz agradável e cotidiana que, como Sonnenschön sabia por experiência, costumava anteceder uma explosão especialmente intensa.

— É verdade, Nathan — dizia Brugger. — Errei quando não incluí a qualidade do sangue derramado. Mas você está mesmo começando a duvidar que o sangue de todo mundo é igual? Provavelmente ainda não sabe, mas se está questionando acaba de dar o primeiro passo para sair das trevas. Acredite-me, este universo que respira conhece tudo, menos a igualdade. Nada que vive jamais é igual a outra vida. As almas não podem ser trocadas, compradas nem igualadas; cada uma tem o seu próprio lugar secreto numa ordem que mantém unida toda a criação, e jamais encontrará a felicidade até que reconheça qual a sua posição na hierarquia. Para poupar-lhe a vergonha de perguntar, sim, é verdade que conheço esse lugar secreto.

Brugger fez uma pausa e, quando voltou a falar, foi com uma intensidade que Sonnenschön raramente vira nele.

— Há pessoas entre nós que podem ajudar a nossa causa, mas em vez disso usam a sua força para cortar todos os impulsos saudáveis que ainda mantemos. Você lamentaria mesmo a remoção delas? Você foi um dos primeiros a serem expulsos do conselho dos trabalhadores, não foi? Os outros judeus costumavam olhá-lo com respeito mas, por dentro, você se sentia mais desamparado que todos eles. Esta é a quinta vez que veio ouvir minhas lições e ainda não conseguiu decidir se sou charlatão ou genuíno. Está até com medo de vir à minha casa e dividir conosco o pão, ou de admitir seu desejo por Linnetchen.

Kaplansky parecia tão indiferente ao rigor dos elementos quanto Brugger, mas pareceu se encolher com as palavras do rabino, como se tivesse levado um tapa. Quando tentou murmurar um protesto contra as últimas acusações, Brugger desfez-lhe as objeções.

— Tudo bem, não precisa se incomodar me dizendo coisa diferente. A aflição está dentro de você, Nathan, não no que pensa sobre mim.

Kaplansky ficou em silêncio alguns instantes e depois, falando com enorme esforço, como se arrancasse as palavras de dentro de si que nem pesos de ferro, conseguiu responder.

— Tenho medo de você. Do que pode levar o nosso povo a fazer. Não sei se agüento ver sangue judeu derramado em mais uma série de ruas sujas porque acreditaram que a redenção estava próxima.

Então Brugger atacou, como Sonnenschön sabia que faria.

— Tem medo do que posso levar o nosso povo a fazer? Não do que posso pedir a você? Está sendo honesto consigo mesmo, Nathan? E se aqueles que se sacrificaram estavam certos e morreram em vão porque um homem como você se recusou a unir-se a eles? Ouça, a única questão que importa é como você acabará decidindo por uma coisa ou outra. Por que sempre trata a sua própria alma como se ela fosse de outra pessoa? Quem bebe água sabe por si só se ela está boa ou ruim. E você? Se continuar esperando um sinal, temo que terá de esperar para sempre. Pense bem sobre o que eu disse a todos na *shul*. Não vim prever o futuro, vim fazer com que ele aconteça. Volte quando perceber onde está seu próprio coração. Até então, meu amigo, boa noite.

◆◆◆

Antes da última rodada de demissões, as manhãs de sexta-feira eram sempre a parte mais movimentada da semana. Mesmo no meio do inverno, quando era impossível encontrar hortaliças frescas, as donas de casa católicas e judias da cidade passavam as horas até a metade da tarde correndo de barraca em barraca no mercado coberto à procura da carpa mais gorda e dos mais apetitosos pepinos e repolhos em conserva para levar para casa. As mulheres dos dois grupos eram freguesas de mercadores diferentes, mas fora isso havia pouca coisa que as diferenciasse quando levavam as cestas pesadas pela Ponte Nepomuk, vindas das lojas perto da Praça da Catedral, ansiosas para terminar as compras e voltar ao fogão para preparar a refeição da noite antes do pôr-do-sol. Nesse ano, contudo, as mulheres ficavam mais tempo em casa e, em seu lugar, as ruas estavam cheias de bandos de desempregados que se demoravam em grupos isolados, mal se afastando o dia todo dos lugares de reunião escolhidos diante da principal agência do correio e do hospital franciscano. A sua presença desencorajava os poucos compradores que ainda tinham dinheiro para gastar e cada vez mais lojas ficavam fechadas, por medo de saques ou porque os próprios mercadores tinham falido e não conseguiam pagar os credores. A associação dos comerciantes enviara uma delegação ao conde-governador para protestar contra a presença de tantos "elementos potencialmente perigosos" ali mesmo, na soleira dos seus estabelecimentos. Do ponto de vista do Conde Wiladowski, havia uma certa presunção nestes cidadãos de ter opiniões políticas. Não gostava de aplacar esses mercadores, que via, a longo prazo, como ameaça maior à sua autoridade do que os trabalhadores contra quem buscavam proteção, e foi com alguma relutância que concordou com o cumprimento mais estrito das leis contra vadiagem em lugar público.

O Conde Wiladowski lia os relatórios policiais diários especialmente preparados para ele com muito mais atenção do que os boletins oficiais do governo de Viena. Ultimamente, passara a deixar uma guarda muito bem armada diante da porta do seu quarto. Ainda assim, seus sonhos não eram nada pacíficos. Muitas vezes ficava semi-acordado durante horas, os lençóis encharcados de suor noturno, observando-se como um personagem num palco, em meio à explosão de bombas assassinas, o estilhaçar dos vidros das janelas do seu escritório ou da sua carruagem e a visão da esposa e do ajudante-de-ordens ensangüentados e morrendo aos seus pés, enquanto ele mesmo mal escapava com vida.

Sem dúvida, seguir os debates do Parlamento fazia parte da sua responsabilidade profissional, mas o Conde Wiladowski descobriu que isso só tornava piores os seus pesadelos. Em sua opinião, no momento em que as pessoas se organizavam em partidos políticos ficava impossível para elas não supor que os adversários fossem totalmente estúpidos ou cruelmente espertos, e muitas vezes, num desafio estimulante à lógica, as duas coisas ao mesmo tempo. Em toda a Europa, homens com influência sobre as massas pareciam ver quem defendesse uma política diferente da sua como coisa pouco melhor que feras de rapina, que seria apenas lógico, como se dizia no mais novo e triste jargão, "liqüidar". Parece que a satisfação de trucidar gente cujo nome se conhecia desde a infância era pelo menos tão grande quanto massacrar totais desconhecidos numa guerra estrangeira.

Contanto que os seus adversários fossem da mesma casta, os aristocratas, que pelo menos no Império de Francisco José, felizmente ainda preenchiam a maior parte dos cargos importantes do governo, achavam muito mais fácil que os seus sucessores da classe média suprimir a oposição sem precisar, primeiro, vilipendiar-lhe os integrantes. Afinal de contas, é esquisito acompanhar alguém nas caçadas de cervos no outono em Bad Ischl depois de, por assim dizer, bani-lo da companhia da humanidade num panfleto eleitoral. Nesses dias, embora o país se gabasse de ter mentes políticas dentre as melhores da Europa, até os nobres tinham de admitir que, pelo menos no que dizia respeito ao próprio governo, o Império parecia detestar inteiramente as definições claras. Embora estivesse longe de ser democrático, também não podia mais ser descrito como aristocrático e, conforme cada classe passou a ter menos certeza dos limites do seu poder, as áreas de atrito entre elas aumentaram. Mas também aumentaram, como se costumava afirmar, as áreas de contato cooperativo, contradição que só significava que o governo do Império se unira agora à teologia como um dos mistérios insondáveis sobre os quais se escreviam estudos cada vez mais incompreensíveis. Não seria possível negar que agora a especulação política estava na moda, a ponto de até portadores de títulos hereditários como o Conde Wiladowski, de cujo *pedigree* impecável e aversão bem-educada a qualquer tipo de disputa não se poderia duvidar, começarem a apresentar sintomas leves da mania geral. É claro que quase ninguém esperaria que uma importante autoridade imperial encontrasse tempo para tratados acadêmicos. Além disso, Wiladowski continuava a acreditar que, para jornalistas e professores, era coisa de mau gosto fazer perguntas, a não ser, coisa que acontecia cada vez mais, se fossem contratados pelo próprio governo para desacreditar algum dos vários movimentos hostis à dinastia. Em princípio, Wiladowski achou absurdo receber aulas sobre a sua vocação hereditária de algum escribazinho de classe média.

— Para alguém da nossa classe, ler um livro sobre política — disse ele, numa frase que atraiu atenção suficiente para ser repetida em presença do próprio imperador — é como esperar que um pássaro aprenda a voar num folheto de ornitologia.

Felizmente, Mathias Pfister, primeiro-secretário do conde-governador, teve a idéia de preparar breves fragmentos dos tratados políticos mais famosos da biblioteca do Castelo para a leitura noturna do seu senhor. Tentou garantir a aceitação da sua antologia cuidando para que todos os autores escolhidos satisfizessem três critérios: que já estivessem mortos há pelo menos duzentos anos, para que a passagem do tempo lhes concedesse uma certa patente de nobreza; que fossem todos bons católicos ou, pelo menos, não fossem hereges declarados; e que nada em seus textos pudesse ser interpretado como uma crítica ao modo como a sociedade era governada hoje em dia. Mas nisso o primeiro-secretário subestimou a curiosidade do seu empregador. Como muitos homens obrigados a trabalhar a vida inteira para pessoas cuja inteligência supõem erradamente que seja de segunda classe, Pfister era incapaz de perceber a originalidade da mente do conde-governador. Wiladowski estava preocupadíssimo em conservar tanto a sua própria posição quanto os privilégios da sua casta, mas fazia-o sem nenhuma ilusão sobre os méritos intrínsecos de qualquer das duas.

Na verdade, o primeiro-secretário ficaria bem espantado se soubesse que, certa noite, bem tarde, vendo-se incapaz de dormir por causa de outro sonho em que ficava preso numa terrível explosão, Wiladowski fora à biblioteca para pegar sozinho um daqueles livros, ação praticamente sem precedentes na lembrança de sua equipe. Ainda mais surpreendente foi que sua escolha recaiu sobre *O príncipe*, de Niccolò Maquiavel, volume que há muito tempo se tornara sinônimo do tipo de imoralismo excessivamente intelectualizado que Wiladowski considerava muitíssimo irritante. O que lhe ficara na lembrança, com a mesma teimosia de uma canção popular da qual jamais gostamos mas que acabamos cantarolando nos momentos mais inoportunos, foi uma idéia da epístola dedicatória a Lorenzo de Medici, com quem, Wiladowski parecia recordar-se, sua família podia afirmar ter um parentesco indireto através de alguma das suas inumeráveis ancestrais femininas bem-casadas. O conde ainda recordava italiano suficiente do seu tempo de serviço como jovem ajudante-de-ordens na Trieste dos Habsburgo e do seu cargo, anos depois, de importante adido do imperador em Roma para decifrar o trecho. A força sozinha, defendia Maquiavel, jamais garantirá a segurança do príncipe. Para ficar tranqüilo em sua posição, o governante precisa compreender inteiramente a natureza do povo acima do qual se coloca e dispor-se a obter este conhecimento por todos os meios à sua disposição.

Durante a semana seguinte, alguma coisa nessas palavras deve ter continuado a afetar o conde-governador, porque ele decidiu informar-se melhor sobre o que os vários grupos étnicos da cidade diziam a seu respeito. Os relatórios da pequena equipe de policiais, todos bons católicos herdados dos seus antecessores no cargo, eram magros e frustrantes neste aspecto e, em seus despachos a Viena, Wiladowski agora regularmente requisitava fundos para um aumento sem precedentes do número de informantes disponíveis para misturar-se à população e mantê-lo a par do estado de espírito do povo. No ministério, esses pedidos foram atribuídos apenas ao conhecido medo de Wiladowski de ser assassinado, e o comentário sobre a necessidade "de compreender inteiramente a natureza do povo que tinha de governar" — pôs a frase entre aspas mas não disse de quem era — foi considerado nada além de uma racionalização frágil de sua covardia. Mas as repetidas recusas oficiais ao seu pedido só desanimaram Wiladowski por pouco tempo e ele decidiu encontrar outros meios de acumular o conhecimento necessário. Embora não se dispusesse a utilizar a sua própria fortuna considerável para um objetivo desses, tinha certeza de que uma sondagem discreta dos industriais mais ricos — e um pedido ainda mais discreto de contribuição financeira — sobre a melhor maneira de garantir "a manutenção da tranqüilidade pública" logo levantaria os fundos necessários. Para espanto dos poucos membros de sua equipe que chegaram a saber do plano, as expectativas de Wiladowski foram no mínimo modestas demais. As doações excederam tanto a necessidade imediata que, além da dúzia de novos espiões que conseguiu incluir na lista de pagamento, sobrou dinheiro bastante para Wiladowski presentear a esposa com um lindo par de brincos para compensá-la, como explicou a si mesmo, por todas as perturbações de seu sono causadas pela pressão dos deveres oficiais do marido.

A grande contribuição, bem maior que as outras, veio de Moritz Rotenburg e, como se para mostrar indiretamente como apreciava tamanha atenção às coisas públicas, o conde-governador contratou um especialista fluente em iídiche e hebraico para ler a correspondência dos judeus preocupantemente volúveis da cidade. Para Wiladowski, eles eram o povo mais opaco de todos os que estavam sob sua supervisão e as ordens que deu ao novo espião-chefe deixavam claro que esperava manter-se informado de todos os detalhes sobre os hábitos e idéias sociais dos "seus judeus". E assim, às vezes até duas vezes por semana, Wiladowski recebia um sumário da correspondência densa e variadíssima aberta pelos novos recrutas da força de segurança e traduzida por seu líder, Jakob Tausk, ex-estudante religioso expulso de um seminário judeu famoso pelo rigor acadêmico. Além de constatar que não houvera nenhum viés político, Wiladowski não investigou as razões do banimento de Tausk, certo, de qualquer modo, de que o seu espião-chefe nunca lhe contaria a verdade e desejoso de poupar a ambos o embaraço de uma invenção óbvia. Pfister insistia em que a origem do problema tinha de ser algum tipo de desvio sexual, já que a licenciosidade simplesmente estava no sangue dessa gente, mas Wiladowski ignorou as teorias do primeiro-secretário sobre Tausk, assim como sobre a maioria dos assuntos não ligados diretamente à etiqueta da corte. Por sua vez, contudo, o conde-governador nunca mencionou a Tausk, que descobriu por si só vários meses depois, que o salário do espião-chefe, assim como o dos homens sob seu comando, era, na verdade, pago pelo dinheiro doado por Moritz Rotenburg, nome que Tausk conhecia bem como o maior benfeitor da *yeshiva* onde sua promissora carreira rabínica naufragara.

Em conseqüência do seu novo sistema, o Conde-governador Wiladowski, que nunca se sentara à mesa num jantar oficial em que houvesse algum judeu presente sem sentir-se embaraçado por si e pelo judeu, percebendo intuitivamente que os ancestrais do anfitrião, assim como os seus, teriam achado de péssimo gosto esta mistura promíscua, começou a conhecer mais sobre o que era importante para os judeus da região do que muitos líderes daquela mesma comunidade. Embora o conhecimento adquirido pela espionagem dificilmente seja uma base sólida para o filo-semitismo, a ausência relativa de tendências antipatrióticas, menos ainda violentas, nas cartas resumidas para ele fez Wiladowski sentir uma benevolência paternal por um povo que não representava uma ameaça à sua segurança e se mostrava sempre tão disposto a subsidiar as causas prediletas do conde-governador.

Diversamente de outros povos súditos de Sua Majestade, os judeus não pareciam obcecados pela questão vulgar de retalhar o Império num conjunto de países separados seus, e os poucos que faziam menção a um desejo deste tipo pareciam ter-se fixado na Palestina como sua pátria hipotética, decisão que agradou a Wiladowski, já que lhe tirava inteiramente a questão das mãos. Embora o imperador alimentasse a distante pretensão ao trono de Jerusalém, o lugar não era, atualmente, um domínio dos Habsburgo e, como Wiladowski já observara aos seus colegas de Viena, se a concretização dos anseios dos judeus não fosse um absurdo tão patente, a dinastia, na verdade, ficaria bem servida se a Palestina fosse governada por um grupo de semitas falantes de alemão e com recursos bastantes para que se pudesse confiar que manteriam um apego sentimental aos bosques e rios das terras do Danúbio.

Certa vez, quando pensava alto sobre essas questões com Tausk, o seu novo espião-chefe deixou-o feliz ao responder que era óbvio que Sua Excelência decidira-se a tornar-se não só a personificação da autoridade imperial na província como também o seu mais distinto sionista. Nisso, Tausk apressou-se a acrescentar, o conde apenas repetia o próprio primeiro apóstolo que, como diziam as Escrituras, perguntou ao Cristo ressuscitado: "Senhor, é neste tempo que restauras o reino a Israel?" Era lamentável, continuou Tausk, que a imparcialidade oficial em todas as questões étnicas exigida naquela época de alguém na posição do conde-governador impedisse Wiladowski de informar abertamente aos judeus da sua simpatia, tirando-lhe o título de *Pater Iudeorum*, ou pai dos judeus, que sem dúvida buscariam acrescentar à longa lista de honras que já se somava ao seu nome.

Embora às vezes Wiladowski se incomodasse com o hábito de Tausk de citar o Novo Testamento com tanta facilidade quanto os seus próprios livros sagrados judeus, ainda mais porque sua voz deixava em tudo o que mencionava uma leve ironia oculta, o conde-governador estava começando a valorizar os seus conselhos. Tausk ressaltou ao seu senhor que os judeus mais ricos tinham seus próprios meios de comunicação, aos quais era impossível ter acesso, e que, em conseqüência, as informações que poderia recolher na correspondência aberta e nas conversas entreouvidas em público seriam inúteis no caso deles. Devido ao descuido de Hans Rotenburg de nem sempre usar os portadores particulares do pai, os homens de Tausk tinham descoberto quase de imediato o seu interesse em *A Nova Ordem*, mas uma hora de leitura dos números anteriores daquela publicação deixou claro a sua inocuidade e os agentes que agora incluíam o apartamento do bairro Josef em suas rondas normais relataram que nada do que ali acontecia era motivo de alarme. Garantiram a Tausk que tinham a situação sob controle e aconselharam-no a não interferir com o jovem Rotenburg e os seus amigos até que elementos mais perigosos do movimento radical saíssem do esconderijo para trabalhar com eles — evento pouco provável na opinião de todos, dada a reputação frívola de Hans.

Para o governador e os seus superiores em Viena, muito mais preocupantes do que tudo o que Hans Rotenburg estivesse pretendendo eram os planos do pai, que continuavam impenetráveis para todos. Embora sempre tivesse se mostrado leal à dinastia, o poder da riqueza de Rotenburg era, por si só, uma boa razão para a vigilância, ainda mais por existirem boatos de que conseguira investir um bom volume dela fora do Império. Wiladowski pensava em pedir a Rotenburg que aumentasse a sua doação mensal ao fundo de emergência do governo e, então, usar o dinheiro para subornar especialistas financeiros em Londres para descobrir mais sobre os investimentos secretos do empresário. Mas o senso inato de cautela do conde-governador resistiu a um passo tão crasso e, com toda a probabilidade, fútil, e ele se contentou com a idéia de que, afinal de contas, essas questões dificilmente pertenceriam às suas responsabilidades já tão pesadas. Sem dúvida, Rotenburg disfarçara bem demais as suas manobras para que alguém as destrinchasse e, a longo prazo, era arriscado demais pedir ao financista que pagasse pela sua própria vigilância, tanto no exterior quanto em casa. Os colegas do conde-governador talvez ainda falassem com escandalizado respeito de um livro como *O príncipe*, mas para Wiladowski um tratado político sem nenhum conselho sobre como lidar com um súdito muitíssimo mais rico que o governante estava tristemente desatualizado.

No entanto, em vez de desanimar, Wiladowski teve uma certa satisfação melancólica nesse caso. Os métodos de Tausk para obter informações não eram os únicos à disposição do conde-governador. Seria interessante, assim como potencialmente esclarecedor, pensou ele, observar Rotenburg, quase nunca visto em público nessa época, envolver-se diretamente com alguns dos principais nobres do Império e, com este fim, Wiladowski decidiu homenagear alguns líderes judeus da cidade incluindo-os nas cerimônias oficiais planejadas para o tricentésimo aniversário da reconsagração do Campanário da Catedral. Em 1614, o grande Campanário foi uma das primeiras construções restauradas depois que um incêndio devastador aniquilou boa parte da cidade, e a festa de sua reconsagração tornara-se o feriado mais importante do distrito, combinando temas cívicos e religiosos do modo que a dinastia mais encorajava. Neste ano, esperava-se uma grande delegação de visitantes importantes da capital e, como o grupo provavelmente incluiria Clemens Zichy-Ferraris, notório anti-semita que Wiladowski detestava, o conde-governador adorou instituir uma ousada emenda do protocolo que o faria parecer tolerante em termos políticos e esclarecido em termos ecumênicos, para absoluto desconforto de Zichy-Ferraris. É claro que Wiladowski precisaria primeiro apresentar o plano ao ministério, mas tinha confiança de que seria aprovado, já que envolvia Moritz Rotenburg, e o conde-governador pretendia deixar claríssimo para os outros judeus convidados junto com ele que este sinal de favor imperial não seria um precedente para outras ocasiões cerimoniais futuras.

Mathias Pfister era bem treinado demais para manifestar alguma surpresa ao redigir os convites para os Rotenburg, Demetz e Pichler alguns dias depois, mas, quando percebeu o espanto mudo do seu primeiro-secretário, Wiladowski sentiu a gratificação que sempre surge quando nos vemos capazes de surpreender aqueles com quem trabalhamos há muito tempo. Em momentos assim, o conde-governador supunha-se mais próximo do que de costume do lado italiano dos seus ancestrais, dos quais a maioria, recordava-se para aumentar a sensação recém-restaurada de bem-estar, morreu em paz, de velhice, na própria cama.

◆ ◆ ◆

Talvez a longa fila de árvores nuas e a amplidão de neve fresca, sem marcas de passos, distorcesse seu senso de distância, mas para Nathan Kaplansky o jardim no qual se erigia a mansão Rotenburg parecia tão grande quanto o parque público da cidade. Apesar de todos os anos de militância sindical, jamais se permitira imaginar o que significava para um só homem possuir tanta terra e não usá-la a não ser como barreira entre si e a rua. O desagrado de Kaplansky com tamanho esbanjamento quase o fez dar meia-volta e retornar ao seu próprio bairro, mas Brugger o aterrorizara a ponto de sentir que não tinha escolha senão aceitar o convite cuidadosamente redigido de Rotenburg.

Jamais esperara pôr os pés numa casa como essa, a não ser como líder de uma delegação de operários ou sob a guarda da polícia e assim, quando o mordomo inglês de Rotenburg abriu-lhe educadamente a porta e levou-o diretamente ao escritório do financista, Kaplansky entendeu esta recepção como prova de que a fama do pregador começava a se estender além do bairro Josef. Sentira-se tão pouco à vontade que não deixara o mordomo levar o seu sobretudo no saguão e agora, embora a sala estivesse quentíssima, não havia lugar para pendurá-lo. Teve de contentar-se em enrolá-lo de qualquer jeito em cima de uma cadeira, ao mesmo tempo que se sentia observado pelo rosto encovado do personagem sentado numa grande poltrona perto da lareira. Até aquele dia só vira Rotenburg de longe e ficou espantado ao perceber como o financista parecia frágil visto de perto. Havia alguma coisa chocante na disparidade entre o poder daquele homem e a sua debilidade física, e Kaplansky irritou-se ao pensar que toda aquela riqueza estava nas mãos de alguém a quem restava tão pouco tempo de vida.

Ainda assim, quando Rotenburg começou a falar não havia sinal de fraqueza em sua voz. O timbre era claro e atento, como se a visita de Kaplansky fosse um prazer há muito esperado para os dois. Nicholas serviu a cada um uma xícara de café forte, num serviço de porcelana simples, vermelho-escuro e dourado, e, a um sinal do patrão, deixou as xícaras numa mesinha lateral e saiu discretamente. Rotenburg fez sinal para que Kaplansky se sentasse perto dele e afastou com um gesto, como se fosse uma formalidade totalmente desnecessária entre eles, a explicação nervosa do convidado sobre a relutância que sentira antes de vir.

— Não se incomode com isso, *Herr* Kaplansky — interrompeu Rotenburg. — O seu contato desta tarde exigiu-lhe verdadeiro altruísmo e estou-lhe grato. Se este pregador continua a conquistar apoio, não demora para as autoridades saberem e então estaremos todos em perigo.

— É que eu não sabia a quem mais recorrer — admitiu Kaplansky. Rotenburg tinha de entender como a situação estava ficando perigosa no bairro Josef. Nada mais poderia induzir Kaplansky a solicitar esta conversa.

— Tenho medo deste rabino; há anos não sinto isso por ninguém. Sei como deve soar estranho para o senhor, numa casa grande como esta, e agora não sei mais se não cometi um erro ao procurá-lo. O senhor é o tipo de capitalista que combati a vida toda. Mas os meus camaradas me dizem que o senhor realmente se preocupa com o que acontece com os judeus desta cidade e me dispus a acreditar mais no instinto deles do que no meu.

Mais por hábito que por outra razão, Kaplansky esperara que sua voz soasse desafiadora, mas até para seus próprios ouvidos a tentativa pareceu forçada. Preparou-se para a zombaria de Rotenburg e sentiu-se grato quando o financista ignorou completamente a sua rudeza. Em vez disso, Rotenburg olhou para baixo pensativo por um instante e depois continuou.

— Socialista, capitalista... — Seu rosto se contorceu de desagrado com estas palavras. — Quando as pessoas com títulos e uniformes de brocado olham para alguém como você ou eu, o que vêem não são as nossas crenças políticas. Se acontecer algum problema grave e houver algum jeito de culpar os judeus, vamos todos pagar por ele, não importa o tipo de teto que exista sobre a nossa cabeça ou a quem apoiemos no Parlamento.

Kaplansky se preparara para quase tudo, menos para esta admissão espontânea de interesse mútuo.

— Juro que nunca vou entender alguém como o senhor — explodiu, com voz alta demais. — O senhor controla a vida econômica de toda a região, todo mundo sabe que o senhor dá dinheiro para aquele porco empanturrado do governador para que os seus brutamontes desfaçam as greves e nos espionem, seu filho passa o tempo bebendo com todos os aristocratas cristãos da província e seduzindo operárias no bairro Josef e aí vem o senhor e me diz que estamos do mesmo lado! Eu devo estar maluco para acreditar no que diz.

— Vamos, *Herr* Kaplansky, pense bem. Por que também não seria maluquice eu confiar no senhor? O senhor quer tirar-me as propriedades e dividi-las com um monte de mendigos que levariam tudo à falência em seis meses. E em sua maioria eles são mais anti-semitas que o governador e o arcebispo juntos. É claro que tenho algum apreço por um governo que se interessa em evitar que a turba ameace a nossa segurança, ainda mais quando esses seus maravilhosos proletários elegem um anti-semita atrás do outro. Só que não sou ingênuo a ponto de achar que de repente os Habsburgo nos adotaram a nós, judeus, como seus favoritos pessoais. Assim que concluírem que nos tornamos um problema, será um bom favorito da turba anti-semita, e não o judeu Rotenburg, que vão chamar para restaurar a ordem. Veja, conheço a sua fama de honestidade. Isso é coisa que eu respeito e, mais importante, que muitos operários judeus também respeitam. No entanto, pelo que eu soube, parece que os judeus não são mais bem-vindos nas assembléias sindicais. Pediram mesmo a todos vocês que se demitissem dos seus cargos na executiva?

— Então o senhor manda espiões às nossas assembléias! — inflamou-se Kaplansky, sem saber se ficava mais zangado com o próprio fato ou com a maneira despreocupada como Rotenburg o admitira. — Eu sabia. Só não sei se o senhor contratou os seus próprios agentes ou se confia nos agentes do governador.

— As duas coisas, se o senhor quer mesmo saber. — A confissão de Rotenburg foi acompanhada de um sorriso tristonho. Sacudiu os ombros, como se admitisse um detalhe desagradável mas bem pouco importante e continuou a olhar diretamente, com expressão tranqüila, para o rosto corado de Kaplansky.

Para este, o cinismo do financista era repelente e ele decidiu-se a não se deixar desarmar outra vez por nenhuma frase feita conciliadora.

— Talvez isso surpreenda alguém como o senhor — disse —, mas ouvi-lo falar assim me enoja. Não consigo acreditar que cheguei a esperar que tivéssemos interesses em comum.

— Eu só tentava responder honestamente à sua pergunta — continuou Rotenburg, tão calmo quanto antes. — Preferia que eu lhe mentisse? Nós dois sabemos que é apenas autopreservação de minha parte, assim como do governador, infiltrar gente em suas assembléias. E daí? Sempre foi assim e tanto o meu lado quanto o seu sobreviveram. Mas este rabino que tanto lhe preocupou está causando danos graves. Para mim, isso basta para nos colocar do mesmo lado, ainda que só temporariamente. Pense assim. Diversamente de tantos outros com as suas idéias políticas, o senhor não deixou de se dizer judeu no dia em que se tornou socialista. Também não sou muito diferente. Nunca me senti tentado a mudar o que sou ou a parar de me preocupar com o que acontece com o nosso povo. Agora, o que exatamente o senhor pode me dizer sobre esse tal Brugger?

Antes que Kaplansky conseguisse responder, houve uma leve batidinha na porta e, quando Rotenburg disse "Pode entrar", surgiu um jovem empregado carregando uma braçada de lenha. Embora a sala já estivesse superaquecida, o rapaz dirigiu-se diretamente para a lareira e arrumou as novas achas de maneira que logo pegassem fogo. A presença de outra pessoa fez Kaplansky sentir-se momentaneamente sem graça de estar naquele ambiente e andou até a janela como se quisesse ver como ficava o jardim visto de dentro da casa. Ainda estava no fim da tarde mas já havia pouquíssima luz para perceber qualquer coisa além de algumas sombras na neve e uma suave linha de fumaça saindo das outras chaminés da vizinhança.

Assim que o criado saiu, Kaplansky voltou à cadeira e tentou afastar a sensação de estar meio que do lado errado.

— Não é possível ter certeza de nada que diga respeito a Brugger — disse —, a não ser que sei que ele é perigoso e, talvez, também maluco. Já tem um grupinho de seguidores prontos a fazer tudo o que pedir e a quantidade deles só vai aumentar.

— O que quer dizer com "fazer tudo"? — perguntou Rotenburg. — Dar-lhe suas posses, roubar para ele?

— Não tenho certeza, mas acho que não parariam por aí. Na verdade, tenho a sensação de que, quanto mais extremado for o pedido, mais sôfrega será a sua obediência. Há alguma coisa horrível e perversa acontecendo naquela *shul*. Acho que ele está treinando um tipo de exército particular para cumprir as suas ordens. De qualquer modo, já tem um grupo de mulheres dispostas a se oferecer para quem Brugger quiser recrutar. Mas não estou preocupado apenas porque ele seduziu alguns cabeças-quentes do movimento sindical. Ele quer subverter em nome da própria subversão. Não há nenhuma causa maior que eu conseguisse identificar, a não ser a sua própria vaidade. E, acima de tudo, há este clamor pela violência, pelo sangue. É como se ele soubesse como se aproveitar de todas as humilhações que os judeus sofreram e transformá-las num desejo de vingança. Sabe o que ele me disse certa vez quando lhe perguntei se não tinha medo de levar a sua congregação à destruição? Balançou a cabeça para mim como se eu fosse uma criança e respondeu: "Para salvar essas pessoas de si mesmas será preciso um terror maior do que tudo o que a Terra já viu." Às vezes acho que ele pretende mesmo ser o instrumento desse terror. Mas mesmo que seja só a fala de um maluco, está começando a alimentar as mesmas ilusões messiânicas que não mudaram a vida de nenhum judeu em mais de quinhentos anos, a não ser para nos trazer a ruína total.

— Exatamente o que ele está planejando? — perguntou Moritz. — Tem alguma idéia das suas intenções específicas?

— Não sei e suspeito que o próprio Brugger também não saiba. Mas, a menos que seja detido, haverá violência, e disso estou absolutamente convicto.

— Ele é assim o tempo todo? O que o senhor sabe da história dele? Ele estudou? — Moritz lançou as perguntas num jorro, sem tentar esconder como achara perturbador o relato de Kaplansky.

— Não, não sei de nada. Ele não é a mesma coisa sempre. Para mim, isso só o deixa mais alarmante. É perfeitamente capaz de agir como se todo aquele discurso apocalíptico não passasse de uma farsa complicada que nunca esperara que alguém levasse a sério. Riu-se abertamente da idéia de um Messias judeu e disse ser um truque vergonhoso para enganar judeus pobres e tirar-lhes as suas economias. Mas no momento seguinte ele se vira, chama os discípulos e diz: "Mas se vier, o Messias não chegará como um pobre que chega a Jerusalém montado num burro. Surgirá entre nós como um homem do nosso século, montado num carro blindado com uma arma nas mãos e uma escolta militar abrindo caminho." E antes que a gente possa reagir, Brugger levanta os olhos com um sorriso divertido e não há como saber até que ponto estava falando sério. Ouvi dizer que, embora não pareça ter um centavo em seu nome, os pais dele tinham dinheiro e lhe deram uma educação de primeira classe. A julgar pelo seu sotaque na *shul*, deve ter vindo de algum ponto da Ucrânia. Mas também fala um alemão excelente. Às vezes ele dá a impressão de ter passado a vida inteira nas mais piedosas aldeolas hassídicas e algumas horas depois fala para uma sala cheia de jovens operários e soa tão emancipado quanto eles. Em vez de histórias sobre Ba'al Shem Tov ou Rabi Nachman, começa a citar trechos de Marx e Engels. Mas quando está com os seguidores em quem mais confia, volta sempre à idéia de que todo mundo tenta salvar um modo de vida que já morreu há muito tempo e que ele veio para enterrá-lo de uma vez por todas.

A aflição de Rotenburg era óbvia. Pegara um bloquinho em sua escrivaninha e ficava abrindo-o e fechando-o, fitando a lareira.

— Quer ele queira, quer não — soltou —, esses discursos são exatamente do tipo certo para alimentar os pesadelos de Wiladowski e mandar todos os senhores diretamente para a prisão. Estou surpreso de a polícia ainda não ter invadido as suas reuniões. Há quanto tempo isso vem acontecendo?

— Acho que Brugger só chegou à cidade há poucos meses e é claro que demorou um pouco para atrair alguém para as reuniões. Além disso, há um monte de tipos como ele por aí hoje em dia, tentando se aproveitar da situação para ganhar dinheiro. Quando as pessoas se desesperam, gastam o pouco que ainda têm em sonhos de uma vida melhor. Nós, judeus, não bebemos tanto assim e, por isso, suponho que substituímos o álcool pela sede de milagres. Seja como for, lembro-me que fui ouvi-lo pela primeira vez um dia ou dois depois que a polícia prendeu vários de nós em frente ao pátio da Hollweg.

— O senhor estava naquela manifestação? — O espanto de Rotenburg foi palpável demais para ser fingido. — Nunca imaginaria que o senhor participaria de um gesto tão sem sentido quanto aquele.

— Bem, isso só mostra que os seus amigos da polícia não lhe contam tudo o que acontece na cidade. Na verdade, só fui até lá para dar apoio moral, já que os madeireiros sempre foram bons sindicalistas. Mas quando a praça foi invadida, acho que os policiais não olharam direito quem estavam prendendo. Seja como for, reconheceram vagamente o meu rosto de uma greve anterior e, assim, claro que concluíram que eu também devia ter organizado essa. Não foi muito ruim, a não ser por algumas costelas esfoladas e uma multa absurdamente alta, mas enquanto fiquei na cela ouvi um dos outros que estavam trancados comigo falar de Brugger e, assim que fui solto, decidi vê-lo com os meus próprios olhos.

— Brugger acredita em Deus? Ele é mesmo um rabino?

Kaplansky ficou surpreso com a pergunta. Não prestara atenção no tempo que durara a conversa mas, apesar de todo o café que tomara, começava a sentir-se meio tonto. O calor estava ficando insuportável e ele sentia-se ansioso para voltar lá para fora, para o ar fresco. No entanto, Rotenburg continuava sentado, sem o menor sinal de fadiga, e só parecia ficar mais forte.

— Não tenho como saber no que Brugger acredita, se é que acredita na mesma coisa de um dia para o outro ou se chega a acreditar nalguma coisa. É impossível montar uma história coerente de sua vida. Alguns de nós tentaram mas nada conseguimos, a não ser uma série de aventuras isoladas que parecem ter acontecido em tudo quanto é lugar. Pedi informações aos meus camaradas no leste, mas eles não têm muito contato com os judeus ortodoxos

— Nisso eu posso lhe ajudar — aquiesceu Rotenburg. — Conheço pessoas de várias *yeshivas* dos dois lados da fronteira que talvez possam nos contar mais

— Enquanto isso, o que faremos?

— Acho que a primeira coisa que farei será conversar com o próprio Brugger — respondeu Rotenburg. — Preciso descobrir o que ele realmente quer antes de decidir como cuidar dele. Agora é fundamental impedir que faça mais discursos provocadores. Que ele diga o que quiser sobre assuntos estritamente judeus, mas nada que nem de longe se pareça com uma ameaça ao governo. Talvez ele não tenha idéia de como todo mundo no Castelo anda sobressaltado hoje em dia e com que rapidez pode acabar trancado para sempre nalguma cela de prisão na Baixa Áustria. Não quero trazê-lo à minha casa, sendo assim, o senhor acha que consegue engolir a sua aversão ao Clube Mendelssohn e convencê-lo a se encontrar comigo lá? Poderíamos marcar para daqui a uma semana, às três da tarde? — Rotenburg lançou os detalhes no grande caderno aberto em sua escrivaninha, como se estivesse concluindo uma reunião de negócios. — Avise-me assim que Brugger concordar. E faça o senhor o que fizer, por favor, assegure-se de que ele entendeu a probabilidade de haver policiais em sua platéia. Chega de conversas sediciosas sobre terrorismo ou messias armados, para o bem de todos.

Kaplansky se levantara da cadeira e já abotoava o sobretudo para ir embora.

— Brugger me impressionou o bastante para me dar medo, mas não duvido que possa controlar-se quando é do seu interesse. E sem dúvida ele fará o possível para ganhar a confiança de alguém tão poderoso quanto o senhor.

Mas Rotenburg ainda não terminara e mostrou isso a Kaplansky.

— Mais uma coisa, antes que se vá. O senhor mencionou que eu dava dinheiro ao governador. Isso é verdade, pelas razões que lhe expliquei e por outras que são estritamente da minha conta. Mas já há algum tempo venho tentando encontrar um jeito discreto de ajudar aqueles do nosso povo que perderam o emprego e a nossa conversa de hoje me deu uma solução. O que o senhor diria se eu lhe enviasse uma quantia mensal exatamente igual à que mando a Wiladowski para que o senhor a distribuísse a quem mais precisasse?

— Sem condições? — Kaplansky participara de muitas negociações do sindicato para aceitar a oferta de um plutocrata como Rotenburg sem conhecer todos os detalhes.

— É claro que há algumas condições. — Rotenburg não ficou nem um pouco ofendido com a pergunta. — Mas são bastante simples, acho que o senhor vai concordar. Por favor, compreenda que são todas interligadas e o senhor terá de dizer sim ou não à proposta como um todo. Em primeiro lugar, o dinheiro deve servir somente para ajudar os pobres e desempregados, não para nenhum tipo de atividade política; em segundo lugar, será distribuído exclusivamente pelo senhor, sem que o meu nome seja mencionado, nunca; por último, o senhor deverá ficar com uma quantia fixa igual ao salário que receberia se tivesse um emprego em tempo integral no comitê executivo do seu partido.

Por um instante Kaplansky ficou chocado demais para falar. Sentiu-se tão encurralado como na vez em que Sonnenschön e os seus brutamontes o cercaram na *shul* e começaram a empurrá-lo para um canto. A sensação de desamparo, de ser como o menino perdido na floresta depois que os animais comeram todas as migalhas que deveriam mostrar-lhe o caminho de volta para casa, custou a desaparecer. Enxugou o rosto, que só agora percebera estar coberto de suor, e forçou-se a esperar que o coração ainda batesse várias vezes antes de permitir-se pensar na proposta de Rotenburg. Mas sabia qual tinha de ser a sua resposta. Levantou os olhos e viu Rotenburg ainda pacientemente sentado em sua escrivaninha, sem pressa para receber uma resposta.

— Está bem — Kaplansky ouviu a sua própria voz concordando. — Que mais posso fazer? Quase todo dia vejo gente morrendo de fome no bairro Josef e me odeio por não ter nada a lhes oferecer. Mas a sua terceira condição é insuportável. Ela me transforma em seu empregado.

— É apenas um arranjo de curto prazo, Nathan. — Rotenburg recusou-se a dar muita importância ao caso. — Só até a depressão passar e nosso povo ter emprego outra vez. Enquanto isso, temos boas razões para que ninguém saiba do nosso entendimento. E se ainda se sente desconfortável com a minha oferta, pense em como o governador e os outros empresários se sentiriam se suspeitassem que estou lhe ajudando. Se eu fosse você, me sentiria reconfortado por isso e pelo conhecimento de todo o bem que estaria fazendo.

◆ ◆ ◆

Nos anos anteriores a ter Tausk ao seu serviço, o conde-governador jamais se dera ao trabalho de refletir como é curioso que as máximas mais plausíveis sejam tantas vezes tão totalmente enganosas como guias do comportamento humano. Mas a sua experiência prática começara a convencê-lo de que nenhum dos recursos que os seus colegas mais antigos ainda recomendavam — nem os dois séculos de despachos políticos e relatórios de espionagem cuidadosamente encadernados e guardados nas estantes dos arquivos secretos dos ministérios, nem as regras do estadismo formuladas em manuais famosos como *O príncipe* — continham os conselhos de que precisava para administrar a sua província sem ser explodido nem obrigado a renunciar em desgraça. Não podia confiar nem mesmo no interesse pessoal e na ambição, do modo que qualquer burocracia ordeira prefere. Há apenas um ano deveres de família obrigaram-no a gastar um volume de horas desanimador examinando fotografias, tiradas pela polícia, de um dos seus primos, selvagemente eviscerado até a morte em sua própria cabana de caça na Bukovina. É claro que os homicidas sumiram muito antes que o corpo fosse descoberto e, assim, além de enforcar alguns ineptos contrabandistas locais e condenar um jovem anarquista que ensinava álgebra na escola da aldeia a uma década de trabalhos forçados, o promotor da província não tinha como demonstrar o seu zelo. Para Wiladowski, que sempre considerara o primo um perfeito idiota, a única parte realmente perturbadora foi a incerteza a respeito do motivo dos assassinos. Ladrões e camponeses bêbados ele conseguia entender, mas não homens capazes de tirar as vísceras de um ser humano e depois cobrir as paredes em volta do cadáver com bizarros lemas apocalípticos. O inspetor-chefe encarregado do caso permitiu-se ressaltar que, como o falecido tinha sido privado de todas as suas roupas e objetos de valor e a casa fora inteiramente saqueada, talvez os escritos estranhos fossem uma pista falsa, deixada de propósito para que um simples roubo parecesse um crime político. Wiladowski não se deu ao trabalho de discutir com ele, mas quando voltou para casa no trem noturno estava certo de que o pobre primo Max, que passara suas horas mais felizes caçando e bebendo com idiotas respeitosos e bem-intencionados, tinha agora um deles para investigar seu próprio assassinato.

Infelizmente, o impressionante sangue-frio de Wiladowski com o destino do primo não teve influência sobre a angústia crescente que sentia pela sua própria segurança. O medo começara a ditar-lhe as reações até nos rituais domésticos mais benignos. No sexagésimo terceiro aniversário do marido, Marie-Luise comemorou a ocasião com uma festa na qual ele não conseguiu deixar de perceber uma nota leve mas desconcertante de satisfação com o novo comportamento melancólico de sua mulher, como se já experimentasse, na imaginação, que tons seriam mais adequados para a viúva de um estadista assassinado. Na verdade, Marie-Luise estava tão nervosa com a qualidade das sobremesas dos novos confeiteiros, que não conseguia se concentrar em mais nada, e somente a autopiedade do conde o fez interpretar a desatenção da mulher como mais uma prova de que todos à sua volta já estavam resignados com a probabilidade da sua morte violenta. Ele era bem-educado demais para permitir que a sua aflição manchasse o sorriso plácido com que recebeu os convidados e indiferente demais às negativas inevitáveis da mulher para se dar ao trabalho de mencionar a ela as suas suspeitas. Mas até para si mesmo a extensão da mágoa que lhe ficou de sua mulher só se tornou patente no dia seguinte, enquanto ouvia o relatório semanal de Tausk. Para o seu próprio espanto, o conde-governador interrompeu a série habitual de perguntas peremptórias para insinuar o que chegou a ser uma leve sugestão de desculpas por não ter conseguido convencer a mulher a convidar Tausk, que ela não ocultava detestar, para a festa. Mas aí, como se embaraçado com tamanha quebra dos seus respectivos papéis, Wiladowski descartou com impaciência os votos efusivos do judeu de feliz aniversário e de um futuro longo e cheio de sucessos com a declaração brusca de que a sua ambição não era conquistar novas honras, mas meramente continuar vivo. Nisso, é verdade, repetia apenas, no tom menor da sua própria vida, a política oficial semi-reconhecida do seu imperador. Mas, como austríaco e nobre hereditário, achava quase fisicamente doloroso admitir que seria improvável que suposições cristalizadas há séculos nos axiomas de sua casta o ajudassem a realizar até mesmo o modesto objetivo da sobrevivência física.

Wiladowski era muito pouco propenso a batizar os seus estados de espírito e a examinar as suas nuanças — atividade que considerava adequada apenas às mulheres com pretensões artísticas e aos judeus de classe média de ambos os sexos — para descrever o seu sentimento como de abandono. Mas é tão comum alguém se ver abandonado pelas próprias idéias e sentimentos anteriores quanto por seus primeiros amantes, e constatar a distância irrecuperável entre o ponto de vista atual e estados de espírito há muito formados, nos quais a pessoa viveu com a mesma segurança que sentia no lar em que passou a infância, é tão doloroso quanto qualquer separação de outro ser humano. Talvez mais doloroso ainda, já que é de si mesmo que a pessoa se divorciou e é pelo seu próprio eu mais antigo que sente cada vez menos confiança. O conde não se permitia pensar em nada disso com muita clareza, mas a sensação de estar exilado da confiança fácil que sentira ao observar o dourado porto de Trieste no primeiro cargo que ocupara era inegável e, levando em conta a sua natureza, também um pouquinho humilhante.

Talvez fosse esta mesma sensação que provocava às vezes um tom de quase intimidade com alguém que deveria estar tão abaixo de sua atenção pessoal quanto Tausk, familiaridade que, depois, quase sempre intrigava tanto o próprio Wiladowski quanto irritava o resto do pessoal do castelo. Embora de forma profundamente diferente, ambos os homens davam, às vezes, a impressão de cumprirem os seus deveres como se tivessem sido chamados de repente de algum outro reino e tivessem de lutar contra um afastamento interior inicial para levar a sério as tarefas a cumprir. Mas como nenhum dos dois se dispunha a admitir isso sobre si mesmo, entendiam os ocasionais olhares e gestos preocupados do outro como expressão involuntária de um sentimento com o qual eles mesmos estavam quase, mas não totalmente, familiarizados. E devido à sua própria incompletude, este momento nunca atingido de identificação permitiu que uma intimidade não reconhecida e sempre subterrânea se desenvolvesse entre duas pessoas que, na maior parte do tempo, continuavam a ver-se com toda a suspeita herdada de sua antagônica criação. Recentemente, todas as emoções humanas, quer sua existência pudesse ser inferida de forma plausível, quer não, tinham se tornado assunto de estudo intensíssimo na capital, mas não havia estudiosos vienenses da sensação de infidelidade a si mesmo, ainda que uma prática lucrativa aguardasse quem se estabelecesse como especialista em seu tratamento. Caso existisse um homem assim, é possível que Tausk e Wiladowski se vissem na difícil e esquisita situação de se encontrarem de repente na sala de espera do doutor, destruindo assim qualquer probabilidade de conseguirem voltar algum dia a conversar mais ou menos abertamente.

Tausk treinara-se para estudar o mundo com a frieza obstinada de alguém ao mesmo tempo brilhante e desesperadamente pobre e, por concentrar todos os seus recursos em triunfar sobre as privações que sofrera desde que fora expulso da *yeshiva*, a ambição deixou-lhe tão pouco tempo livre para o exame extenso de si mesmo quanto, do lado oposto, o desdém patrício de Wiladowski pela exibição das próprias emoções. Ainda assim, a certeza de ter perdido alguma coisa que já fora fundamental para a sua vida podia ser percebida às vezes no tom de voz rascante e sarcástico de Tausk, uma mudança súbita de timbre como se ele se surpreendesse por um instante com a pontada de uma ferida antiga que considerasse inteiramente sarada. Tausk não se iludia achando que todas as suas opções tivessem sido deliberadas — o seu cargo inesperado no Castelo era prova suficiente do contrário; simplesmente, reconhecia que a saudade estava além de seus meios, fossem espirituais ou materiais. Talvez aqueles a quem servia pudessem se dar ao luxo de ter emoções tão distrativas; ele, não. Em sua dureza consigo mesmo, personificava melhor a disciplina austera do ideal da cavalaria do que um grande nobre hereditário como Wiladowski, que não tinha vergonha alguma de exibir uma compaixão sem limites pelas circunstâncias da sua própria vida. É claro que isso era contrabalançado, na consciência do conde-governador, pelo seu hábito de ver o resto da humanidade, inclusive a sua própria família e os supostos íntimos, com uma lucidez desapaixonada tão glacial quanto a de Tausk.

Nos jogos de poder, a capacidade de desempenhar um papel sem acreditar nele nem um pouquinho é muito mais rara do que pensam os amadores e, apesar da crença popular, a hipocrisia extrema e calculada é uma das habilidades mais raramente dominadas, por estar entre as mais difíceis. Wiladowski, cujo talento neste domínio era suficiente para impressionar os seus amigos romanos do Colégio de Cardeais, gostava de insistir que isso era basicamente uma questão de classe e educação.

— Não importa o quanto sejam inteligentes, primeiro os lojistas precisam se convencer do valor das mercadorias que vendem para achar correto vendê-las com lucro aos fregueses — era assim que ele se explicava a Tausk numa daquelas noites em que o seu medo o impedia de dormir e convocava o espião-chefe para lhe fazer companhia. Conversavam na sala menor e privativa que ficava defronte do quarto de vestir do conde-governador, do outro lado do corredor, e, a não ser pelos guardas postados diante de cada porta, não havia mais ninguém acordado naquele andar. O conde-governador sabia que podia confiar que Tausk seria um bom parceiro de conversa, mas ficou surpreso com a paixão com que o outro aproveitou o tema. Ele discordou educadamente do seu senhor a respeito da classe média, que lhe parecia diferir pouquíssimo dos aristocratas que conhecera até ali, mas tinha exatamente a mesma idéia do conde-governador que as pessoas, em sua maioria, precisavam enganar-se a si mesmas antes de enganar os outros.

— O que aprendi, antes mesmo de vir trabalhar para Vossa Excelência, foi que as pessoas querem pensar bem de si mesmas, mais do que tudo o mais — explicou Tausk — e que para ter a consciência limpa não há vilania que não cometam. Os realmente perigosos são aqueles que abandonaram a ilusão da inocência.

Embora, em princípio, não gostasse de ouvir falar de alguém perigoso o bastante para preocupar o encarregado da sua segurança, conversas assim permitiam ao conde-governador voltar contente para cama, onde, diversamente de Tausk, podia dormir até o meio-dia se quisesse.

Sobre Tausk, contudo, o efeito da sua última troca de idéias foi totalmente diferente. Ainda que não ficasse esperando os relatórios matutinos dos seus espiões na cidade, Tausk sabia que não conseguiria adormecer antes de desfazer-se das lembranças despertadas pelas suas próprias palavras. Quando finalmente se viu sozinho, de volta ao quarto de teto baixo que recebera na ala norte do Castelo, passou horas revivendo a sua queda espetacular. Passara de aluno predileto e mimado do rabino a réproba banido e sem lar, sem a menor esperança de perdão. A diferença entre o mundo que habitava agora e aquele da *yeshiva* não poderia ser maior, mas esses estranhos colóquios com Wiladowski tarde da noite lançavam Tausk de volta às questões que achara ter deixado para trás de uma vez por todas. Desde que chegara ao seminário, Tausk maravilhara-se com a capacidade do Rabi Pelz de unir intensa introversão e controle absoluto sobre tudo o que acontecia na escola e decidiu-se a conquistar o amor do mestre através da única realização que este valorizava: a dedicação intensa e obsessiva ao estudo dos textos sagrados. Mas na primeira vez que entrou sozinho na sala do rabi, este, em vez de lhe pedir a interpretação de algum trecho controvertido dos comentários rabínicos, convidou-o a tomar uma xícara de chá e a lhe contar o que esperava aprender estudando com um grupo de alunos tão claramente inferiores a ele como promessa intelectual. Embora tivesse tentado muitas vezes, Tausk nunca conseguiu relembrar exatamente o que respondera. A intensidade do seu desejo de ver-se reconhecido aos olhos de Pelz era como uma febre a queimar as palavras da sua consciência assim que as proferia. A única coisa de que tinha certeza era que se revelara da forma mais desnuda naquela meia hora do que jamais achara possível e que saíra da sala meio tonto, sem saber se conquistara o rabi ou se se envergonhara irrecuperavelmente.

Pelz nunca voltou a falar daquela conversa e dali a pouco tempo os dons de Tausk foram reconhecidos por todo o seminário. O abismo entre ele e os outros era grande demais para provocar os ciúmes costumeiros, que em vez disso se restringiam às disputas ferozes para ver quem seria o segundo melhor aluno do rabi. Mas quanto mais elogios a sua habilidade exegética recebia dos colegas, mais distante Tausk se sentia dos seus triunfos. Estava totalmente à vontade na *yeshiva* e adaptou-se aos seus ritmos com mais naturalidade do que em nenhum outro lugar onde morara, mas alguma coisa que não conseguia identificar com clareza impedia-o de reagir com a mesma paixão exaltada dos outros. O seu brilho existia isolado, uma facilidade mental desligada de tudo o mais dentro dele. Anos depois, compararia o seu antigo eu com um dos prodígios musicais regularmente descobertos nos *shtetls* e enviados para fazer fortuna — a deles e a da família — nas capitais da Europa. Só que no seu caso este virtuosismo coexistia com uma falta fundamental de prazer com a música propriamente dita. Contra a sua vontade, aos poucos começou a tomar forma a idéia de que, se os ensinamentos do Rabi Pelz tinham real importância, a indiferença de Tausk quanto à questão de sua verdade ou falsidade com certeza se revelaria nos trabalhos que lhe apresentasse. Se continuasse a ter sucesso tão brilhante, devia haver algo muito errado, pensava Tausk, não só em si mesmo como no próprio Rabi Pelz. Sem diminuir a cultura amplíssima que sustentava tudo o que dizia, Tausk começou a tornar as suas respostas mais provocadoras de propósito, como se quisesse forçar o rabi Pelz a ouvir a discórdia interior do seu pupilo. Não era a si mesmo, mas sim ao Rabi, que Tausk queria proteger da mancha tácita da engenhosidade do seu pupilo mais valioso, ou melhor, Tausk queria obrigar o rabino a resgatá-lo do seu próprio virtuosismo árido. Amar o Rabi Pelz e, como seu aluno, exceder a todas as suas expectativas sem sentir amor algum pelo que o próprio Pelz reverenciava transformava tudo numa farsa perversa e venenosa.

Uma ou duas vezes, apesar do medo que Avraham Pelz inspirava até àqueles que mais gostavam dele, Tausk tentou encontrar um modo de falar-lhe diretamente sobre a sua angústia. Preparara-se para compaixão ou raiva, mas não para a impassividade glacial com que o rabino o escutou. Para Pelz, não fazia parte da tarefa de um judeu investigar a profundidade da sua crença. Os cristãos podiam se angustiar com a perda da sua fé, explicou, como se discutisse uma doença da qual decidira manter distância, mas para os judeus o estudo e a obediência eram tudo o que se pedia.

— Os gentios querem tornar-se *interessantes* com as suas crises espirituais — disse Pelz, a voz transbordante de desprezo —, mas isso não passa de idolatria e presunção. — Mandou Tausk embora com um gesto de cabeça e voltou aos livros, sem dizer mais nenhuma palavra.

Tausk não conseguiu decidir se o *rav* se preocupava tão pouco com ele para não lhe oferecer nenhuma ajuda ou se sentimentos como os seus eram mesmo tão estranhos a Pelz que o rabino fora incapaz de reconhecer-lhes o perigo. A partir daquele dia, entretanto, Tausk sentiu que a erosão da sua confiança no mestre era apenas a primeira de uma sucessão de renúncias que estava longe de acabar. Ainda trabalhava duro para conquistar o conhecido gesto de aprovação do Rabino Pelz quando dizia alguma coisa especialmente ponderada e, às vezes, tinha devaneios de que algum dia exerceria um domínio semelhante sobre os seus próprios alunos. Mas, sem ter total consciência no início, Tausk viu-se correndo riscos cada vez maiores na audácia das suas opiniões. Um tom de sutil zombaria entremeou-se em sua discussão das histórias bíblicas, nunca na frente do Rabi Pelz, mas entre os colegas, principalmente quando dava aulas aos mais novos, que começavam a olhá-lo como um sábio apenas alguns degraus abaixo do próprio *rav*. Depois do comentário desdenhoso do Rabino Pelz sobre o egocentrismo cristão, Tausk buscou-lhes secretamente os textos e, embora os considerasse ainda mais implausíveis do que os da sua própria tradição, soube na mesma hora que encontrara neles a arma para abalar a serenidade do mestre.

Tausk nunca fez nenhuma crítica a Pelz, mas nas conversas noturnas entre os alunos começou, primeiro de forma indireta e depois com mais ousadia, a sugerir que, até onde lhe dizia respeito, pelo menos como experiência de raciocínio, a possibilidade da divindade de Cristo não precisava ser categoricamente excluída. Como lenda, disse Tausk, era tão profunda quanto qualquer outra das suas próprias Escrituras e, com certeza, o próprio Rabi Pelz lhes ensinara que sempre se pode extrair algo de valor de tudo o que leva as pessoas à devoção religiosa. Tausk estava longe de incitar alguém a se converter e, assim que terminou de falar e viu o olhar alarmado no rosto dos rapazes, temeu que o rabi ficasse sabendo do episódio. Fez os alunos jurarem guardar segredo e brincou que sempre valia a pena aprender a discutir com catequistas enviados pelas ordens religiosas cristãs. Mas mesmo que Pelz tivesse ouvido o que dissera, Tausk sentia mais curiosidade do que medo das conseqüências. Imaginou algum tipo de grande debate teológico no qual lhe exigiriam que defendesse a sua posição contra vários adversários da escola, incluindo no final, talvez, até o próprio Rabi Pelz, que — e isto era fundamental para toda a fantasia — acabaria por derrotá-lo. Seria a primeira apresentação pública importante de Tausk e ele pretendia que fosse uma obra-prima.

Na manhã seguinte, antes do café-da-manhã, o pequeno Benny Perelemutter lhe entregou a carta de banimento do Rabi Pelz. Seu tom deixava clara a inutilidade de qualquer apelação e Tausk sabia que não adiantava tentar. Ninguém falou com ele enquanto arrumava a sua mala de papelão e, quando saiu pela porta, nenhum dos alunos com quem convivera chegou a levantar os olhos para lhe dar adeus.

Em comparação, a hostilidade que Tausk sentia andando pelos corredores do Castelo parecia leve. Havia um tráfego constante de boatos para explicar a confiança incompreensível do conde-governador em seu "judeuzinho". Ninguém adivinhava que os dois homens conheciam a desolação de ter deixado para trás algo que já fora vital para o entendimento de si mesmos e compartilhavam uma certa vergonha da sua vulnerabilidade a tais sentimentos. Tausk sentia-se entrar no que chamava meio brincando de desalento dos seus atos com um desprezo por seus planos mais perspicazes que só era superado pelo desprezo ainda maior que sentia por quem fosse indefeso o bastante para cair neles. O choque da sua expulsão da *yeshiva* fez Tausk ver a sua atual boa sorte com o olhar cético de quem recebeu uma lição precoce e quase letal sobre a própria vulnerabilidade, mas isso nada fez para reduzir o seu desdém pelas pessoas com quem trabalhava agora. Com certeza cobiçava tudo o que os góis a quem servia agora pudessem lhe dar; mas esse desejo nunca envolvia mais do que pequena parte de sua alma e com freqüência sentia-se bastante indiferente às recompensas que a sua inteligência começava a deixar ao seu alcance. Logo o seu poder seria capaz de atingir a maior parte da população da cidade e, com esta autoridade, viria um aumento significativo das propinas que as autoridades do Castelo consideravam suplementos absolutamente normais dos seus salários. Mas ver o medo que inspirava em quem era convocado a comparecer ao seu escritório, quer fosse um subordinado cujo relatório precisava de esclarecimento ou um cidadão a ser interrogado, estimulava-o de uma forma que contar a pilha crescente de coroas de ouro em seu cofre jamais conseguiria. À pergunta padronizada de Wiladowski sobre o que mais apreciava em suas novas responsabilidades, Tausk respondeu com as banalidades esperadas sobre o dever e o serviço público. Mas a sua própria resposta calada era muito mais simples: "Gosto de vê-los se encolher de medo."

Conforme se ampliava o círculo daqueles vulneráveis à sua intimidação, Tausk teve de admitir que, para si, o poder não era um meio para chegar a outro objetivo, mas coisa profundamente satisfatória em si mesma. Aos seus olhos, o valor da sua nova vida era confirmado pelo grau de temor que conseguia provocar, e teria sacrificado qualquer recompensa, inclusive a promoção a um posto mais alto, se ela exigisse abrir mão da intervenção direta na vida dos outros. Nisto diferia totalmente de alguém como Mathias Pfister, que usava todas as ocasiões possíveis para proclamar-se um idealista da tendência católica mais conservadora mas cujas ações, principalmente a divulgação de documentos confidenciais do governo em troca de dicas quentes do mercado de ações, mostravam que estava muito à vontade neste seu século pragmático, ávido para ceder aos desejos da nova classe industrial, quer fosse representada por católicos como ele, quer por luteranos ou, caso fosse totalmente inevitável, até por judeus devidamente batizados. Não é que Tausk sempre recusasse uma propina, mas, sem admitir inteiramente para si mesmo, via essas gorjetas como secundárias e embolsava-as quase como coisa a pensar depois, com o tipo de fleuma distraída que, se a palavra não ficasse tão absurdamente deslocada, alguém se sentiria tentado a chamar de aristocrática.

Wiladowski, cuja fortuna pessoal, ainda mais depois do casamento com uma das herdeiras mais ricas do Império, era mais que suficiente para fazer da sua própria corrupção espalhafatosa uma questão de reflexo profissional e não de genuína necessidade, chamava o espião-chefe judeu de único moralista inflexível de sua equipe, acusação que enfurecia Tausk, porque reconhecia tanto a sua exatidão quanto o desdém nela implícito. Ninguém no Castelo, e Wiladowski ainda menos, adivinharia o quanto Tausk lutara para deixar para trás os hábitos intelectuais adquiridos em seus anos de estudo rabínico. Mas a incapacidade de romper totalmente com o passado, mesmo quando ele não tem lugar na vida presente, era outra tendência, talvez a mais profunda, que ligava Tausk ao seu patrono. Embora em particular os dois achassem absurdo o orgulho do outro por sua linhagem, ambos honravam seus ancestrais como parte essencial de si mesmos. E como todos os atos de homenagem a um aspecto idealizado do próprio ser, o orgulho racial e dinástico trazia consigo as dores inesperadas do autodenigrescimento. Ambos foram criados em regimes estritos, segundo códigos claros e rígidos, e estavam fadados a sentir a distância imensa que atravessaram para chegar às suas atitudes atuais não apenas como traição de si mesmos, mas como um rompimento com as únicas histórias a que davam importância. Saber que o estímulo mais vital da sua herança era exatamente o que precisavam ignorar para sobreviver era fonte de angústia intensa, embora intermitente, e ajudava a compor o ambiente de tensão inexplicada no qual todos os negócios do Castelo se realizavam.

Para homens da casta de Wiladowski, cuja lealdade baseava-se numa conjunção sempre recalibrada de tradição familiar, oportunidade prática e impulso pessoal, a infidelidade ao eu anterior era um dilema já bem conhecido. Mas para a maioria dos judeus do Império, a própria possibilidade de tal traição seria inimaginável há apenas uma geração e meia, quando suas opções eram estritamente limitadas pelas leis e pelos costumes. Para eles, a alegria e o estímulo de suas novas possibilidades eram muitas vezes acompanhados de um certo remorso por tudo o que tinham abandonado pelo caminho. Ainda assim, voltar à vida da qual haviam se libertado tão recentemente fazia tanto sentido quanto, para Wiladowski, sonhar em morrer em combate por seu imperador porque os seus ancestrais o fizeram desde a Idade Média. Sem dúvida, o aumento alarmante da melancolia e de distúrbios nervosos tanto entre os nobres quanto entre os judeus recém-assimilados devia-se, em parte, a que os dois grupos achavam impossível viver segundo costumes tribais que já duravam séculos. Até para um homem como Moritz Rotenburg, somente a concentração necessária para administrar os seus negócios labirínticos ajudava-o a controlar a tendência crescente à melancolia. Ultimamente, havia muitos dias em que saía do escritório, depois de ter acabado de ler a correspondência dos sócios estrangeiros, e via-se lutando para livrar-se de uma sensação tenaz de depressão. O fato de preferir almoçar sozinho, num silêncio só quebrado pelos sons discretos do mordomo a dirigir a equipe doméstica, era mais um sintoma do que a causa do seu estado de espírito, mas havia horas em que na verdade gostava de ser interrompido à mesa pela velha Katinka, a primeira criada que ele e Dina contrataram, embora raramente ela dissesse alguma frase inteligível e parecesse mais fúnebre a cada mês. Os antigos funcionários da empresa estavam convencidos de que devia ser a tendência política do filho que preocupava Rotenburg, mas nisso, como na maioria das hipóteses que faziam sobre ele, estavam muito enganados. Moritz partia do princípio de que um rapaz com renda independente e a conseqüente expectativa de ter todos os seus caprichos cuidadosamente atendidos podia proclamar-se socialista, e divertia-se em silêncio ao notar como Hans era esperto na hora de calcular os dividendos das ações que herdara da mãe. Sempre que os rendimentos caíam mais do que alguns pontos em relação ao trimestre anterior, Hans, de forma educada mas com a pasta cheia de relatórios dos anos anteriores da empresa, pedia explicações para a queda do seu lucro. Como no caso de qualquer sinal de astúcia relativa a dinheiro, Moritz via a preocupação de Hans como totalmente positiva e, já que o rapaz era o seu único herdeiro, esperava que fosse apenas uma questão de tempo até que os seus pedidos de informações se transformassem na reivindicação de ter mais voz na administração cotidiana da empresa toda.

 Moritz sabia que não podia esperar companhia de alguém com a idade e o temperamento de seu filho, e a sua sensação de isolamento pouco tinha a ver com as diferenças inteiramente previsíveis entre eles. No entanto, o que não esperara era que o seu próprio sucesso acabasse por afastá-lo das suas formas anteriores de viver no mundo. Ainda era fluente no iídiche que falara com os pais e depois com Dina, nos anos antes de Hans nascer, mas agora usava-o principalmente como fonte de algumas expressões picantes para as quais o alemão não tinha equivalente ou como sinal de solidariedade étnica quando judeus dos *shtetls* o visitavam para pedir ajuda financeira. Como que para disfarçar um abismo que achava estar a ponto de se tornar insuperável, Rotenburg aumentava sem parar sua contribuição às *yeshivas* mais importantes de todo o leste e lutava para convencer-se de que os folhetos sobre história e costumes judeus que assinava em grande número atendiam a um sentimento constante de identificação com as tradições do seu povo. Mas, às vezes, depois de reuniões como a que tivera com Nathan Kaplansky, permitia-se medir até onde deixara de identificar-se com quem quer que fosse.

Antes de adoecer, Moritz passara muitas horas no Clube Mendelssohn, como presidente dos comitês Executivo e Financeiro e para ser visto relacionando-se em termos igualitários com os outros judeus bem-sucedidos da cidade. Na verdade, contudo, sentia que tinha pouca coisa em comum com eles. Não era apenas a sua riqueza que o separava de conhecidos de vinte anos, como o pobre Rudi Pichler, tão impiedoso no tribunal e tão dominado pela esposa em casa, ou fofoqueiros invejosos como Gerhard Himmelfarb. Mas os anos lidando com investidores e altas autoridades do governo de meia dúzia de países e sendo obrigado, pela diversificação de seus negócios, a reagir à evolução global com interesse próprio e desapaixonado transformaram-no de um modo que não se dispunha a permitir que ninguém visse. Diversamente de Wiladowski, Moritz jamais fora recebido por Sua Majestade Imperial em pessoa, e muito menos convidado para uma das caçadas espetaculares da Imperatriz Elisabeth, mas nos ministérios encarregados de estabilizar as finanças precárias do império os conselhos deste judeu provinciano, que nunca travara um duelo nem aprendera a montar sem visível nervosismo, era solicitado com muito mais freqüência que os do conde-governador.

Dinheiro e poder, apesar da ressonância negativa na mente da maioria dos literatos, são qualidades profundamente imaginativas, tão capazes de provocar uma metamorfose no caráter de alguém quanto a convivência, numa alma diferente, com uma grande obra de arte ou uma bela mulher. E como toda transformação leva, necessariamente, ao descarte do modo de ser anterior, talvez haja mais gente do que pensamos para quem até as mudanças mais desejadas são acompanhadas de uma sensação de mal-estar ao descobrir que descartaram características já consideradas essenciais ao caráter como um todo. Um observador externo acharia difícil indicar alguma alteração real na rotina que Rotenburg seguia há trinta anos, mas, por dentro, a sua atitude frente a tudo mudara e, em sua própria e desconfortável avaliação de si mesmo, nem sempre para algo mais humano. Era como se não se identificasse mais inteiramente consigo mesmo, como se a pessoa em que se transformara tivesse esvaziado, sem deslocar por inteiro, a pessoa que já fora, de modo que agora as duas coexistiam, tornando-lhe difícil levar totalmente a sério as responsabilidades locais a ele confiadas e que cuidava de cumprir com mais escrúpulos do que nunca. Percebeu que o fato de aceitar um cargo atrás do outro era interpretado por todos como desejo de dominar, mas preferia ser acusado de ambição do que de indiferença às honrarias que a comunidade tinha o poder de conferir.

Como um grande romancista que passa tanto tempo junto dos seus personagens que acaba achando a sua companhia mais estimulante que a das pessoas reais à sua volta, Rotenburg envolvera-se tanto tempo na conversa com os homens mais bem informados das capitais financeiras do mundo que, em seus pensamentos, passara a dirigir todas as observações sérias somente aos seus ouvidos. Quando toda a diretoria do Clube Mendelssohn era convocada, Moritz notou que precisava de um ato de estreitamento deliberado de si mesmo para que pudesse dar atenção às preocupações de seu círculo imediato com a necessária demonstração de zelo. Sabia com que paixão um homem amargo como Himmelfarb, que, por duas vezes, só evitara o processo de falência devido a empréstimos secretos de uma das empresas de investimentos de Rotenburg, aproveitaria qualquer sinal de que Moritz deixava que seus interesses mais amplos o distraíssem dos problemas da cidade. No entanto, não havia ninguém a quem Rotenburg pudesse admitir estes sentimentos. Além disso, uma vez que, infelizmente, é impossível conversar com um portfólio financeiro, não importa com que habilidade seja diversificado, Rotenburg não tinha escolha senão passar as noites sozinho ou demorar-se na sala de leitura do clube, suportando educadamente a conversa vazia de Rudi Pichler ou, se tivesse mais sorte, a condescendência de uma incendiária jovem e bela como a moça Demetz.

A seu próprio modo, cada um dos três ficaria horrorizado ao ver-se comparado aos outros. Um prodígio dos *shtetl* como Tausk fora criado para considerar os seus dons mentais como sinal de uma escolha quase divina, e toda a sua carreira turbulenta, de garoto-prodígio talmúdico a senhor de fato do aparelho de segurança do Castelo, só corroborava a sua crença de que tamanha singularidade teria de ser paga com o sacrifício de todas as oportunidades de intimidade humana comum. Mas a convicção de que a inteligência era necessariamente acompanhada da solidão, idéia que há um século teria soado à maioria dos principais pensadores do país como ilusão de um maluco, era agora tão generalizada que até um homem sensato como Moritz Rotenburg aceitava como inevitável o seu isolamento emocional, enquanto Wiladowski via-o como confirmação de sua superioridade sobre aqueles que, de outro modo, teria de considerar seus iguais em posição ou influência social.

No entanto, é duvidoso que ocorresse a muitos concidadãos seus ligar personagens tão diferentes quanto Wiladowski, Rotenburg e Tausk, a não ser pelo fato muito discutido de que, juntos, controlavam efetivamente os assuntos de toda a província. O que os panfletistas clandestinos gostavam de desmascarar como "aliança de ferro entre o ministério do governo, o capital privado e a polícia secreta" já era do conhecimento comum e as fofocas do povo ligavam os três homens com a mesma intimidade dos jornalistas revolucionários. Talvez, também, as suas afinidades mais sinistras só ficassem visíveis em contraste com um estrangeiro como Brugger. Nada preparara os judeus da cidade para a temeridade de Brugger. A alegria dele com a pura petulância das suas transformações sancionava tudo o que os seus ouvintes sonhavam secretamente viver. Brugger dava a impressão de atravessar enormes distâncias interiores sem sofrer um segundo de tontura e, para aqueles seguidores seus que se sentiam dilacerados pela força de desejos inconciliáveis, havia algo de emocionante no desdém pela saudade e pelo remorso na exigência de que mudassem sua vida de uma vez para sempre.

"É o primeiro judeu que conheci que não dá mesmo a mínima para provar a todos que é inocente", foi o que Sonnenschön escreveu à irmã, insistindo com ela para que se unisse a eles em vez de continuar seus estudos. "Sei que está rindo de mim, Sonia, mas consegue imaginar o que significa ter como mestre um homem que se libertou completamente da necessidade de agradar aos outros? Para ele, não faz diferença se gostam dele ou não e, às vezes, acho que ficaria tão feliz sem seguidor nenhum quanto com a multidão que vive agora a sua volta o tempo todo. Lembra-se, quando éramos pequenos, de como papai costumava tirar o chapéu na rua sempre que uma autoridade passava e como sentíamos vergonha dele e juramos que nunca seríamos assim? Mas será que éramos diferentes, papagueando todas as bobagens que os adultos pediam para não perdermos a possibilidade de entrar na escola certa? Com que freqüência você repetiu para si mesma o discurso predileto de papai sobre a mancha negra em nossa ficha e que nunca seríamos admitidos numa escola decente e que os judeus tinham de ser pelo menos três vezes melhores que qualquer cristão para começar a ter uma chance de entrar numa das escolas *deles*? Sei que isso soava em meus ouvidos toda vez que queria abrir a boca e protestar contra alguma regra estúpida. Nunca poderia admitir isso a ninguém senão a você, Sonia, mas sabe que houve uma época em que fiquei tão preocupado em agir direito que, antes de entregar uma prova importante, costumava fazer uma rápida oração em hebraico e, para o caso de que não fosse o bastante, também fazia um sinalzinho-da-cruz na primeira página com a ponta dos dedos, para o caso de o Deus deles ter mais poder que o nosso com os examinadores? Nunca lhe contei nada disso quando estudávamos juntos, mas a forma como você costumava me olhar, sentada ali na minha mesa, petrificada por eu não conseguir resolver nenhum problema, me fez pensar que você sabia o que eu sentia. E agora que se matriculou na universidade, quantas pessoas você toma cuidado para não ofender?

"Não estou zombando de você, Sonia, só estou tentando responder a todas as perguntas que você e mamãe me fizeram da última vez que as visitei. Admito que no princípio senti repulsa pela dramatização de Brugger; ela parecia tão, bem, você sabe o que eu quero dizer, tão judia, mas aí comecei a entender que ele agia assim de propósito, para fazer com que gente como eu visse como é maravilhoso parar de nos censurar o tempo todo. É como se ele se fingisse de rude e melodramático para nós, e se você soubesse, como eu sei, que homem delicado ele é na verdade, entenderia que presente maravilhoso está dando a todos nós. Você sempre soube que eu costumava me encolher por dentro se alguém perto de mim ainda falasse com sotaque iídiche ou fosse vulgar o bastante para agitar as mãos ao falar, ainda mais se houvesse gentios em volta. Antes que Brugger me ensinasse a gostar da nossa tendência ao excesso, acho que tinha mais medo de parecer vulgar do que de humilhar todos os meus amigos. E se você for honesta consigo mesma, Sonia, vai admitir que o autocontrole de que nos orgulhávamos tanto era apenas um jeito mais circunspecto de tirar o chapéu para os góis, e a nossa dicção sem falhas era a forma como as pessoas da nossa geração continuavam a caminhar pela lama da rua e deixar a calçada para *eles* — não por covardia, claro que não, mas para que finalmente tivessem de admitir que nós, judeus, ficamos bem-educados. Tem alguma idéia de como é libertador deixar-se ficar histérico, falar tão alto quanto der na telha e gritar para chamar a atenção num café sem pensar no que as pessoas da mesa ao lado vão pensar da gente? Afastar toda essa cautela sufocante é a melhor coisa que pode acontecer hoje em dia a uma judia, ainda que ela esteja a ponto de tornar-se Doutora em Medicina como minha maravilhosa irmã."

Mas, por maiores que fossem as zombarias que Sonnenschön achava ter suportado antes de conhecer Brugger, é improvável que chegassem ao nível do desprezo na voz de Tausk quando ele usou vapor para abrir o pacote enorme de cartas que Sonnenschön enviara à Rússia. Tausk chamou Roublev, o seu imediato, para ler-lhe em voz alta várias frases escolhidas e, mais tarde, Roublev jurou que fazia muito tempo que não via o talento de imitador do espião-chefe ser exercido com tanta exuberância. Mas havia um parágrafo que chamou especialmente a atenção de Tausk e o fez examinar o pacote todo de novo mais devagar. Era um sentimento que Sonnenschön evitara na carta à irmã mas exprimira duas vezes, sublinhando-o uma vez com traços grossos de caneta, ao escrever a alguns amigos de uma fraternidade judia de caminhadas, da qual parecia ter participado na adolescência. A eles, Sonnenschön escreveu com o tom de um homem que passou por uma revelação decisiva. Ficava abertamente em êxtase com o que chamava de selvageria didática de seu mestre. Nada o afastara mais totalmente da covardia e da hesitação dos anos que passara em casa do que a consagração por Brugger de todos os seus desejos mais extremos e a permissão que lhe dava de agir de acordo com eles, fossem quais fossem as conseqüências. Brugger lhe mostrara que os judeus também podiam provar sem culpa a voluptuosidade da destruição e, quando saíam todos juntos em missão, sentia-se completamente livre, pairando acima da história e da raça numa altura que nem as aves de rapina conheciam. É verdade, admitia Sonnenschön, que no mundo que Brugger apresentava aos discípulos o bem-estar e o horror tinham partes iguais mas, até em meio à devastação, sentia-se mais próximo do que nunca da grande Redenção. Os livros que todos leram na infância tinham-nos enganado deliberadamente; não era obedecendo a proibições que recuperariam a inocência, mas aprendendo, dentro dos próprios corações, a santificar o que é proibido. Mas sabia que este jeito de explicar estava errado, porque para o homem cujo entendimento já se abriu tudo já é sagrado e até mesmo falar do proibido é recair nas antigas divisões. Compreendia agora que, não importava o que fizesse, já estava puro na luz cristalina da sua nova consciência. Sonnenschön ficava repetindo que era seu dever insistir com os velhos amigos para que deixassem para trás a carreira e a família e se unissem a ele ao lado de Brugger enquanto ainda havia tempo para que se libertassem dos costumes de um mundo agonizante e se inscrevessem no livro do novo reino. Quando começasse a reunião final, ninguém poderia escolher se estaria entre os redimidos ou se seria descartado como uma casca vazia.

Até para os olhos profissionais de Tausk, havia alguma coisa desalentadora na mistura caótica de confissão pessoal, insinuação de grave desrespeito às leis e proselitismo messiânico feita por Sonnenschön. O espião-chefe achou estranhamente difícil decidir como usar as cartas e desperdiçou várias horas cruzando datas e horários do dossiê cada vez maior sobre aqueles que começava a chamar de seus lumpem-heresiarcas, tentando ver se haveria alguma ligação entre as perambulações de Sonnenschön pela província e o assassinato na cabana de caça na Bukovina. Mas, se havia alguma conexão, era vaga demais para ser usada legalmente e o instinto de Tausk lhe disse que o mais provável era que um homem tão orgulhoso de surrar um gentio numa briga de taberna satisfizesse o seu desejo de transgressão com coisa bem menor que um homicídio ritual. Sozinho, Sonnenschön era insignificante. O que viria a fazer dependia totalmente da vontade do homem em cujo instrumento agora se transformara.

Depois que saíra da *yeshiva*, Tausk continuara a ler alguns dos mais celebrados Pais da Igreja cristã. Fez isso menos por interesse pelos seus dogmas do que como um modo estranho e todo seu de continuar a rixa com o Rabino Pelz e também, em parte, porque se agarrava à antiga idéia de que, para entender as pessoas entre as quais vivia agora, era indispensável conhecer a sua teologia. Sua leitura pouco fez para mudar a opinião, em geral já baixa, que tinha sobre o rigor intelectual cristão, mas havia um certo prazer, que o conde-governador parecia encorajar, em irritar um idiota pomposo como Mathias

Pfister inserindo de repente alguma citação sinistra de Santo Agostinho numa discussão de tática política. Agora, depois de afastar os mapas da Bukovina do seu inspetor, com as linhas férreas e estradas que se aproximavam da propriedade campestre de Wiladowski cuidadosamente marcadas, e de arquivar em seu cofre particular as cópias que fizera das cartas de Sonnenschön, Tausk não podia deixar de comparar a sua vida no Castelo com a que tivera na *yeshiva*, onde um brutamontes como Robert Sonnenschön jamais atrairia a atenção de ninguém. Embora Tausk raramente se permitisse indagar se ainda sentia saudade de alguma parte de sua antiga vida, ficou espantado e, de certa forma, até aliviado de ter sido um texto religioso que imediatamente se apresentou como comentário mais adequado à sua mudança de estado. Mais adequado ainda, a seus olhos, era que esta frase não era de algum dos rabinos famosos que costumava citar com facilidade ilimitada, mas de São Jerônimo, o grande asceta que odiava os judeus e escrevera: "Então o deserto me tomou; e de tal modo que jamais me deixou partir."

Tausk gostou tanto da frase que achou que poderia experimentá-la em Wiladowski, talvez no fim do relatório daquela mesma semana, e já imaginou a diversão tolerante do seu senhor por ter de agüentar ouvir algo que provavelmente atribuiria a mais um sábio hebreu da Espanha ou do Marrocos, citado ao lado dos conselhos políticos que viera a valorizar mais que os de todo mundo — na razão direta, assim enfatizavam os críticos do conde-governador em Viena e no Conselho da Província, em que o seu próprio juízo ficava cada vez mais excêntrico e insensato.

2

Elisabeth Demetz — ele ainda achava difícil pensar nela como Bátia — era a última pessoa que Hans Rotenburg esperaria encontrar no bairro Josef. Reconheceu-a primeiro, quando ela saía de uma das casas de cômodos perto do apartamento dele, vestida com mais simplicidade do que ele recordava e levando uma grande cesta debaixo do braço. Olhava para baixo ao caminhar, pisando com cuidado para não cair nos degraus gelados, mas no momento seguinte ela também o avistou e foi-lhes impossível não parar e se reconhecer. Tinham conseguido evitar ficar juntos e sozinhos desde a volta de Hans e, apesar da naturalidade forçada com que se cumprimentaram, o desconforto dos dois era visível. Mas, junto com o mal-estar de Hans, houve um jorro inesperado de surpresa ao ver como Bátia parecia desejável na luz difusa da tarde. Não se lembrava de tê-la visto sair sem chapéu antes e o cabelo, que costumava usar preso em cachos elegantes, estava solto e caía até os ombros. O rosto parecia levemente corado pelo frio e pelo esforço de subir e descer sete lances de escada. Hans não sabia que ela ia até lá regularmente distribuir agasalhos e comida entre as famílias necessitadas que conhecera no Movimento da Juventude Sionista e ela lhe contou que acabara de fazer a última visita do dia. Quase como um reflexo, Hans perguntou-lhe se gostaria de tomar alguma coisa quente com ele num dia tão frio. Tinha certeza de que ela recusaria educadamente, alegando outros compromissos; em vez disso, aceitou o convite na mesma hora. Só quando a viu olhando para ele com um sorriso divertido é que percebeu que, na vizinhança, não havia nenhum lugar aonde pudesse levar uma mulher como Bátia. Teriam de subir ao seu apartamento e, embora fosse claro que ela sabia tudo a respeito — haveria alguém que não soubesse? era o que ele começava a pensar — Hans ficou sem graça com a idéia. Considerando a fama desagradável do apartamento, era embaraçoso que a primeira mulher que realmente levaria até lá fosse uma ex-namorada que, pelo que se sabia, estava bem feliz com o seu sucessor e não mostrava interesse em renovar a antiga intimidade.

Lászny esforçara-se ao máximo naquele lugar. Provavelmente o leve cheiro de jornais mofados e massa corrida úmida duraria até a primavera, quando o apartamento pudesse ser totalmente arejado, mas, pelo menos, agora era possível passar algum tempo ali com razoável conforto. O velho fogão fora trocado por outro maior, suficientemente poderoso para espalhar um calor agradável logo depois de aceso, e as cortinas de brocado escuro, os altos abajures de chão e as estantes pesadas de carvalho transformaram por completo os aposentos. Bátia olhou em volta com indisfarçável curiosidade e indagou-se quem teria escolhido para Hans peças tão desinteressantes, muitas das quais lhe pareceram pesadas demais para o tamanho do imóvel. Para ela, parecia mais o consultório de um médico próspero do que um ninho secreto de amor e, embora há muito tempo não sentisse mais desejo por Hans, Bátia viu-se intimamente satisfeita com a comparação.

Tinham acabado de sentar-se nas impassíveis cadeiras de couro e carvalho arrumadas na sala pela equipe de Lászny quando Bátia percebeu, pela expressão de Hans, que ele não tinha idéia de como preparar o lanche para o qual a convidara. Ela logo se levantou e foi até a despensa que, com exceção de pão fresco, estava bem abastecida de tudo o que era necessário. Numa das prateleiras de cima, encontrou um sortimento de caros biscoitos ingleses para chá, secos e amanteigados, numa lata fechada que levou à mesa, juntamente com um bule grande de café e vários tipos de geléia. Ficara rodando pelo bairro Josef desde bem cedo de manhã, sem oportunidade de parar e comer e, embora já estivesse perto da hora do jantar, seria bom um lanche antes de voltar para casa. Desde que Rina Fischbein, uma das mães do bairro a quem Bátia tentava ajudar, mostrara-lhe, com voz de desaprovação escandalizada, o apartamento de Hans, a moça estava ansiosa para ver como seria por dentro. Mas agora que o vira e terminara o café e os biscoitos, não tinha mais vontade de prolongar a visita. Hans mal lhe dissera uma palavra enquanto comiam e Bátia começava a achar absurda a falta de jeito mútua. Pensou com seus botões que talvez os ex-amantes que não se transformavam em simples amigos devessem ter a boa educação de sair para sempre da cidade, para evitar envergonharem-se um ao outro. Mas, quando se preparava para levantar e descer, Hans perguntou-lhe, de repente, se algum dos amigos antigos de Ernst não teria falado alguma coisa inadequada sobre ele ultimamente. Ele sorria enquanto falava, mas Bátia conhecia Hans bastante bem para perceber como a pergunta era séria para ele. Sua voz tinha um nervosismo de que se lembrava bem demais desde as suas brigas e, sentado, ele lhe fitava o rosto com uma concentração que negava o tom despreocupado da voz.

Mais que tudo, o fato de que as primeiras palavras sérias que lhe dizia em quase dois anos tivessem de ser sobre outras pessoas ofendeu Bátia.

— Que falta de educação! — explodiu ela em troca. — Ernst e seus amigos não falam nada "inadequado" comigo. Como ousa dizer uma coisa tão ofensiva? O que conversamos é da nossa conta e não sei por que precisaríamos da sua aprovação. Além disso, por que você acha que alguém se daria ao trabalho de trocar fofocas a seu respeito?

Durante vários minutos Hans não disse mais nada, irritado com a sua própria falta de jeito. Com Christoph e Leo sempre conseguia desviar a conversa na direção que desejasse. Mas devia ter previsto que Bátia não admitiria ser interrogada. Vê-la ali, na Maximilianstrasse, ainda mais hoje, assustara-o tanto que não tivera escolha. Se Asher recebera o recado de Hans, em menos de hora e meia estaria chegando à porta da frente, pouco antes do resto do grupo. Hans pretendia apresentar-lhes Asher naquela noite e nada era mais desconcertante do que a possibilidade de que Ernst já tramasse contra ele. Provavelmente, o surgimento de Bátia na vizinhança era apenas uma coincidência, mas ele não podia deixar a situação passar em branco sem mais sondagens.

Mas, enquanto dizia isso a si mesmo, Hans percebeu que reagia a Bátia com uma tensão que não tinha ligação nenhuma com o que estavam falando. Enquanto o aposento se aquecia, o corpo da moça exalava um perfume suave, intensificado pela pequenez da sala. Lá estava ela sentada, cutucando sem pensar as unhas de uma das mãos com as pontas dos dedos da outra e evitando olhar para ele. Quando se decidiu a romper com Bátia e viajar para o exterior, Hans convencera-se de que não se importava mais com ela. Pensara que tê-la fora de sua vida para sempre era exatamente o que desejava. Mas a solidão que o atormentou durante os primeiros meses em Londres lhe mostrara como estava errado; agora que era tarde demais, percebeu que a indiferença tinha como condição necessária a crença de que ela jamais concordaria com o rompimento. Quando essa crença sumiu, desapareceu também o sentimento de indiferença. No entanto, aos poucos a falta de contato direto com ela e a excitação da sua vida dupla — aprendendo durante o dia a administrar grandes negócios e empresas e, à noite, como se organizavam os partidos revolucionários — completaram o distanciamento de Bátia que pensara ter conseguido quando partiu da Áustria. Os novos hábitos e uma série de casos de amor ocasionais fizeram o resto e, quando Hans voltou para casa, tinha praticamente parado de pensar nela. Mas o relacionamento de Bátia e Ernst atrapalhou todos os seus planos. A presença da moça no bairro Josef soou como a violação de um pacto implícito entre eles, e se era deliberada ou não importava menos, em último caso, que o seu ressurgimento na vida do rapaz. Hans sentia uma excitação quase sensual com as complicações que esta confusão poderia causar.

Em meio ao seu silêncio podiam ouvir as vozes da briga da família do andar de cima. Bátia fora até a janela enquanto Hans se recompunha e pressionava a cabeça contra o vidro. Lá fora, a neve recente era arrastada pelo vento do fim da tarde. Hans levantou-se e ficou ao seu lado, de modo que olhavam juntos o crepúsculo azul cor de gelo de janeiro. Da forma mais simples possível, inclinou-se para ela e disse:

— Por favor, desculpe-me, Bátia. Não faz sentido eu usar expressões assim. Só temia que Ernst lhe desse alguma impressão errada sobre várias coisas. Você sabe que ele era o meu melhor amigo e é claro que fico um tanto sensível com isso.

Embora a voz dela deixasse claro que ainda estava longe de se acalmar, Hans sentiu-se aliviado por ela não ter ido embora de vez.

— E acha que tive alguma coisa a ver com a briga de vocês? — perguntou. — Seria uma explicação ótima, não acha? Sempre que dois homens discordam, tem de haver uma mulher por trás. Se lhe serve de consolo, Ernst parece muito incomodado com a maneira diferente como vocês dois vêem as coisas agora, mas quando lhe perguntei se isso tinha alguma coisa a ver comigo ele disse que não, de jeito nenhum, que vocês não são do tipo que alimenta ciúmes mesquinhos.

Então, depois de mais um intervalo, no qual finalmente desviou o olhar da rua lá fora para lançá-lo diretamente a Hans, Bátia continuou, menos vigorosa do que antes.

— Tudo isso é um pouco humilhante. No início, censurei Ernst porque ele e eu passávamos tempo demais falando de você e agora eu e você estamos juntos pela primeira vez em anos e só conseguimos conversar sobre Ernst. Será que nenhum de vocês jamais conversará *comigo* sem ter de citar alguma coisa que o outro disse? Às vezes tenho a impressão de que eu é que tinha de sentir ciúmes, vocês dois estão muito mais envolvidos um com o outro do que jamais estiveram comigo.

Hans achou a idéia de Ernst e Bátia conversarem a seu respeito desagradabilíssima, mas aprendera, depois do passo errado anterior, que não devia deixar que ela visse o seu desagrado. O vento lá fora estava ficando mais forte e os vidros finos da janela mal constituíam uma barreira. Bátia sentiu um arrepio com um sopro de ar súbito e Hans fechou as grossas cortinas e levou-a de volta às cadeiras perto do fogão. Não tinha tempo para as manobras que uma situação tão delicada exigia, mas qualquer coisa seria preferível a deixar que Bátia e Asher Blumenthal se encontrassem em seu apartamento. Fingiu que ela fizera seu comentário sobre os ciúmes como uma brincadeira boba e começou a contar-lhe a sua viagem. Mais que tudo, disse, sentira falta de conversar com ela e compartilhar com ela as suas novas descobertas e, sim, tinha de confessar, com Ernst também. Mas desde que voltara, ambos tinham deixado claro que não queriam ter mais nada em comum com ele. Era como se tivesse se tornado um pária, desertado pelas próprias pessoas com quem mais contara. Em conseqüência, sentia-se mais só agora do que em Londres ou Zurique.

Sabia que estava se arriscando ao ser tão direto, mas desta vez Bátia não se sentiu nada ofendida com uma palavra como *deserção*. Em vez disso, mexeu o resto de café e pareceu estudar os desenhos ricamente coloridos do tapete aos seus pés. Ocorreu-lhe que quem instalara esses grossos tapetes persas para Hans cuidara para que nada que fosse dito ali pudesse ser ouvido de fora. De repente, foi atingida pela idéia de que, embora a privacidade sempre tivesse sido necessária para Hans, de alguma forma nunca fora algo inteiramente pessoal para ele, nem mesmo quando eram um casal. Assim que Bátia entendeu as coisas deste modo, tornou-se estranhamente importante para ela que Hans entendesse o que ela pensava. Ela e Ernst não tinham desertado Hans; simplesmente renunciaram ao lugar na história que ele via como direito de nascença.

— Desde que o conheci — disse ela, de repente — você tem esta forte convicção de estar destinado a ser um personagem histórico e isso aparece no jeito como fala de tudo o que vem fazendo. É verdade que isso é parte do que me atraiu tanto em você, mas já no final, sempre que pensava nisso a sério, ficava com vontade de me afastar o máximo possível. Não sei como vou conseguir convencê-lo, nem se você vai tentar entender o que quero dizer, mas para mim são as marcas do corpo e não as da história que são indeléveis. Hoje, ouvindo você e vendo o que fez com este apartamento, percebo como deve ser perturbador viver consigo mesmo... e com o mundo... por dentro, desse jeito. Eu costumava achar que talvez todos os meninos ricos, ainda mais se filhos únicos adorados pelos pais, crescessem com esta idéia de que tudo o que fizessem passaria imediatamente a fazer parte da História. Mas nunca vi isso ir tão longe. Nenhum desacordo é apenas uma rixa particular com Hans Rotenburg; opor-se a você em qualquer coisa equivale a criticar os interesses gerais da humanidade. Você sente todas as divergências de opinião como traições contra o futuro e suponho que isso lhe cause uma pressão insuportável para tomar todas as decisões certas. Mas precisa entender como é cansativo ficar perto de você por algum tempo. Perdoe-me se pareço grosseira, não é a minha intenção. Mas quero explicar-lhe honestamente por que não estamos mais ao seu lado.

Hans se espantou com a franqueza do ataque de Bátia.

— Mas não sou só eu. — Ele sacudiu os ombros com aparente resignação, tentando ao máximo manter o seu tom de voz tão controlado quanto o dela. — Não acha que Ernst também se sente assim? Caso contrário, por que não viveria simplesmente na propriedade do pai, sem nada a fazer exceto esperar que o título e as terras pertençam todas a ele? E quanto a você, Bátia? Será que é tão diferente assim? Tudo o que vocês, sionistas, fazem não é justificado pelo mesmo princípio? Afinal, para que todo esse barulho sobre drenar um pântano maleitoso na Palestina se você não acredita que está mudando a História? Cada vez que alguém vai para lá e lhe escreve uma carta descrevendo um novo povoado, parece-lhe que foi um ponto de virada na trajetória do mundo. E quanto mais romântico soar o nome hebraico que deram à sua coleção de cabanas, mais você fica emocionada. A diferença é que acredito que gestos sentimentais como esse só pertencem aos romances, não à vida real. Pelo menos, não quando se fala sério sobre querer mudá-lo.

— Matando gente, talvez? — interrompeu ela, com o rosto corado, agora não de frio, mas de exasperação. — É assim que você planeja mudar a realidade política deste país?

Hans respirou fundo e, embora estivessem sozinhos, não conseguiu deixar de dar uma olhada rápida pela sala antes de dizer alguma coisa. Dificilmente ficaria mais chocado se Bátia tirasse do bolso do casaco uma ordem de prisão.

— Está brincando comigo, Bátia? — perguntou. — É isso mesmo que você acha? Claro, eu estava certo, e Ernst e seus amigos andaram mesmo falando demais. Acho que não faz sentido perguntar a você o que disseram exatamente. Seria apenas mais um pouco da minha arrogância. Por favor, olhe para mim, Bátia. Não elevei a voz e não estou tentando intimidá-la. Mas você não entende que eu é que estou vulnerável aqui? Uma palavrinha sobre isso pode colocar eu e todos os envolvidos na cadeia para o resto da vida. Até Ernst seria punido por não contar o que ouviu às autoridades. Assim, se é para alguém se sentir ameaçado, com certeza dá para ver que sou eu.

Desta vez, foi Bátia que arregalou os olhos de espanto. A reação de Hans pegou-a desprevenida e seu instinto foi fingir, o mais depressa possível, que isso não tinha importância.

— Não seja tão melodramático, Hans — disse, numa voz que, esperava, soasse como o tom que costumava usar quando brincava. — Sabe que eu não o denunciaria a ninguém e não só por causa do risco para Ernst. Para começar, recuso-me a acreditar que você seria suficientemente estúpido para tentar alguma das coisas horríveis que vocês conversam nessas suas reuniões. É ridículo demais. Eu já disse a Christoph e Leo a mesma coisa que a Ernst quando começamos a sair juntos. De qualquer forma, as pessoas que você odeia estão todas mortas por dentro. Elas e o seu Império também. Vamos lá, Hans; não vale a pena consumir a sua vida com tramas e fantasias. Não vou traí-lo, mas você pode ter certeza que alguém vai acabar abrindo a boca ou que as autoridades vão descobrir, seja de que jeito for. Elas sempre descobrem. E você terá jogado a sua vida fora à toa, por causa de algumas ameaças malucas que só os espiões de Wiladowski levariam a sério, aliás.

— E quanto a Ernst? — perguntou Hans, agora bastante calmo. — Ele concorda com você que é tudo uma fantasia maluca?

— Não sei se entendo todas as coisas diferentes que ele vem sentindo desde que você voltou. — A voz de Bátia, como a de Hans, voltara ao seu timbre normal, mas a insatisfação da moça com o rumo que a conversa tomara era visível na maneira como suas pernas se apertavam uma à outra, como se quisessem ocupar o mínimo espaço possível na sala. — Acho que, embora nunca vá admitir, Ernst está principalmente confuso com tudo o que vem acontecendo. Não me disse nada específico sobre as suas idéias; o que ele sabe é que você está envolvido numa coisa que para ele não é certa e, mesmo que não passe de conversa, eu e você concordamos que ele tem razão, não é, Hans? Estou lhe pedindo, agora que ele está de fora, que, por favor, deixe-o em paz, sem tornar as coisas mais difíceis. Ele não representa nenhum risco para você e sabe como é duro para ele lhe dar as costas.

— E acha que não é difícil para mim? — Hans achou ter sentido na voz de Bátia que ela cedia e puxou a cadeira para mais perto. — Ver você e Ernst rejeitarem tudo aquilo que defendo? Vocês dois são os melhores amigos que já tive e as suas opiniões ainda são as únicas que realmente me importam. Se preferem pensar que o que estou fazendo não passa de um joguinho cruel, como isso poderia não me ferir? Não olhe assim para o outro lado, Bátia; não me transformei de repente num monstro só porque o meu jeito de lutar pelo que é certo é diferente do de vocês. Sim, acredito que os revolucionários têm de aprender a odiar e suspeito que a possibilidade de ter de sentir uma emoção tão ignóbil foi o que acabou levando Ernst a se opor a mim, além, é claro, do amor dele por você. Não imagino, nem por um instante, que Ernst seja medroso demais para matar, nas circunstâncias certas, é claro, mas para ele teria de ser feito com a adequada cerimônia. Já saí para caçar com ele. Não é a idéia de tirar uma vida que ele acha repugnante; é fazê-lo com ódio no coração, usando truques sujos e na companhia de gente de classe baixa que nunca travou um duelo nem aprendeu a montar em um cavalo arisco. E também não estou criticando Ernst. Pelo contrário, só estou repetindo o que ele mesmo praticamente admitiu: que apesar de toda a sua aversão à injustiça do nosso sistema, é aristocrata demais para não sentir aversão aos métodos necessários para derrubá-lo.

— Os métodos que *você* decidiu que são necessários — interrompeu Bátia. — Você está certo ao ver que não são os métodos dele; então, por que está tão surpreso com o seu afastamento?

— Não é uma questão de surpresa — continuou Hans. — Só quero esclarecer para mim mesmo o que a sua decisão e de Ernst diz sobre mim. Sobre aquilo em que acredito. Veja, Bátia, eu *sei* que vocês estão errados a meu respeito. Querem me ver como um fingidor que gosta de chapinhar em tramas sórdidas. Mas isso só torna mais fácil para vocês seguirem o seu próprio caminho de consciência limpa. Até onde vejo, nossas divergências na verdade se resumem a que você e Ernst preferiram valorizar mais a sua inocência que o bem-estar dos outros. Já caminhou pelo rio à noite e ouviu a voz das crianças fracas demais para mendigar, tossindo a plenos pulmões, sem comida nem remédios? É um som que a gente ouve e nunca mais esquece. Você e Ernst deviam ir vê-los com os próprios olhos, debaixo do cais de pedra, tentando manter acesa uma fogueirinha de jornais velhos ou amontoados defronte da Catedral na manhã de domingo, implorando caridade, pelo menos até que a polícia os expulse, para que não incomodem os bons fiéis que vão à missa. Bem, quando escuto essas crianças e vejo a angústia dos pais, arriscaria qualquer coisa para punir quem permite que tamanho sofrimento continue. Quero que os homens que nos governam sintam um pouco do mesmo medo e desamparo dessas famílias miseráveis que já quase deixamos de notar. É claro que os nossos benevolentes governantes não querem aliviar a situação; afinal de contas, beneficiam-se diretamente do sofrimento, porque isso mantém os salários baixos e os operários dóceis. Não consigo acreditar que alguém possa chamar a nós de terroristas e assassinos, e não ao governo. O que me intriga é como uma pessoa com vergonha na cara continua vivendo em paz num país que violenta tanto o seu próprio povo. Também não estou falando só deste inverno. Olhe em volta e verá que a maior parte da nossa população sofre de fome e medo todos os dias de sua vida. O ódio que você e Ernst rejeitam dá ao homem força de lutar. Eu odeio porque o que vejo à minha volta merece ser odiado, quer já esteja morrendo, quer não. Fomos criados para achar que os nossos governantes são seres superiores, quase deuses, com as suas carruagens elegantes e os seus guardas armados, e é claro que a idéia de resistência parece impensável. Mas quando se consegue mostrar ao povo que os Wiladowski e Zichy-Ferraris deste mundo são tão fracos e vulneráveis quanto todo mundo, que sentem o mesmo medo de morrer e fogem de um golpe com tanta rapidez quanto o camponês mais abjeto, isso pode lhe dar coragem de protestar da próxima vez que os salários forem reduzidos. Não me iludo a ponto de acreditar que o terror alteraria a política do governo, mas se convencer os trabalhadores de que não precisam se acovardar diante de quem usa farda ou colete, isso pode levá-los a mudar todo o seu modo de pensar no que é possível.

Hans parou para ver o efeito de suas palavras mas era impossível dizer, pela expressão de Bátia, o que ela pensava. Não fez menção de responder e ficou parada ali, olhando para a frente, ensimesmada. Ele teve certeza de que, com o seu silêncio, Bátia reprovava a fluência insistente dele mas, depois de ter chegado a este ponto, Hans não podia mais desistir antes de cansar os dois com seus argumentos. Começava a achar o som da própria voz exasperante. Mas a questão não era mais convencê-la.

— Veja — começou de novo —, é verdade que sempre pensei em mim mesmo como capaz de fazer diferença no mundo. Mas não vê que tudo sobre o que costumávamos conversar está se realizando? Que a sociedade está mudando mais depressa do que nunca, até aqui na Áustria? O que realmente me importa é ajudar a apressar essas mudanças e não a importância do papel que acabarei desempenhando. Sei que o caminho que escolhi fará de mim um indesejável para nossa chamada gente decente, mas nunca esperei ver você e Ernst fazendo parte dela. Tenho de aceitar o fato de que, mesmo que o nosso movimento tenha sucesso, os líderes que virão depois de mim terão de renegar o que fizemos; nenhum governo gosta de admitir o que deve àqueles que a história chama de fanáticos e sectários. Os sindicalistas amestrados de hoje, como Nathan Kaplansky, se horrorizam com quem tem as minhas crenças, mas foram necessárias décadas de revolucionários dispostos a desobedecer à lei para que o governo fosse forçado a legalizar até mesmo esta versão aguada de reforma social. Os escravos contentes são sempre os inimigos mais incansáveis da liberdade. Sem a ameaça da guerra de classes, ainda não teríamos direito de voto para ninguém exceto os nobres e, a menos que superemos a nossa aversão à violência, vai se passar mais meio século antes que as mulheres possam votar. Os atos que você acha tão desagradáveis demonstrarão que, se as classes dominantes continuarem a se recusar a tratar com reformistas moderados como Kaplansky, haverá cada vez mais revolucionários como eu dispostos a fazer com que paguem um preço terrível pela sua teimosia. Se algum dos senhores que falam de justiça social o dia todo no Parlamento conseguir formar um governo, será nas costas de homens e mulheres que não se incomodam de sujar as mãos fazendo o desprezível trabalho de bastidores. E quando se sentirem suficientemente seguros para nos descartar como uma escada de que não precisam mais, isso só vai mostrar como na verdade fomos indispensáveis.

A batida na porta foi tímida demais para ser a de um policial, mas reverberou pela sala como uma explosão. Hans e Bátia congelaram-se por um instante, como se tivessem sido interrompidos nalgum ato ilícito e, já que nenhum dos dois respondeu, a batida repetiu-se, um pouquinho mais insistente. Hans acabou puxando o relógio de bolso e, quando viu a hora, deu um gemido irritado.

— Um instante, Asher! — Sua voz subiu quase uma oitava inteira quando gritou bem alto para ser ouvido no corredor. — Espere um pouquinho, preciso terminar um negócio urgente. — Levantou os ombros como desculpa para Bátia e começou a explicar quem era o visitante, mas ela já estava vestindo o casaco e, com um gesto, rejeitou-lhe os comentários.

— Não, Hans, está tudo bem — disse-lhe, tranqüila. — Já passou da hora de eu voltar. Mamãe já deve estar preocupada. Não gosta que eu venha sozinha até este lado da cidade e não quero brigar com ela hoje. Não depois de um dia assim. — Tinha um leve sorriso ao dizer isso, mas seus olhos pareciam exaustos. — Além disso, é falta de educação deixar o seu convidado à espera, lá fora, no frio — continuou ela, andando lentamente na direção da porta. — Obrigada por ser tão franco. Gostaria de ter forças para responder a tudo o que você disse, mas não saberia como começar para que tivesse importância para você. Com certeza você não está interessado em contribuir com os víveres que trazemos para ajudar as famílias a passar mais uma noite — disse, mostrando-lhe a cesta vazia — e tenho de organizar uma nova coleta amanhã no clube.

Nisso ela alcançou a maçaneta da porta e, quando a abriu, o visitante de Hans, que devia estar apoiado nela, quase caiu dentro da sala. Por um instante Hans olhou os dois sem expressão; depois, recompôs-se e, com óbvia relutância, murmurou:

— *Fräulein* Demetz. *Herr* Blumenthal.

Mas Bátia já estendera a mão para o espantado contador e, depois de um rápido aperto de mãos, desceu rapidamente os degraus e saiu para a rua. Asher tentou demorar-se no patamar da escada para observar pelo maior tempo possível a sua silhueta que se afastava, mas Hans o puxou para dentro e trancou a porta atrás de si.

◆◆◆

Hans não via Asher desde o jantar no Metrópole e ficou surpreso ao reparar como a sua aparência piorara depois das festas de fim de ano. Blumenthal deixara crescer o cabelo cor de areia e, na tentativa de parecer mais meditativo, agora dividia-o ao meio. Mas a decisão só lhe estimulou o novo tique de ajeitar o cabelo com as mãos o tempo todo, dando-lhe a aparência de um homem que aperta os lados da cabeça em pânico. Os pés pareciam instáveis e os olhos estavam vermelhos de fadiga e excitação. A curiosidade de Asher sobre o apartamento era ainda mais clara que a de Bátia e, não contente em apenas olhar em volta, percorreu-o devagar, perscrutando-lhe o conteúdo e fazendo ruídos de aprovação sempre que encontrava um objeto visivelmente novo e caro.

Em geral, Hans acharia ofensiva a curiosidade de Asher, mas naquele momento lhe agradou por lhe dar a oportunidade de acalmar os nervos depois do fiasco com Bátia. Sentia-se igualmente frustrado e sem graça com o papel ambíguo que acabara de representar, sem saber até que ponto podia desculpar-se pela conversa com Bátia como se fosse uma encenação e até que ponto fora a expressão de uma necessidade incontrolável. Enquanto servisse para o que via como "necessidade política objetiva", representar um papel para atingir os seus fins era totalmente aceitável, ainda que o papel envolvesse uma demonstração espúria de carinho e ciúme. Mas era profundamente perturbador sentir que, longe de manipular a cena como um todo, deixara-se ser dominado por ela e que um despertar momentâneo do seu desejo por Bátia levara-o a toda uma série de tropeços indesculpáveis, culminando na quase confissão de que os seus planos incluíam homicídio político. A única coisa de que tinha certeza era que Ernst se tornara seu inimigo. No entanto, para ele não estava nem um pouco claro até que ponto isso seria uma ameaça. E agora, em vez de conseguir concentrar-se no que acabara de acontecer, tinha de se recompor para que nem Asher nem os outros membros da célula suspeitassem como se sentia abalado. Hans vira o fascínio com que Asher fitara Bátia e não havia dúvida sobre o que o contador pensava que estava acontecendo no apartamento antes da sua chegada. Deve ter reconhecido Bátia do Clube Mendelssohn, mas neste caso seria ótimo, já que só ajudaria a confirmar a fama de Hans de conquistador incorrigível. No mínimo, deu a Hans um meio rápido de sair de seu torvelinho interior e foi com a voz de um homem mundano levemente importunado que chamou Asher, que ainda não terminara a sua inspeção

— Não quero apressá-lo — disse, indicando uma cadeira perto da estante, o mais longe possível da outra que Bátia ocupara há pouco — e mais tarde posso ter o prazer de mostrar-lhe tudo. Mas as pessoas que quero que conheça chegarão em meia hora e é importante conversarmos antes. Desculpe a confusão na porta, mas estou feliz por você ser tão pontual.

Asher olhou para Hans com mais respeito do que demonstrara no Metrópole. Ficar esperando enquanto Hans terminava com uma mulher tão bonita já era bem emocionante e alimentou sua esperança de vir a usar o apartamento para o mesmo propósito. Uma frase que ouvira numa das tabernas da vizinhança de repente lhe veio à cabeça — "adoro as mulheres quentes, que copulam como baratas num sofá" — e sentiu-se corar de excitação com a possibilidade de poder falar assim das suas próprias experiências. Mas sabia que, para que isso acontecesse, teria de convencer Hans da sua utilidade, e a tensão de adivinhar o que poderia oferecer a um Rotenburg era uma tortura.

— Ser pontual é um dos meus reflexos profissionais — disse ele, buscando um tom que fosse ao mesmo tempo sério e atencioso. — A confiabilidade total é uma coisa da qual sempre me orgulhei. Mas, para começar, o que fez você mandar-me um bilhete para o meu trabalho? Não que eu tenha me incomodado. Na verdade, receber uma carta com o timbre dos Rotenburg aumentou muito a minha boa reputação com o chefe do setor.

— Ainda bem que lhe foi útil, mas na verdade eu não tinha muita opção nesse caso. — Hans ficou aliviado por Asher não ter feito menção direta à cena na escada e, pela primeira vez desde que vira Bátia na rua, sentiu-se no controle total da situação. — Tenho certeza de que você me deu seu endereço aquela noite no restaurante — continuou —, mas acho que o perdi quando ia para casa. Então, como de repente você parou de ir ao clube, eu não tinha como entrar em contato até terminarem os feriados do fim do ano e eu poder lhe mandar um recado no trabalho.

A excitação de Asher começava a superar a prudência que recomendara a si mesmo desde que recebera o convite de Hans, e viu-se incapaz de não interromper.

— Bem, se você me chamou para alguma coisa que tenha a ver com negócios, eu sou o homem certo. Posso ajeitar seus livros como você quiser e ninguém será capaz de provar nada. E se for para o seu pai, não vou cobrar muito. É uma honra trabalhar para um homem como ele.

— Temo que não. — Hans levantou os ombros com impaciência. — De qualquer modo, depois do que me contou durante o jantar achei que suas ambições visavam a uma direção totalmente diferente.

— Bem, enquanto isso eu ainda tenho de comer e pagar meu aluguel. É claro que adoraria trabalhar para o seu pai. Só chegar e dizer ao meu chefe que ele teria de encontrar outra pessoa para espezinhar porque Moritz Rotenburg me ofereceu um emprego valeria um mês de salário. Não acredito que você não tenha entendido depois de tudo o que lhe contei sobre a minha vida.

Asher teve a sensação nauseante de ver todas as suas esperanças postas de lado com displicência, pouco depois de parecerem à beira de se concretizar. Sua boca começou a ficar horrivelmente seca e ele começou a ajeitar o cabelo com mais freqüência. Enquanto tentava se convencer de que a idéia era ridícula, não conseguia parar de suspeitar que Hans o levara ali só para fazê-lo de idiota. Ao mesmo tempo, a tensão de manter o autocontrole ficou grande demais e, embora já soubesse como viria a se arrepender depois, havia algo indizivelmente delicioso em deixar-se levar na frente deste garoto mimado que ganhara tudo ao nascer.

— Minhas ambições? — Asher sentiu as palavras jorrarem dele como uma declaração vergonhosa. — Por que falar delas? Tem alguma idéia de como me senti depois do nosso jantar, esperando dia após dia, não, hora após hora que você entrasse em contato comigo? Ser obrigado a sentir-me como um inseto insignificante em relação a um homem em quem confiava, por quem sentia o início de uma verdadeira amizade? Sabe que fiquei tão humilhado que levei um tempo enorme para ousar mostrar meu rosto outra vez na cidade, onde tinha certeza que todos ririam de mim? O pobre inútil que se iludiu, pensando que poderia interessar a um rico *playboy*! E os nossos grandes sonhos? Não se lembra de como íamos conquistar juntos a Viena literária? Nem vou mencionar a esperança de que você me emprestaria este maravilhoso apartamento para que a minha senhoria não me envergonhasse o tempo todo na frente dos meus poucos amigos! Pense em como me senti ao vir correndo como um lacaio em resposta ao seu bilhete só para que eu pudesse me lembrar de como é o apartamento de um verdadeiro *gentleman* depois de ser mandado embora de um e ter de retroceder para o meu barraco.

Depois do primeiro encontro, Hans pensara estar preparado para qualquer coisa vinda de Asher, mas não para uma explosão como esta. Antes que pudesse pensar num jeito de acalmá-lo, Asher ficou de pé, o rosto completamente sem cor e titubeou na direção de Hans com a mão estendida.

— Ai, meus Deus, *Herr* Rotenburg, me desculpe. — Falava quase a chorar. — Não queria me deixar levar de forma tão vergonhosa. Na verdade, no caminho para cá jurei a mim mesmo uma dúzia de vezes que não perderia o controle. Uma atitude estritamente profissional, era assim que eu ia me apresentar, acontecesse o que acontecesse. Cheguei a parar numa taberna e tomei uma dose dupla de *brandy* para firmar os nervos. Foi a primeira vez que entrei num lugar daqueles durante o dia, juro! E agora vejo que é exatamente por isso que estou falando assim, sem conseguir me controlar. É aquele maldito álcool. Meu Deus, por que resolvi beber? Por que tudo sempre tem de acabar numa confusão tão irremediável?

Com tanta rapidez quanto se levantara, Asher baixou os braços, caiu de volta na cadeira e continuou, com voz melancólica e resignada.

— Mas não sou o único culpado aqui. Com certeza você vai admitir que parte da razão do meu sofrimento é a maneira impiedosa como me tratou. Tratou sim. E não é justo que fique sentado aí olhando para longe com essa expressão embaraçada. Sei que estou suando demais. Eu mesmo posso sentir e cheirar, mas isso só me deixa ainda pior. Se preferir, estou disposto a ir embora agora mesmo e nunca mais lhe mostrar a minha cara. É só dizer o que você quer de mim.

Longe de se sentir perturbado, Hans ficou aliviado com a confissão de Asher de que bebera. Dava-lhe uma desculpa para ignorar o discurso.

— Para lhe dizer a verdade, Asher — disse ele —, tomar uma dose dupla de *brandy* bem agora parece-me uma ótima idéia. Tenho certeza de que o único problema foi que lhe serviram alguma coisa horrível naquela taberna e é por isso que não está se sentindo bem. Minha receita é corrigir este erro com uma marca bebível! — Hans foi até o bar e sentiu-se aliviado ao ver que Herr Lászny equipara-o com tudo o que era necessário. Pegou uma garrafa e copos e levou-os até seu hóspede. — Pronto, Asher, deixe-me servir um copo de alguma coisa que limpará as nossas idéias. Vamos esquecer todo o mal-entendido e nos concentrar em nossos interesses comuns. Como pode ver, lembro-me de que você gostou dos meus cigarros no restaurante e trouxe alguns especialmente para sua visita. Sirva-se do maço aí na mesa.

Asher fez que sim com a cabeça mas estava claramente se sentindo pior. Pediu desculpas e foi procurar o banheiro, de onde saiu, depois de algum tempo que a Hans pareceu interminável, parecendo mais nauseado do que nunca. Quando finalmente voltou a sentar-se, viu Hans pegar uma pilha de papéis na gaveta da escrivaninha e convidá-lo a examiná-los.

— Claro, com prazer — respondeu Asher. — Só me deixe pegar um desses cigarros primeiro, para acabar de acalmar meu estômago. — Acendeu um fósforo, inalou profundamente algumas vezes e então, engolindo rapidamente também o *brandy*, continuou. — Ah, assim é melhor. Isso restaura mesmo o bom humor de alguém. Desculpe se aquele purgante me tirou do sério. Sabe como é. Bem, acho que pelo menos em teoria. Eu devia denunciar à polícia o dono da taberna. Aposto que nunca pagou os impostos de circulação sobre aquele barril de veneno fermentado. Mas, sim, obrigado, estou bem melhor agora. Vamos dar uma olhada melhor nesses documentos.

No instante em que os olhos de Asher caíram sobre as folhas, ele soltou um urro, como se alguém tivesse lhe dado um tapa na cara.

— Você fez o quê? — gritou. — Sem nem me perguntar? E Alexander já lhe respondeu? Deixe-me ver isso direito. — Agarrou a primeira folha sobre a mesa e levantou-a contra a luz, como se testasse uma nota falsa.

— Não entendo por que você está tão chocado. — Hans determinou-se a ficar calmo e a não contribuir para a cena que Asher estava ansioso para provocar. — Achei que ficaria contente por eu ter levado tão a sério a sua sugestão. Tenho certeza de que o próprio Garber já lhe escreveu explicando tudo em detalhes, só que você sabe como o correio fica lento nos feriados.

— Posso notar que as suas cartas chegaram ao seu destino sem demora. — Asher passara do ultraje vociferante a um lamento soturno. — E é óbvio que você não teve problema algum para lembrar-se do endereço de Alexander em Viena, embora não conseguisse mandar nem um bilhetinho para a minha casa nas festas de fim de ano.

— Na verdade — disse Hans —, mandei que um dos nossos representantes comerciais de Viena remetesse a carta de Garber por um portador particular e, se você se recorda, você mesmo fez questão de que eu escrevesse o endereço do seu amigo.

— É mesmo? — Asher parecia duvidar. — Não me lembro disso. Mas, *Herr* Rotenburg, para mim é importante saber se o seu pai está envolvido ou não nisso tudo. É algum esquema do mercado de ações? Mas, aí, para que se incomodar com uma revista de arte tão insignificante? Não faria mais sentido para ele comprar uma participação num dos grandes jornais diários? Estou mais confuso do que nunca. Você não pode me explicar como tudo isso se encaixa?

— Veja, Blumenthal — Hans começara a conferir o relógio toda hora —, o tempo está mesmo se esgotando e não quero que nada dessa nossa, digamos, conversa estranhamente intensa atrapalhe a reunião que marquei.

Com isso, o rosto de Asher brilhou de entendimento e ele pareceu muito contente consigo mesmo por ter entendido o verdadeiro motivo da preocupação de Hans.

— Então os outros são todos góis — soltou. — É por isso que você está querendo que eu cause boa impressão. Agora entendo. Serei perfeitamente discreto, não precisa se preocupar. Esquece que trabalho com eles o dia todo. Por favor, continue. Não há como eu possa embaraçá-lo na frente de seus amigos gentios.

— O que tem a religião deles a ver com isso? — respondeu Hans, incapaz de continuar ocultando a irritação em sua voz. — Não é nada disso que quero dizer. Simplesmente não quero que você fique tão agitado outra vez, ainda mais entre pessoas desconhecidas.

Mas de repente Asher era só negócios. Observou cada uma das páginas sobre a mesa, murmurando consigo mesmo o tempo todo enquanto lia e só quando terminou olhou para Hans e disse:

— Vejo que Alexander conseguiu lhe dar uma descrição bem detalhada do balanço de *A Nova Ordem*. Não sei como conseguiu fazer isso tão depressa mas, se estes números são exatos, é óbvio que a revista tem muito pouco tempo para atrair capital novo antes que seja obrigada a falir. Aposto que, se os colegas de Alexander souberem que anda distribuindo informações assim, não ficarão muito contentes com ele. Então, quer que eu examine esses números com você agora? Decidiu mesmo tomar a revista com Alexander e comigo? É sobre isso toda a reunião?

— Sim e não — respondeu Hans. — Vou tratar disso agora. A revista de Garber não é a única razão para nos reunirmos esta noite e planejo só falar sobre ela se o clima for adequado. Tente ser paciente e lhe darei as informações mais completas que puder.

Neste momento os dois ouviram a pesada porta da rua se abrir lá embaixo seguida pelo som abafado de vozes masculinas na escada. Hans ficou visivelmente irritado por ser interrompido.

— Droga — deixou escapar. — Eis a barulheira das botas de Christoph nos degraus. Vive marchando como se estivesse numa parada. Vão bater à porta daqui a um segundo. Por favor, Blumenthal, mesmo se o que eu disser lhe parecer estranho, tenha paciência. Se tiver alguma sugestão ou não concordar com a maneira como explico determinados detalhes, pode falar depois que estivermos sozinhos outra vez, mas não na frente dos outros. Está bem?

— Claro, meu caro Rotenburg. Não se preocupe. Já prometi não embaraçá-lo na frente de seus amigos importantes, não foi? Vamos, abra a porta e não fique ansioso por minha causa. Vou provar mais um pouquinho deste *brandy* fantástico e me preparar para conhecer seus convidados.

◆◆◆

Por pior que tivesse sido o dia de Hans até então, a reunião com os outros conspiradores logo deteriorou para coisa ainda pior. Quando chegaram à porta, Christoph, Joachim e Manfred estavam vindo direto da casa dos von Arnstein na cidade, onde Leo estava de cama, gripado. Sem estarem todos presentes, havia pouca coisa que pudessem decidir. Hans não tentou disfarçar a sua frustração e, embora tentasse ao máximo avançar com a discussão, logo ficou claro que a distribuição de tarefas específicas teria de esperar.

No dia seguinte, os amigos voltaram para contar a Leo o que acontecera. Ele já se sentia melhor e recebeu-os numa salinha ao lado do quarto. Embora já fosse quase meio-dia, Leo ainda estava de pijama e enrolado num volumoso roupão de seda vermelha, levemente esgarçado nos punhos. Em vez de chá ou café, tomava uma grande xícara de chocolate quente, na qual mergulhava um pão doce fresquinho. Até para os amigos, Leo mais parecia um cadete passando em casa a folga de fim de ano do que um revolucionário político, e sentiram-se aliviados porque Hans não estava ali para vê-lo. Mal podiam esperar para descrever o que acontecera no apartamento do bairro Josef e recusaram a oferta de Leo de comer ou beber alguma coisa. Christoph começou contando como agora o lugar estava confortável e como Hans conseguira deixá-lo quente o bastante para que tirassem os casacos.

— Mas aí — disse —, enquanto nos acomodávamos, Hans anunciou que tinha alguém novo para apresentar ao grupo. Ficamos todos surpresos, mas antes que disséssemos qualquer coisa ele arrastou da cozinha ou do quarto, não sei direito, aquele homem vestido com roupas inacreditáveis, que nos fitou por um tempo enorme com uma expressão completamente vazia no rosto, sem dizer absolutamente nada. Sua testa logo se cobriu de suor e, como ele não parecia capaz de mover-se para enxugá-lo, o suor continuou a escorrer-lhe pelo rosto enquanto todos nós o observávamos com fascínio horrorizado. A coisa toda estava começando a ficar muito embaraçosa, como numa peça em que o ator esquece o texto e fica lá parado, perdido, e todo mundo na platéia se contorce por dentro com pena do pobre coitado. Mais um segundo disso parecia insuportável e bem na hora em que me decidi a começar a falar sobre qualquer coisa para aliviar a situação, o rosto dele se rompeu num sorriso pavoroso e começou a falar conosco com uma rapidez sobrehumana. Só queria conseguir imitar sua voz direito.

"'Ah, vejo que já chegaram. Excelente, senhores, excelente. Está mesmo congelando lá fora, ainda mais quando o casaco já está um pouco velho. Não que alguém fosse pensar uma coisa dessas sobre seus lindos casacos, senhores, de jeito nenhum; qualquer um pode dizer imediatamente que são da mais alta qualidade, dou-lhes a minha palavra. Que maravilha que os senhores já se puseram à vontade. Estamos felicíssimos por terem vindo hoje, Rotenburg e eu. Quero dizer, *Herr* Rotenburg e eu. *Herr* Rotenburg filho, é claro, não *Herr* Moritz Rotenburg. Mas os senhores já sabem disso, que coisa absurda da minha parte dizer-lhes isso quando ele está bem aqui em pessoa. Sim, tirem os casacos e não se incomodem em secar as botas. Não há por que se preocupar em manchar o carpete, podem entrar direto, para nós é uma honra recebê-los. Pelo menos, com certeza para mim é. Para ele também, tenho certeza, espero não estar sendo indelicado, só que ele está mais acostumado a isso do que eu. E o conhaque, senhores, o conhaque, posso lhes garantir, é irrepreensível nesta casa. Os senhores não vão passar mal em casa esta noite, posso lhes dar a minha palavra. Estou ansioso para nos conhecermos melhor e termos uma conversa longa e amigável. É maravilhoso estar entre amigos, não é?'

"E aí ele desmoronou numa cadeira, mas errou, e em vez disso caiu no chão. Houve um silêncio assustador e o som seguinte que ouvimos foi o estranho convidado de Hans produzir toda uma série de barulhos que achamos ser um riso mas que também poderiam ser gemidos. E tive de dar crédito a Hans, que estava parado ali, totalmente branco e rígido durante esta cena, mas fora isso insondável e sem fazer nenhum esforço para interferir. Mas assim que o pobre homem pareceu suficientemente calmo, Hans ajudou a levá-lo em segurança até o banheiro e depois para o quartinho nos fundos do apartamento. É aí que ele deve ter dormido até passar o estupor, pelo resto da noite, porque com certeza não se apresentou mais a nós.

Nisso Leo já dava gargalhadas e respingava gotas de chocolate quente e migalhas de pão encharcadas em seu roupão.

— Você está inventando isso, Christoph — disse ele —, para me ajudar a sentir-me melhor. Mas lhe garanto, estou completamente curado e pronto para trabalhar a sério.

— Não, aconteceu mesmo mais ou menos do jeito que descrevi — disse Christoph, pedindo apoio a Joachim e Manfred com os olhos. Ambos concordaram vigorosamente com a cabeça ao mesmo tempo e Christoph continuou. — Mas Hans tinha mais surpresas para nós, Leo. Temos de admirar o seu autocontrole. Quando voltou a estar conosco, não houve nem sinal de desculpas por submeter todos nós a um espetáculo tão bizarro. No máximo, parecia mais sério do que nunca. Embora parecesse meio estranho tomar um *brandy* depois do que acabáramos de assistir, todos estavam com vontade de beber alguma coisa e, depois de alguns minutos para tomar conhecimento dos detalhes e fofocas, Hans começou a nos contar que o homem que tínhamos conhecido, que ele descreveu como muito nervoso e um tanto dado à histeria, coisa que acho que todos nós já tínhamos percebido por conta própria a este ponto, era, basicamente, muito astuto e constituía "material revolucionário" de primeira classe, o que, em definitivo, não seria a descrição capaz de surgir na mente de ninguém. Parece até que Hans decidiu contratá lo como um tipo de assistente pago, contador e mensageiro do grupo

— Esse camarada tem nome? — perguntou Leo.

— Asher Blumenthal, acho — respondeu Christoph. — Parecia estar mesmo no leito de morte no pouco tempo em que tive o prazer de vê-lo, e assim seria difícil avaliar sua idade, mas Hans disse que só tem cinco ou seis anos a mais que nós. Trabalha desde os 17 anos e é claro que isso só conta a seu favor. Suponho que se este tal Blumenthal estivesse sóbrio, Hans poderia nos dar um quadro mais completo, mas até agora o que entendi é que Hans quer usá-lo para assumir uma revista literária falida de Viena que poderemos transformar num órgão de propaganda. Como nenhum de nós tem a menor idéia de como se administra uma publicação, suponho que faz sentido usar uma que já esteja funcionando, se pudermos continuar a usar parte da sua equipe. De qualquer modo, isso é apenas parte da suposta utilidade de Blumenthal para nós.

— E qual é a outra parte? — O riso de Leo fora substituído por alguma coisa parecida com fascínio.

— A única coisa que Hans se dispôs a nos contar na hora — concluiu Christoph — foi que este homem tem um tipo raro de ódio que evidentemente falta a todos nós. Ele vê na histeria de Blumenthal um potencial de violência que parece impressioná-lo demais. Parece que acredita que pode desviá-lo dos lamentos puramente pessoais e concentrá-lo em alvos políticos. Com efeito, tive a impressão de que quanto mais degradado Blumenthal parecia ficar mais Hans se convencia de que encontrara o homem certo para o nosso propósito

◆◆◆

Sexta-feira, 17 de janeiro de 1913

Caro Alexander,

Quando receber esta, tenho certeza de que há muito já terá ouvido falar do fiasco no apartamento de Rotenburg. Dada a rapidez com que vocês dois parecem estar em contato esses dias, tenho quase a sensação de que você estava lá para testemunhar em pessoa a minha desgraça. Parece que a única coisa de que não tenho certeza é qual o tom do seu repertório limitado que Rotenburg usou para lhe contar a história. Foi o ar divertido e tolerante de "homem do mundo", que parece que ele adora usar sempre que passa algumas horas com seus amigos aristocratas? Por mim, acho-o o mais insuportável de todos, essa imitação da pose de um gói freqüentador de clubes exclusivos, como se a camaradagem dos internatos e dos quartéis fosse coisa que valesse a pena imitar. Mas posso imaginar que ele ache irresistível este tom numa carta a alguém que ele imagina vivendo no mundo da cultura vienense sofisticada, alguém, espero que você não se incomode com a lembrança, de quem só ouviu falar por meu intermédio.

 Assim, você foi lisonjeado com a história de uma desventura um pouco esquisita mas no fundo cômica, na qual o pobre e ridículo Asher Blumenthal quase arruinou uma noite perfeitamente civilizada com o seu comportamento ridículo, só para ser impedido de fazê-lo pela paciência bem-humorada de um grupo dos rapazes mais finos que se possa imaginar? Ou Hans pelo menos admitiu que estava exasperado e quase enraivecido com o meu vergonhoso desempenho e que, depois que todo mundo foi embora, ralhou comigo durante o que pareceram ser várias horas, embora eu estivesse mal demais para entender a maior parte? Vê-lo perder o autocontrole daquele jeito quase redimiu o meu dia mas, considerando a paga que provavelmente vou perder por ter passado a semana toda de cama, é provável que seja um prazer caro demais para alguém nas minhas condições.

 Se você não fosse o meu amigo mais antigo, nunca poderia lhe contar isso, mas sabe o que não consigo tirar dos ouvidos? Não é a descompostura pomposa de Rotenburg, com certeza! Não, é a lembrança daqueles gemidos assustados, aqueles sons interiores horríveis que saíram de mim naquele quartinho miserável dos fundos, enquanto todos continuavam conversando e se divertindo alegremente. Não pode haver nada tão repelente quanto ser obrigado a ouvir como na verdade são sórdidos os barulhos produzidos pelo nosso próprio sofrimento físico. Lembro-me que, quando eu era pequeno e os médicos acharam que eu podia estar tuberculoso, meus pais pegaram dinheiro emprestado para me mandar para as montanhas por duas semanas. Sabia o que isso significava para eles e estava decidido a passar o dia todo sem fazer nada a não ser concentrar-me em respirar o máximo possível do ar da montanha para dentro e para fora dos meus pulmões, tomando o cuidado de fazê-lo exatamente do jeito que o médico mandara: entrando pelo nariz, saindo pela boca, exatamente no mesmo ritmo regular o dia todo. Era um exercício de enlouquecer e no final da primeira hora achei que ia ficar maluco com a tensão de me concentrar tanto. Naquela noite, contudo, quando estava na cama, senti que começava aos poucos a sufocar de novo. Não aconteceu de uma vez só. No começo só percebi que estava com dificuldade para adormecer. Então notei que, em vez das inspirações profundas que me tinham mandado fazer, estava ofegando de forma cada vez mais superficial e rápida, tentando, do jeito que fosse possível, compensar a falta do ar que me chegava aos pulmões. Estava completamente banhado de suor, o que ainda me acontece sempre que fico gravemente enfermo, e tinha certeza de que, a qualquer momento, desmaiaria e nunca mais acordaria. Imagine que está se afogando, só que, em vez de ser na água, a gente se afoga no ar, e nada que faça adianta, porque não há outro elemento para onde ir. Bem, naquela noite, entre os sons dos meus arquejos, ouvi-me de repente gemendo como um bicho ferido e assustado. Foi um som que achei que nunca ouviria de novo, e não ouvi mesmo até uma semana atrás.

É claro que em poucos dias me aclimatei na altitude e no ar da montanha e voltei a poder dormir. Quando retornei à cidade, um médico diferente — você se lembra dele, o judeu que costumava nos examinar de graça na escola de vez em quando — me disse que nunca fui tuberculoso e que meus pais desperdiçaram dinheiro no tratamento.

Mas no que diz respeito à noite na casa de Rotenburg, agora, enquanto lhe escrevo, me ocorre que eu também poderia estar tropeçando pelo palco numa das suas peças ainda não encenadas, o bufão bêbado caindo vergonhosamente na frente dos nobres de sangue azul da cidade. E o fato de que o bufão é judeu pode dar aquele toque final e picante de exotismo que os críticos parecem aplaudir hoje em dia. Jogando contra o estereótipo, você poderia dizer: um semita que sabota seus próprios interesses pecuniários porque está nas garras de um vício degradante. Pelo menos ninguém poderia acusar o autor de ter feito o seu judeu esperto e calculista demais. Mas é claro que nada disso faz sentido e é provável que você ache que a minha ignomínia não vale sequer um interlúdio momentâneo numa opereta cômica, que dirá numa de suas peças satíricas. Embora eu tema que, se você seguir os planos de Hans para todos nós, talvez não tenha mais tempo suficiente para escrever de verdade, e não consigo pensar em perda mais trágica para a literatura austríaca.

Sabe, Alexander, se eu estivesse realmente bêbado, de forma selvagem e extravagante, não pareceria tão vergonhoso. Hoje em dia é muito menos embaraçoso passar vexame por causa do álcool do que por estar gravemente enfermo. Todos achamos que o rufião louro que exige mais champanhe e insulta todo mundo é, na verdade, bem vigoroso quando comparado com o pobre zé-ninguém que queima de febre e não sabe mais o que está dizendo. É claro que não estou acostumado a brandy no meio da tarde! Onde, em toda a minha vida, eu poderia adquirir tolerância a isso? Gostaria que você me dissesse. Conhecendo-o como conheço agora, estou certo de que Hans lhe contou que parei num *har, no caminho para encontrá-lo, e depois tomei mais algumas doses enquanto esperávamos pelos outros. Mas será que ele se deu ao trabalho de mencionar que o médico que acabou chamando, quando ficou claro que eu não conseguia ficar de pé sozinho e muito menos andar até em casa, diagnosticou um parasita debilitante na minha barriga? Devo tê-lo contraído num dos restaurantes gordurosos perto do meu apartamento, onde passei a comer ultimamente para poupar um dinheirinho. Seja como for, segundo este médico, que deve ser razoavelmente competente já que o seu nome estava na agenda de Rotenburg, parece que o veneno que este bicho segrega, seja ele qual for, fica muitas vezes mais tóxico quando interage até com um volume modesto de álcool, e que o meu organismo todo já estava entrando em choque na hora em que cheguei ao apartamento. Assim, quando Hans insistiu para que eu bebesse mais com ele, na verdade estava me envenenando, embora provavelmente, para dar-lhe o benefício da dúvida, com bastante inocência. Mas a verdade é que, assim que viu o meu estado, devia ter-me mandado deitar e chamado aquele médico imediatamente, e não continuar falando sobre os seus planos fantásticos e oferecendo bebida a um homem que se aproximava do colapso físico. Mas o nosso generoso patrono estava tão envolvido com seus estratagemas que acho que não notou como eu estava me sentindo até que o meu ataque o envergonhou na frente dos seus importantes convidados.*

Aliás, seja qual for o elevado propósito que Hans diz ter em mente isso não impede que passe a maior parte do tempo atrás das mulheres. Doente como eu já estava, fiquei esperando um tempo enorme na escada gelada até que ele e uma de suas namoradas terminassem sua sessãozinha no meio da tarde e se vestissem. Como ela também é judia e o seu pai é um dos dependentes de Moritz Rotenburg, deve ser um alvo especialmente fácil. Não estou lhe dizendo isso tudo para contrabalançar a impressão que Hans pode ter-lhe passado de mim.

Sei que somos amigos há bastante tempo e que você não vai dar atenção a fofocas sobre mim, mesmo que venham de Hans Rotenburg ou de alguém daqui. Na verdade, preocupo-me muito mais com sua própria posição, principalmente porque na verdade você não sabe como as coisas estão se configurando. Você pode estar entrando numa situação mais complicada do que parece. Por exemplo, sabia que Hans ia me mostrar todos os balanços financeiros dos déficits de A Nova Ordem que você lhe mandou? Imagine se alguém mais soubesse que você estava fornecendo informações confidenciais como essas a alguém interessado em tomar a revista. Nem preciso lhe dizer o que isso faria com sua reputação! Conseqüências assim jamais ocorreriam a Hans, a quem falta a imaginação necessária para perceber como o mundo pode ser precário para quem não nasceu com as condições de vida dele. Sei tudo sobre seu famoso senso de "justiça social". Acredite-me, Alexander, tive de ouvi-lo dar aulas sobre a natureza da "escravidão salarial" e da "exploração de classe", com freqüência suficiente para admitir que ele é um verdadeiro Salomão nesses assuntos, embora, considerando que aprendeu as leis da acumulação de capital na corte do pai, talvez Absalão fosse uma comparação melhor. O que não consigo entender é por que, para começar, ele se convenceu de que todo esse blablablá revolucionário deveria ter importância para ele. Até onde posso dizer, ele não dá a mínima importância aos outros. Além disso, parece totalmente vazio de interesse por idéias mais elevadas e também não tem nenhum senso de humor. Estou perdido, sem saber o que mais posso lhe oferecer. Para um garoto rico que não tem mais o que fazer, ser problemático pode lhe apimentar a fama, mas não ajuda nem a mim nem a você. O que me irrita mesmo é que ele também não tem a menor vergonha de ser rico; na verdade, é óbvio que aprecia todas as vantagens da sua posição e é totalmente impiedoso na hora de exigir estas vantagens, sempre que acha necessário. É como no caso da sua revista, por exemplo. É irritante pensar que nós fomos colocados na Terra para que os nossos problemas possam constituir uma atividade de lazer para os filhos dos ricos.

Não é só a falta de cuidado de Hans ao divulgar os documentos que você lhe mandou que me deixa tão nervoso. Acontece que acredito em você como escritor e acho que é talentoso demais para sacrificar seus dons a serviço das ambições de Hans Rotenburg. E acredite-me, Alexander, é isso o que você vai fazer assim que a revista estiver sob o controle dele. Ainda não recebi uma resposta clara sobre o que ele realmente pretende com A Nova Ordem, *mas não tem nada a ver com o amor pela literatura, disso não há dúvida! Ele me disse várias vezes que não tem interesse no que chama de boa escrita e não vejo como você poderia ser empregado de alguém assim e ainda criar as obras que sei que você é capaz de criar. O que mais me incomoda nisso tudo é que eu lhe falei sobre você e a revista só para te dar a liberdade de que precisa para escrever. Queria que Rotenburg me levasse a Viena para eu cuidar dos negócios da revista, de modo que você pudesse finalmente se concentrar inteiramente em sua arte, e agora parece que tudo o que fiz foi atrapalhar a sua posição atual. Toda essa confusão é culpa minha, Alexander. Admito isso sem reservas e só espero que você possa perdoar o meu erro de avaliação.*

Tenho certeza de que você ficou tentado com a idéia de trabalhar com gente como Rotenburg e os aristocratas que o cercam. O céu é testemunha, senti uma certa emoção quando comecei a me relacionar com eles, mas acredite-me, pessoalmente não são nada inspiradores. Entre outras coisas, o seu desdém nunca os abandona, nem por um momento, e quanto mais acham que estão sendo cuidadosos com os sentimentos dos outros, mais paternalistas e superiores ficam. Quer saber como Hans me ofereceu um emprego quando finalmente me procurou onde moro para ver se eu já estava recuperado do envenenamento? Bem, ele disse que o seu grupo de discussões políticas apreciaria a contribuição das minhas idéias e pontos de vista, ainda mais porque, como ele disse com toda a educação, nenhum dos membros atuais teve muita experiência direta com os problemas da pequena burguesia urbana instruída. Neste ponto tive uma cólica de estômago violenta, mas tenho certeza de que ele entendeu o meu gemido como sinal de como me sentia lisonjeado com sua oferta. Da sua última visita você se lembra como o meu quarto é horrível, e assim não preciso lhe dizer como é tentar sobreviver ali durante o inverno mais frio das últimas décadas. Tenho certeza de que Hans nunca entrara num lugar tão miserável. Não sei se já viera preparado para me oferecer dinheiro ou se a visão de como a "pequena burguesia urbana instruída" realmente vive lhe deu a idéia, mas se eu já não estivesse tão fraco acho que teria desmaiado de rir com a maneira como ele se explicou.

É raro que se consiga ouvir com tanta clareza as tensões internas nas palavras de um rico acostumado a comprar e a vender gente como se fosse uma mercadoria qualquer, quando ele também está tentando parecer um aliado simpático nas lutas da vida. Como conhecedor dos tipos humanos, tenho certeza de que você vai apreciar toda a situação e, se o meu delírio for um tema muito mesquinho para alguma de suas peças, talvez a ceninha de recrutamento de Hans seja mais promissora. Logo depois de deixar claríssimo que eu seria principalmente um tipo de secretário e subordinado geral do seu grupo, Hans me garantiu:

— Sei como você é ocupado e, como todo esse trabalho vai lhe tomar o tempo de que você precisa para outras atividades e, claro, como somos todos iguais no grupo, não há como a organização fazer um pagamento direto a você como tal, mas em reconhecimento por todo o tempo extra que você vai ter de investir, espero que não se importe se eu ajudar a compensá-lo pelas perdas que terá com a sua dedicação.

Não tenho o seu ouvido para os diálogos, Alexander, e posso ter registrado errado algumas frases, mas essas foram as palavras reais de Hans, até onde consigo recordá-las. Dá para acreditar? Eu, me ofender com a oferta de dinheiro de um Rotenburg! Agora me diga, quem é o bêbado: Hans, que fez discursos tão absurdos, ou eu, deitado ali, tentando não parecer convencido demais enquanto calculava o lucro que todos os meus preparativos iam finalmente me trazer? Mas também estou começando a ficar em dúvida com toda essa conversa sobre um "grupo" e uma "organização". Já que é óbvio que todo o meu salário será pago diretamente por Hans, por que fingir que há alguém mais envolvido? Quando Hans lhe escreveu, ele mencionou mais alguém ou procurou você em seu próprio nome? Está claro que os zés-ninguém que ele convidou para ir ao seu apartamento naquele dia não entram a sério nos seus cálculos e o meu próprio palpite é que quer usá-los como fantoches, melhor ainda se góis, para ocultar a sua verdadeira intenção. Nalgum ponto por trás disso tudo percebo a velha raposa em pessoa. Tenho certeza de que Moritz decidiu trabalhar por intermédio do filho, que estará trabalhando por intermédio de contratados como eu e um punhado de esnobes cujos hábitos dissolutos provavelmente os transformaram em seus devedores. Subterfúgios dentro de subterfúgios — meu Deus, como admiro este homem! Se o filho tivesse metade da sutileza do pai, eu consideraria um privilégio ser usado por ele. Se você pudesse me contar exatamente o que Hans lhe perguntou sobre a revista, talvez eu consiga imaginar atrás do quê ele está. Para mim, só cuspiu uma conversa livresca sobre a luta de classes e como eu deveria ver que o meu inimigo é o sistema econômico como um todo, não o imbecil do chefe de seção que me insulta todo dia e me impede de subir na empresa. Gostaria de vê-lo trabalhando durante uma semana para um porco como Galatowski e depois falar com tanta frieza sobre como "o sistema econômico como um todo" é que é podre, não um indivíduo específico. Mas é claro que não acredito numa palavra de todo esse blablablá revolucionário. Se um Rotenburg está envolvido, aposto minha vida que nalgum lugar isso vai lhe dar dinheiro. Agora mesmo o meu instinto me diz que ele quer encorajar encrenqueiros para baixar as ações das nossas grandes empresas. Então, poderá comprá-las por alguns tostões e, assim que a polícia der cabo dos pobres idiotas que lhe deram atenção, as ações das empresas vão subir e ele terá obtido mais um lucro colossal. A este respeito, aliás, quando Hans finalmente foi mais específico comigo, a quantia que mencionou por "todo o tempo extra que você vai ter de investir" era muito menor do que eu estava esperando. Mas agora já aprendi que não adianta tentar tirar dele mais do que está disposto a pagar, e devo dizer que não posso evitar admirá-lo por isso. Espero que tenha mais sucesso com ele do que eu no departamento financeiro, caso volte para cá para trabalhar para ele.

Esta é a parte que mais me intriga. Se ele quer usar a revista para encorajar os radicais e os fura-greves, acho que Viena seria um lugar melhor do que a província. Mas é provável que o pai queira separar as atividades na Bolsa de Viena de toda e qualquer conexão com o conteúdo da publicação, caso se descubra que o filho é que é o dono. Estou supondo, claro, que ele lhe contou a sua intenção de transferir a revista inteirinha para cá, com gráfica e tudo, mudar-lhe o nome e deixar você administrá-la para ele. Mas seguindo estritamente a linha que ele acha que vale a pena. Pode imaginar como fiquei contente com a possibilidade de estarmos juntos outra vez e nos vermos todos os dias, mas não posso deixar de desejar que pudéssemos fazer isso em Viena e não aqui, e com certeza não apenas para enriquecer ainda mais os Rotenburg. Mas talvez eu esteja sendo apressado demais ao implorar-lhe que recuse a oferta de Hans. Afinal de contas, sei tão pouco sobre o que ele lhe prometeu, quais são as suas alternativas se a revista falir e ele não intervir, o que você acha de sair de Viena etc. etc. Mas, Alexander, de quem é a culpa? Se você me mantivesse informado desde o princípio, em vez de só escrever a Hans, eu teria uma imagem mais clara da situação toda e, juntos, conseguiríamos imaginar uma estratégia sensata para lidar com ela. Mas isso tudo é passado, meu velho amigo, e não é tarde demais para tentar aproveitar ao máximo as nossas oportunidades. No entanto, temos de ser espertos e não cometer mais erros. Assim, escreva-me depressa e com o máximo possível de detalhes sobre tudo o que Hans ou qualquer um dos seus agentes andou lhe contando. E, principalmente, mande-me uma cópia de tudo o que ele lhe escrever, porque isso pode nos ajudar em termos legais se as coisas não andarem bem. Enquanto isso, lembre-se de que a única questão realmente importante em todas essas maquinações entediantes é garantir o seu futuro como escritor. O destacado homem de letras judeu da Áustria. É assim que o vejo e é por isso que farei todo o possível para ajudá-lo a concretizar seu destino.

Seu devotado amigo,
Asher

◆ ◆ ◆

Embora o conde-governador tivesse garantido que os seus policiais conheciam cada detalhe dos movimentos do jovem Rotenburg, eles nunca conseguiram descobrir o que fora dito durante o encontro de Hans e Elisabeth Demetz. Os agentes que Tausk pusera do lado de fora do prédio onde ficava o apartamento de Hans só registraram a hora da chegada e da partida de Bátia e, conseqüentemente, nunca ocorreu a ninguém que a conversa entre os ex-amantes poderia acrescentar um ponto de vista útil às especulações da meia-noite entre Tausk e o conde na biblioteca do Castelo. De qualquer modo, Wiladowski estava tão acostumado a só examinar os problemas pela sua influência na alta política que seria incapaz de ver a pertinência de uma discussão entre dois jovens para os seus próprios interesses, a menos, é claro, que pertencessem a alguma das famílias que governavam o império. Mas, como Marie-Luise poderia ter dito ao marido, caso ele mostrasse a menor tendência de consultá-la sobre o que quer que fosse, além do cardápio das recepções oficiais, é por meio da diplomacia íntima do quarto de dormir e do quarto das crianças, quer seja como crianças a enfrentar o mundo e a vontade dos pais, quer seja pouco depois, como adolescentes a se aventurar nas tentativas iniciais de aliança e rejeição do desejo sexual, que aprendemos que a primeira prerrogativa do poder é surpreender aqueles sobre os quais é exercido. É sempre à música inesperada que reagimos com os passos mais engenhosos, e a capacidade de espantar é um dom tão poderoso no quarto de dormir quanto no campo de batalha ou na mesa de negociações.

Se tal descrição fosse apresentada aos ouvidos de Tausk, ele se veria na posição curiosa de entender exatamente o que a condessa queria dizer, ainda que todos os exemplos dela fossem totalmente alheios à sua experiência. Quartos de dormir e quartos separados para crianças eram coisa desconhecida onde ele crescera, dormira, comera e trabalhara ao lado dos sete irmãos, dos numerosos membros mais ou menos próximos da família e um contingente em constante alteração de parentes em visita e mascates itinerantes com os quais seu pai mantinha um negócio ilegal e, a julgar pelos resultados, bem pouco lucrativo, de pequeno contrabando. Mas o ambiente claustrofóbico só intensificou a agudeza das lições de diplomacia doméstica que Marie-Luise adquirira no seu ponto de vista mais espaçoso. Mais tarde, depois que a espantosa memória e a inteligência precoce do jovem Tausk lhe garantiram o patrocínio de um conterrâneo rico para estudar na *yeshiva* do famoso *rav* Avraham Pelz, a briga constante entre os colegas pelos favores do mestre, a competição impiedosa por reconhecimento como estudiosos promissores, que excedia até as batalhas diárias pelas melhores porções nas refeições comunitárias e os planos ainda mais imaginosos para atrair a atenção de possíveis sogros ricos, era travada com tal ferocidade e astúcia que, em comparação, as rivalidades mais brutais do Ministério do Exterior ou da Escola do Estado-Maior Imperial seriam exercícios serenos de auxílio mútuo. Pouco depois da sua expulsão, Tausk formulara uma regra geral que Marie-Luise com certeza corroboraria, caso os dois jamais tivessem trocado mais do que uma frase rara e acidental. As experiências de Tausk, em casa e na *yeshiva*, levaram-no a concluir que, quanto mais simbólica e abstrata a recompensa, mais feroz será a competição por ela e que, até entre aqueles que menos têm, é o prestígio e não a melhora material das suas condições que motiva as pessoas. Entre a cobiça e a inveja, para ele era claro que a inveja era, de longe, a força social mais poderosa. Estava convencido de que, se tivesse de escolher entre obter algum prêmio desejável mas com o conhecimento de que os inimigos receberiam recompensa equivalente e não receber nada tangível exceto a certeza de que os oponentes jamais teriam algum progresso, até o homem mais avarento preferiria arruinar os inimigos a aumentar a sua própria fortuna. Ainda assim, qualquer troca de observações nesta linha, embora pudesse ser esclarecedora para ambos os lados e talvez ajudasse a confirmar a confiança sempre inconstante de Marie-Luise em seus próprios poderes de observação, seria uma impossibilidade, já que, se o marido sempre esquecia polidamente que a mulher na verdade estava morando com ele e não distante, em visita a algum de seus incontáveis primos, ela, por sua vez, achava que fazer qualquer observação pessoal na frente de um criado pago, ainda mais se judeu, era de péssimo gosto.

A impossibilidade de diálogo com Marie-Luise em nada prejudicou a posição de Tausk, pois o relacionamento entre Wiladowski e a mulher era tal que nenhum dos dois sonharia em partilhar com o outro um confidente. De qualquer modo, a atenção de Tausk logo foi absorvida por um confronto peculiar que acontecera sob os olhos da cidade toda, mas sobre cujo significado não havia duas testemunhas que conseguissem concordar.

A cena ocorrera uma semana depois da visita de Bátia ao apartamento de Hans e desenrolara-se bem do outro lado da rua, defronte do Clube Mendelssohn, em plena vista da entrada da frente do Metrópole. Para surpresa dos espiões de Tausk, eles notaram Nathan Kaplansky, o famoso agitador socialista, que quase nunca ia a este bairro, descendo apressado a Mariahilferstrasse rumo à esquina da Radetzkyplatz. Estava acompanhado de um recém-chegado na cidade chamado Brugger, rabi de um dos *shtetls* orientais, quase com certeza um fugitivo da Rússia que viajava com documentos falsos. Quando os dois se aproximaram do restaurante, foram abordados por um dos numerosos pedintes que sempre se instalam na frente dos melhores estabelecimentos, apesar das tentativas repetidas da polícia de fazer cumprir as leis contra os mendigos de rua. O pedinte, sentado, estava encostado no pedestal da estátua de Schwarzenberg, mostrando a todos os pés inchadíssimos e ensangüentados, gritando o mais alto possível que estava a ponto de morrer de fome. Mas quando algum dos passantes se inclinava para lhe dar uma moeda, tentava se aproveitar da sua generosidade pedindo sapatos ou, pelo menos, dinheiro adicional para comprar algum tipo de cobertura para os pés supurados. Queixava-se de que não podia sequer entrar numa taberna para se aquecer, porque assim que os outros fregueses viam o estado dos seus pés jogavam-no de volta na rua. No instante em que percebeu que, em vez de fugir depois de deixar alguma coisa em seu chapéu estendido, Kaplansky e Brugger realmente escutavam a sua história, os lamentos do homem ficaram ainda mais altos, até que hóspedes do hotel, assim como alguns sócios do clube social judeu vizinho, saíram para ver a causa de tamanha comoção.

Um grande grupo de transeuntes, principalmente o contingente do clube judeu, ficou na praça, apesar do frio, para ver como Kaplansky e Brugger cuidariam da situação. Quase todos começaram a falar contra dar dinheiro ao mendigo. Segundo alguns agitadores de rua bem conhecidos, que foram presos mais tarde no mesmo dia, a caridade individual nada conseguia realizar. Era preciso abolir toda a estrutura social que permitia a existência de tamanha miséria. Mas, quando todos estavam bem adiantados em sua declamação, uma das filhas do advogado Pichler saiu da multidão do outro lado da rua. Ela deixou claro na mesma hora que, embora concordasse que era preciso não dar nada ao mendigo, achava que ninguém apresentara a razão mais importante para isso.

— Se olharem este homem bem de perto — começou a discursar aos outros —, verão que é claro que é um eslavo, provavelmente também anti-semita, sem falar que deve bater na mulher e nos filhos. Assim que arranjar dinheiro, vai correr para gastá-lo em bebida e, depois de descontar a bebedeira na família, estará aqui de volta, tão faminto e descalço como antes. O que não consigo entender é por que nós, judeus, sempre ajudamos aos outros e fazemos tão pouco pelo nosso próprio povo. Por que não podemos cuidar primeiro dos nossos, como os católicos, que distribuem a sua caridade entre os próprios paroquianos? Eu queria ver um judeu faminto aparecer e pedir uma refeição na sopa dos pobres que as freiras servem na Igreja de Santa Catarina aos domingos!

Nisso juntou-se a ela outro da multidão do Clube Mendelssohn, que concordava avidamente com tudo o que acabara de dizer.

— É claro que ele é um bêbado; qualquer um pode ver isso. Concordo inteiramente com a moça. Ele só iria desperdiçar com álcool cada centavo que lhe déssemos. E eu diria ainda que é muito inspirador ouvir sentimentos judaicos tão apaixonados de alguém da nossa própria comunidade. A senhorita tirou as palavras da minha boca e eu agradeceria a oportunidade de ouvir mais sobre suas idéias a respeito de questões tão importantes, talvez tomando um café, quando a senhorita puder. Meu nome é Asher Blumenthal e costumo freqüentar as aulas de hebraico do clube. Sei que já a vi por lá e talvez a senhorita se lembre que liderei os aplausos ao palestrante sionista no ano passado.

Blumenthal disse ter certeza de que alguém como o mendigo tinha muitos amigos entre os seus iguais. Que sorte tinham eles todos, acrescentou Blumenthal, por não precisar de nada além de uma garrafa de aguardente barata para se sentir melhor. Mas uma tristeza interior como a dele, causada por muitíssimas e longas noites passadas estudando a melhor forma de melhorar o destino do povo judeu, era uma sina muito mais soturna. Mas ninguém, suspirou, sentia pena de pensadores solitários como ele nem se preocupava em aliviar a sua solidão.

Enquanto o debate se desenrolava aos berros à sua volta, o rabi ficou em silêncio completo. Aos poucos, todos, até mesmo Blumenthal e a moça Pichler, ficaram sem palavras e voltaram-se para ele. Neste momento, meteu a mão no casaco puído e tirou uma bolsa, que esvaziou no chapéu do mendigo. Nem tentou contar a quantia que despejou e várias moedas de ouro foram vistas com clareza sob o sol de inverno. Por um momento, pareceu que Blumenthal ia lançar-se sobre o mendigo e arrancar-lhe o dinheiro. Deu um jeito de segurar-se, mas não conseguiu refrear um grito:

— Mas por que *ele*?

Brugger já estava se afastando mas, ao ouvir o grito, parou de novo e olhou Blumenthal com um sorriso amigável. E falou-lhe como se estivessem os dois sozinhos, nalgum lugar quente e confortável, com todo o tempo do mundo. Embora Brugger falasse de forma muito mais tranqüila do que Blumenthal ao fazer a sua pergunta, todos na praça ouviram-no com tanta clareza como se estivesse se dirigindo apenas a cada um. Ele disse a Blumenthal:

— O que afirmou é verdade, embora você mesmo não acredite por completo. É mais solitário do que este homem aqui e nem a aguardente que andou bebendo, nem os presentes dos quais começa a depender, fazem com que se sinta melhor. Todos os argumentos que esta senhorita e os outros apresentaram também estão certos, cada um a seu próprio modo. Mas não importa como você se sinta, acredite-me, o fato de eu ter dado dinheiro ao homem não tem a intenção de reprová-lo. Se não vim aqui para julgar a justiça das afirmações deste mendigo, muito menos para julgar as suas. Mas se não estou aqui para julgar os outros, então deve ser para ajudá-los como for possível. Não tenho ilusões de que o que dou a este homem vá melhorar a sua vida durante mais que um minuto, só que tenho de levar em conta que, talvez, este único minuto seja a circunferência de todo o meu dever no mundo e já contenha toda a permanência que a minha alma exige. Há dias em que o coração defende a sua causa com a advocacia do desejo, mesmo quando sabe, pela fria razão, que não tem esperanças. Que este seja um dia assim.

Então cruzou a rua, caminhou até a porta do Clube Mendelssohn e disse ao porteiro:

— Meu nome é Moses Elch Brugger. Creio que *Herr* Moritz Rotenburg me espera. Por favor, faça-me a gentileza de levar-me até ele.

A leitura dos relatórios do episódio feitos por seus espiões perturbou Tausk mais do que as próprias descrições justificariam. Com certeza, não havia nada na história que pudesse levar a Wiladowski para obter um mandado de prisão, mas tudo o que dizia respeito a Brugger parecia preocupante para Tausk. Estava assustado com o fato de que um rabino, sobre quem não sabia quase nada, conseguisse chegar à cidade e, em pouco tempo, parecesse transformar Nathan Kaplansky em seu ajudante pessoal. Não só Brugger tinha dinheiro suficiente para dar uma bolsa cheia de moedas a um mendigo qualquer, como era capaz de improvisar um discurso que silenciou toda uma multidão de personalidades belicosas sem provocar nenhuma hostilidade. A sugestão de uma conexão, por mais tênue que fosse, que ligasse Kaplansky, Brugger e Moritz Rotenburg era espantosa demais para ser ignorada e Tausk fez dela a base de um pedido formal de mais recursos ao seu senhor para examinar a situação. Quando Tausk finalmente redigiu o seu próprio relatório ao conde-governador, concluiu dizendo somente que, em sua opinião, qualquer pessoa capaz de exercer este tipo de poder no meio do dia na

Radetzkyplatz poderia usá-lo de maneira bem diferente quando não fosse observado. E se Moritz Rotenburg realmente mandara chamar Brugger, então seria fundamental que os serviços de segurança descobrissem tudo sobre o homem o mais depressa possível.

— Creio que o Estado não deveria estar menos bem informado que o nosso maior capitalista — concluiu Tausk, só para ser interrompido por uma gostosa risada do seu senhor.

— Não seja absurdo. — Wiladowski rejeitou a apreensão de Tausk. — Como Rotenburg está envolvido, é claro que pode descobrir tudo o que quiser, só não fique esperançoso demais. Não se esqueça de que o Estado está sempre menos bem informado que o seu maior capitalista.

3

"Numa ilha deserta um único judeu, sozinho e perdido, construirá duas sinagogas: uma para freqüentar e outra para manter distância." A conhecida piada passou pela cabeça de Moritz Rotenburg quando estava à janela, observando com amargura a cena que se desdobrava na praça lá embaixo. Não gostou do que viu e desejou que houvesse algum modo de interrompê-la. Desta vez não estava nevando. O sol de meados de inverno soltava fagulhas de brilho gelado do teto da catedral e, do seu ponto privilegiado no segundo andar do Clube Mendelssohn, Moritz podia perceber claramente todo o povo reunido em torno do pedestal da estátua de Schwarzenberg. Até a filha de Rudi Pichler saíra correndo do clube, junto com mais de meia dúzia de outros, para falar com Nathan Kaplansky e o homem que o acompanhava, que, supôs Moritz, tinha de ser o próprio rabino milagroso. Ainda estava frio demais para abrir as pesadas janelas e, assim, Moritz não pôde ouvir o que diziam, mas sem dúvida o estranho já conseguira transformar-se no centro das atenções. A cena toda parecia tão perfeitamente orquestrada que Moritz perguntou a si mesmo se Brugger não teria contratado o mendigo com antecedência para fazer parte da encenação.

— É bem do que os espiões de Wiladowski precisam para deixar o seu patrão ainda mais assustado do que já está — pensou Moritz, afastando-se desgostoso da janela para sentar-se à cabeceira da grande mesa de conferências e esperar o visitante.

Já fora bastante difícil convencer os outros membros da diretoria a deixá-lo conversar com Brugger totalmente sozinho e, sem dúvida, depois do que acabara de acontecer na própria soleira do clube. eles já estavam arrependidos. Mas a sua promessa de assumir total responsabilidade legal e financeira por tudo o que envolvesse Brugger seria suficiente para superar a vontade deles de participar, ainda mais se Moritz deixasse claro como seria alto o custo das propinas necessárias. Uma batidinha na porta lhe avisou que Geza, o chefe dos porteiros, em cuja lealdade Moritz confiava para manter vazio o corredor, trouxera Brugger até o andar de cima e estava pronto para fazê-lo entrar. Moritz assinalou seu consentimento fazendo soar suavemente o sininho de prata que estava na mesa ao seu lado. Pouco depois, quando ele e Brugger terminaram de apertar as mãos e sentaram-se um defronte do outro, espantou-se com a aparência jovem do rabino. Por alguma razão esquecera de perguntar a Kaplansky a idade dele e supusera que estaria tratando com alguém da sua própria geração. Mas Brugger parecia ter apenas trinta e poucos anos. O restante da sua aparência, principalmente as boas roupas européias, combinava com a descrição de Kaplansky. O olhar de Brugger, no entanto, não tinha nada da simpatia calorosa e sedutora que Moritz esperara. Mesmo quando sorria, os olhos de Brugger pareciam friamente metálicos, como o aço finamente batido, sem traços de outra cor para suavizar o efeito.

Depois de mais alguns segundos, durante os quais se avaliaram silenciosa e mutuamente, Moritz adotou o seu tom de voz mais caloroso e começou o que suspeitava que seria uma tarde longa e difícil.

— Espero que Kaplansky não tenha se ofendido quando lhe pedi que esperasse lá embaixo, na sala de leitura. Queria conversar com o senhor sozinho e, seja como for, é provável que para ele seja melhor não ser visto aqui em cima, nas salas da diretoria. Foi um desempenho impressionante o seu lá embaixo. Até os associados mais antigos se espantaram. Mas o senhor deve estar cansado. Preferia que tivesse aceitado o meu oferecimento de mandar meu carro buscá-lo; é uma longa caminhada, vir de onde o senhor mora. Posso pelo menos oferecer-lhe uma bebida ou um lanche antes de começarmos?

Os olhos de Brugger nunca se desviaram de Moritz. Ignorou o bufê, no qual uma variedade de pratos tinha sido arrumada e, num tom íntimo, como se falasse com um velho conhecido em sua própria sala de estar, disse:

— Por que está tão nervoso, Moritz Rotenburg? Alguém como o senhor, que já se sentou à mesma mesa com os homens mais poderosos deste país? Nada de mau lhe acontecerá, nem aos seus, em conseqüência da minha presença aqui; tem a minha palavra. O seu filho é jovem e cometerá muitos erros lamentáveis, mas não precisa se preocupar com ele. Quando morrer, ainda se dirá judeu e será mais velho do que o senhor é hoje.

Em suas negociações comerciais, Moritz dava muito peso à jogada de abertura do adversário e, embora esta conversa mal tivesse começado, já tinha certeza de que se mostraria extraordinariamente cansativa.

— Não sei o que já ouviu falar de mim, Brugger — disse, decidindo deixar que a sua impaciência aparecesse logo —, mas não dou a mínima a enigmas deste tipo. O fato de eu contribuir com dinheiro para as *yeshivas* pode ter lhe dado a idéia de que sou um bobo supersticioso em busca de mais um homem santo para sustentar, mas não gosto de ser tomado por um idiota que mete a mão no bolso com as primeiras palavras espertas que escuta. Qualquer pai na minha posição se preocupa com o filho e, se for um judeu austríaco, vai se preocupar ainda mais com a possibilidade de o filho se converter, e assim a sua profecia não me impressiona. É muito parecida com dizer a uma viúva que ela está a ponto de conhecer um novo pretendente mais rico e bonito que o falecido marido. É claro que ela vai adorar a notícia. Mas não sou esta viúva e não tenho a menor intenção de encher-lhe as mãos de prata por me dizer que sabe o que quero ouvir.

Moritz fora mais longe do que costumava no início de uma conversa, mas esperava forçar Brugger a defender-se, pelo menos com um olhar ou um gesto, se não realmente pela fala. Mas o rabino permaneceu imperturbável, de um jeito desconcertante.

— Primeiro o nervosismo, agora a raiva — continuou Brugger com o mesmo tom de voz homogêneo com que começara. — É uma pena que a minha presença provoque sentimentos tão perturbadores Lembre-se, no entanto, que não fui eu quem solicitou este encontro. O senhor pediu para ver-me e fiquei contente com a oportunidade de conversarmos. Se eu o tomasse por menos do que é, eu é que seria o simplório, não o senhor. Mas também não vim procurar esmolas. Ao contrário do mendigo na sua porta, meus pés me trouxeram até aqui sem se infeccionar e estou pronto a caminhar de volta para casa assim que o senhor satisfizer a sua curiosidade.

— O que o faz pensar que estou curioso a seu respeito? — perguntou Moritz, sacudindo os ombros com desdém. Estava decidido a provocar uma fagulha neste homem estranho, ainda que isso significasse parecer o mais irritadiço dos dois. — Só porque sugeri a Nathan trazê-lo a mim? Admito que andei ouvindo boatos estranhos a seu respeito e queria descobrir por mim mesmo se o senhor é realmente um perigo para nossa comunidade. Mas, acredite-me, estou longe de ter interesse pessoal em suas pequenas encenações.

Brugger respondeu como se refletisse sobre um complicado problema filosófico.

— É de impressionar com que facilidade o senhor faz todas essas distinções — disse, pensativo. — Se eu suspeitasse que alguém fosse uma ameaça ao nosso povo, com certeza me interessaria por essa pessoa, até mesmo em termos pessoais. Mas como eu poderia ser uma ameaça, eu, um estrangeiro que chegou aqui há pouco tempo, com poucos amigos e contatos? Se não se importa que eu o imite, também não tenho certeza do que o senhor ouviu falar sobre mim, mas não gosto de ser tomado por um impostor piedoso disposto a arrancar dinheiro de todos os que encontro. Não dá para imaginar viajar até tão longe por um papel tão banal! Seja como for, Moritz, você não se importa que eu use o seu nome de "cristão", não é? Para um estelionatário eu seria extremamente estúpido, já que aqui estou, pregando para uma multidão de vagabundos e devedores desempregados no bairro Josef. Que desperdício para alguém com as intenções que você me atribui! Mas você sabe melhor do que ninguém que nunca é sábio dar demasiada atenção a boatos. Ainda mais quando são espalhados pelo *erev rav*, a multidão heterogênea que você chama de judeus nesta cidade. Como eu poderia ser uma ameaça se os melhores de vocês não passam de marranos ao contrário, que por fora fingem ser judeus, mas por dentro são iguaizinhos aos seus vizinhos gentios? Como o que eu disser poderia atingi-los?

Havia décadas que ninguém, a não ser os seus conhecidos mais antigos, ousava chamar Moritz pelo primeiro nome, mas ele estava decidido a não reagir à provocação de Brugger. Levantou os olhos para as estantes ao longo da parede de lambri da sala e examinou as solenes prateleiras com todos os principais autores alemães, encadernados de forma idêntica em edições uniformes, guardados ao lado da extensa coleção de literatura judaica, encadernada com o mesmo couro ornamentado. Embora a biblioteca do andar de baixo fosse muito usada, principalmente pelos sócios mais pobres, os livros desta sala, restritos aos diretores eleitos e aos líderes da comunidade, raramente eram abertos. Por dentro, Moritz não pôde deixar de reconhecer a justiça da descrição que Brugger fazia dos judeus da cidade e, contra os seus instintos, viu que se sentia intrigado. Pelo menos o rabino não era totalmente previsível e, neste ambiente, ouvir qualquer coisa inesperada era uma raridade.

— Talvez tenha razão, Brugger. Mas, neste caso, o que é que o senhor realmente quer? Dinheiro? Posição? Ou só veio para se aproveitar do desespero das pessoas? Ainda que isto signifique alarmar as autoridades e voltá-las contra os judeus?

— Perdoe-me — Brugger permitiu-se um leve sorriso —, mas até no pouco tempo em que estive aqui não me parece que as autoridades precisem de muito estímulo para se voltarem contra os judeus, principalmente aqueles sem dinheiro suficiente para tornar a sua presença menos ofensiva à sensibilidade cristã.

De repente, Brugger se levantou, foi até a janela e olhou a praça, como se tentasse visualizar exatamente o que Moritz enxergara quando estava ali de pé, meia hora antes. Este achou estranho e desconcertante que Brugger se colocasse na mesma posição que ele mesmo sempre adotava: inclinado contra o vidro da janela, bem como Moritz fazia, com os braços estendidos no ângulo idêntico que Moritz usava por instinto para se apoiar. Os ombros de Brugger curvavam-se da mesma forma que Moritz sabia que curvava os seus sempre que estava de pé nalgum lugar, perdido em pensamentos. A não ser pela diferença de compleição, vistos por trás seria quase possível confundir os dois. Brugger ficou ali por um bom tempo, sem falar, até que balançou a cabeça, como se reagisse ao que vira nas ruas lá embaixo e, sem se virar, disse:

— Você não precisa mesmo ficar tão angustiado com a minha influência, Moritz. Pelo contrário, desde que aqui cheguei sinto-me envergonhado com o pouco que posso fazer para ajudar qualquer um de vocês.

— Ajudar-nos? — Moritz ainda estava incomodado com a estranha visão de Brugger na janela, parecendo até um irmão gêmeo mais novo, e levantou a voz para obrigar o rabino a virar-se e quebrar a ilusão. — O que quer dizer com "ajudar-nos"? Pedi-lhe antes que não fizesse joguinhos comigo. E quero que volte a sentar-se e tenha a educação de olhar para mim enquanto conversamos. O senhor devia saber que andam falando em obrigá-lo a sair da cidade, ainda que isto envolva a contratação de alguns tipos desagradáveis para ajudar a convencê-lo. Até agora me opus a coisas assim. Não importa o que é considerado permissível lá de onde o senhor veio, não é assim que fazemos as coisas deste lado da fronteira. Mas para que eu continue a protegê-lo, preciso saber o que o senhor deseja e precisa me convencer que não vai continuar a pôr a todos nós em perigo.

— Entendo — respondeu Brugger tranqüilamente, sem se mover da sua posição junto à janela. — Você se sente ameaçado pelo governo e, para encobrir a sua vergonha, convoca alguém como eu para ameaçar também. Se esta fosse uma comédia esperta de algum dos seus dramaturgos do Burgtheater, suponho que agora eu sairia e gritaria com algum pobre criado, que descarregaria em alguém ainda mais desamparado e assim por diante, até que os personagens de classe baixa fossem adequadamente intimidados e o bom público fosse bem feliz para casa. Mas não tenho interesse em encenar tal peça. Tenho certeza de que infinitos esquemas malucos foram propostos para acabar comigo, mas ambos sabemos que há desempregados mais do que o suficiente dispostos a me proteger. Você deve suspeitar como odeiam todos vocês, judeus ricos, lá no bairro Josef.

Afinal virou-se e olhou diretamente para Moritz, mas só para chamar a atenção do financista para as filas de casas miseráveis entre o rio e o cemitério municipal, cujos portões mal eram visíveis do quadrante superior da janela.

— Quanto tempo faz que você andou por algum lugar perto da Maximilianstrasse, onde o seu filho mantém o famoso apartamento secreto? As coisas ali estão ficando mais desesperadas a cada dia e não demora muito para estourar uma conflagração. Odiaria ver uma avaliação errada e descuidada provocar um incêndio que exigisse um exército para ser apagado. Tente entender que, até agora, simplesmente por estar lá e continuar as minhas lições, estou ajudando a manter a paz, não a perturbá-la.

Ele fez um gesto largo com o braço pela extensão da janela, como um titereiro indicando um complicado cenário em miniatura e depois, como se ficasse cansado de repente com todo o esforço, voltou à cadeira.

— É isso o que quer dizer quando fala em nos ajudar? — perguntou-lhe Moritz assim que Brugger sentou-se. — A quem está oferecendo os seus serviços? Aos trabalhadores ou a mim? E o que deseja em troca?

— Não estou oferecendo os meus serviços a ninguém do jeito que você quer dizer. — Brugger balançou a cabeça. — Com certeza, não do jeito que o pobre Nathan se ofereceu a você. Posso trabalhar com você, não ficar do lado contrário ao seu. Nunca me incomodou a que classe um judeu acha que pertence nem quanto dinheiro tem. Desde que o Exílio começou, nenhuma dessas diferenças durou muito entre nós, aliás.

— O que quer dizer com isso? — Moritz não estava gostando do rumo que a discussão tomava, mas não queria interrompê-la. — Mas, por favor, sem sermões compridos desta vez — disse-lhe. — Ainda tenho muito trabalho a fazer e quero terminar a nossa conversa sem desperdiçar o dia todo.

— Tenha paciência, Moritz, e ficarei feliz em explicar. Tenho certeza de que você já se sentou e ouviu tranqüilamente alguém como o governador da sua província discorrer sobre os seus cães de caça e a sua adega de vinhos, mas bastam algumas palavras sobre a história judaica e você se irrita. Quero dizer que nenhum judeu de verdade leva esta conversa sobre classes sociais tão a sério quanto os góis. Como poderíamos? Fomos expulsos de todos os países num ou noutro momento e é provável que isso volte a acontecer. Tédio, apreensão, humilhação e remorso: é deste ciclo que vim libertá-lo. Não com o que eu possa fazer nem com o que sei, mas fazendo você se lembrar de si mesmo. Mas o que eu ensino você ainda não está pronto para escutar, e as perguntas que tem vontade de fazer só podem ser respondidas por quem perdeu todo o respeito, tanto por si mesmo quanto pelos outros.

Apesar da irritação teatral do homem, algo do que dizia era arguto demais para ser desdenhado como puro fingimento. Moritz refletiu que, se o rabino concordara em vê-lo num lugar como o Clube Mendelssohn, só podia ser porque, apesar de toda a relutância para abordar o assunto, devia querer alguma coisa material, alguma coisa que só Moritz poderia lhe dar, e a verdadeira questão era quanto tempo levaria para que ficasse claro o que estava em jogo na conversa.

— Veja, Brugger — Moritz tentou pressioná-lo —, não tenho tempo nem temperamento para todo este jogo de cena metafísico. Não consigo entender metade do que diz e não estou nada convencido de que você mesmo entenda. O que me preocupa são questões mais práticas, como onde conseguiu o dinheiro que deu àquele mendigo. A sua congregação lá no bairro Josef não poderia levantar o que havia na sua bolsa hoje nem que lhe entregassem todos os seus bens mundanos. Alguém está lhe pagando para criar problemas? Há no clube quem sugira que você foi mandado por algum serviço de espionagem estrangeiro para colocar o governo e os judeus uns contra os outros e enfraquecer a nossa lealdade ao imperador em caso de guerra.

Brugger nem tentou esconder o seu desdém.

— E é a opinião dessa gente que você quer levar a sério? Deve ser preciso um enorme autocontrole para você não lhes dizer o que realmente pensa. Se quer ser fiel à verdade, Moritz, terá de admitir que você é o ator aqui, não eu! Quanto a mim, não sei como você agüenta a pressão.

Levantou-se e foi até o bufê examinar a comida mantida quente em bandejas de vários tamanhos mas, depois de colocar um pouco de frango assado e miúdos num prato, acabou deixando-o ali sem nada provar. Em vez disso, serviu-se de um grande copo de água mineral gelada e ficou bebendo enquanto falava.

— Não há necessidade de fantasiar tramas criadas nalguma capital estrangeira — continuou. — Para as pessoas entre as quais vivo e trabalho, os homens do seu tipo são os únicos senhores que já conheceram. Não vêem nenhuma diferença entre um empresário judeu rico, um juiz austríaco local que os multa sempre que tentam abrir a boca e um anti-semita russo com tramas eslavófilas na cabeça. Acredite-me, quando os homens passam fome a sua raiva não precisa ser instigada por agitadores de fora. Posso ser novo na cidade, mas é você que precisa contratar espiões e informantes para saber o que está acontecendo com a sua própria gente. Sentado em salas como esta, como pode ter certeza de quem veio me ouvir e quanto me deram? Acredito que o coração de cada um permanece tão insondável quanto o de seu Criador. De qualquer modo, dei ao mendigo o que tinha. Não me lembro de onde veio e me recuso a acreditar que isso realmente faça diferença para você. Ainda não entendeu que você mesmo está em pior situação do que aquele miserável ferido lá fora na neve? Gostaria de poder ajudá-lo com a mesma facilidade que ajudei a ele. Todos os que conheci nesta cidade parecem mais destituídos em termos espirituais do que os judeus mais pobres para quem já preguei no leste.

— Se é isso o que ensinam nas *yeshivas*, o meu filho tem toda a razão ao dizer que estou jogando dinheiro fora ao sustentá-las. Nenhum de nós tem de suportar o tipo de humilhação que é rotina no seu país. Pelo menos, não regularmente.

— Que restrição maravilhosa! — Brugger fingiu que batia palmas. — "Não regularmente". Acredite-me, os judeus orientais que você desdenha podem não ter os seus direitos políticos, mas pelo menos não trocaram a sua herança por uma fórmula legal vazia. Todos os dias vocês fazem questão de que o governo saiba que cidadãos leais e devotados vocês são. É claro que são judeus, mas apenas "particularmente", onde não faz diferença para o Estado. "Cidadãos austríacos de fé mosaica." Não é assim que dizem? Em tudo o que é importante, nenhum de vocês deixa de correr para jogar fora qualquer sinal da sua condição de judeus em troca de algumas migalhas de tolerância; eu não diria igualdade, porque nisso ninguém mais acredita seriamente, pelo menos ninguém do lado deles, e só alguns tolos do nosso. Até o mais iludido deles sabe que, para ter uma carreira oficial, a conversão formal será sempre indispensável.

— Por que se importa com carreiras oficiais? — perguntou Moritz. — Pensei que o seu interesse fosse agitar desempregados com fantasias messiânicas, não protestar contra restrições ao progresso dos judeus no Império. O que me diz agora não soa muito diferente do sionista a quem permitimos recrutar seguidores entre os sócios lá embaixo e, se isso é tudo o que você tem pregado lá no bairro Josef, não entendo por que todos estão tão nervosos.

— Veja, Moritz — Brugger olhou para ele divertido —, eu lhe disse para não confiar em boatos, nem mesmo quando lhe são trazidos por alguém tão honesto quanto Nathan Kaplansky. Costumamos dizer que uma única moeda numa caixa faz um barulho danado e isso parece perfeito para descrever o poder de percepção do pobre Nathan. Aliás, espero que você esteja lhe pagando bem pelo que ele lhe tem dito, porque se qualquer um dos colegas dele descobrir que está trabalhando para você duvido que gostem. Não precisa fazer esta cara para mim. Eu jamais o entregaria. Já não lhe prometi que não causarei mal nenhum a você nem aos seus e você já não fez dele um dos seus, com tanta certeza como se estivessem morando debaixo do mesmo teto? Acho esta situação muito instrutiva. Ele me teme e desconfia de mim, mas foi você quem o convenceu a trair suas crenças. Só que ele nem percebe. Isso me mostra como você é talentoso e o quanto poderíamos fazer pelo nosso povo se colaborássemos um com o outro.

Moritz franziu os lábios em desaprovação, mas contentou-se em dizer a Brugger que sugerir que alguém tão idealista quanto Kaplansky pudesse ser simplesmente subornado revelava como o rabino sabia pouco sobre como conquistar pessoas cujas opiniões divergissem das dele. Brugger ouviu com toda a educação, mas não tentou esconder seu ceticismo.

— Temo que Nathan tenha percebido uma coisa com mais clareza que você — disse a Moritz. — O fato de eu ter sido bem recebido pelos camaradas significa a rejeição de todas as esperanças dele. Ele sonha com uma irmandade de homens na qual todas as diferenças se dissolveriam e nenhuma questão de raça ou crença incomodaria mais a humanidade. Um sonho mortal para os judeus. Ou as diferenças religiosas têm um significado interior ou a nossa história é uma piada longa e macabra.

— E é isso o que você vem dizendo aos trabalhadores? — perguntou Moritz. — Consigo entender por que ele o vê como ameaça. É justo. Mas e aquele seu sermão em que disse que, quando o Messias chegar, será num carro blindado com escolta militar e uma arma nas mãos? Nunca ouvi nada parecido dos outros sionistas que surgiram por aqui antes e tenho bastante certeza de que a polícia também não.

— Como acha que ele faria, Moritz? — replicou Brugger. — Viria montado num burro, portando folhas de palmeira? Por que as coisas do espírito têm sempre de ser apresentadas como alguma coisa pitoresca, como uma festa na qual todo mundo se fantasia com roupas típicas? Não estamos falando de folclore, mas do sopro do Deus Vivo. Quando é que a violência deixou de fazer parte da Sua criação? Não determino nenhum cronograma para a nossa Redenção, mas, com certeza, quando ela vier, não considerará a pólvora e o motor de combustão interna como obstáculos insuperáveis.

Moritz, que vinha sofrendo dores na garganta e no estômago há vários meses, gemeu quando um espasmo o percorreu e, com um leve aceno de desculpas, levantou-se para servir-se de uma xícara de chá de camomila. O único alimento que o seu médico lhe permitia, quando seu estado era grave assim, era um pratinho de mingau morno de farinha de trigo e torradas secas de pão branco. Levou a comida e o chá até o seu lugar na mesa de conferências e, com alguma dificuldade, comeu. Brugger observou-o o tempo todo sem expressão definida de simpatia nem de desdém. Parecia ter parado no meio de uma frase, esperando um sinal para voltar a falar e, assim que Moritz pousou a xícara vazia, Brugger continuou como se nunca tivesse sido interrompido.

— Mas é preciso que você entenda uma coisa — disse com ênfase. — Estou tão pouco interessado nos contos de fadas sionistas quanto nas fantasias socialistas de Nathan. Desde que Herzl organizou-os, seus seguidores saíram por aí dizendo ao mundo que os judeus só querem ser "normalizados" num país só seu. Outro sonho fatal. Com certeza não quero que tentemos ser como os outros povos. Não faz muito tempo, os judeus desta espécie só queriam fazer daqui um país onde pudessem se tornar professores judeus, sócios judeus das academias, oficiais judeus no exército, funcionários públicos judeus e sindicalistas judeus, idênticos a todos os outros cidadãos europeus. O humanismo trivial e cosmopolita dos cafés, em seu estado mais sem alma! Quando alguns deles finalmente perceberam que nunca conseguiriam nem isso, apenas transferiram as mesmas fantasias infantis para a Palestina, embora lá a própria terra zombe da idéia de seus habitantes serem "iguais a todo mundo"! Eu sei. Estive lá. Caminhei sozinho sob a dureza de um sol totalmente diferente do nosso e observei como incendiava um morro atrás do outro, e digo, Moritz, não esperamos dois mil anos só para construir uma segunda Ringstrasse em Jerusalém, para que os judeus finalmente possam obter os melhores lugares nos restaurantes.

— Quando esteve na Palestina? — Moritz pareceu genuinamente surpreso. — Ninguém com quem falei mencionou que você esteve lá.

Brugger recusou-se a levar a sério a pergunta de Moritz.

— Não conto obrigatoriamente a mesma história em todos os lugares. Imagine como seria chato. De qualquer modo, nada do que lhe contei é tão vazio de verdade quanto esse dossiê que você está montando a meu respeito. Sei que esteve ocupado, escrevendo para toda parte para juntar informações, e há dois dias mandou um dos seus serviçais subornar os meus alunos para falarem de mim. Que desperdício colossal de dinheiro. Tudo o que você conseguiria saber com tantos inquéritos eu lhe diria de boa vontade e de graça.

— E a história que ouvi de que na Armênia você foi açoitado por uma autoridade do tribunal rabínico, que lhe deu quarenta chicotadas e proibiu a sua companhia a todos os judeus? Isso não parece uma fofoca insignificante.

— Sim, fui açoitado — Brugger anuiu agradavelmente, como se descrevesse um convite para passar o fim de semana numa casa de campo. — Só que foram dez chicotadas, não as quarenta da Lei. É tão fácil adivinhar como seus informantes interpretam o pouco que sabem de mim. Que valor pode haver em relatos de homens que nunca entenderam nada do que testemunharam? Cada palavra será configurada por algo que já encontraram em algum livro de lendas. Quando terminar o seu dossiê, ele vai ficar parecido com a biografia de todos os heréticos e cismáticos perigosos que nós, judeus, já produzimos. Eles não têm outra lente para ver. Mas eu não sou pagão nem os meus ensinamentos têm nada a ver com os de Sabbatai Zevi ou Jacob Frank. Sou apenas um judeu que caminhou de olhos bem abertos por onde as próprias pessoas a quem você pediu que me traíssem não ousam olhar e voltei do abismo com a minha fé mais forte do que a fraqueza delas acha ser possível. Já lhe disse que sei que você esteve à mesma mesa que os homens poderosos deste Império, e respeito-o por isso. Nunca se deve esquecer o quanto devemos a homens fortes como você, que construíram uma rocha na terra dos pagãos. Mas nos desertos que cruzei, também jantei com reis e recebi ofertas de mais tesouros do que os cofres Rotenburg contêm, e isso nunca me impressionou a ponto de me desviar do meu caminho. Quanto ao seu famoso "relatório", bem, na realidade fui surrado muitas vezes, antes mesmo de começar a minha peregrinação. Assim, estava acostumado, e este tipo de tratamento nunca alquebrou o meu espírito. Também lhe disseram que, quando eu era menino, fui considerado a criança-prodígio do local, porque decorara tanta coisa do Talmude e dos grandes comentaristas rabínicos? Mas todas as tardes de sábado meu pai me chamava ao seu escritório para me interrogar sobre minhas leituras e, por mais cuidado que eu tivesse ao me preparar, ele sempre encontrava erros suficientes para me surrar até que nenhum de nós conseguia ficar de pé. Depois disso, as punições dos tribunais judaicos mais severos pareciam bobagem.

— E sua mãe? — Moritz forçou-se a apagar uma imagem de Hans suportando tamanha dor enquanto ele e Dina o observavam desamparados. — Onde ela estava enquanto você crescia? Não tentou aplacar a cólera do seu pai?

— No início — Brugger continuou —, quando eu ainda gritava e implorava que parasse, acho que meus gritos a incomodaram. Mas isso não durou muito e logo parei de mostrar qualquer reação. Além disso, dos dois ela era, de longe, a mais vaidosa, e se importava tanto com a impressão que eu causava nos adultos importantes do seu círculo que se dispunha a me ver surrado se isso me fizesse estudar ainda mais.

— Onde eles estão hoje? — Moritz hesitou em sondar mais fundo, mas o comportamento de Brugger deixou claro que ele não se incomodava com as perguntas. — Sabem o que foi feito de você depois que saiu de casa?

— Os dois morreram no incêndio que lhes destruiu a casa. — Brugger fitou os olhos de Moritz com uma expressão de ilimitada calma interior. — Parece que algum louco pôs fogo nela, depois de mutilar seus corpos. Ou talvez fosse um condenado em fuga; o caso nunca foi esclarecido. Depois que alguns vizinhos me denunciaram por ter, supostamente, ameaçado meu pai durante uma briga alguns meses antes, a polícia me prendeu por pouco tempo. Ainda bem que apareceram alguns alunos meus para testemunhar que eu estava realizando uma sessão de estudos em outra cidade quando o incêndio ocorreu. Assim, fui libertado quase de imediato, embora ainda sob suspeita. Tenho certeza de que esta história acabará chegando aos seus arquivos. Se vai jogar dinheiro fora pagando por fofocas idiotas, pelo menos devia comprar a versão mais pitoresca.

Moritz mal sabia o que achava mais sinistro: se a notícia sobre os pais de Brugger ou a maneira despreocupada com que ele contou a história. Lembrava-se de notícias de jornal sobre uma série famosa de assassinatos violentos na Bukovina, com detalhes parecidos, mas nunca os ligara a Brugger e não sabia se o rabino pretendia que fizesse isso agora.

— Por que está me contando tudo isso? — perguntou Moritz, servindo-se de outra xícara de chá de camomila. — Achei que estávamos discutindo seus pronunciamentos sobre como será a vinda do Messias judeu.

— De que outro Messias eu poderia falar? — O equilíbrio de Brugger deu lugar a um sorriso zombeteiro. — Os góis já têm o deles.

As cólicas de Moritz estavam ficando mais freqüentes e ele começava a se sentir esgotado. Pior, contudo, era a sensação de que Brugger sabia da sua dor e prolongava a conversa de propósito para testar o efeito do sofrimento sobre o financista.

— Admito que não confio em sentimentos nobres quando eles andam por aí desarmados, à espera de serem admirados pela pureza do seu coração — continuou Brugger. É possível se preocupar com a sobrevivência ou a inocência, mas não com ambas. Pelo menos, não ao mesmo tempo, não quando se é judeu. Já disse a Nathan que a única coisa que realmente importa é pelo que alguém morreria antes de desistir; o resto não passa de anedota. Mas diga-me, Moritz, já que você se colocou tanto como principal investigador e único magistrado, o que exatamente eu teria dito para você voltar sempre ao Messias? É você que não passa cinco minutos sem mencioná-lo, não eu. A única vez em que me referi a ele hoje foi em resposta direta a uma das suas perguntas. Você parece obcecado com uma frase minha de semanas atrás, uma frase hipotética, aliás, sobre o transporte que o Messias provavelmente escolheria se viesse enquanto estamos vivos. Especular que poderia escolher um carro blindado em vez do tradicional burro branco dificilmente seria o incitamento à violência que você quer que seja. Mas é claro que sabe o que pensam os governantes deste país e, assim, estou disposto a acreditar em você se me disser que a minha simples conjetura é suficiente para deflagrar conseqüências terríveis para toda a nossa comunidade. Neste caso, as coisas são piores aqui do que pensei e até alguém tão bem relacionado quanto você estaria em melhores condições junto aos pioneiros sionistas nalgum grupo de trabalho, transformando-se em mais um dos seus fabulosos judeus novos pelo suor do seu rosto. Se sua saúde permitisse, é claro.

— Pode deixar minha saúde fora disso, Brugger. — Moritz recompôs-se o bastante para falar com o rabino com tanta frieza quanto usaria com qualquer colega empresário cuja presunção precisasse limitar. — Nunca ocorreria a ninguém no castelo que o que está oferecendo aos trabalhadores é, como é que você diz?, a especulação hipotética de um pregador itinerante.

— Dê-lhe o nome que quiser, Moritz. Quando a hora chegar, rótulos como este não terão mais importância. Mas desculpe-me pela observação cruel sobre o seu sofrimento. Foi impiedoso de minha parte e sempre me arrependo de causar dor desnecessária. Gostaria de poder curar sua doença, mas cheguei tarde demais para isso.

De súbito, Moritz foi tomado pela necessidade desesperada de perguntar a Brugger quanto tempo ainda tinha de vida. Embora ficasse furioso por ser fraco o bastante para pensar nisso, pouquíssimas coisas em sua vida exigiram tanto autocontrole quanto engolir esta pergunta sem fazê-la. Naquele momento, Brugger levantou-se de repente e trouxe do bufê um ovo quente, uma fatia fina de vitela fria e um calicezinho de vinho do Porto. Colocou-os suavemente na frente de Moritz, dizendo:

— Sei que são pratos proibidos, mas hoje seu médico pode ser desobedecido com segurança. É uma pequena transgressão e com ela você se sentirá mais forte.

Por alguma razão, Moritz acreditou nele e viu-se saboreando a comida sem nenhuma dor. Não sabia mais o que dizer a Brugger agora, mas assim que o rabino percebeu a mudança em Moritz, voltou aos seus modos anteriores.

— O que vi desde que cheguei a esta cidade foi um abismo não só entre as pessoas mas também dentro de cada um de vocês. Vocês se dividem de tantas maneiras que nem consigo contar e passam do estudo de livros-caixa aos livros de lei judaica sem que um contamine o outro. Tudo é castamente mantido em sua própria esfera. Mas e se este tipo de castidade nos deixar estéreis para sempre? E se a imprudência e a audácia forem exatamente o que é necessário? Quando homens como Moritz Rotenburg usarem a mesma palavra para o desejo do seu coração e a agudeza da sua mente, só então, também, haverá a oportunidade de vermos, eu não diria dias messiânicos, já que estas sílabas o deixam tão nervoso, mas, digamos, um brilho que estará totalmente vivo pela primeira vez.

Longe de conquistar Moritz, o fato de Brugger lhe dar alimentos proibidos intensificou-lhe o mal-estar a um nível quase insuportável. Embora tivesse alimentado esperanças de obrigar Brugger a declarar as suas verdadeiras intenções sem lhe perguntar diretamente, sabia que não suportaria nem mais um segundo de incerteza.

— O que quer de mim, Brugger? — perguntou simplesmente, numa voz que não deixava dúvidas sobre a sua infelicidade.

— Mesmo que quisesse, eu não conseguiria lhe dizer — respondeu Brugger. — Vasculhar o seu coração atrás do que lhe é exigido é uma responsabilidade só sua. Ninguém tem permissão de aliviar você deste fardo. Venha me visitar em minha *shul* quando souber e diga-me sim ou não. Não importa qual será a sua palavra para mim, pode voltar aos seus outros afazeres com a certeza de que manterei as promessas que lhe fiz — todas elas, sem omitir nenhuma.

— Já sabe no que acredito, Brugger. Assim como sabe no que Nathan acredita. Não lhe preocupa jogar as suas pérolas aos porcos?

— Até agora, Moritz, minha fé em nosso povo é ilimitada e acredito que os porcos só provam que são porcos quando realmente pisam nas pérolas. Espero que descanse em paz esta noite, e desejo-lhe bons sonhos.

◆◆◆

Entre os muitos talentos do Conde Wiladowski, o que se mostrou mais útil durante a sua carreira foi a capacidade de escutar os outros com atenção aparentemente total e até mesmo repetir com exatidão tudo o que ouvira com a mente completamente vazia. Na verdade, há muito tempo deixara de conseguir compreender os sentimentos, palavras ou idéias de quase todo mundo, mas tudo em seu comportamento indicava exatamente o contrário. Assim, Marie-Luise estava tão enganada em sua certeza de que era a única pessoa do mundo a quem o marido era totalmente indiferente quanto, do lado oposto, estavam os seus amigos do ministério em sua confiança de que Wiladowski partilhava do seu devotamento às intrigas políticas da Corte. Já há muito tempo Wiladowski se preocupava exclusivamente com o seu próprio estado de espírito, mas, em vez de ficar mais claros em conseqüência de tanta atenção, seus pensamentos tornaram-se paradoxalmente mais informes e incoerentes a cada ano. Por fora, os únicos sinais visíveis da transformação da consciência do conde-governador eram o seu já famoso pavor de ser assassinado e um apetite por dinheiro que se tornara tão febril que começava a assumir proporções lendárias em toda a província. Ambas as obsessões, principalmente a sua ganância, foram tomando conta dele aos poucos e os relatos da sua intensidade foram recebidos com surpresa e também com certo desagrado pelos que tinham conhecido o jovem e ambicioso ajudante-de-ordens em Viena e Roma décadas atrás. Mas essas características estavam mais profundamente ligadas do que os amigos mais antigos de Wiladowski, cujas energias mais imaginosas ainda estavam imobilizadas pelo fascínio das honras imperiais e pastas ministeriais, queriam compreender.

"Minha terrível falta de imaginação" foi o diagnóstico que, depois de muita reflexão, Wiladowski adotou para explicar a si mesmo o que o separava dos seus colegas de profissão e do seu antigo eu. Convencera-se de que era a atrofia crescente daquela qualidade em sua reação frente ao mundo que o fazia sentir-se tão isolado sempre que ouvia os colegas cochichando, curiosos, sobre alguma mudança da política do governo ou os boatos de mudanças em cargos no estrangeiro. A maioria destas notícias não lhe provocava nenhuma reação interior. Era como se as pessoas entre as quais crescera tivessem formado uma família com os seus próprios interesses particulares e as suas formas distintas de conversar. Todas elas compartilhavam uma antologia extensa de histórias conhecidas e piadas íntimas, cujas referências deixariam perdidos os estranhos — e para começar, na verdade, a sua falta de inteligibilidade para o resto do mundo era o grande prazer da maioria das histórias — mas Wiladowski, um pouco para a sua própria surpresa, descobriu que essas conversas não mais lhe interessavam. Quando lhe perguntaram como se sentia a respeito da última "ocorrência dramática" da Ballhausplatz ou de Hofburg, via-se bem vazio de emoções, a não ser por um espanto irritado com as pessoas da sua própria classe que, já contando muitos anos, aparentemente inteligentes e com propriedades e rendas confortáveis, ainda ficavam tão agitadas com acontecimentos dos quais não podiam tirar nenhum benefício concreto. Em termos gerais, veio a concluir que nada exige uma imaginação tão viva quanto acreditar na importância de questões que não nos prolongam a vida nem nos prometem nenhum aumento de bem-estar físico. Para ele, as mudanças sutis do poder que constituíam o tema constante das especulações dos amigos começaram a parecer-se mais com mistérios teológicos do que com objetos de preocupação pessoal e não conseguia mais encontrar energias para dar atenção a questões tão obscuras. Até mesmo passar o tempo todo caçando, como o seu falecido e bobo primo, parecia agora a Wiladowski um modo de levar a vida tão sem sentido quanto analisar orçamentos e receber delegações nas salas estatais sempre mal aquecidas que os importantes ministros de Sua Majestade preferiam, numa imitação do famoso gosto austero do imperador. Como Wiladowski constatara pessoalmente há pouco tempo, até um velho cínico e depravado como o Conde Károlyi enternecia-se com a possibilidade de uma audiência particular com Sua Majestade Imperial, embora ninguém se lembrasse de ter ouvido Francisco José pronunciar uma única frase importante nestas ocasiões. Wiladowski aceitava como coisa por si só evidente o princípio de que governantes dinásticos como os Habsburgo não tinham necessidade de magnetismo pessoal, sequer de inteligência, para obter o respeito de seus súditos, e sabia que a sua cultivada estupidez era um lembrete quase ostentatório de que podiam deixar qualidades espalhafatosas como o talento aos plebeus novos-ricos que precisavam trabalhar para conquistar a obediência que era direito de nascença dos monarcas hereditários. A ânsia de se fazer interessante era, sem dúvida, uma característica desagradável dos arrivistas, há muito tempo abandonada por uma família acostumada há gerações às atenções fascinadas dos seus súditos. Mas o ardor com que até os membros mais céticos das principais famílias do Império examinavam a mínima alteração da rotina doméstica diária imperial e das listas de convidados parecia agora ao conde-governador uma superstição amigável, semelhante ao fervor com que os camponeses se humilhavam diante das imagens sagradas colocadas nalguma pitoresca capelinha de estrada.

Wiladowski partia do princípio de que toda veneração profunda exige dotar de uma auréola de mistério e poder alguma coisa sem significado inerente para o incrédulo, mas ele mesmo não possuía mais a elasticidade interna necessária para isso, a não ser em raros intervalos e com convicção vacilante. Longe de chegar a novas convicções para substituir as que absorvera primeiro, quando criança, de seus tutores, e depois, quando adolescente, do regime estrito imposto por seus professores, Wiladowski começou simplesmente a viver sem nenhum princípio fixo. Evoluíra lentamente para transformar-se naquele ser nada característico do novo século, um materialista aristocrático sem filosofia, e, como jogador experiente dos salões e cassinos da Europa, calculou que a probabilidade de alguém como ele sobreviver com os seus títulos, renda e saúde física intactos ainda por muitos anos era ínfima.

As conseqüências interiores da sua falta de fé mostraram a Wiladowski como eram semelhantes as exigências que tanto o trono quanto o altar faziam aos seus adoradores e quanta energia imaginativa toda a população despendia para sustentar esses pilares gêmeos do regime. Pessoalmente, o conde-governador não se arrependia de ter passado a vida servindo aos interesses da Corte, que, até recentemente, considerava em grande parte idênticos aos seus. Mas, a menos que fosse totalmente inevitável, também não tinha a menor intenção de levar a sua devoção a ponto de colocar realmente em risco a própria vida. O problema era que, como Tausk permitira-se rudemente destacar, seria pouco provável que os socialistas se importassem muito com a mudança de idéias do conde-governador e, com toda a certeza, continuariam a vê-lo como alvo ideal da sua raiva na situação atual. Wiladowski concordou com relutância que havia uma certa dificuldade insuperável na esperança de continuar ocupando o seu cargo, o que significava, entre outras coisas, continuar coletando toda a receita, autorizada ou ilícita, devida a um governador imperial, ao mesmo tempo que convencia os inimigos do regime a não considerá-lo responsável por suas ações, simplesmente porque agora acreditava tão pouco quanto eles nos princípios teóricos por trás da sua autoridade. Mas até Tausk, que chegara a prever as reviravoltas curiosas da mente do seu empregador com aguda exatidão, estava despreparado para a insistência do conde-governador em que a própria visibilidade de sua corrupção deveria demonstrar aos revolucionários como era pequeno o crédito que ainda dava ao código aristocrático do serviço público desinteressado e como adaptara inteiramente o seu comportamento à insistência moderna no primado da motivação econômica na natureza humana. Em vez de odiá-lo por sua venalidade, os radicais deviam aplaudi-lo por encenar de maneira tão pública o seu modelo do homem como criatura guiada apenas pelo interesse econômico e, na verdade, se apenas pensassem bem nisso, logo perceberiam que, logicamente, matá-lo seria um tipo de auto-refutação desmerecedora da sua seriedade ideológica.

Tausk tinha pouca fé em que um argumento desses pudesse prolongar a vida do seu patrão, mesmo que chegasse aos ouvidos certos, e sugeriu, em vez disso, que se tentasse conseguir uma trégua secreta e, no caso, estritamente pessoal entre o conde e os socialistas — digamos, um toma-lá-dá-cá, no qual eles teriam imunidade à prisão em troca da promessa de nunca atentar contra a vida do governador ou do seu chefe da Segurança. Mas como não havia apenas uma ou duas, mas uma boa meia dúzia de organizações clandestinas, cada uma com metas diferentes e táticas conflitantes, seria impossível realizar negociações sem que viessem a ser conhecidas por encrenqueiros tanto na burocracia imperial quanto nas outras células radicais. Ao mesmo tempo que as autoridades de Viena exigiam batidas policiais à meia-noite e comboios regulares de prisioneiros como prova do zelo oficial do governador, os revolucionários dependiam do teatro igualmente previsível dos julgamentos encenados e dos mártires exemplares para manter devidamente inflamada a paixão dos seus partidários. Assim, Tausk teve de admitir com relutância que, na prática, a sua tática não gozava de mais esperança de sucesso que a fantasia do conde-governador de ver aplaudida pelos terroristas a própria exuberância com que encarnava o materialismo que consideravam sagrado.

Entre todos esses crentes fiéis, quer falassem pela corte, quer pelos operários militantes, Wiladowski via-se como o único austríaco autêntico que restava — quer dizer, o único que valorizava mais sobreviver do que estar certo — e parecia-lhe curioso que se mantivesse fiel à prática política milenar do seu país ao mesmo tempo que descartava o sistema de crenças que dava a essa prática a sua dignidade interna. Embora ninguém jamais ousasse dizê-lo em sua frente, muitas vezes Wiladowski achava que, sem a Igreja para compreendê-lo e perdoá-lo e sem o princípio da legitimidade para justificar as suas vastas possessões, o seu comportamento iria pouco além da animalidade e do medo. Ainda assim, durante as longas noites insones que passava andando de um lado para o outro em seu escritório, em vez de envergonhar-se ao lançar essas palavras a si mesmo o conde encontrava um certo prazer mordente no gosto que tinham em sua boca.

No fim das contas, exceto por alguns padres deprimidos e amargurados que compensavam a rejeição de terem sido relegados a alguma paróquia pobre e distante com um agostinismo feroz, não havia ninguém exceto Tausk com quem Wiladowski conseguisse conversar sobre a gratificação sutil que um homem pode sentir ao contemplar a própria ignomínia. Todos os que tentou consultar, dos membros de sua própria equipe aos pensadores aprovados cujas obras estavam cuidadosamente indexadas por tema na Biblioteca do Estado-Maior Imperial, simplesmente não tinham nenhuma palavra parecida com *animalidade* em seu catálogo de motivações humanas decisivas. Mas talvez fosse a incompreensível rejeição da sua raça à carne de porco que dispusesse o espião-chefe a especular com tanta lucidez sobre a porcaria humana em geral. Neste caso, Wiladowski não conseguia deixar de perguntar-se se Tausk, com o típico gosto judeu pelas discussões, não estava apenas invertendo uma característica bem comum, segundo a qual tudo o que é profundamente impalatável como metáfora torna-se deliciosamente apetitoso assim que é entendido literalmente.

— É como lamber o traseiro de alguém — foi a imagem que tentou usar com Tausk para ilustrar o seu princípio. — Imagine, ninguém está disposto a admitir que faria isso metaforicamente para promover a sua carreira, mas muitos homens dos mais escrupulosos adorariam enumerar todos os lindos traseiros que já lamberam, ainda mais se a dama em questão for casada e o marido estiver fora da cidade. Vocês, judeus, por outro lado, parecem ficar tão apavorados com a literalidade quanto desembaraçados com a metáfora. Tenho certeza que é por isso que tiveram tantos problemas com o nosso Salvador naquela época — neste ponto, girou as mãos em delicados semicírculos, para indicar, pelas ondulações espaciais que produziu, uma vaga extensão de séculos — e que tantos de vocês ainda recusam um passo tão vantajoso e obviamente desprovido de sentido quanto um simples ato de conversão.

Quando Tausk alegou ignorar, como ex-aluno de rabinismo, que partes de uma mulher casada eram mais adequadas à língua e confessou a sua incapacidade de ver a relação entre este ato e a conversão ao cristianismo, Wiladowski, longe de se irritar, sentiu-se sutilmente lisonjeado com a sugestão de que havia numerosos domínios em que a sua experiência mundana sempre ultrapassaria a de Tausk.

— Bem, então, para voltar à metáfora, na qual é claro que você se sente mais confortável, não concorda que animalidade, maldade e medo foram muito subestimados pelos nossos teóricos políticos? Pode citar candidatos melhores para explicar por que todos agem de forma tão desgraçada mesmo quando seria fácil não fazê-lo? Como tantas pessoas vão até a sua mesa toda semana para denunciar alguém que conhecem há anos, que não lhes causou mal nenhum e cujas dificuldades não lhes trazem nenhum benefício? Um departamento como o seu precisa do seu quociente de animalidade humana ordinária e espontânea para realizar o seu trabalho, isso é óbvio, mas estou convencido de que o mesmo acontece com o Ministério do Exterior e com todos os ministérios culturais. Agora mesmo, em círculos decentes, só a Igreja fala abertamente dessas coisas e é por isso que é provável que sobreviva até quando ninguém mais der atenção aos seus outros ensinamentos. Precisamos que *alguém* nos diga como são os animais, ainda que só para nos poupar do incômodo de fazê-lo! Quando você me mostra aqueles panfletos ilegais com a sua bobajada interminável sobre como todo mundo é bom por natureza, exceto, claro, algumas pessoas cruéis como eu que podem se dar ao luxo de usar camisas limpas, começo a me sentir bem alegre, porque não consigo acreditar que algum dia serão levados a sério.

Não era por opção, nem sem um bom volume de angústia interna por ver suas opções tão circunscritas, que Wiladowski se limitava a Tausk como parceiro de conversas. Mas, nas poucas vezes em que se permitiu uma observação nesta linha a alguém cuja inteligência já respeitara, viu que os seus protestos de indiferença até pelas menores escaramuças políticas da época eram imediatamente interpretados como jogada convencional de um reconhecido mestre da dissimulação diplomática. Quanto mais insistia em que deixara mesmo de se importar com quem receberia a Cruz de Leopoldo na lista de homenagens do aniversário do imperador ou quem seria nomeado para a delegação encarregada de negociar uma aliança de defesa mútua com a Alemanha, mais achavam que estava exercendo uma influência sinistra sobre as decisões do governo. Embora Wiladowski nunca tivesse sido maçom nem, até onde se sabia, ninguém da família imperial, vozes frustradas começaram a fantasiar a existência de uma vasta rede de lojas maçônicas inter-relacionadas nas quais o conde-governador e os seus cúmplices reinavam, puxando secretamente os cordéis por trás de cada decisão estatal importante. Os boatos chegavam a explicar que só podia ser a sua compartilhada aliança maçônica que unia um aristocrata conservador como Wiladowski a uma criatura odiosa como o seu novo companheiro judeu, cujos conselhos certamente teriam conseqüências terríveis para os cidadãos respeitáveis e tementes a Deus. Na verdade, entre aqueles que tinham aceitado como óbvias as supostas conexões maçônicas de Wiladowski começou a surgir um novo emaranhado de suposições que insinuava um casamento desigual, talvez até uma mistura com uma sombra de sangue judeu insuficientemente batizado, nalgum ponto do histórico da família, talvez no ramo italiano, onde tais questões eram vistas de forma menos estrita, até que se lembraram que os pais de Marie-Luise, cujo anti-semitismo estava fora de questão, jamais permitiriam que a filha desposasse alguém cuja pureza racial pudesse ser alvo de alguma dúvida.

Nas primeiras horas de certa noite, imediatamente depois da volta do conde-governador de uma viagem curta à capital para consultar o ministério sobre a situação na província, ele convocou o seu espião-chefe para fazer o relatório imediatamente, em vez de esperar a conferência matinal regular com o resto da equipe de alto nível do Castelo. A tensão dos últimos meses tinha começado a afetar o apetite de Wiladowski, que costumava ser voraz, e o balanço do trem expresso arruinara-lhe por completo a possibilidade de jantar. Assim que Tausk entrou na biblioteca, o estado de humor de Wiladowski melhorou um pouco e, depois de dar uma olhada na grossa pasta de papéis que Tausk lhe entregou, o conde-governador serviu-se de boa dose de *brandy*, concordou com a recusa obrigatória de Tausk ao convite de também beber, e pôs-se a descrever os efeitos esperados das políticas mais recentes do governo. Logo, contudo, passou dos assuntos oficiais ao tema que se tornara a sua mais recente obsessão.

— Foi uma pena eu não poder levá-lo comigo a Viena — disse. — Seria muito mais divertido ter você por lá, mas o seu trabalho aqui é importante demais para que eu o interrompa. Ainda assim, gostaria que você conhecesse gente como os meus sobrinhos Colloredo. Poderiam ajudá-lo a compreender imediatamente do que estou falando. Sabe, são carreiristas imperiais vitalícios e ferozes e, assim, no meu modo de pensar, a vida inteira deles é um longo exercício de idealismo abstrato. Entendem tudo ao contrário, é claro, e quanto mais crassa é a forma com que me expresso, mais acham que estou sendo especialmente sutil. Sou o único daquele lote todo que parou de adorar fantasmas e começou a cuidar da própria pele em primeiro e último lugar.

Tausk, que sabia perfeitamente bem que as pessoas que seu patrão visitara em Viena jamais trocariam uma única sílaba com alguém como ele, tentou não mostrar o seu ceticismo quanto aos benefícios pedagógicos de acompanhar o conde-governador. De qualquer modo, sabia que, em momentos assim, o seu empregador não gostava de ser interrompido e, portanto, manteve a sua expressão atenta e neutra. No entanto, para Wiladowski, que passara a semana inteira sentindo-se desconfortável para falar sem restrições com alguém que pudesse mesmo entendê-lo, a reticência de Tausk foi apenas outra provocação bem-vinda.

— Não há razão para olhar de forma tão teatral sobre o meu ombro enquanto tenta manter o seu rosto neutro. — O conde-governador inclinou-se na direção do espião-chefe e fingiu estudá-lo de perto. — Não sei o que está acontecendo dentro desse seu esperto cérebro judeu, mas a seu modo você é um idólatra tão grande quanto qualquer um daqueles imbecis bem-nascidos de Viena. Não importa o que me diga, sei que não se tornou espião só pelo salário, assim como o meu tio não se tornou cardeal por causa da culinária romana. Vocês dois acreditam no poder como coisa maravilhosa por si só; os dois sacrificariam tudo, inclusive a si mesmos, para mantê-lo e, secretamente, os dois consideram alguém como eu, que não se sente mais assim, um idiota.

Embora Tausk não tivesse interesse algum na culinária, começava a sentir-se fraco depois de um dia em que estivera ocupado demais para comer e achou um tormento que o conde-governador falasse em comida. O jantar estava a ponto de ser servido lá embaixo, mas para ele era impensável mandar levá-lo até ali e, assim, Tausk fez o máximo para recompor-se e agüentar a conversa da melhor maneira possível.

— Com certeza Vossa Excelência não deveria ir tanto a Viena, se isso o deixa deste jeito — disse. — Eu nunca pensaria em me comparar a Sua Eminência, o Cardeal, e menos ainda me permitiria fazer qualquer juízo do meu patrão e benfeitor. Além disso, se posso falar livremente sem ofender, o senhor mesmo não me ensinou sempre que o princípio fundamental do estadismo é sacrificar *os outros*, mas nunca a si mesmo? Este me parece um princípio admirável, que tanto os idealistas quanto os homens de sabedoria prudente podem facilmente endossar. Mas se posso desviar sua atenção para o dossiê que lhe trouxe, Vossa Excelência verá que há pouco obtive algumas informações que podem nos ajudar a prever de onde virão os problemas da próxima vez e talvez até nos permitir influenciar a direção dos planos dos socialistas sem que eles saibam.

— Então é por isso que você parece tão contente consigo mesmo hoje. — Wiladowski sorriu deliciado com o seu espião-chefe, cuja exaustão estava visível em seus olhos e cuja aparência sugeria tudo, menos prazer. — Se você tem alguma informação, não poderia vir em melhor hora, ainda mais porque parece que, apesar de todos os meus barulhos desencorajadores, o ministro está decidido a ir em frente e mandar Zichy-Ferraris como seu representante à reconsagração do Campanário. — De repente, o rosto de Wiladowski se fechou. — Bem do que precisamos. Uma visita estatal, com desfiles e fardas de gala. Por que simplesmente não colocamos um cartaz convidando *Messieurs les Assassins*, por favor, a se apresentarem em frente à escadaria da Catedral, onde o governo de Sua Majestade Imperial vai lhes fornecer várias oportunidades de exercer a sua arte? "Prática de tiro ao alvo, cortesia do governador e de seus distintos visitantes!" Só espero que você tenha um bom plano. Apreciaria que alguma coisa me alegrasse.

— Talvez o senhor se recorde do meu relatório sobre uma cena estranha defronte do Clube Mendelssohn, outro dia. Aquela que envolvia Kaplansky e um rabino que eu ainda não conhecia. — Tausk abandonara todas as esperanças de um jantar quente e decidira aproveitar o *tête-à-tête* com o conde-governador para apresentar os seus planos sem a interferência dos seus inimigos na burocracia do Castelo. — Bem, uma das pessoas que saíram do clube para falar com o rabino foi um tal de Asher Blumenthal, contador empregado pela Sobieski, mas que dizem ser um dos homens de Rotenburg. Bem, o que descobri mantendo Blumenthal sob estrita vigilância confirma uma ligação bastante inesperada com os Rotenburg. Preparei um pequeno arquivo a respeito para o senhor, com base numa série de cartas que interceptamos e copiamos de Blumenthal a um velho amigo seu que é daqui e hoje mora na capital como candidato a escritor.

Assim que ouviu que no relatório de Tausk havia alguma coisa ligada a Moritz Rotenburg, o conde-governador sentou-se em sua grande escrivaninha, colocou os óculos e examinou cuidadosamente o dossiê. Quando terminou, afastou as últimas páginas, olhou o seu espião-chefe e, num tom de genuína admiração, disse a Tausk:

— Mas isto é brilhante! Sua sutileza é quase humilhante. Agora entendo. É claro que Rotenburg não vai querer que esmaguemos agora os encrenqueiros, não antes que tenha espremido ao máximo a situação. É a total simplicidade do seu esquema que mais me encanta; é decididamente mozartiano! Realmente, se houvesse mais gente como você não sei como algum país conseguiria impedir que os judeus assumissem completamente o controle.

Desta vez Tausk realmente não entendeu o que o seu patrão queria dizer. Nunca achara os negócios interessantes por si sós e ficou prestes a acreditar que o conde-governador percebera no arquivo alguma coisa que ele mesmo deixara passar. Mas quando disse isso, o conde-governador recusou-se a acreditar.

— Não finja ser ingênuo, Tausk — replicou Wiladowski. — Não combina com você. Até você tem de concordar que Rotenburg planejou um golpe de mestre. Veja aqui na sua transcrição da carta do contador, onde ele explica que Rotenburg está por trás de toda a agitação. Já que é óbvio que Rotenburg conta com o exército imperial para manipular as condições dos negócios para o seu próprio benefício, não surpreende que venha a ser ele quem dirige secretamente o seu misterioso pregador e, sem dúvida, também Kaplansky. Às vezes tenho dúvidas se até o nosso pobre imperador não está sendo levado a agir como um dos agentes secretos da sua tribo! Precisamos apenas deixar claro a Rotenburg que manter-me vivo acabará lhe custando menos do que lidar com o meu sucessor. Isso, por si só, vai garantir a minha segurança.

— Wiladowski recolocou os óculos no estojo e, depois de assinalar que queria um registro daquilo tudo por escrito, deu uma série de novas instruções.

— De hoje em diante — prosseguiu —, *não* quero que você peça contribuições adicionais a Rotenburg, não importa com que propósito. Está entendido? Os pagamentos regulares serão perfeitamente adequados; qualquer extra nós levantaremos dobrando as multas impostas ao próximo lote de grevistas e cobrando mais dos lojistas menores pelo tempo extra da polícia. Deste modo, ninguém pode dizer que estamos privilegiando nenhum dos lados. E não há mais necessidade de ir com calma com aqueles que prendemos, não é? Tenho certeza de que Rotenburg não vai se importar com o que acontecer a seus subordinados, já que, afinal de contas, parece que sempre pegamos mais cristãos do que judeus.

Tausk contou em seus dedos manchados de fumaça cada uma das frases do conde-governador, para mostrar que compreendera perfeitamente o que era necessário. Mas não conseguiu parecer tão contente assim com o novo estado de coisas quanto Wiladowski evidentemente esperava e, quando o patrão lhe perguntou a razão do seu ar preocupado, o espião-chefe permitiu-se afirmar:

— A formação dos grevistas ainda pode mudar, Excelência. Por enquanto os piqueteiros proibiram os judeus de marchar ao seu lado e, assim, é improvável que encontremos muitos em nossos ataques. Mas não estou convencido de que, no caso da segurança de Vossa Excelência, seja prudente confiar somente nalgumas informações extraídas de um punhado de cartas de uma criatura insignificante como Asher Blumenthal. Um homem como Rotenburg jamais teria total confiança em Blumenthal. Acho que teremos de tratar tudo isso como especulação não comprovada e continuar trabalhando em várias frentes ao mesmo tempo. De qualquer modo, precisamos manter alguma coerência em nossa estratégia, pelo menos para disfarçar o fato de que já entendemos o que realmente está acontecendo.

O desapontamento do conde-governador ficou imediatamente visível. Ele afundou de volta na cadeira e serviu-se de mais *brandy*, desta vez sem sequer passar pelo simulacro ritual de perguntar se Tausk aceitava acompanhá-lo. Mas, depois de vários suspiros profundos e um olhar nervoso para a porta da biblioteca, guardada pelo lado de fora por duas sentinelas armadas, Wiladowski disse a Tausk que sim com a cabeça, numa concordância relutante. Depois, como se não tivesse dedicado tempo suficiente a idéias soturnas, Wiladowski refletiu que, ainda que não fosse absolutamente confirmada, também não havia indícios de que a teoria de Blumenthal estivesse errada. Gostara da expressão de Tausk, *trabalhar em várias frentes ao mesmo tempo*, já que lhe deixava aberta a possibilidade de enriquecer-se espetacularmente ao mesmo tempo que protegia a sua vida. E concluiu que, considerando tudo, a notícia ainda era animadora, ainda mais depois da futilidade das reuniões recentes em Viena.

— Você tem razão de ser prudente — disse a Tausk —, mas o seu contador nos deu uma brecha que seremos tolos se não usarmos. Deixo em suas mãos os assuntos imediatos com Blumenthal. Você também deve mandar algumas palavras com minha assinatura ao chefe de polícia em Viena, pedindo que ele nos ajude como for possível. Pode ser útil mandar alguém da capital conversar também com aquele tal escritor. Mas tenha cuidado com o que vai revelar a von Kirchmayr. Não quero que vaze nenhum detalhe do que conversamos, principalmente para alguém com influência em Viena. Se estou certo sobre o seu significado, essas suas cartas não só vão me salvar a vida como podem dobrar a minha fortuna! Só preciso descobrir que fábricas Rotenburg planeja comprar, passar-lhe a frente e fazer a minha oferta ou, se isso for arriscado demais, obter o bastante das suas ações para que, pelo menos, possa participar dos lucros de Rotenburg depois da recuperação. Isso tudo é muito promissor, Tausk! Muito promissor.

Tausk, que estava ansioso para voltar aos seus aposentos e pedir que lhe mandassem da cozinha uma refeição fria, tinha esperanças de que seu empregador se dispusesse a mandá-lo embora. Mas Wiladowski se intrigara com o dossiê de Tausk e estava apreciando as suas próprias especulações sobre o seu significado.

— E esse pregador? — perguntou o conde-governador. — Não me surpreenderia em nada se estivesse em posição mais elevada do que parece na organização de Rotenburg. Você tinha razão de me alertar sobre ele, Tausk. O que descobriu a seu respeito desde o primeiro relatório?

— Quase nada de útil, tenho até vergonha de admitir. — A angústia de Tausk por ter de reconhecer o seu fracasso foi atenuada pelo total alívio de, finalmente, despertar o interesse do seu patrão pelo rabino. — Parece que tem se mantido discreto ultimamente — prosseguiu. — Embora haja um fluxo regular de visitantes aos seus aposentos, ele não está recebendo nenhum deles. Afinal, os que vêm ouvi-lo são, em sua maioria, apenas trabalhadores pobres e, com exceção de Kaplansky, ninguém importante teve contato com ele desde o episódio da praça. Ele recebe alguma correspondência que, é claro, examinamos, mas não encontramos nada, a não ser alguns livros inócuos.

— Que tipo de livro? — perguntou Wiladowski. — Se estavam na lista dos proibidos, por que não foram confiscados?

— Neste estágio — disse Tausk, na esperança de não ter cometido um erro tático que desagradasse ao conde-governador —, pareceu-me mais aconselhável não deixar que ele tenha a certeza de que estamos lendo toda a sua correspondência. Mas se Sua Excelência prefere outra abordagem, podemos implantá-la imediatamente. Achei que, se Brugger se sentisse seguro, poderia descuidar-se e revelar algo de útil. Mas até agora a única coisa realmente suspeita é que nada do que ele recebeu está proibido. *Todo mundo* que encomenda livros do estrangeiro recebe pelo menos algumas obras proibidas, mas o pacote de Brugger continha principalmente estudos aprovados de filosofia e matemática. Todos absolutamente respeitáveis e até um pouco fora de moda, segundo alguns especialistas que consultei. É verdade que também havia alguns tratados sobre numerologia bíblica e alguns volumes de poesia, mas nada político, até onde pude perceber. Cheguei a ler uma antologia de poemas em hebraico que parecia ter sido muito anotada, para ver se os versos estavam em código, mas eram apenas as lamentações de sempre pela queda do Templo e as esperanças de que o Messias venha logo para restaurar a terra do seu povo.

Wiladowski recuperara o bom humor e queria partilhá-lo com Tausk, brincando com ele, quase sem deixar que as considerações sobre posição social se intrometessem.

— A julgar pelas últimas eleições municipais em Viena e Linz — disse alegremente ao seu espião-chefe —, parece mesmo que a cada ano uma parte maior da população deseja que *alguém* mande o seu povo de volta para onde quer que tenham saído. No entanto, por mim eu acharia as coisas chatíssimas sem alguns judeus para dar o fermento de que nós, austríacos, precisamos. Pelo menos nisso Sua Majestade Imperial e eu concordamos inteiramente, ainda que as razões dele não sejam exatamente as mesmas que as minhas. Acho que você não sabe que, antes do seu horrível assassinato, a própria imperatriz esteve com Julie de Rothschild, em Paris, no meio de toda aquela confusão estúpida sobre Dreyfus.

Quando Tausk, para quem a história sobre a imperatriz falecida nada significava, tentou pensar nalguma coisa pertinente a ser dita, só conseguiu lembrar-se de perguntar se a notícia da cortesia de Sua Majestade fora muito comentada nos jornais.

— Não, é claro que não! — Wiladowski fitou-o surpreso. — Ela viajou totalmente incógnita. Mas ainda assim, que tributo à sua tolerância! Não que a bondade instintiva pelos inferiores a tivesse ajudado no final, pobre mulher. Bem, vamos tentar garantir que nada parecido me aconteça. A idéia da Condessa Wiladowski sobreviver mais vinte anos como minha viúva enlutada é realmente apavorante. Talvez porque ela vá ficar perfeita no papel, ainda que o preto não lhe caia muito bem.

Desta vez o olhar vazio de Tausk foi adequadíssimo. Não havia comentário que pudesse fazer que não fosse potencialmente perigoso para a sua carreira, e manteve-se tão imperturbável quanto um diplomata de primeira linha ouvindo falar de um escândalo saboroso num baile da embaixada. Wiladowski fitou o seu espião-chefe e fez um gesto com a cabeça aprovando o olhar desapaixonado que recebeu. Apreciava descobrir que Tausk era mesmo um aluno de primeira linha e foi em seu papel de professor que o conde-governador preveniu-o:

— Sabe que a minha mulher jogaria a culpa do meu assassinato sobre a sua incompetência e veria como missão sagrada puni-lo por isso? — disse. — E acredite-me, sem a minha proteção, todas as informações confidenciais sobre nós que tenho certeza que você conseguiu guardar nalgum lugar não seriam suficientes para protegê-lo. O que é que os franceses gostam tanto de aconselhar aos jovens? *Enrichissez-vous!* "Enriqueçam!" Bem, é exatamente o que vamos fazer com essas cartas: vou me enriquecer o bastante para continuar vivendo com tanto luxo quanto um financista judeu depois que pedir demissão deste cargo e me mudar para onde ninguém estará interessado em me matar. E não vou me esquecer de incluí-lo na hora de dividir o espólio. Se tudo der certo, você terá o tipo de renda pessoal capaz de lhe permitir subir acima de todos os virtuosos Pfisters que estiverem em seu caminho. Pense só que golpe esplêndido será, como vai combinar bem com este século absurdo. Bom trabalho, Tausk. Nem a vinda de Zichy-Ferraris vai me incomodar agora. Pela primeira vez em semanas, sinto-me positivamente faminto. Em termos literais e metafóricos, simplesmente voraz. Achei que a nossa conversinha iria até mais tarde e assim mandei o cozinheiro guardar o meu jantar e mantê-lo quentinho para mim. Acho que vou comer no meu quarto enquanto examino o resto desses papéis de Viena. Mande que tragam o meu jantar aqui para cima quando sair. E tente não brigar muito com Pfister na reunião de amanhã.

◆ ◆ ◆

Foram necessárias numerosas conversas assim, na verdade muito mais do que gostaria de admitir a si mesmo, para que Tausk admitisse que, apesar do olhar ativo que o seu patrão costumava adotar quando discutia qualquer coisa que não estivesse imediatamente relacionada ao seu próprio bem-estar prático, Wiladowski possuía uma cabeça mais sutil e especulativa do que todos os seus subordinados. Também lera muito mais do que deixava os outros à sua volta perceberem. Talvez os anos de doenças constantes na infância, antes que o serviço militar forçasse o jovem conde a endurecer os nervos, o tivessem encorajado, pelo menos por algum tempo, a explorar a volumosa biblioteca de sua casa com uma curiosidade que se estendia além das famosas encadernações em couro, todas com o escudo da família, com as quais se destacavam as obras-primas sancionadas da literatura mundial, arrumadas simetricamente de acordo com o tamanho e a espessura dos livros. Havia alguma coisa alegre e reconfortante nesta uniformidade da aparência e, como os seus iguais, os Wiladowski gostavam de achar que, ao vestir de pelica e ouro os autores, em sua maioria da classe média, tornavam-nos de algum jeito socialmente aceitáveis — *Salonfähig*, ou dignos de serem aceitos em boa companhia, para repetir a expressão predileta da sua mãe. Uma transformação dessas na aparência física dos volumes antes de serem entesourados permanentemente na biblioteca correspondia exatamente às instruções discretas mas detalhadas sobre como se vestir que acompanhavam os convites enviados àqueles escritores burgueses especialmente favorecidos para reunir-se à nobreza num bolo com champanhe após o jantar nalguma de suas recepções semipúblicas maiores. Quer dizer, antes de poderem ser publicamente vistos, esperava-se que textos e autores vestissem algum tipo de cara libré e a simetria elegante com que os aristocratas tratavam as obras impressas e os artistas vivos era tão instintiva que nunca ocorrera a nenhum deles colocar em palavras o princípio que lhes guiava a conduta. O próprio Wiladowski, que ficou maravilhado nas primeiras vezes em que o pai lhe permitiu ficar acordado até tarde e participar destas festas, viu-se, a princípio, espantado mas, dali a poucos meses, abertamente impaciente com a discrepância entre os parágrafos seguros e graciosos que lera há poucas horas na biblioteca e as banalidades pomposas que os mesmos escritores trocavam agora entre si e com seus anfitriões. O que mais irritava Wiladowski era a estranha combinação de vaidade sem limites e dúvida eterna sobre si mesmos com que esses homens se comportavam. Como todos os austríacos, fosse qual fosse a sua classe, Wiladowski crescera reconhecendo de imediato os vários sotaques e expressões que distinguiam os empregados domésticos dos operários de fábrica, dos comerciantes e comerciários de classe média ou de autoridades e burocratas de todos os níveis. Como também a maioria dos que pertenciam à sua própria casta, fora muito bem treinado para ajustar as suas expectativas e exigências à capacidade, definida pelo *status*, da pessoa a quem se dirigia.

Mas a nova geração de artistas e intelectuais que começara a penetrar na sociedade durante o final da adolescência de Wiladowski era tão estranhamente insegura da sua posição que tornava necessário um esforço contínuo para não ferir o seu amor-próprio. Para os detentores de títulos hereditários, toda esta idéia de incerteza sobre o lugar de cada um na verdade não era sediciosa, mas simplesmente sem sentido. Os artistas vivos, por exemplo, eram apenas a elite da classe servidora; claramente superiores aos tutores que lhes criavam os filhos, mas pertencentes à mesma ordem geral. Se alguma alma maliciosa quisesse atormentar uma mulher como a Princesa von Magdeburg, avó de Wiladowski, com alguma questão complicada de precedência social, teria de pedir-lhe que distinguisse o grau exato de respeito que se deveria demonstrar a um artista famoso daquele devido a um membro do baixo clero, quando não estivesse praticando algum mistério impressionante, como ministrar o corpo do Salvador durante a missa. Mas fora desses enigmas delicados, havia pouquíssima incerteza sobre a posição correta de cada um. Recentemente, contudo, alguns gênios mais jovens, com os seus títulos recém-conferidos por alguma das novas revistas mensais, pareciam perder toda a idéia da sua posição, só que, em vez de se sentirem libertados das restrições sociais por esta promoção, na verdade a apreensão quanto ao respeito a eles devido deixou-os a todos absurdamente instáveis. Agora que os seus artigos eram publicados aqui ou ali ou as suas peças produzidas nalgum teatrinho, o silêncio sobre o seu sucesso, até mesmo por parte dos conhecidos mais ocasionais, era como uma afronta deliberada e, de repente, todos, do garçom altivo de algum café da moda ao vizinho indiferente, passavam a ser fontes potenciais de injúria. Assim, embora o talento não reconhecido tivesse sido um tormento constante, a aceitação no mundo das revistas oficiais, galerias de arte e companhias de teatro provocava também sofrimentos novos e surpreendentes, no mínimo porque a disparidade entre ser totalmente desconhecido e obter alguma fama não era nem de longe tão transformadora quanto tinham fantasiado. Nem as suas carteiras nem a aclamação do público tinham atingido o volume com que sonhavam, mas também não eram totalmente insignificantes; devia ter acontecido alguma transformação fundamental na sua situação, porque senão o que estariam fazendo ali, balançando meio sem jeito uma taça de champanha e um prato cheio dos complicadíssimos bolos em miniatura de Demel na sala de bilhar da casa de campo de Wiladowski? A mera permissão de passar pelos porteiros de libré pareceria bastante impossível há apenas um ano e a inveja que isso provocava, bem naquele instante, em todos os seus rivais não convidados era mais gratificante do que tudo o que os anfitriões lhes pudessem oferecer. Mas se não havia dúvida de que a sua vida *realmente* mudara, era de enlouquecer o fato de não saber por quanto tempo e com que resultado. Ninguém jamais lhes dera conselhos sobre as questões mais básicas da etiqueta de salão. A principal delas era se cabia a um grande talento como eles ser condescendente com aristocratas indubitavelmente fátuos, cujos doces e vinhos de sobremesa provavam com avidez, ou elogiá-los na esperança de garantir um segundo convite; e havia muitos momentos em que a atração oposta das duas opções, mais ainda que os trajes formais emprestados, deixavam-nos dolorosamente desconfortáveis. Incapazes de decidir-se por este ou aquele tom, costumavam experimentar os dois, em rápida sucessão ou até ao mesmo tempo, de modo que uma única frase demonstrava tanto a arrogância indiferente quanto a compulsão de causar impressão favorável, complexidade que costumava exceder tudo o que até então tinham experimentado em sua arte.

 Wiladowski era bem-educado demais para mostrar com que agudeza sentia a banalidade das duas opções. Crescera mais parecido com os seus primos italianos do que com qualquer um dos parentes alemães, e considerava a inteligência uma qualidade divertidíssima; como a sua ambição principal naquela época consistia principalmente em divertir-se, ansiara por aquelas noites como um antídoto para o tédio da conversa com os seus amigos aristocráticos. Em conseqüência, foi a Wiladowski e não ao restante da família, que jamais esperara algo melhor, que a estupidez desses artistas desapontou e irritou. Durante mais alguns meses, ainda prosseguiu com as suas sessões vesperais de leitura na biblioteca agradavelmente silenciosa, mas nas festas era agora às senhoritas de melhor aparência que dava atenção, não aos escritores e músicos que o tinham interessado há tão pouco tempo. As poucos, o gosto pelas mulheres e o entusiasmo pelos livros começaram a alimentar-se entre si e uma intensa erotomania, na qual devorava romances raros e obscenos e buscava de forma obsessiva experiências sexuais sempre mais novas e extravagantes, tomou-o de tal modo que lhe sobrava pouca energia para prazeres secundários. Mas esta fase também terminou de repente, embora não com o mesmo tédio indiferente que marcara seu afastamento do blablablá cultural dos famosos salões da capital.

Certa noite, numa pensão imunda no bairro Ottakring, parte proletária da cidade que poucos amigos seus visitariam durante o dia e muito menos à noite em busca de prazer, a mulher que Wiladowski comprara atacou-o de repente com uma navalha aberta. Se houve algum aviso de que ela era meio instável ou mesmo angustiada, ele estava absorvido demais em suas próprias imagens interiores para notar e, mesmo muito tempo depois, quando tentou reconstruir todo o episódio, desde a negociação rapidamente concluída na rua até o instante em que ela saiu do banheiro minúsculo com as roupas no chão e os braços provocantemente cruzados nas costas, não conseguiu se lembrar de nada que fosse minimamente fora do comum. Como as camas desses lugares enchiam-no de nojo, estava, como sempre, sentado nu numa cadeira, já excitado e tenso de curiosidade para saber como seria a sensação do sexo dela quando se sentasse sobre ele, e o único detalhe que conseguiu recordar com certeza foi como achara repulsiva a visão de alguns cabelinhos e restos de sabão de barba agarrados à borda da lâmina quando ela o cortou. A princípio não conseguiu sentir nada no ferimento, mas mesmo quando viu o sangue começar a escorrer, primeiro devagar e depois com pulsações mais rápidas, sua mente continuou especulando mecanicamente se o fino fiapo negro que acabara de ver era um pêlo pubiano da moça ou um resíduo deixado pelo bigode do seu cafetão. Três semanas depois, quando finalmente retirou as últimas bandagens, o médico que o grupo de Wiladowski procurava em casos de emergência impossíveis de mencionar aos médicos da família garantiu-lhe que, com o tempo, a fina cicatriz no seu abdômen ficaria quase invisível. O tom de voz de mundanidade familiar era ainda mais irritante por acompanhar uma ladainha de frases previsíveis sobre a sorte que o jovem conde tivera de escapar com um simples ferimento na carne e com que facilidade seria permanentemente lesado caso o corte fosse alguns centímetros mais abaixo ou mais acima. Mas o desprazer de Wiladowski tinha menos a ver com o lugar-comum da mente do seu médico — que, afinal de contas, era uma das razões pelas quais fora aconselhável consultá-lo — do que com a percepção de que, além do feio lembrete físico em sua barriga, o episódio deixara-lhe um novo sentimento que os dois homens, paciente e médico, ficariam chocados se o ouvissem verbalizado: a sensação permanente da fragilidade de sua carne e um medo surdo e crescente de ataques inesperados à sua vida.

A aversão de Wiladowski à roupa de cama suja jamais afetara, antes, a excitação que sentia ao tocar a pele das mulheres que dormiam em tais lençóis e a sua disponibilidade de atender a qualquer passante não era mais incômoda que a sensação levemente desagradável que às vezes o invadia quando se acomodava em seu assento no trem, sabendo que passaria várias horas em contato íntimo com um descanso de cabeça e uma almofada que o corpo de um completo estranho acabara de ocupar e deixara desagradavelmente quente ao toque. Com certeza não tinha nenhum desejo de conhecer pessoalmente os seus antecessores em qualquer um dos lugares, trem ou bordel, mas aceitava o fato da sua existência como parte do modo como o mundo se organizava: anti-higiênico, com certeza, mas também, como sempre supusera, prático e nada ameaçador. Agora, entretanto, apesar de várias tentativas de voltar aos antigos hábitos, descobriu que, desde o ataque, o seu nervosismo tornara impossível obter gratificação de mulheres pagas. Permanecia alerta e cauteloso demais para entregar-se à própria excitação e todos os gestos conhecidos de uma prostituta experiente, na intenção de mostrar-lhe a sua disposição de agradar, passaram a ser alvo de novas interpretações sinistras. Mesmo quando afastava essas fantasias, o próprio esforço exigido lembrava-lhe a sua vulnerabilidade. As balconistas não eram mais tranqüilizadoras que as prostitutas oficiais e, embora os seus amigos desejassem que todas elas fossem obrigadas por lei a portar um certificado médico que lhes garantisse a saúde, Wiladowski estava muito mais preocupado com o estado da mente delas. Se fosse possível e se acreditasse na confiabilidade dos diagnósticos psicológicos, o que mais poderia serená-lo seria um certificado de sanidade mental e não de ausência de doença venérea. Como não havia disponível nenhum documento deste tipo, o conde começou a modificar mais uma vez os seus gostos e concentrou-se em encontrar algo atraente nas moças bem-nascidas e estúpidas que sabia que os seus pais considerariam mulheres adequadas. A conversa delas podia ser frívola, mas isto era compensado pela garantia não mais insignificante de que a sua roupa de baixo e as suas escovas de cabelo estariam livres de manchas de intrometidos potencialmente enfermos e que seria muito difícil que se aproximassem dele com navalhas escondidas.

Em todas essas categorias Marie-Luise mostrou-se exemplar. A fama da sua devota mãe, assim como a rigidez das freiras que a tinham educado, eram garantia suficiente de que a sua roupa íntima de seda, como a sua mente, seria totalmente imaculada. O fato de ser considerada por todos a mais adorável das moças em idade de casar cujo lar ele e os amigos visitavam, de que tinha toda a probabilidade de ser ainda mais rica do que ele e de que as famílias dos dois eram tão intimamente ligadas que, se fossem mais próximas, precisariam de uma permissão caríssima do Papa convenceu-o de que não fazia sentido procurar mais. Assim, como esta aliança era adequada para os pais dos dois lados assim como para o grupo de poderosos tios e primos que na prática estavam envolvidos em tudo o que afetava mais basicamente a família toda, Wiladowski passou de predador sexual a zeloso pretendente e a marido toleravelmente dedicado em pouco mais que uma única temporada social. Mas o consolo da sua biblioteca acompanhou-o no casamento e na carreira, de Trieste a Roma, e ele certificou-se de que os livros prediletos fossem incluídos nas malas feitas para os feriados nos grandes hotéis de Biarritz e San Sebastian ou nos salões horrendamente ventosos da casa de férias do sogro perto de Bad Aussee. Foi em seus livros que a libertinagem do conde encontrou um santuário permanente. Com o tempo, começou a retornar a alguns escritores mais sérios que o tinham atraído na adolescência e, se Marie-Luise ficasse acordada para examinar os títulos com que o seu marido logo passava a maior parte da noite, com certeza ficaria tão angustiada com a irreverência dos volumes de teoria política em sua mesinha-de-cabeceira quanto com a indecência desavergonhada da sua extensa coleção de pornografia. Na verdade, Wiladowski deixara que a leitura o influenciasse de forma inesperada. Por um lado, diversamente de sua mulher ou do primeiro-secretário, Wiladowski inclinava-se cada vez menos ao esnobismo automático de classe; sentia tão pouca ligação interior com os que o cercavam que na verdade recebia bem os grandes niveladores, como gostava de chamá-los, do desejo e do medo, por serem testemunhas de que, de alguma forma, ainda estava ligado aos outros. Há pouco, por exemplo, quando Wiladowski pegara uma edição ilustrada e absurdamente cara de *O cativeiro de Grushenka* para assinalar que a reunião terminara, sentiu-se bastante encantado ao ouvir Tausk confessar que passara muitas noites secretas no seminário lendo em êxtase edições baratas dos mesmos clássicos eróticos que, paramentados e embelezados por encadernações magníficas, forneciam agora ao conde-governador o seu maior consolo da monotonia do seu cargo na província. Um esnobe como Pfister, sem dúvida, acharia repelente a insinuação de intimidade implícita no fato de ter-se entregado às mesmas imagens sedutoras que um imundo maquinador judeu, mas, novamente, era difícil imaginar quais histórias, além das fantasias sobre a sua própria carreira futura, conseguiriam excitar Pfister.

— O maravilhoso — pensou Wiladowski — é que tenho certeza de que Tausk já possui uma lista completa dos livros que Pfister deve ter folheado no ano passado. Tenho de pedir-lhe que me descreva em detalhes, ainda mais se algum deles for obsceno. Talvez depois eu peça a Pfister para me emprestar algum — por recomendação de Tausk, é claro!

O fato de que a competição entre o seu primeiro-secretário e o espião-chefe mais divertia do que irritava Wiladowski era bem conhecido em todo o Castelo, ainda mais porque o conde-governador empurrava-os com muita freqüência a demonstrações embaraçosas da sua aversão mútua. Assim como no caso de várias outras excentricidades pessoais suas, todos, de Marie-Luise aos mais poderosos chefes de departamento, supunham erradamente que, por trás do estímulo de Wiladowski à sua rivalidade, devia haver alguma estratégia engenhosa. Sabotar deliberadamente o funcionamento suave e impessoal da própria burocracia, forçando os seus dois subordinados mais poderosos a preocupar-se o tempo todo um com o outro em detrimento até dos deveres oficiais, devia fazer parte, assim dizia a teoria mais aceita, de um grande plano para manter nas próprias mãos o controle de todas as iniciativas administrativas. De início Tausk aceitara esta interpretação e acreditara que, quanto mais provasse a sua confiabilidade e competência superiores, mais depressa Wiladowski pararia de desperdiçar um patrimônio tão valioso para frustrar as ambições de uma personalidade de segunda classe como Mathias Pfister. No entanto, logo Tausk teve de encarar a possibilidade perturbadora de que Wiladowski não tivesse plano nenhum em mente. Toda aquela complexidade, todo o descaso e as provocações que tinha de suportar a cada dia, não passavam de um capricho, um jogo com que o conde-governador se divertia durante a rodada diária de relatórios e memorandos pelos quais deixara há muito tempo de interessar-se, a não ser quando diziam respeito ao seu próprio bem-estar particular. De certa forma, saber disso pareceu mais degradante que os insultos reais. Ser um peão nalguma manobra complicada era uma coisa, mas ali não havia nenhum propósito sutil em ação, somente o tédio do ócio de um homem poderoso cuja consciência não encontrava nada que merecesse a sua atenção e que começava a buscar alívio na pura maldade.

◆ ◆ ◆

Mais tarde, quando todos os órgãos pertinentes do governo tiveram de entregar a sua avaliação daquilo que o primeiro-ministro, com a sua insistência característica na necessidade de uma ambigüidade protetora, recusava-se a chamar de modo mais definido que "aqueles acontecimentos desagradáveis da cerimônia de reconsagração", o ponto de maior unanimidade em todas as análises conflitantes era a falta de atenção ao colapso da economia da província e a conseqüente pauperização de milhares de habitantes. Ninguém foi suficientemente crasso para citar as palavras do Senhor: "Porquanto os pobres sempre os tendes convosco"; mas a verdade desta observação era tão inteiramente pressuposta que tornava de mau gosto, em termos teológicos ou políticos, qualquer outra investigação nesta linha. Mas até Tausk, caso alguém lhe tivesse pedido opinião, coisa impensável considerando-se a sua comprometida situação de funcionário local mais diretamente culpado por não ter conseguido prevenir a "desagradabilidade", sentia-se cético em relação a qualquer tentativa de vincular o terrorismo político à miséria crescente em todo o distrito. Mas com certeza sabia como aquela miséria era real. Passara horas geladas e intermináveis caminhando sozinho pela cidade, demorando-se nas esquinas próximas às filas de prédios dilapidados perto do rio ou bebendo um café adoçado demais num dos bares menos elegantes perto da praça principal, ouvindo a conversa dos outros e tentando formar uma idéia mais clara do seu estado de espírito do que os seus agentes conseguiam lhe transmitir nos relatórios. Contrariamente às suas próprias expectativas, Tausk fora obrigado a reconhecer que a familiaridade com a pobreza das miseráveis aldeias galicianas da sua adolescência pouco ajudara a prepará-lo para a extensão do sofrimento numa cidade como aquela.

Se Pfister fizesse as coisas a seu modo, os homens de Tausk passariam os dias investigando cada minúscula infração, do pequeno contrabando às tentativas repetidas de artesãos e lojistas judeus de trabalhar aos domingos, apesar das proibições estritas. Mas independente de quais fossem os perigos que a situação atual abrigava, Tausk tinha certeza de que não viriam diretamente dos espectros miseráveis do bairro Josef, envolvidos demais na luta para sobreviver a cada dia para tramar um levante. A ponte Nepomuk, cruzando o rio que separava o quartel do exército de alguns dos piores bairros, fora alargada um século antes por um governo prudente e, ao primeiro sinal de emergência, um esquadrão completo de cavalaria podia atacar qualquer tentativa de revolta antes mesmo que começasse. Contra uma multidão, a decisão de atacar primeiro com rapidez e impiedade era importantíssima e, embora Tausk, diversamente de outros no governo da província, reconhecesse que o sofrimento da população alcançava proporções assustadoras, dispunha-se tanto quanto os seus superiores a mandar o exército esmagar a menor turbulência pública. Da janela do seu escritório, Tausk pôde ver muitas vezes dezenas de famílias famintas à espera da distribuição de esmolas, amontoadas diante de uma instituição de caridade como bagagens velhas numa plataforma de trem. De longe, as longas filas sinuosas, constituídas de formas magras e emaciadas de rosto pálido e cadavérico, mais pareciam um exército de fantasmas que de seres vivos, e Tausk tinha certeza de que, se conseguissem recobrar força suficiente, seu ódio faria deles uma força terrível. Mas enquanto o exército mantivesse a sua devoção ao imperador, havia pouco a temer além de algumas janelas quebradas e uma pilhagem insignificante.

Em certo fim de tarde de sexta-feira, caminhando pela multidão no grande mercado que já fora próspero, pouco antes que os judeus começassem a correr para casa para acender as velas de *shabbath*, Tausk observou cuidadosamente a brutalidade com que a polícia expulsava todos os que se demoravam tempo demais em frente a uma banca mas eram claramente pobres demais para comprar alguma coisa. Com freqüência, os homens se encolhiam à espera do golpe antes mesmo de serem tocados. Tausk compreendia, no fundo da sua própria pele, a sensação de derrota vergonhosa. Mas a sua aguda capacidade imaginativa de colocar-se na situação do outro era privada de qualquer capacidade de perdão ou amor, e Roublev, seu assistente, que tinha a melhor oportunidade de observá-lo a trabalhar, tinha certeza de que era por recusar-se a identificar-se inteiramente com a própria infelicidade que Tausk tinha pouca probabilidade de se emocionar com a dos outros.

Era exatamente este desencaixe entre a imaginação de Tausk e a indiferença emocional da sua alma que Wiladowski valorizava, tanto por causa da sua utilidade profissional quanto porque não podia deixar de vê-la como uma curiosa versão judaica da distância interior entre um homem e o seu mundo que há meio século os seus professores tinham considerado virtude exclusiva de aristocratas católicos que entravam para as ordens santas. A espionagem, com certeza, era um tipo esquisito de disciplina monástica, refletiu Wiladowski, mas quanto mais examinava Tausk trabalhando mais o paralelo se lhe apresentava. Para a maior parte da humanidade, denunciar os próprios correligionários pode parecer profundamente repugnante, mas para o conde-governador, que se sentia cercado de desejos e temores contraditórios pelos quais tinha apenas desprezo, havia algo bastante puro e até invejável na falta de todo e qualquer sentimento perceptível de solidariedade humana em Tausk.

Como agora Wiladowski exigia que o seu espião-chefe ficasse à disposição para chamados tarde da noite sempre que os seus pesadelos o impedissem de adormecer, Tausk tinha de voltar ao castelo muito mais cedo do que achava prudente. Pediu permissão para ficar na cidade e continuar a sua vigilância pelo menos duas ou três noites por semana, mas cada vez mais o medo de terroristas de Wiladowski caía para o segundo lugar, atrás da necessidade de conversa inteligente que o distraísse da solidão do quarto de dormir. Embora Tausk compreendesse como era lisonjeiro o desejo de companhia do conde-governador, nada o deixava tão inquieto desde que começara a trabalhar no castelo. Tausk tinha certeza de que, assim que soubesse o que estava acontecendo, poderia prever problemas graves, mas a sua confiança dependia de ter informações fidedignas para guiar-lhe as decisões. Como muitos homens de vida interior turbulenta que só tiveram sucesso no mundo depois de aprenderem a submeter os seus próprios impulsos iniciais a uma disciplina estrita, Tausk temia perder o controle da situação por não ter nada em que se basear além da proliferação de suas próprias fantasias. Precisava da resistência do mundo real, assim como temperamentos mais suaves precisavam de sua aquiescência. Se a sua própria infância soturna já não o tivesse feito, os anos de estudos teológicos lhe mostraram com que rapidez a engenhosidade conseguia popular o cosmos com forças titânicas puramente imaginárias e, em sua posição desprotegida, estava decidido a dominar a tendência de tecer teias de intrigas injustificáveis pelos indícios objetivos. Os homens que treinara pessoalmente tinham mais medo dele do que qualquer violência nas ruas e, sem dúvida, fariam um trabalho competente ao contar-lhe os acontecimentos da noite, mas era torturante ver a sua paz de espírito depender do poder de observação do outros. Quando Wiladowski, com os nervos finalmente tranqüilizados pela conversa com o seu espião-chefe durante a maior parte da noite, ia em paz para a cama, Tausk começava a espera ansiosa até que os primeiros relatórios dos seus melhores agentes começassem a chegar. Antes de digerir cuidadosamente todos os dossiês, Tausk era incapaz de ficar quieto em sua escrivaninha e muito menos de buscar algumas horas de sono. Em vez disso, andava de lá para cá em seus aposentos, fumando um cigarro atrás do outro até que a ponta dos dedos ficasse cheia de marcas de calor e nicotina. Como a formalização de seus deveres exigia agora a sua presença numa série de reuniões orçamentárias no meio da manhã com os outros chefes de departamento, era comum que Tausk tivesse de esperar até a tarde para poder deitar-se e cochilar na cama de campanha que mandara levar para o escritório.

Nas semanas seguintes, a conseqüente exaustão começou a cobrar o seu preço, até mesmo num homem com força de vontade tão inflexível. Ficou cada vez mais irritadiço e viu-se obrigado a gastar volumes cada vez maiores de autocontrole para não explodir de raiva com a incompetência profissional e a negligência calculada dos seus inimigos na burocracia do Castelo. Por mais que crepitasse a lenha nas salas de reunião, as suas mãos e têmporas pulsavam com um arrepio pior que há dois invernos, quando era acordado antes do amanhecer para as primeiras orações do dia. Os anéis permanentes sob os olhos cinza-esverdeados ficaram ainda mais sombrios e uma tosse rascante contorcia-lhe o corpo magro como se estivesse tuberculoso. Nas poucas vezes em que Marie-Luise, a caminho de consultar o conde-governador sobre algum problema doméstico, encontrou-se com Tausk, afastou-se dele como se fosse uma aparição macabra. Começou a evitar cruzar o caminho de Tausk com a mesma aversão que a fazia escolher uma rota sinuosa na cidade para não passar pelo curtume fedorento junto ao rio e, quando convidou Pfister a um dos seus chás à tarde, deu-lhe o imenso prazer de comparar o seu rival a uma aranha venenosa que lhe corrompera o marido e lançara-o contra eles dois.

Desde o dia em que passara a trabalhar para o conde-governador, ninguém, exceto os tenentes em que Tausk mais confiava, jamais o viram exaltar-se com alguma coisa dita em sua presença. No entanto, certa manhã, no final de fevereiro, quando recebeu o relatório de uma reunião secreta à qual se esperava que Brugger comparecesse, a agitação na voz de Tausk perturbou tanto o guarda de serviço do lado de fora da porta que o pobre homem pediu outro posto assim que o seu turno acabou. Este rabino misterioso perturbava Tausk muito mais do que os resmungos dos trabalhadores desempregados do bairro Josef. A escassez de informações acumuladas sobre Brugger até então tornava impossível avaliar os motivos que o levaram para aquele distrito, mas as cartas de Sonnenschön não deixavam dúvidas sobre o poder do pregador sobre seus seguidores. Pelo que Tausk sabia, Brugger talvez já tivesse criado, dos dois lados da fronteira, toda uma rede de discípulos que poderiam movimentar-se sem que a polícia os notasse e que Brugger tivesse treinado para agir por conta própria. O que Sonnenschön chamava de "abraço libertador da destruição" de Brugger poderia ser facilmente usado com fins políticos. Os rogos insistentes de Robert para que sua irmã fosse unir-se a Brugger e levasse consigo os melhores dentre os seus amigos de infância, apelo repetido nas cartas dos outros discípulos, soavam mais como convocação de um exército secreto do que como as exortações pias que Tausk se acostumara a ler nas cartas dos seguidores dos outros rabinos milagrosos. Era impossível excluir a idéia de que Brugger pretendia incitar um levante dos judeus pobres como parte da sua missão apocalíptica. Uma insurreição dessas poderia se espalhar loucamente antes de ser esmagada. Os sonhos do envio de algum salvador divino inflamavam regularmente as províncias orientais do Império como fogo de palha e, nas empobrecidas cidadezinhas de feira onde Tausk crescera, um homem santo criador de problemas poderia causar danos terríveis antes de ser detido. Não havia razão para pensar que algo semelhante não pudesse acontecer ali e com conseqüências muito mais sangrentas. Se o exército tivesse de ser convocado para sufocar os distúrbios, os únicos beneficiados seriam os inimigos do Império, e ocorreu a Tausk que poderiam até estar incitando Brugger, com ou sem o seu conhecimento efetivo, a fomentar uma crise na fronteira. Mas se Brugger agia por conta própria ou em nome de alguém, prendê-lo sem conhecer-lhe as intenções nem o número dos seus partidários em nada resolveria e poderia até precipitar a violência que Tausk estava decidido a evitar, ainda mais se os seguidores do rabino estivessem suficientemente bem treinados para não precisar de ordem direta para executar-lhe os desejos. Naquele momento, de qualquer modo, Tausk tinha pouca coisa em que se basear além do instinto e sabia que, se continuasse a insistir a respeito de Brugger no Castelo, Pfister o acusaria de querer usar a polícia para resolver uma briga de poder numa alcatéia de judeus brigões. O trabalho de Tausk, adoraria recordar-lhe o primeiro-secretário, era caçar traidores e terroristas, não colocar-se como árbitro dos problemas judaicos. A reação do conde-governador ao primeiro relatório de Tausk sobre o rabino milagroso, logo após o incidente diante do Clube Mendelssohn, mostrou ao espião-chefe que, sem provas tangíveis, seria improvável que o seu senhor levasse a sério a ansiedade de Tausk. Faltava a Wiladowski, que tinha medo mortal de agitadores conhecidos, como Nathan Kaplansky, a capacidade de ver a ameaça advinda de uma fonte inteiramente diferente e, sem dúvida, veria o temor que Tausk tinha do rabino como aberração provinciana.

    A si mesmo, Tausk tinha de admitir que uma acusação dessas não estaria totalmente errada. Talvez, afinal de contas, ele não tivesse se livrado inteiramente da sua instrução religiosa. No lugar da fé rigorosa que abandonara com relativa facilidade exatamente por ela ter pretensões sobre a sua inteligência e ser tão refutável por esta mesma inteligência, jamais se livrara inteiramente de um estado de espírito que se manifestava de maneira demasiado obscura para ser reconhecido e, assim, expurgado. O Rabi Pelz fora o único ser humano a inspirar em Tausk uma combinação de medo e respeito relutante, e talvez houvesse em Brugger alguma coisa que reacendera o seu temor vestigial aos homens santos. Mas ainda que assim fosse, não havia nada místico na apreensão de Tausk. Sabia com que profundidade o ódio contra quem tivesse algum poder permeava a província. Já motivara alguns crimes violentos, dos quais a chacina ainda não resolvida na cabana de caça da Bukovina era apenas o exemplo mais visível. Mais recentemente, um dos homens de Tausk encontrara um cão pendurado de cabeça para baixo num dos postes de luz quebrados perto da ponte Nepomuk, com a barriga aberta e o nome de Wiladowski num pedaço de papel preso no pescoço do animal à guisa de coleira. Para o conde-governador, essas atrocidades só podiam ser obra de terroristas políticos treinados, inspirados pelas últimas doutrinas sediciosas de Zurique e Londres, e Tausk era experiente demais para prejudicar a sua própria posição tentando convencer Wiladowski de outra coisa. O conde-governador queria que a sua tropa de espiões concentrasse toda a atenção nos socialistas militantes e era difícil para Tausk obter a sua concordância para manter o rabino e os seus discípulos sob vigilância constante. Mas a confiança que Tausk conquistara era suficiente para superar as reservas do conde-governador e, embora Wiladowski se recusasse a conceder mais recursos para o caso Brugger, decidiu, por enquanto, não interferir com o uso que Tausk fazia dos agentes já designados para esta tarefa.

Tausk compreendia as razões de Wiladowski para tratar com desdenhoso divertimento a sua inquietude em relação a Brugger, mas via tais psicologismos fáceis como vazios, ainda mais vindos de um homem cuja sagacidade fora obrigado, quase contra a vontade, a reconhecer. O espião não via por que partir do princípio, como fazia Wiladowski com sua sensibilidade do século XVIII, de que as paixões religiosas estavam minguando como força política. Tausk dispunha-se a admitir que a sua reação a Brugger era provocada em parte por lembranças de Avraham Pelz, mas, diversamente do conde-governador, considerava isto um alerta prévio e providencial e não um anacronismo enganoso. Sentira em primeira mão como o domínio de um rabino sobre os seus discípulos podia ser inabalável. Uma única palavra de Pelz era o bastante para resolver tudo, desde com quem seus seguidores deviam casar-se até que profissões seguiriam, e nem os desejos dos pais nem a autoridade do Estado contavam em nada aos seus olhos depois que o mestre falava. A possibilidade de um homem com este tipo de poder sem as restrições dos escrúpulos interiores ou do respeito à lei preocupava Tausk mais do que o desespero soturno da multidão nas filas de alimentos. Se Brugger era mesmo um homem desses, seria impossível saber com certeza antes que fosse tarde demais, ainda mais porque a recusa de Wiladowski a levar a questão a sério deixava Tausk perigosamente isolado.

TERCEIRA PARTE

Abril de 1913 — Maio de 1914

1

Talvez porque começaram a passar uma parte tão grande do seu tempo no campo, em Brunnenberg, casa de veraneio dos von Alpsbach, Ernst e Bátia mal perceberam a agitação febril que tomou conta da cidade. E assim como os ecos abafados dos tiros de espingarda de um grupo de caçadores a quilômetros de distância irritaria os nervos até do participante mais alegre de um piquenique, as tensões que os dois levaram consigo do mundo exterior não paravam de romper a calma da grande propriedade.

Às vezes, depois de fazerem amor, quando Bátia tinha certeza de que Ernst adormecera, ela vestia o roupão em estilo japonês que ele lhe dera de aniversário, saía para o corredor, abria o maciço guarda-roupa de madeira construído na época do bisavô dele e ficava ali, fitando a série de fardas imperiais penduradas numa longa fila dupla. Embora não conseguisse identificar as divisas regimentais, sabia que cada farda era o legado de um primogênito e que elas tinham sido usadas por sucessivas gerações de von Alpsbachs desde a Guerra dos Trinta Anos. Certa vez ela avistara Ernst fazendo a mesma coisa e, apesar da sua curiosidade, um sentimento crescente de discrição impediu-a de perguntar em voz alta o que ele pensava ao pegar primeiro uma e depois outra das fardas, segurá-la em frente ao peito e mirar-se no grande espelho dourado do outro lado do corredor. Muitas delas eram curtas demais para Ernst, mas parece que isso não lhe provocou um sorriso quando ele viu refletida a imagem cômica, e havia alguma coisa ao mesmo tempo tocante e um pouco irritante para Bátia na maneira como se postava ali tão sério a pensar sobre partes da sua vida das quais ela se sentia totalmente excluída. Duas ou três vezes depois daquela tarde ela se sentira atraída ao mesmo lugar, como se a imitação dos gestos de Ernst pudesse fazer com que chegasse mais perto de entender o que ele sentira. Contra seus próprios instintos, tecera histórias incontáveis e discordantes sobre o que seria, para Ernst, ver-se naquelas roupas ancestrais e familiares que o esperavam desde a infância mas que ele jamais usaria, exceto em brincadeiras particulares como essa. No entanto, ela sabia que todas essas histórias saíam do seu próprio repertório imaginativo, não do dele, e a sensação de diferença que saber disso lhe trazia causava-lhe mais dor do que qualquer uma de suas brigas freqüentes e cada vez mais ríspidas.

Pelo menos o fato de que agora estavam abertamente juntos, até mesmo ali, em Brunnenberg, ficara menos esgotante ultimamente, já que quase todo mundo que tinha importância na hierarquia familiar fora para a Boêmia assistir às manobras de primavera do irmão mais novo de Ernst, Karl Gustav. Até o pai de Ernst, cuja animação se deteriorara rapidamente depois da reforma precoce e que agora costumava ficar deprimido demais para fazer muita coisa na propriedade, ordenou alegremente que preparassem as suas antigas arcas militares para que estivesse presente quando o imperador em pessoa passasse em revista as tropas no dia inteiro de desfiles que costumava encerrar as três semanas de exercícios militares. A grande casa de pedra, recém-pintada naquele amarelo velho que toda a nobreza da província copiara das imagens da residência imperial em Bad Ischl, estava semideserta agora, a não ser por uma tia meio surda que não descia às salas desde o Grande Jubileu de Francisco José em 1898 e um grupo muito reduzido de criados que adoravam Ernst e que, para divertimento de Bátia, ainda insistiam em chamá-lo de senhorzinho. Mas, fosse como fosse que se sentissem os criados, para a família era claramente Karl Gustav, três anos mais novo que Ernst mas que já demonstrava a inflexibilidade e a satisfação consigo mesmo de um jovem oficial de carreira destinado ao Estado-Maior Geral, que se tornara o herdeiro real das tradições dos von Alpsbach.

Para Bátia era impossível adivinhar o quanto Ernst se incomodava com este tipo de rebaixamento. Antes de se conhecerem, Ernst já deixara claro a todos que não aceitaria postos no exército imperial e que preferia passar a noite com tipos comprometedores como o jovem Rotenburg do que com os próprios parentes. A princípio Karl Gustav ficara escandalizado com a maneira como o irmão, que admirara com paixão quando criança, transformava as poucas reuniões de família às quais ainda se dava ao trabalho de comparecer numa tribuna para sediciosos discursos políticos, mas depois de algum tempo o choque deu lugar a uma impaciência entediada; como o restante da família, decidira que os sermões de Ernst eram simplesmente maçantes e, como explicou num jantar azedo, "do pior gosto possível". Bátia sabia que Ernst jamais seria injusto a ponto de culpá-la por ter rejeitado um modo de vida ao qual voltara as costas muito antes de se conhecerem, mas temia que, se ele viesse a se arrepender seriamente daquela decisão, vinculasse o amor dos dois à apostasia dos costumes familiares e, assim, se sentisse interiormente obrigado a descartá-la para reivindicar o seu direito de nascença. Sabia também que a suspeita era injusta para com Ernst, mas isso não impediu que se sentisse perturbada com as próprias fantasias. O que deixava tudo ainda mais injusto, como ela costumava dizer a si mesma, como se buscasse intensificar deliberadamente sensação de ter sido injustiçada, é que em grande parte tudo se devia à insistência de Bátia para que Ernst começasse a tratar a família de forma menos beligerante.

Desde a primeira vez em que Ernst levou-a para um almoço no Metrópole com a mãe, as duas irmãs e uma prima de visita, todos foram ostensivamente corteses com Bátia, mas o exagero da sua delicadeza deixou claro, muito mais do que qualquer soberba deliberada, como estavam horrorizados por ele convidar uma judia de classe média para participar de um encontro de família tão íntimo. Pelo menos a comida estava mesmo excelente. Tudo foi preparado exatamente como Ernst gostava: ao famoso consomê transparente de carne bovina dos cozinheiros seguiu-se uma truta de água doce escaldada com perfeição, acompanhada de delicadas molheiras de manteiga derretida, batatas cozidas com um suave molho de endro e uma salada de tomate e pepino, tudo servido com uma garrafa gelada do seu Grüner Veltliner predileto. As mulheres conversavam entre si numa série de jorros sem pausa que não deixava tempo a ninguém de completar uma frase inteira e mostraram a Bátia por que Ernst descrevia a regra das festas de sua mãe como "quem parar de falar para inspirar oxigênio perde o jogo". Não mencionaram ninguém por um nome que Bátia pudesse reconhecer como plausível. Em vez disso, a conversa disparava pelos últimos feitos de vários Capadócios, Nanicos e Gnomos. Aparentemente, quanto mais famoso o sobrenome, mais o seu portador preferia ser chamado por alguma coisa parecida com balbucios de neném. Não havia como Bátia participar sem que todas tivessem de retardar-se para explicar-lhe o apelido da família e ela começou a corar com a combinação de tensão e irritação por tentar acompanhar o que diziam. Mas sempre que alguma das mulheres se dirigia a ela, era com um tom suave e peculiar que mostrava que quem falava estava tão segura da própria superioridade e tão certa de que a ouvinte sabia como era intransponível o abismo social entre as duas que se alegrava de fazer um esforço especial para poupar Bátia de sentir-se intimidada demais com a disparidade. O pior de tudo foi o entusiasmo com que as jovens mais liberais, como Gretel von Wallderdorf, prima de Ernst vinda de Salzburgo, tentavam deixar clara a profundidade do seu filo-semitismo. Gretel insistia em misturar o seu alemão de gramática já precária com o máximo de iidichismos que conseguia imitar, cada um deles sussurrado a Bátia com um sorriso amigável e conspirador, como se ela e Bátia fossem aliadas num ambiente cheio de perigos para ambas.

— Ela deve pensar que sou de alguma outra espécie — refletiu Bátia —, e espera que, tentando imitar os sons que fazemos, consiga me manter calma o bastante para não pular e quebrar todos os pratos que estão na mesa. É o tipo de barulho que as pessoas fazem no zoológico para mostrar que não estão com medo dos animais maiores que vieram estudar, mas como aqui não há grades de proteção a pobre Gretel precisa ficar de olho na porta.

Gretel começava a parecer decididamente vesga de ansiedade e até Ernst perguntou-se qual poderia ser o problema dela. O que tornava tudo ainda mais absurdo era que Bátia sabia tão pouco iídiche quanto a moça Wallderdorf. Em casa, jamais ouvira nada além do mais puro alemão e o seu próprio compromisso com o renascimento do hebraico fazia-a ver o iídiche com mais desprezo do que todas as aristocratas católicas à mesa, para quem a língua não passava de mais um dos dialetos estranhos e numerosos usados pelas raças súditas do Império.

É claro que Bátia jamais lhes diria isso diretamente, mas não pôde deixar de sentir-se incomodada porque nenhuma das parentas de Ernst sequer suspeitava de quantas horas desagradáveis ela precisara para convencê-lo a comparecer ao batizado do sobrinho, em Schladming, ou de como tentara tantas vezes fazer com que ele se unisse aos pais na Boêmia pelo menos por alguns dias durante as manobras. Nesta última tentativa ela fracassara, mas pelo menos Ernst não parecia irritado com ela por ter tentado. Havia momentos em que ele demonstrava alguma coisa parecida com gratidão pela maneira como ela tentava ajudá-lo a reconstruir uma ponte com a família. No entanto, ela desejava com paixão que ele percebesse como a sua posição ficaria menos esquisita caso ele apenas se desse ao trabalho de dizer à mãe que Bátia jamais lhe pedira para ser apresentada ao círculo dos von Alpsbach. A princípio, a moça tinha de admitir, sentira-se lisonjeada com a imagem de si mesma sentada com o seu mais bonito vestido verde de primavera, com os seus olhos sérios e separados que Ernst dizia que lembravam madeira petrificada, destacados pelos brincos Loebner que ele lhe dera, almoçando junto à janela no Metrópole como íntima da família de um dos maiores proprietários de terras da província. Mas a vacuidade da conversa e o vexame de se ver tratada como objeto de caridoso desdém dissiparam bem depressa este prazer. Ainda assim, mesmo daquela primeira vez Bátia sentiu um pouco de vergonha de si mesma por ver gratificados todos os instantes de vaidade por encontrar-se em companhia tão glamourosa. Sabia que coraria como uma menininha caso Hans ou, pior ainda, o pai dele a visse ali, inclinada para a frente com expressão atenta enquanto Magdi von Alpsbach discorria em voz alta, esquecida das migalhas de bolo e creme chantili grudadas em seu formidável lábio superior. Exceto em ocasiões especiais, seus próprios pais raramente iam ao Metrópole e, assim, ela não temia encontrá-los por acaso, mas sabia o quanto a sua ligação com Ernst os incomodava e, embora não levasse a sério os avisos da mãe de que Ernst simplesmente usava-a como distração exótica até encontrar alguém do seu próprio nível para casar-se, era óbvio que jamais conseguiria levá-lo até em casa sem causar um intenso embaraço aos pais e a ele. Sem dúvida, as coisas teriam sido ainda piores se ela soubesse que Alfred ("Alfi", para os íntimos") e Magdi von Alpsbach concordavam inteiramente com as expectativas de Rosa Demetz sobre a trajetória natural que o caso entre seus respectivos filhos seguiria, mas com a diferença fundamental de que, para eles, a ligação temporária de Ernst com uma judia bonita era, no fundo, tranqüilizadora. Embora entre si nunca falassem diretamente sobre isso, ambos viam o caso como um dos poucos sinais que Ernst lhes dera desde que se tornara adulto de uma fidelidade instintiva às antigas tradições da sua casta. O fato de um rapaz como Ernst entregar-se aos prazeres e loucuras da mocidade antes de fazer um bom casamento era apenas natural, e uma judia obviamente saudável e quase apresentável era, levando tudo em conta, uma opção mais segura do que alguma daquelas fêmeas potencialmente contaminadas e quase com certeza gananciosas que talvez ele cometesse a tolice de adotar antes de escolher uma esposa adequada. Os pais de Ernst tinham ouvido muitas histórias horríveis sobre como amantes cobiçosas podiam acabar com fortunas maiores até que a dos von Alpsbach. No ano anterior Alfi lera para a mãe de Ernst a longa carta de um dos seus antigos colegas de regimento que lamentava a necessidade de vender um lote excelente de floresta, com muita madeira-de-lei, a um preço terrivelmente deflacionado para tirar o filho de uma ligação descuidada deste tipo. Além disso, o pai de Bátia era médico, afinal de contas, e assim, caso ocorresse algum acidente infeliz, sem dúvida podia-se confiar que ele prontamente cuidaria da situação com o mínimo de incômodo. Afinal de contas, não era sempre com os cirurgiões judeus, livres dos escrúpulos da Igreja, que se contava exatamente para este tipo de emergência? Talvez esta fosse parte da razão pela qual Deus, em Sua inescrutável sabedoria, deixava-os florescer em número tão indecente nas melhores escolas de medicina do Império.

Bátia sabia que os von Alpsbach dificilmente a veriam como pretendente adequada para o filho, mas nunca lhe ocorreu interpretar a sua tolerância frente ao caso, não como os primeiros passos de uma gradual aceitação interior, mas sim como sinal de que para eles era impossível imaginar que pudesse ir mais além. Mostravam a Bátia o mesmo grau de cautelosa polidez que reservariam a um desconhecido agradável encontrado nalgum hotel de veraneio, a quem, com toda certeza, jamais esperariam encontrar de novo depois do fim das férias. A situação toda fez Alfi lembrar-se de um dos típicos casos escabrosos do velho von Hradl. Pelo menos uma vez a cada trimestre o conde-governador convidava a nobreza da província para jantar no Castelo e, depois que as mulheres subiam com Marie-Luise, Wiladowski distribuía seus maravilhosos charutos e conhaque — fornecidos a ele, segundo um boato malicioso e, esperava-se, injustificado, por Moritz Rotenburg, o judeu rico — e fazia uma tentativa morna de sondar os homens sobre a situação na província. Wiladowski não fazia esforço algum para disfarçar o fato de que só agia assim em obediência a um decreto de Viena, mas ninguém parecia se incomodar com o seu desagrado óbvio até com este gesto absolutamente mínimo de consultá-los sobre suas decisões. Contanto que houvesse paz no campo e nada interferisse com o domínio arbitrário deles dentro das próprias terras, todos se contentavam em deixar as questões maiores da política inteiramente nas mãos do governador. A parte realmente agradável da noite, para a maioria dos homens, era quando o seu anfitrião abandonava toda a encenação de pedir suas opiniões políticas e, encorajados pelo estímulo divertido do conde-governador, os mais autoconfiantes dentre eles revezavam-se recordando algum episódio extravagante do início da carreira. Se estivesse com disposição excepcionalmente alegre, o conde-governador podia ir buscar algum dos seus famosos livros eróticos ilustrados e deixá-lo aberto num pequeno leitoril especial, projetado originalmente para a Bíblia da família, para que admirassem a ilustração da história que achara mais excitante. Houve uma anedota, em particular, que Alfi lamentava jamais poder contar à esposa, já que poderia lhe dar um vislumbre tranquilizador de como os homens do mundo lidavam com a questão sempre delicada do que fazer quando importunados pelo tipo errado de mulher.

Certa vez, anos atrás, quando terminava a sua primeira rodada de serviço no exército, Philip von Hradl conhecera uma mocinha deliciosa que trabalhava na chapelaria do pai. Ele entrara lá para comprar um par de luvas para a mulher de um dos seus oficiais superiores, com quem ele, assim como pelo menos dois outros segundos-tenentes de outro regimento, tinha o esperado caso de amor. Esquecera há muito tempo os traços da balconista, mas não o seu olhar de sensualidade complacente nem a maneira como os seios ondularam na blusa branca e larga quando ela se curvou para pegar as amostras que ele pedira para ver. O rapaz não se demorou demasiado tempo na loja naquele primeiro dia e manteve um tom de voz distante e cortês. Certificou-se, no entanto, de que as luvas escolhidas fossem as mais caras da loja e até a hora em que se foi já acrescentara à compra vários itens de natureza mais íntima. Viu-se voltando para vê-la quase todos os dias e ficou encantado com a maneira como o seu flerte seguia fielmente as fórmulas verbais receitadas por qualquer romance sentimental e insípido, bem depois que o comportamento real dos dois já começara a parecer-se com uma série inspirada de quadros pornográficos. Embora nada indecente se dissesse em voz alta, ela foi a parceira sexual de natureza mais ávida que von Hradl jamais encontrara e nunca deixou de sentir-se fascinado com a discrepância entre o discurso casto e convencional da moça e a capacidade do seu corpo de entregar-se da forma mais febril e quase instantânea. É claro que ela esperava o tributo normal de presentinhos caros, mas manteve a extorsão em limites moderados e ele achou ótimo poder comprá-los sem comprometer a sua generosa mesada. Estar com ela o deixava feliz de um jeito que nunca sentira antes. Aquela felicidade teve o benefício inesperado de ligá-lo ainda mais à mulher do capitão, que renunciou dramaticamente aos outros pretendentes para entregar-se com exclusividade a von Hradl, sem contar o marido inocente, já que, por consentimento geral, este era realmente um bom homem. Embora von Hradl não ficasse nada impressionado com este sacrifício, achou que devia à fama de *gentleman* continuar com o adultério e, assim, ia regularmente de uma cama à outra sem que, em todo o período, como se orgulhava de recordar, tivesse perdido mais do que quatro ou cinco apresentações matinais devido à exaustão. Aos poucos, sem que percebesse direito, o tempo que von Hradl passava com a sua bela balconista tornou-se indispensável e ele ficou espantado com a intensidade da tristeza que sentiu no dia em que soube que o regimento recebera ordem de partir para um lugar distante. É claro que trocaram promessas de manter contato, nas quais nenhum dos dois acreditava — pelo menos, ele supôs que ela conhecesse as convenções de um rompimento permanente tão bem como conhecia os rituais de lavar-se e perfumar-se antes de ir para a cama — e, embora sonhasse muitas vezes com ela nas semanas que se seguiram à sua partida e às vezes se visse sobrepondo seu rosto ao das mulheres mais improváveis que via nas vitrines da sua nova cidade, só levou seis meses mais do que esperava para que ela sumisse por completo como presença ativa em sua mente.

Ele a relegara de forma tão completa a uma vaga lembrança que, dois anos depois, quando voltou à casa dos pais em Viena, precisou de vários segundos antes de entender que era mesmo o nome dela na carta que o criado lhe trouxe no fim de certa tarde, quando ele se vestia para ir jantar. Ela era, agora, aprendiz numa casa de modas da capital, administrada por um dos empresários amigos do pai, e esperava que pudessem voltar a se ver outra vez. Disse que para ela estava fora de questão receber visitantes no quarto que ocupava na casa da família do seu patrão, mas que ficaria contentíssima se ele a convidasse para visitá-lo naquela casa esplêndida pela qual passara tantas vezes em seus primeiros passeios pela cidade sem saber que lhe pertencia. Não foi fácil para von Hradl resistir à oferta. Tinha certeza de que os senhores que ouviam a história perceberiam que nenhuma das mulheres com quem se relacionara tinham chegado perto de atingir o frescor ou o entusiasmo sexual da balconista, mas há pouco tempo começara a ceder às instâncias dos pais para encontrar uma mulher rica antes de começar a carreira, e um caso com uma mulher daquelas poderia minar a sua decisão de regularizar um tipo de vida que começava a despertar comentários negativos nos círculos dos quais dependia o seu futuro profissional e também as possibilidades de casamento. Respondeu-lhe educadamente pelo portador e deu uma série de razões vagas, vestidas com todas as frases aceitáveis, para decidir — pelo bem dos dois, é claro — que seria melhor não reabrir antigas feridas agora que finalmente começavam a curar-se. Recordando as antigas preferências da moça, juntou à carta um lindo estojo de pó-de-arroz de ouro e prata que comprara como presente de despedida para a irmã e esquecera de dar-lhe no inverno anterior. Logo chegaram mais cartas dela, de tom não exatamente indecoroso, mas dando sinais claros de que sua estada em Viena já começara a corromper de forma sutil a antiga discrição inata da moça, a menos que esta também fosse apenas uma fantasia juvenil dele. Mas se ficara mais mundana, seu progresso fora trivial comparado aos quilômetros que von Hradl descaíra — não foi esta a palavra usada por ele, embora Wiladowski a utilizasse depois para descrever o que o encantara na história — no caminho da autotraição. Von Hradl sabia, sem dúvida antes que a idéia ocorresse à moça, que mais cedo ou mais tarde ela iria visitá-lo, mesmo contra os desejos específicos dele, e estava decidido que a primeira vez seria a única. Assim, mais ou menos duas semanas depois, quando chegou o dia em que a moça bateu no grande portal, o porteiro já tinha as suas instruções. O velho de uniforme ouviu pacientemente a história de por que ela viera e da importância da sua missão. Então, sem elevar a voz nem mostrar nenhum sinal de raiva, empurrou-a com firmeza de volta à rua e lhe disse, antes de fechar a porta:

— Desculpe-me, cara senhora, mas algumas fodas de quartel em Caríntia não são suficientes para que seja apresentada à sociedade de Viena.

Von Hradl nunca mais ouviu falar dela.

Bátia, no entanto, interpretou a cortesia para com ela como prova de que a sua posição em Brunnenberg tornava-se, lenta mas inconfundivelmente, mais segura e, às vezes, quando tinha certeza de que ninguém a observava, passou a especular sobre como refaria os jardins caso chegasse algum dia a ser dona da casa, em vez de apenas amante do primogênito. Mas embora a sua intuição sobre o que os pais de Ernst sentiam a seu respeito não pudesse estar mais errada, começava a acumular suficientes indícios em primeira mão para perceber que não fazia sentido buscar nas convicções ideológicas de Ernst nenhuma orientação para saber como ele se comportaria frente aos outros. Karl Gustav podia rir da "mania democrática" do irmão, mas segundo a experiência de Bátia a vontade de Ernst de abandonar as prerrogativas da sua posição social só era notável por ser tão intermitente. Com gente que não conhecia bem e, às vezes, até com quem conhecia, Ernst podia, num instante, passar da naturalidade pensativa que Bátia amava a uma altivez desdenhosa e fidalga que tornava doloroso para ela estar na mesma sala que ele. Certa vez, Hans lhe contara que um nobre como Ernst só era revolucionário nos momentos que lhe fossem convenientes e, às vezes, Bátia achava que isso também era verdadeiro no caso de Ernst como amante e amigo. Em público, as suas opiniões políticas radicais permitiam-lhe manter a consciência limpa ao mesmo tempo que era tão rude com seus inferiores sociais quanto os cadetes arrogantes da escola de Märisch-Weisskirchen. Se Bátia tentava discutir com ele este comportamento, Ernst também ralhava com ela e insistia em que era exatamente por não considerar o seu nascimento superior ao dos outros que se sentia no direito de insultá-los. Bátia lhe perguntara: "Não vê que o pobre funcionário talvez não perceba de imediato que a sua grosseria na verdade é sinal de igualdade?" e, sedutor, como tantas vezes costumava ser, Ernst abriu um sorriso largo, alegre e aprovador e concordou que, sem dúvida, ela estava certa. Mas, embora a sua concordância fosse totalmente sincera, não pareceu ter nenhum efeito duradouro sobre o seu comportamento. Alguns dias depois, quando voltavam ao apartamento dele na cidade, Ernst teve um violento ataque de raiva contra um cocheiro que, insistia, fora desrespeitoso com ela. Bátia nem sequer percebera o que Ernst achara tão ofensivo e tentou garantir-lhe que não tinha a menor importância. Mas, em vez de acalmá-lo, a sua compostura só pareceu exacerbar a crise. Ela nunca vira ninguém tão furioso quanto Ernst, de pé ali, na rua, as roupas visivelmente encharcadas pela chuva grossa e contínua, sem ligar para os olhares alarmados dos transeuntes que correram o mais depressa possível para ver o espetáculo daquele homem enorme e elegantemente vestido sacudindo um punho enluvado e ameaçador acima de suas cabeças. Bátia não temia por si mesma e, com certeza, não por Ernst que, se entrasse numa briga, poderia quebrar com facilidade a cabeça do cocheiro, mas era aterrorizante estar na presença de uma raiva assim, descontrolada e, até onde sabia, sem nenhuma razão. Foi como se o Ernst que conhecia desaparecesse e fosse substituído por um estranho meio insano com ânsias assassinas. "É horrível", pensou Bátia. "Ele está igualzinho àquele retrato famoso do general von Alpsbach que massacrou todos os hussitas há trezentos anos." Mas, pouco depois, quando ela finalmente conseguiu pagar o cocheiro apavorado e arrastar Ernst para dentro, ele pareceu perplexo com a própria explosão. Caiu na cadeira mais próxima, como se precisasse recuperar-se de uma viagem longa e exaustiva. De início, tentou justificar-se com ela insistindo em que o que o homem dissera era tão impronunciável que o mero respeito humano tornava impossível deixar este tipo de insulto passar sem resposta e, por um instante, quase pareceu que poderia transferir de repente para ela a sua raiva. Bátia viu o rubor da raiva brilhar momentaneamente, como uma febre, no rosto dele e extinguir-se com um rápido sacudir de cabeça. Então ele lhe pediu que arranjasse uma compressa morna, dobrou-a sobre os olhos, esticou-se inteiramente vestido no sofá de couro e, quase de imediato, caiu num sono tranqüilo que durou até bem tarde de manhã.

 Bátia pretendia sentar-se ao seu lado na luz fraca da noite, na esperança de que ele acordasse dali a pouco e a ajudasse a entender o que acontecera. A princípio, estava nervosa demais para descansar, mas ouvir a respiração imperturbável do seu amante acalmou aos poucos a sua agitação. Lentamente, conforme a fadiga do seu próprio espírito exausto começou a penetrar-lhe no corpo, caiu num sonho em que ela e Ernst estavam absortos numa conversa complicadíssima e sutil que já durava horas inumeráveis mas dava a impressão de ainda estar no ritmo inicial. Nunca tinham falado antes com tanta naturalidade ou de forma tão completa; não só cada palavra era ouvida e entendida exatamente como pretendido mas ela sentia que os dois foram capazes, pela primeira vez, de encontrar uma linguagem para exprimir quem eram e quem queriam tornar-se sem nenhuma sensação de distância entre as palavras que usavam e as idéias e sentimentos interiores que as provocavam. A consciência da harmonia era tão forte e tranqüilizadora que Bátia mal se surpreendeu quando olhou em volta e notou que, em vez de estar nalgum lugar que pudesse reconhecer, estavam sentados sozinhos num poço, num deserto imenso e radiante onde Ernst decidira morar. Todas as incertezas que costumavam paralisar o seu sentimento por ele dissolviam-se sem deixar traços e ela achou certo que bem ali, no brilho do sol do meio-dia sobre as dunas, ele não devia mais ser, para ela, um homem comum, mas uma criatura fulgurante do deserto, só humana em parte, da qual apenas o rosto não mudara nada.

Mais tarde, quando Bátia recordou o sonho, ficou espantada ao perceber que, durante toda a sua duração, nenhum deles falou diretamente do amor que sentiam um pelo outro nem, como às vezes hesitantes gostavam de fazer em momentos de intimidade, ou havia feito planos para o futuro. Todas essas questões pareciam ter sido resolvidas há muito tempo e a certeza que sentiam era como ver um porteiro abrir-lhes caminho até uma antiga clareira, encarregando-os de construir ali uma moradia habitável. Palavras que sempre tinham soado como nada além de abstrações sem vida pareciam-lhes tão palpáveis e reais quanto os pássaros que voejavam lá em cima ou o frescor da água clara do poço onde ela mergulhava de vez em quando os punhos.

— Já viemos aqui outras vezes? — perguntou a Ernst, como se tivesse esquecido uma parte importantíssima da sua história em comum mas não se incomodasse mais com este esquecimento. Mas Ernst, ou melhor, a criatura semi-estranha e semiconhecida em que ele se transformara, não lhe respondeu diretamente, e apenas estendeu os enormes membros e examinou o horizonte em busca dos primeiros tremores da aproximação de uma tempestade de areia. Como até no meio do sonho Bátia se agarrara à idéia de que só estava levemente adormecida e mantinha a força de vontade consciente de registrar e guardar tudo o que via, ficou surpresa com o pouco que lhe restou depois que acordou por completo. Mas, pelo resto da vida, teve certeza de que fora mesmo Ernst, transformado nalgum novo tipo de ser, e não uma criação onírica puramente imaginária conjurada por seu próprio cansaço e confusão que lhe contara a própria história e, assim, tornara-a também sua. E embora não pudesse recriar as palavras exatas nem as lendas ferozes que as acompanhavam, sabia que ele lhe mostrara como todas as pessoas traziam, abrigadas nas células do corpo e no sangue que por elas corria, as características armazenadas de todos os seus ancestrais. As façanhas e os desejos fragmentados de homens e mulheres cujos nomes tinham sido apagados nos cemitérios há gerações faziam parte do ser vivo que surgia na clareza ambígua de cada novo dia, tanto quanto os seus próprios pais de nascença. Ernst lhe contou como ficara perplexo da primeira vez que fora obrigado a admitir que as suas emoções mais fortes nunca tinham pertencido somente a ele, mas eram também os portais que os mortos usavam como caminhos de volta ao mundo. Durante anos sofrera a agonia do arrependimento sempre que se sentia derrotado na luta para proteger a sua consciência daquele clamor insistente. Lera muito sobre possessão demoníaca e, sem dizer a ninguém, chegou a fazer uma peregrinação para consultar um famoso curandeiro na Abadia Beneditina de Melk. Fez a viagem de volta depois de apenas duas entrevistas, convencido de que a Igreja não tinha nada de útil a lhe dizer sobre o que o atormentava. Só ali, no deserto, começara a aprender como conclamar e misturar as vozes dentro dele como instrumentos separados numa única partitura musical, cuja apresentação era a tarefa da sua vida, como fora de todos os seus antecessores. Neste lugar seguro conseguira, finalmente, dar as boas-vindas a todas aquelas vozes sem medo de ser inundado nem derrotado. Fora para aquele lugar distante encontrar um tipo diferente de mestre, mas o melhor que achara levantou os ombros e mandou-o embora, dizendo que já havia heresiarcas suficientes dentro de Ernst para fundar uma dúzia de seitas novas.

— Por que eu, então — perguntou-lhe Bátia —, ou por que qualquer pessoa? — E ele indicou a clareira que ela pensara ser apenas uma imagem momentânea em sua mente e ela entendeu que era o lugar seguro dos dois, não só dele nem dela apenas, que ele procurava e que era a promessa dela de fazer um jardim para ele, proferida uma vez semanas atrás, numa reconciliação, que levara os dois até ali. Ela se perguntou se o seu corpo também começaria a mudar como o dele e sentiu o início do desejo e da curiosidade. Só aos poucos percebeu que perdia o sonho para a dormência do braço, que se dobrara sobre a cabeça para manter afastados os barulhos matutinos vindos da rua.

Bátia precisou de vários minutos mais para distinguir os sons amortecidos do cômodo ao lado daqueles que chegavam pelas cortinas verde-escuras mas, assim que se levantou e começou a firmar os olhos em Ernst, que lutava com a bandeja do desjejum, pensou que, não importa quantos ancestrais tivessem deixado nele as suas experiências, era claro que nenhum deles jamais preparara as próprias refeições. A desconcertante falta de jeito do rapaz que tentava preparar uma coisa tão simples quanto o chá da manhã com pãezinhos quentes e a geléia de laranja importada e levemente amarga que adorava e sempre supunha, erradamente, que ela também gostava não tinha relação alguma com a graça fluida com que cuidara de todas as necessidades da moça no deserto. Para Bátia, agarrar-se ao seu sonho parecia ter uma importância incomparável e ela recusou todas as tentativas de Ernst de travar um diálogo matinal comum, num esforço cada vez mais desesperado de voltar à conversa ao lado do poço que tinham interrompido há apenas alguns instantes. Talvez nenhuma parte de um sonho seja tão difícil de abandonar quanto a crença de que as palavras e os sentimentos a nós dirigidos enquanto dormimos tenham deixado algum eco, alguma ressonância, por mais tênue que seja, em quem quer que aparecesse ao nosso lado no sonho, e era quase com raiva que Bátia continuava a explicar a Ernst o que ele lhe dissera no deserto para estimular a memória dele e confirmar a sensação de que alguma coisa de suma importância acontecera entre os dois.

— Não vê como isso muda tudo? — continuava a insistir com ele. — Como fomos longe juntos esta noite e como seria tristíssimo perder tudo só porque sou a única que acredita nisso? Você não estaria negando só o meu sonho, mas também o que comecei a entender sobre você!

Mas, quanto mais ela pressionava, mais sentia que Ernst recuava, até que as afirmações divertidas do rapaz de que, sem dúvida, fora um sonho adorável e que estava feliz por ela que a noite que começara tão mal se redimira e que, esperava, ele também tivesse se redimido começassem a adotar um tom meio impaciente e até irritado para combinar com o dela, como se estivessem pedindo ao rapaz que honrasse uma promessa que tinha certeza de nunca ter feito. Voltar a sua atenção para a comida parecia ser a melhor coisa a fazer para contornar uma disputa que rapidamente se tornava rancorosa e, felizmente, assim que começaram a devorar os pãezinhos que Ernst trouxera, ambos perceberam como estavam com fome. Mas até o prazer de se encontrarem juntos num dia novo e claro, acordados e fisicamente animados de fome, dissipava-se lentamente com o esforço de afastar o desapontamento por terem chegado àquela manhã juntos vindos de rumos tão incompatíveis. O apartamento começava a ficar opressor e ambos sentiram-se aliviados quando notaram que os criados, que imaginaram que Ernst ficaria em Brunnenberg, não tinham preparado nada de substancial para que comessem, de modo que teriam de ir a algum café para aplacar o seu apetite por mais sanduíches e doces.

Durante o longo café-da-manhã que começava a se fundir naquele maravilhoso costume austríaco do lanche do meio-dia, Bátia tentou tomar pé da sua posição. Precisava equilibrar a intensidade do sonho não com o desdém frívolo de Ernst, mas como um quadro mais claro daquilo que desejava para si mesma. Mas quanto mais tentava fixar os pensamentos, mais ambíguos eles se tornavam. Era como se olhasse para a mesa e visse a grande cremeira de prata ao lado da xícara fumegante de chá indiano, o *croissant* marrom-dourado já meio comido, recheado de sementes escuras de papoula, e a pilha de jornais, cada um no seu estranho suporte de madeira, ao lado de Ernst, mas sem ser capaz de identificar a cena como um café-da-manhã num restaurante com o seu amante. Todos os detalhes individuais eram artificialmente nítidos, mas a composição como um todo perdia a coerência sempre que ela a examinava mais de perto. Era um sentimento que vinha se tornando irritantemente familiar e não se parecia com nada que lhe tivesse acontecido antes daquele ano. Às vezes, Bátia sentia que todo o seu mundo se desintegrava em cenas separadas nas quais fora lançada de repente — nas quais, em verdade, lançara-se deliberadamente — sem conseguir perceber nenhuma sensação de ligação entre elas. Continuava a pegar pedacinhos dos diferentes doces e partilhá-los com Ernst bem depois de estar satisfeita, não só por nervosismo mas por ser a única maneira física que tinha de confirmar a sua intimidade sem correr o risco de uma conversa que pudesse mostrar como, na verdade, esta intimidade era frágil. Para onde quer que olhasse nesses dias, era como se Bátia percebesse, voejando por perto, abutres que ninguém parecia notar.

Ela e Ernst tinham comido juntos num clima igualmente tenso alguns dias depois que encontrara Hans e tomara café em seu apartamento do bairro Josef. Quando tentou contar o encontro a Ernst, a princípio foi muito pior do que previra. Fossem quais fossem os sentimentos que fizeram Ernst e Hans verem-se como irmãos de armas, eles tinham sido substituídos por um desprezo indisfarçável. Ernst sentia apenas aversão pela postura política de Hans e, embora Bátia tivesse a mesma opinião, era irritante ouvi-lo criticar asperamente a fascinação de Hans pela violência numa voz que, por si só, era a essência da raiva. Viu Ernst fazer um esforço enorme para acalmar-se e, quando finalmente conseguiu, explicou que era a ameaça à segurança dela, e de ninguém mais, que não podia perdoar a Hans.

— Você sabe — disse a ela — que todos nós atendemos ao seu pedido e a chamamos de Bátia há tanto tempo que quase esqueci que o seu nome é Elisabeth, por causa da imperatriz falecida, não é? Quer dizer que seu apelido também podia ser Sissi? Encontrei-a certa vez, em Schönbrunn, quando era bem pequeno e é claro que, como todo mundo, fiquei loucamente apaixonado por ela. Menos de dois anos depois aquele maluco do Esquadrão Regicida esfaqueou-a em Genebra. Sei que isso não tem nada a ver comigo nem com você nem com Hans, mas me recuso a perdê-la por causa das fantasias iludidas de outro fanático.

Ao ouvi-lo falar assim, Bátia estendeu o braço cruzando a mesa e passou a mão suavemente pelo braço dele. Viu nos olhos de Ernst que o seu gesto só pareceu aumentar-lhe o nervosismo, mas ele se controlou o bastante para continuar com o tom de voz irônico de sempre.

— Pegue qualquer um dos jornais de Viena — disse — e logo verá que, em nossa política, em nossos sonhos, pelo menos de acordo com os especialistas mais recentes no assunto e, com certeza, em nossas peças e romances da moda, só falamos de homicídio. Quem não cometeu pelo menos alguns assassinatos imaginários é considerado um reacionário irremediável. Sabia, aliás, que o homem que matou Sissi queria na verdade matar o Rei Umberto da Itália mas não podia pagar a passagem de Genebra a Roma? Pelo menos esta é uma dificuldade logística que não vai preocupar quem trabalhar com Hans. É um esplêndido argumento para só ter terroristas ricos; pelo menos pode-se confiar que poderão viajar para onde quer que estejam os seus alvos prediletos e não terão de conformar-se com segundas opções. É verdade mesmo, Bátia; a sua xará morreu porque um anarquista teve coragem de enfiar uma faca no coração de uma mulher, mas não de pegar um trem sem comprar passagem. Agora, por que ninguém faz uma peça sobre isso? É o que eu gostaria de saber.

Ernst tinha certeza de que a polícia já estava vigiando Hans. Aí ocorreu a Bátia, quando recordou a conversa anterior, que talvez Ernst tivesse achado que o cocheiro fosse um espião da polícia e que o seu ataque de raiva tivesse sido provocado por uma combinação de medo pela segurança dela e raiva de que ela tivesse se arriscado indo ao apartamento de Hans. Nada na atitude do cocheiro combinava com a concepção que a moça fazia de um informante da polícia, mas ela sabia muito bem que não devia confiar em tais impressões, e além disso o que realmente importava era o que Ernst pensara dele. Para Bátia, era revoltante admitir que o seu mundo incluía agora a possibilidade concreta de que o homem que a levava para casa pudesse contar às autoridades o que ela e o amante tinham conversado. Ela sentiu-se inteiramente conspurcada e encolheu-se sobre si mesma, como se de repente tivesse sentido alguma coisa imunda arrastar-se por sua pele. Durante o resto da refeição, sentiu uma ânsia desesperada de simplesmente fugir de todos eles, tanto de Ernst quanto de Hans, dos pais, dos Rotenburg e dos von Alpsbach, de todo mundo que conhecia naquela província horrorosa. Ficou tão espantada com a série de idéias postas em movimento por seus pensamentos que esticou o braço pela mesa uma segunda vez e segurou carinhosamente a palma da mão de Ernst entre as suas. A rapidez com que o sorriso dele lhe respondeu fê-la sentir-se imediatamente melhor e permitiu-lhe não perguntar nada a Ernst que confirmasse as suas suspeitas sobre o cocheiro, evitando que, ao falar delas, Bátia também demonstrasse como se afastara de Ernst em sua imaginação.

Ambos concordaram que era melhor voltar a Brunnenberg imediatamente e evitar uma segunda noite na cidade. A viagem ajudou a restaurar-lhes a tranqüilidade e apreciaram indicar um ao outro como o campo começava a sua lenta modulação para as primeiras e leves cores da primavera. Acima dos campos de palha, as sombras da tarde eram cor de pérola e cinza-azulado, como se ainda esperassem a neve que as cobrira durante tanto tempo. Para quem entrasse nos bosques próximos, contudo, o ar em volta das bétulas já parecia ter adotado insinuações sutis do degelo próximo. Bátia adorava o gosto no fundo da garganta da mistura das várias estações, como dois tipos de maçã, doce e meio ácida ao mesmo tempo. Sempre que saíam juntos por alguns dias, ela se via começando a sorrir de contentamento assim que avistava os portões de colunas brancas, e o lugar onde há pouco tempo se sentira mal recebida agora quase lhe parecia confortável demais. Assim que apearam da carruagem e entraram, Ernst, saciado e sonolento, deitou-se para um cochilo, brincando com ela que era para tentar continuar, em seu próprio sonho, a discussão que começara no sonho de Bátia da noite anterior. A moça sentou-se para ler um pouco; mas aí a sua mente e as suas pernas se inquietaram e ela se viu perambulando de volta pelo corredor com o acúmulo opressor de heranças dos von Alpsbach. Desta vez, quando abriu o velho guarda-roupa, o cheiro pungente e familiar de naftalina e cânfora com que as fardas tinham sido tratadas contra as traças deixou-a, de repente, com saudades dos cheiros da casa dos pais. Toda primavera, o casaco de pele da mãe e os pesados ternos de lã do pai eram guardados e ela se lembrava de ajudar a mãe a colocar nos bolsos bolas de naftalina cheias do mesmíssimo cheiro. Aí, logo depois da colheita das uvas, um mês antes que se esperassem as primeiras tempestades de outono, todas as roupas eram tiradas dos armários, os bolsos esvaziados e tudo muito bem sacudido no quintal. Embora o início do ano letivo ainda fosse dali a quase três semanas, Bátia lembrava-se de ter medo que o cheiro de naftalina ainda estivesse grudado nela quando as aulas começassem e, em seu último ano na escola, recusou-se com firmeza a ajudar na tarefa anual.

Conforme tirava as pesadas fardas da sua cobertura protetora, notou mais uma vez como até as mais antigas eram mantidas impecavelmente limpas e prontas para o uso, as lâminas das espadas ainda afiadas o bastante para cortar a carne com tanta facilidade quanto o pedacinho de pano no qual testou várias delas. Tudo ali estava pendurado como se os oficiais de cavalaria há tanto tempo mortos fossem voltar, como fantasmas de um conto de fadas infantil, para atender ao chamado do seu imperador num momento de necessidade. Era uma coisa sobre a qual Ernst nunca conseguira conversar com ela, e o rapaz devia achar que Bátia via todas aquelas relíquias como ídolos absurdos e sem significado algum que não fosse lisonjear o seu possuidor com a prova tangível da antigüidade da família. E é provável que ela *tivesse* feito alguma piada descuidada a respeito; uma das coisas que achava mais incômodas em si mesma era a incapacidade de calar uma frase espirituosa, mas também era tolice dele supor de imediato que a moça seria incapaz de compreender o que aquela herança significava para ele. Ela precisava das palavras dele para tentar entender como devia ser o mundo para alguém como Ernst e, por nunca falar daquela parte da sua vida, o rapaz apenas aumentava a distância entre os dois. Parecia incapaz de agir de outro modo, com uma rigidez teimosa e ferida que logo exauriu o reservatório de paciência da moça, nunca grande demais, e só deixou as coisas ainda piores. A incompreensão mútua deixava-os muitas vezes agastados, e a intensidade do desejo que alimentavam um pelo outro parecia agora existir num terreno separado do resto do seu ser. Ultimamente, muitas das suas próprias emoções começavam a deixar Bátia perplexa, mas nenhuma tanto quanto a percepção de um abismo que crescia sem parar, não só entre ela e Ernst mas também dentro de si mesma, como se as várias partes da sua própria personalidade simplesmente não conseguissem mais comunicar-se entre si. Ela dizia a si mesma: "Não me sinto diminuída pela vida à minha frente. Mas quem é o *eu* destas frases? Às vezes não sei mais quem está falando quando abro a boca. Nos dias em que acordo no meio da noite, não sei quem habita este corpo." Quando Ernst a procurava querendo sexo, ela costumava estar tão desejosa e faminta quanto ele, mas o choque da sua ânsia sempre renovada por ele fazia-a sentir que o seu corpo, apesar de todo o prazer que lhe dava, tornara-se, em certo sentido, mais e não menos estranho para ela. Certa vez, numa carta que escreveu mas rasgou antes de chegar à metade, perguntou a Ernst se ele não achava que a fusão física dos dois estava sendo retribuída por um tipo de desintegração psíquica. Começara a pensar na paixão como submetida a alguma lei implacável que regulamentava o brotar e o secar, a intimidade e o isolamento, segundo um ritmo que nunca conseguia apreender. Quanto mais se desejavam um ao outro e mais felizes ficavam por estarem juntos, menos de si mesmos podiam realmente compartilhar. Para ela isso não fazia sentido e, embora às vezes a sua frustração encontrasse um escoadouro na provocação de brigas sem sentido, com mais freqüência deixava-a silenciosa de modo pouco natural, tentando compreender uma sensação crescente de temor à qual não conseguia dar nome e só sabia que era como se estivesse perdendo a sua substância física e que, enquanto estivesse com Ernst, jamais ocuparia espaço suficiente no mundo.

Como a maior parte das suas amigas se queixava do peso que ganhavam quando estavam felizes no meio de um caso de amor — os encontros regulares à tarde para tomar um chocolate quente com tortas cobertas de creme praticamente garantiam este resultado — Bátia poderia divertir-se com a preocupação de que o amor estivesse lhe roubando a solidez física. Mas também perturbava-a o medo de tornar-se, ainda que apenas aos seus próprios olhos, insubstancial demais para ser levada a sério. Não conseguia transformar os acontecimentos do seu caso de amor nem a trajetória inconstante de suas emoções em nenhum tipo de história, nem mesmo para si mesma, e vivia uma sensação de vazio que nenhuma das afirmações tranqüilizadoras de Ernst conseguia alcançar. Havia horas em que se obrigava deliberadamente a catalogar tudo de que se afastara nos últimos meses e sempre se espantava de novo com a facilidade com que o fizera. Nos piores momentos isso lhe parecia uma falha moral mas, na verdade, não havia nada que pudesse realmente afirmar que lhe inspirasse saudades da vida anterior, a não ser, de um modo inútil agora, o fato de ter tido alguma vida anterior.

No dia seguinte, quando voltou de um longo passeio pelos jardins que se estendiam além da cúpula de vidro da estufa, os sapatos cheios da lama das poças que transformavam numa aventura atravessar até os caminhos de seixos cuidadosamente assentados, percebeu outra vez o quanto passara a amar aquele lugar. Ultimamente, Ernst também começava a ter mais interesse em Brunnenberg e muitas vezes passava horas examinando as contas com Franzi Potoscheck, o administrador da propriedade, enquanto Bátia adotara o hábito de aproveitar esse tempo para ficar na biblioteca examinando as filas de prateleiras de mogno forradas de livros encadernados em couro negro e dourado e perfeitamente espanados. Embora gostasse de ficar na sala aquecida com as suas pesadas cortinas escuras e o convite para perder-se em devaneios ao acaso, raramente sentia-se suficientemente tentada por algum dos títulos para perturbar-lhes a placidez. Havia coisas demais que precisava esclarecer em sua própria mente antes que conseguisse recuperar a concentração para dedicar-se à história de outra pessoa.

Não era da sua inteligência nem da sua solidariedade que Ernst desconfiava, Bátia tinha certeza disso. Mas havia algum atributo fundamental da imaginação, dele ou dela, no qual o rapaz parecia incapaz de acreditar. Apesar dos avisos da mãe, ela tinha certeza de que o fato de ser judia tinha pouquíssimo a ver com isso. Hans a tratara do mesmo modo e, quando lembrava as suas discussões com ele, não podia evitar de recordar todos os comentários do rapaz sobre a falta de resolução e de profundidade interior de Ernst. O fato de que *introversão* e *resolução* serem duas palavras prediletas de Hans, que as usava a torto e a direito para intimidar alguém que dele discordasse, não impedia que às vezes fossem pertinentes. Havia alguma coisa incômoda, como uma peça teatral estruturada com demasiado apuro, na forma como os comentários depreciativos dos dois homens, um sobre o outro, eram tão perfeitamente simétricos. Hans alertou-a para o vazio moral do rapaz nascido nobre, Ernst para a busca vazia de prazer, natural nos ricos irresponsáveis. No entanto, apesar de todo o antagonismo e dos ciúmes dos dois, Bátia sentia-se ferida com a percepção de que mesmo agora, depois do seu rompimento, Ernst e Hans continuassem a levar-se um ao outro a sério, de um modo como nenhum dos dois a vira até então.

◆◆◆

"A traição é uma mera questão de datas." Com que pretensão os cérebros do Ministério do Exterior amavam citar este aforismo de Talleyrand como se encerrasse uma profunda sabedoria. Uma filosofia de lacaio para impressionar todo mundo com a sua mundanidade, era assim que Wiladowski caracterizava a idéia com o seu primeiro-secretário, que, como bem sabia o conde-governador, estudava secretamente os textos do estadista francês como se fosse a Sagrada Escritura e citava as suas máximas sempre que considerava vantajoso — em geral quando Marie-Luise estava por perto, ansiosa para se impressionar com a sagacidade política do seu protegido. Agora que a esposa adotara Pfister como contrapeso à influência crescente de Tausk no Castelo, o tédio que o homem provocava em Wiladowski transformava-se em efetivo desagrado.

O conde-governador sabia que não fazia sentido querer que alguém como Pfister entendesse que toda traição realmente importante envolve também um ato de traição a si mesmo. Trair o imperador, a amante ou o amigo exige abandonar primeiro o homem que se comprometeu com eles. E se é que as noites amargas de auto-análise ensinaram alguma coisa a Wiladowski foi que os homens que viriam para destruí-lo descobririam que ele mesmo já fizera por eles boa parte do serviço. O medo paralisante da morte que às vezes transformava qualquer dorzinha em coisa que o preocuparia durante horas não se baseava, como Marie-Luise e a maior parte da sua equipe suspeitavam, de um amor-próprio absurdo e exorbitante. Bem pelo contrário; é no mínimo mais fácil para um homem que aprendeu a ver-se com meticuloso desagrado temer o fim da sua vida do que para quem tem fé na integridade das suas paixões. Os inumeráveis atos de traição que cometera, a sombra cada vez mais longa das traições que sofrera, longe de se anularem entre si, pareciam fundir-se numa só história na qual não restavam vilões nem heróis visíveis e havia pouquíssimos e dolorosos momentos impolutos aos quais se agarrar. No máximo o tempo poderia abafar a dor das feridas que sofrera nas mãos de homens e mulheres cuja aparência mal conseguia recordar, mas nada faria para atenuar o conhecimento das traições a si mesmo que marcavam as décadas da sua vida com mais firmeza que os aniversários. Havia agora semanas inteiras em que, em vez de concentrar-se nos assuntos do governo, via sua mente vasculhar um livro-caixa interior de infidelidades e equívocos, como um arquivista demasiado escrupuloso contratado para pôr em ordem um monte confuso de registros acumulados com descuido. Sabia que, embora os remédios fossem diferentes, o seu médico particular e o capelão oficial do Castelo insistiriam, ambos, em que estes pensamentos mórbidos eram insalubres, mas há muito tempo deixara de se interessar por conselhos assim. O que o espantava não era o seu próprio estado de espírito, mas que praticamente nenhuma das pessoas que conhecia era perturbada por pensamentos semelhantes. Ele não era mal interpretado, longe disso; mas, para seus colegas, o que Wiladowski chamava de traição era simplesmente a forma como o mundo funcionava e, para eles, fazia tanto sentido incomodar-se com isso quanto com as inevitáveis tempestades de agosto com que se podia contar para estragar certo percentual dos dias de férias no distrito à beira do lago, perto de Salzburgo. Além disso, suas vidas profissionais e pessoais não dependiam de abrir mão de coisas tão inconvenientes quanto uma escrupulosidade rígida demais com lealdades fora de moda? Quer como diplomatas, quer como homens com amantes caras e esposas curiosas, se a traição não fosse um conceito elástico, sujeito a reinterpretações constantes, a vida logo se tornaria impossível de gerenciar e tanto o país quanto a maioria das suas principais famílias ficariam envolvidos numa guerra interminável. Mas, apesar da sua posição e sua riqueza, Wiladowski era surpreendentemente imune a considerações de sensatez tão perfeita. No Ministério do Exterior, os seus conselhos eram considerados uma mistura desconcertante de cinismo e excesso de rigor moralista. Cera vez, quando se pensava em Wiladowski para uma missão importante em São Petersburgo, seu superior, o príncipe von Aehrenthal, queixou-se de que "o problema de usar Wiladowski não tem nada a ver com a sua inteligência. Ele é bastante esperto para qualquer serviço, mas nunca se sabe se decidirá reagir como Maquiavel ou como Savonarola. Seja como for, será como algum desses hereges italianos que tanto gosta de citar, nunca como um austríaco honesto. Sempre que pedimos os seus conselhos sobre alguma iniciativa diplomática, parece que adora destacar na proposta todos os desvios dos nossos princípios declarados e, no fôlego seguinte, indicar outro rumo que é tão desonroso que a mera admissão de pensar nele já é indecente."

No ambiente doméstico, as suas reações eram, no mínimo, ainda mais difíceis de prever. Um libertino que se recusava a ter amantes porque não havia mulheres de bom nível suficientemente depravadas para o seu gosto; era assim que os seus amigos de Viena explicavam a ausência quase escandalosa de uma amante oficial. Mas, neste caso, a explicação era muito mais simples. Wiladowski estava absorvido com profundidade demais em seus próprios problemas para sentir aquela curiosidade por outra pessoa que é indispensável para, pelo menos, iniciar um caso de amor. Embora o sexo continuasse tão atraente quanto antes, não podia mais compensar a irritação que sentia sempre que precisava passar várias horas consecutivas com a mesma pessoa e, como até a ligação mais ritualizada e mecânica exige alguma demonstração de interesse na conversa que envolve o ato de fazer amor, era a sua coleção extensa e sempre crescente de pornografia rara que o conde-governador preferia procurar para o seu prazer. Ainda era considerado uma presa atraente por muitas das anfitriãs mais cobiçadas que buscavam acrescentar mais um amante à sua coleção, mas, como contou a um colega, sabia que era apenas a sua indiferença que as tentava. Passara a perceber que estas mulheres eram como as alianças políticas. Ambas só acontecem com facilidade quando não se tem mais certeza de serem realmente necessárias ou até desejáveis. No entanto, ao contrário de muitos parentes seus, principalmente de Max, o primo assassinado, cujo mau humor ainda fazia a sua viúva se encolher três anos depois do funeral, Wiladowski raramente brigava com Marie-Luise e, quando isso acontecia, seu tom de voz mal se alterava da polidez cansada com que tentava suportar algum dever oficial maçante. A presença constante dos criados do Castelo e a aversão dos dois a todo tipo de demonstração emocional tornavam a idéia de rixas domésticas extremamente desagradável para ambos. Mas, em quase todas as questões importantes, começaram, quase sem notar, a adotar posições contrárias, como se a distância entre eles só pudesse se exprimir pelo antagonismo político, em vez do mero antagonismo pessoal. Em seus sonhos, contudo, Wiladowski via com freqüência o seu primeiro-secretário aconselhando uma Marie-Luise vestida de preto sobre como organizar o funeral do conde-governador assassinado, mas, um pouco para a sua própria surpresa, mesmo quando o consolo de Pfister ficou mais lascivo e carnal e o elegante vestido de luto de Marie-Luise metamorfoseou-se de repente no tipo de roupa de baixo desarranjada que as prostitutas de Veneza costumavam usar para ele décadas atrás, a imagem não despertou ciúmes, somente surpresa, temperada com a satisfação inegável de que ela parecia incapaz de encontrar alguém pelo menos um pouco mais atraente. O fato de Marie-Luise e Mathias Pfister sobreviverem ambos a ele é que realmente angustiava Wiladowski e, como os seus pesadelos obrigavam-no a adotar ao mesmo tempo os papéis de cadáver despedaçado e testemunha póstuma da sua sedução mútua e desajeitada, o que os dois faziam com a vida que apreciavam de forma tão óbvia era muito menos importante do que não morrerem ao lado dele ou, melhor ainda, em seu lugar.

Mas repetir sem parar uma questão não é garantia nenhuma de exatidão na análise. É claro que Wiladowski não contara nada sobre esses sonhos perturbadores com Pfister e a mulher ao seu espião-chefe, mas não via por que negar-se o prazer mórbido de extrair de Tausk a sua opinião sobre a perfídia. Afinal de contas, ele fora contratado exatamente pelo talento nessas coisas e pedir a sua opinião não era mais comprometedor que consultar um dentista competente por causa de uma dor de dente ou um urologista por causa do medo de ter contraído alguma infecção venérea desagradável.

Felizmente, para o conde-governador, o prazer cada vez mais raro de interessar-se pelas pessoas que encontrava não era a única forma de distração disponível. Assim como muitos pensadores notáveis do Império, inclusive vários dos seus principais filósofos e economistas políticos, eram conhecedores ávidos das farsas teatrais mais previsíveis, Wiladowski costumava atravessar a rotina do seu dia como um personagem de algum esquete da *commedia dell'arte* que dificilmente se surpreenderia ao descobrir que só se encontrava com os outros papéis fixos do gênero. Há um prazer involuntário e totalmente instintivo em ver como as pessoas conhecidas cumprem fielmente as convenções do seu papel. Wiladowski gostava que os seus servidores fossem tão obsequiosos quanto possível, que a nobreza local fosse tão provinciana e cheia de si quanto um escritor medíocre a imaginaria, que os judeus fossem tão vivamente judaicos nas roupas, no sotaque e nos modos como se atuassem nalguma pantomima histórica, e que os camponeses das propriedades que visitava emanassem a essência do que ele imaginava serem as características fundamentais de um campesinato imemorial. Às vezes o conde-governador imaginava se, no fim do dia, todo mundo ia para casa, tirava as fantasias e a maquiagem, olhava-se no espelho e dizia: "É, hoje representei com perfeição o burocrata pomposo, o mercador esperto ou o lacaio da corte. Estou cansadíssimo, mas não há dúvida de que a encenação foi como devia ter sido e hoje mereço o direito de dormir com a consciência limpa." A única falha óbvia que irritava Wiladowski e quase arruinava a harmonia de todo o espetáculo, como um único mau ator pode derrubar uma companhia de repertório de primeira linha, era o seu próprio desempenho medíocre como governador. Não há dúvida de que tinha seus bons momentos, mas eram no máximo intermitentes e mesmo assim somente em cenas que despertavam o seu interesse pessoal, em vez de serem um requisito do drama como um todo. Talvez a incapacidade de concentrar-se na própria atuação quando não se tem mais fé no texto fosse apenas outra conseqüência da imaginação medíocre, e Wiladowski, que gostava de descrever a si mesmo como radicalmente privado de qualquer impulso criativo, via-se, e com bastante freqüência, muito mais fascinado pelas limitações que percebia em si mesmo do que preocupado em retificá-las.

O imperador, o Exército e o serviço público imperial. Todo menino de escola aprendia que era sobre esses três pilares sólidos que se baseava o Estado e que deles derivava a sua invejável estabilidade. O Cardeal-Arcebispo von Salis, sem dúvida, gostaria de acrescentar à lista o nome da Santa Madre Igreja, mas tanto Wiladowski quanto Tausk duvidavam desta pretensão, já que muitos inimigos implacáveis da dinastia, na França e na Bélgica, também confessavam-se com a consciência pura e recebiam a comunhão de bons padres católicos que viam as exigências territoriais dos Habsburgo com a mesma escassa solidariedade que sentiam pelas fileiras de ateus descrentes. Este fato desencorajador da vida política constituía um problema nada pequeno para a noção predileta de Wiladowski de proceder como se tivesse caído numa peça de teatro absolutamente banal, já que, mesmo que pudesse confiar que aristocratas, judeus e funcionários do governo cumpririam o seu papel de um modo imediatamente reconhecível, os assassinos e traidores talvez não fossem sempre tão atenciosos. Além disso, tinha amplos indícios, em seu próprio círculo, de que ninguém gosta tanto assim de se alterar para adequar-se a um novo papel a ponto de jogar fora por completo todas as características adquiridas numa vida inteira desempenhando outros papéis. Até Tausk, que mudara toda a sua vida com sucesso espetacular, continuava a só fumar os cigarros baratos e abomináveis em que se viciara no seminário do Rabino Pelz. Apesar do salário agora substancial, sem falar dos repetidos oferecimentos de Wiladowski dos melhores Montecristos do seu estoque particular, o espião-chefe insistia em poluir todos os cômodos onde entrava com o cheiro mais insalubre que Wiladowski jamais sentira. Nem nos cafés mais decadentes de Trieste, que freqüentara às vezes quando jovem em busca de prazeres ilícitos, Wiladowski encontrara coisa tão desagradável. Na verdade, se não fosse o sentimento mal controlado de ultraje de Pfister sempre que era obrigado a entrar numa sala cheia da fumaça do fumo de Tausk — se é que aquela marca continha fumo —, Wiladowski, que também achava repelente o fedor, teria provavelmente proibido seu consumo dentro do Castelo. A transformação de si mesmo é sempre, em parte, uma ilusão, no mínimo porque, como Wiladowski e Tausk eram desoladas testemunhas, é inevitável que haja um resíduo, um resto teimoso que fica na alma e resiste a ser absorvido pela nova identidade. Se nada do passado ficasse realmente vivo e ativo, a traição seria muito menos dolorosa.

Sem que o conde-governador precisasse tornar explícitos os seus desejos, Tausk entendia por instinto que a sua função era esperar até que o seu patrão levantasse ele mesmo essas questões e, então, ouvi-lo com um ar de intenso interesse misturado a uma surpresa discreta, mas profundamente lisonjeada por ter sido escolhido como confidente de tais intimidades. O olhar de leve surpresa era sempre o mais difícil de manter, ainda mais depois de ser convocado à biblioteca semanas sem fim com o mero propósito de escutar os complicados pesadelos de Wiladowski e as suas elaboradas descrições de si mesmo. Tausk ouvira com suficiente freqüência as teorias excêntricas do conde-governador para que sua falta de entusiasmo por elas não vazasse e, quando Wiladowski fazia um esforço genuíno, embora breve, de levar Tausk a buscar corroboração em suas próprias experiências, em geral era bastante fácil dissuadi-lo. Certa vez, contudo, quando Wiladowski perguntou ao espião-chefe o que aconteceria se o dever lhe exigisse prender e extrair informações de pessoas que realmente respeitasse, se não agora, pelo menos em algum momento de sua vida anterior, o aperto súbito na voz de Tausk foi inconfundível. Alguma coisa fugidia, como uma dor meio esquecida, faiscou por um instante mínimo por trás dos olhos de Tausk, mas com a mesma rapidez a sua expressão voltou à sua habitual aparência velada e um pouco maliciosa e ele começou a procurar mecanicamente mais um dos seus cigarros, que acendeu antes que o anterior que segurava se apagasse por completo. Ambos sabiam que um nervo fora atingido e Wiladowski voltou para a cama bastante orgulhoso de si mesmo por conseguir que o seu chefe da espionagem, tão controlado, revelasse alguma coisa de seu âmago emocional. O conde-governador gostava de colecionar o que chamava de "momentos de revelação" e, embora confiasse a Tausk a tarefa de proteger a sua vida, também achava que não fazia mal acumular um pequeno rol mental destes momentos, com vistas a um futuro imprevisível.

Por ordem de Wiladowski, Tausk preparara um complicado dossiê de todos os homicídios políticos cometidos no Império durante a última década e tentara agrupar os suspeitos, tivessem sido condenados ou não, em categorias que se mostrassem estatisticamente significativas. Profissão, cidade de origem, raça, sexo, idade, grau de instrução e campo de estudo: todos foram cuidadosamente relacionados numa série elaborada de gráficos feitos por Roublev, cujo talento matemático com freqüência era útil a Tausk. Se Roublev não fosse judeu ou tivesse aprendido a disfarçar seu abrasivo senso de superioridade, acabaria conseguindo um cargo na universidade, onde o seu talento ainda seria comentado anos depois, mas nem toda a engenhosidade de Roublev conseguiu fazer com que as informações gerassem padrões que ajudassem a prever quando aconteceria o próximo ataque. A única conclusão generalizável, com efeito, era negativa, ou seja, que no império de Francisco José, ao contrário da Rússia do czar Alexandre, quase não havia terroristas judeus. Na verdade, os judeus eram visíveis em várias organizações ilegais, assim como naqueles sindicatos meio tolerados que não eram anti-semitas em seus programas, mas sua ausência quase total de todos os grupos suspeitos de atividades terroristas era palpável demais para ser ignorada.

— Talvez o *Galut* pese menos sobre os judeus aqui do que na Rússia, e assim eles conseguem manter-se fiéis à sua antiqüíssima aversão ao derramamento de sangue.

Tausk jogou de propósito a palavra hebraica para "Exílio" porque conhecia o prazer que o conde-governador teria ao perguntar-lhe sobre como os judeus viam a vida em exílio permanente e como isso se ajustava ao seu jeito loucamente engrandecedor de si mesmos de entender a história do mundo. Mas, desta vez, Wiladowski não demonstrou nenhuma curiosidade e perguntou, simplesmente, se não seria mais verdadeiro dizer que os judeus austríacos eram mais adeptos do que os seus correligionários russos de evitar a conscrição militar e, assim, perdessem a melhor oportunidade de aprender a usar armas de fogo, habilidade que monarquias demais eram míopes o bastante para ensinar aos seus súditos mais insubordinados.

Finalmente sozinho em seu quarto, Tausk deixou-se desabar na grande poltrona que ficava contra a parede, perto da cama simples de campanha em que dormia. Naquela época, por mais perto que se sentasse de uma lareira acesa, precisava de toda a sua força de vontade para não tremer sem parar com uma sensação de frio que parecia nascer-lhe dos ossos. Na frente do governador, Tausk conseguia não deixar transparecer sua febre, tarefa facilitada pela total falta de interesse de Wiladowski pela saúde de quem quer que fosse, com exceção da sua própria. Mas agora, quando Tausk passou a mão, nervoso, pelo peito e pelas coxas, sentiu um desagrado exaustivo e fútil com a umidade pegajosa do seu próprio suor velho e com o corpo que o produzia. Cada vez mais sentia em si mesmo o cheiro dos prisioneiros que interrogava, mas pelo menos os cigarros eram suficientemente fortes para impedir que os outros notassem a semelhança. Nunca desejara de forma mais ardente o afastamento científico de alguém como Roublev. Bem antes de ser expulso da *yeshiva*, Tausk já sabia que lhe faltava o entusiasmo pelos enigmas divinos do verdadeiro especialista bíblico, mas a luta de todo o seu organismo para adaptar-se à nova função obrigou-o a admitir como estava longe de sentir-se à vontade também neste mundo. Ao contrário do seu senhor, a única coisa que Tausk não podia permitir-se, ainda mais agora, quando havia tanta coisa que ainda precisava fazer antes da visita de Zichy-Ferraris, era deixar-se envolver na obsessão de Wiladowski com a inevitabilidade da traição. Ser capaz de *ter* uma teoria a respeito era sentir-se mais confortável do que Tausk achava possível para si. Assim, como em todas as outras manhãs anêmicas das últimas semanas, Tausk forçou-se a afastar a pressão insistente que pulsava-lhe nas têmporas, enrolou um enorme cobertor cinzento de campanha do exército nos ombros e tentou usar a possível meia hora de atenção que sabia que ainda conseguiria juntar para ler os relatórios acumulados dos seus agentes.

Quando finalmente conseguiu adormecer, os sonhos foram intermitentes e febris demais para montar alguma história. Mas se isso acontecesse, o vínculo entre as diversas imagens que atravessaram a sua consciência adormecida poderia vir facilmente da história de José no Egito, narrativa com a qual Tausk sentira um parentesco instintivo desde que a sua interpretação dela espantara e irritara os seus colegas na aula do Rabino Pelz, anos atrás. Agora, no entanto, se ainda representava era só para si mesmo e, em vez de tecer uma alegoria elegante e multifacetada cujo significado aumentasse em degraus precisos, o próprio Tausk não passava de um grito abafado pedindo a quem quer que ouvisse uma solução. O mais estranho de tudo foi que, em vez de perder-se nalgum lugar abandonado e sinistro, Tausk viu-se de volta ao seminário, na grande sala de estudos. Só que *ele* era o Rabino Pelz e, quando fez as suas perguntas, sentiu-se totalmente vazio, não só da resposta correta como de qualquer tipo de resposta. Os ouvintes, no entanto, só sorriram para ele com uma alegria horrível e oca. Ele fitou a sala cheia de rostos estupidificados por uma imbecilidade horrenda e congênita e foi com a repetição sem esperanças e interminável das suas perguntas, lançadas para afundar na imobilidade inane e infinita da platéia, que Tausk acordou, mais aterrorizado e infeliz do que se tivesse passado a noite combatendo demônios com chifres, dentes afiados, cascos e toda a parafernália vulgar da imaginação cristã.

◆◆◆

Se havia uma coisa que nunca deixava de irritar Marie-Luise era algum sinal de impertinência por parte das ordens inferiores. Já era suficientemente desagradável ter de suportar a sua ousadia em Viena, onde os jornalistas radicais, a maioria dos quais tinha perdido a decência de envergonhar-se dos seus sobrenomes judaicos impronunciáveis, viviam ocupados abusando da complacência do imperador com tentativas de envenenar a mente da classe trabalhadora, mas ter de agüentar a mesma insolência ali na província, sem nenhum dos prazeres da capital para compensar, era simplesmente intolerável. Agora, quase todos os dias, até mesmo em seu próprio palácio, ela era obrigada a sofrer as dores de cabeça mais terríveis porque Otto não proibia aquele repulsivo vermezinho de sarjeta, de quem ele passara a gostar tanto, de poluir todos os cômodos com os seus cigarros venenosos. Era ainda pior o modo desavergonhado com que a criatura a olhava quando se cruzavam pelos corredores: inquisitivo, divertido e avaliador, tudo ao mesmo tempo. Nunca fora fitada daquele jeito antes, nem mesmo quando o seu cocheiro fora forçado a passar por ruas habitadas pelos espécimes mais degenerados de Viena e o choque sofrido a fizera correr para os seus aposentos, corada e sem fôlego, na esperança de que ninguém notasse sua agitação. Não fazia segredo de que detestava aquele homem e, com todo o direito, *ele* é que teria de baixar os olhos e se afastar quando os seus caminhos se cruzassem. Em vez disso, sentia-o marcar deliberadamente o seu território e segui-la com o olhar rude quando ela se retirava. Ser observada daquele modo era quase como ser tocada, e havia momentos em que tinha vontade de bater em Tausk com seu chicotinho de montar só para restabelecer o desequilíbrio entre eles e lembrar-lhe quem ela era. Otto podia cansar de afirmar-lhe que este seu novo favorito era indispensável para o seu bem-estar, mas era óbvio que Tausk só fora contratado para aliviar o pavor que o marido tinha de assassinos, e que Otto não pensara nem por um momento na segurança de ninguém com exceção da dele mesmo. De início, Marie-Luise se dispusera a tolerar o espião-chefe nesses termos, mas logo concluiu que não havia nada de tranqüilizador nele; em vez de se parecer com um potencial protetor, lembrava-lhe mais um carrasco, medindo deliberada e cuidadosamente o seu pescoço para o cadafalso.

Apesar da desconcertante confiança que seu marido depositava naquele homem, a condessa tinha certeza de que, se as pessoas do seu nível deviam temer alguém, seria um tipo como este tal Jakob Tausk. Em mais de trinta anos nunca soubera que o marido confiava em outro ser humano, a começar, suspeitava, por si mesma, mas agora, quando ele se convencera de que a sua vida corria perigo constante, de repente se dispunha a deixar a própria sobrevivência a cargo da lealdade de um judeu renegado. Havia alguma coisa profundamente antinatural nesse relacionamento; Pfister devia estar certo quanto a isso, mas ela desprezava o boato mais comum de que era uma questão de chantagem. Segundo Pfister, os funcionários do Castelo dividiam-se igualmente sobre a questão de se o senhor tinha sido entregue nas mãos de Tausk pelos maçons ou por uma cabala ainda mais obscura controlada pela judaria internacional. As excentricidades do marido eram tão conhecidas, seja no ministério, em Viena, seja em todas as chancelarias da Europa, e o seu desprezo pelas opiniões dos outros tão indisfarçado que era impossível para Marie-Luise imaginar que fosse vulnerável a ameaças de revelações públicas, fossem quais fossem seus supostos maus passos. O que um chantagista poderia revelar sobre o conde-governador que ele já não tivesse feito questão de dizer em voz alta na frente de pelo menos uma dúzia de testemunhas de alto nível? Quanto mais suspeitava da hostilidade dos ouvintes, mais provocador ficava e, durante os primeiros anos do seu casamento, Marie-Luise passara muitas tardes cansativas fazendo contatos sociais na tentativa de desfazer o dano que Otto causara às suas possibilidades profissionais na noite anterior. Naquela época, alguns rivais mais ambiciosos de Otto especulavam que o casal combinara antes e com cuidado seus papéis, seguindo um roteiro engenhoso que o próprio Wiladowski concebera. Nele, teria o papel de voz zombadora e crítica cujo sarcasmo audacioso era ainda mais eficaz, exatamente porque só parecia ser impiedoso; por trás, como todos sabiam bem, estava o contrapeso firme dos modos educadíssimos de Marie-Luise e de suas opiniões impecavelmente ortodoxas. Assim, o jovem casal conquistou a fama de interessante e apenas um pouco "moderno" mas sem, na verdade, ofender ninguém, e como a sociedade vienense amava acima de tudo a aparência de ouvir alguma coisa chocante, contanto que pudesse ter certeza de que era apenas uma forma mais sutil de lisonja, logo eram o casal de maior sucesso no circuito social da cidade.

Mas, como todos os planos assim, este, inteiramente hipotético, acabou se despedaçando contra um obstáculo adamantino. Ao contrário dos seus súditos mais mundanos, o imperador detestava chocar-se, mesmo que só de brincadeira. Considerava a ironia insolência se aplicada aos superiores; blasfêmia se ousava abordar questões religiosas; e sinal de falta de educação se dirigida a pessoas do mesmo nível social. Privativamente o mais modesto dos homens, nos momentos raríssimos em que se permitia uma emoção privada, Francisco José esperava que a adulação não fosse adulterada por nenhuma impureza e aplicada com a mesma prodigalidade quanto o creme chantili com que o confeiteiro-chefe cobria sua torta húngara predileta de chocolate e avelã. Para ele, as palavras de elogio mais floreadas eram, em certo sentido, bastante impessoais; era em nome da dinastia Habsburgo que aceitava a honra que lhe era devida, não por algum mérito pessoal só seu. Assim, ainda que Otto e Marie-Luise tivessem planejado a complicada farsa a eles atribuída por seus inimigos, com toda a certeza fracassariam, já que a transcrição metódica dos ditos espirituosos de Wiladowski incluídos nos relatórios regulares sobre os atos dos nobres mais jovens apresentados ao imperador pela polícia secreta garantia que jamais obteria um cargo ministerial permanente. O cargo de governador de alguma província importante, e, vez por outra, missões diplomáticas especiais seriam o máximo que alguém tão talentoso mas no fundo tão instável teria permissão de alcançar, não importa o que a mulher fizesse para mitigar as ofensas dele, e os mesmos rapazes que já tinham temido que a combinação entre a mente de Otto e a virtude de Marie-Luise lhes garantisse a ascensão logo se viram promovidos antes dele. Atribuíram este progresso, naturalmente, aos seus próprios méritos e, ao ver a carreira de Wiladowski arrastar-se atrás das suas, logo esqueceram que já o tinham considerado mais inteligente. Na verdade, é claro que nunca houve este pacto entre Wiladowski e sua mulher. Na verdade, qualquer coisa semelhante seria inconcebível para uma mulher da retidão de Marie-Luise e, quando ele assumiu o seu primeiro cargo em Trieste, ela começara a achar seu tom de voz desdenhoso tão insuportável quanto os seus superiores na Corte. Mas o próprio fato de ter suportado décadas testemunhando quão pouco Otto se importava com as conseqüências do seu comportamento levava-a a descartar a teoria da chantagem de Pfister. Não, o que quer que estivesse por trás da intimidade degradante entre o seu marido e Tausk era coisa bem diferente, disso ela tinha certeza. Mas começava a resignar-se com o fato de que ninguém no Castelo que fosse leal a ela era sutil o bastante para intuir o que pretendiam homens como o conde-governador e Tausk. Marie-Luise sabia há muito tempo que o marido era um covarde abjeto mas, mesmo depois que ele passou a cumular Tausk de favores oficiais contra os conselhos unânimes do seu próprio pessoal administrativo, não conseguia concordar com a conjectura nunca proferida de que o conde-governador pudesse ter-se transformado também num idiota fácil de enganar.

Pfister, que era muito mais estúpido do que Marie-Luise, não tinha esta hesitação e concluiu que a confiança do patrão em Tausk era prova suficiente de que o Conde Wiladowski perdera a agilidade mental que já o fizera famoso. Se o responsável pela deterioração de seu empregador era a simples velhice ou o medo importava menos a Pfister do que tentar extrair alguma vantagem ou, pelo menos, não sofrer um prejuízo muito grande com a situação. Confiava que poderia contar com o apoio de Marie-Luise, mas nisso superestimava inteiramente os sentimentos pessoais dela a seu respeito e sua influência sobre o marido. Marie-Luise achava Pfister um acompanhante adulador e fonte útil de informações sobre o que acontecia no Castelo. Aprovava a sua leve tintura de pundonor, a sua família respeitável e os seus traços agradáveis e sentia a mesma repulsa pelo liberalismo lasso e judaizante que se espalhava até nas classes superiores. No entanto, no decorrer da carreira, o marido tivera vários primeiros-secretários e, embora ela gostasse de proteger os mais atraentes e, em alguns casos, mostrar-se educadamente amigável, tinha dificuldade de diferenciá-los em sua memória. Há muito tempo ela e o conde-governador tinham desistido de tentar explicar-se um ao outro, e aos poucos a sua conversa se limitara ao objetivo comum de administrar com sucesso suas complexas obrigações sociais e políticas. Mas, embora suspeitasse que Otto não soubesse, a intimidade relativa dos primeiros anos mais simples que passaram juntos, quando ele ainda pensava em voz alta na frente dela e fingia esperar com interesse sua resposta, lhe abrira os olhos para a diferença entre cérebros de primeiro nível e cérebros comuns. Um zero à esquerda como Mathias Pfister, apesar de toda a elegância com que conseguia segurar a xícara, beijar-lhe a ponta dos dedos ou ajoelhar-se na missa de domingo, dificilmente a faria esquecer-se disso. Seu apoio a Pfister baseava-se numa avaliação do seu caráter e dos seus talentos que, sem dúvida, ele era afortunado por jamais suspeitar. Os instintos de Marie-Luise eram profundamente coerentes com os que guiavam há séculos os governantes do Império e, como a dinastia que venerava, ela preferia muito mais um parvo confiável do que um gênio potencialmente problemático. Já não se fora provado tantas vezes que, a menos que o gênio fosse mantido dentro de limites estritos, não seria mais provável que destruísse a ordem social cuja preservação ela considerava dever sagrado? De qualquer modo, toda esta confusão sobre inteligência era de uma miopia absurda. A julgar pelos homens a quem na época se creditava uma inteligência excepcional, esta qualidade vinha se tornando inteiramente plebéia e ela não via razão para que merecesse mais consideração do que características obviamente muito mais úteis, como a piedade familiar e o respeito pelos superiores. Todos esses pensadores levavam-se a sério demais e os músicos e atores eram, no mínimo, muito piores. O problema com o populacho era o quanto adoraria qualquer um que o adulasse. É claro que era por isso que a imprensa descobria tantos gênios todos os dias. Sentimentalidade da ralé, louvada pelos jornais para o seu próprio lucro, toda ela sem graça, exagerada e horrivelmente vulgar, até mesmo na Casa de Ópera Imperial, onde as pessoas mais impossíveis percorriam agora o grande *foyer* discutindo em voz alta as suas opiniões como se estivessem num templo asiático. Devia haver uma medalha ou condecoração oficial para os súditos leais que demonstravam um contentamento vitalício com a sua posição; era disso que o Império precisava hoje em dia, não de mais supostos gênios convencidos da importância de seus últimos rabiscos.

Nada a incomodava mais que a prova diária de que o seu marido, que, ela não duvidava, entendia muito bem o que pusera em ação, parecia disposto a abandonar os princípios mais básicos do domínio aristocrático em troca de alguma diversão cínica só sua. Suspeitava que fora o seu horror ao tédio, sentimento que temia quase tanto quanto uma bomba ou uma bala, que o fizera introduzir em seu lar uma presença destrutiva como a de Tausk. Embora Marie-Luise e o conde-governador nunca tivessem comparado diretamente os dois homens a não ser para exprimir espanto com a escolha de favoritos um do outro, a estimativa particular que faziam de Pfister e Tausk era, na verdade, bem parecida. Mas as mesmíssimas qualidades que recomendavam o primeiro-secretário a Marie-Luise faziam o seu marido detestar manter-se mais do que alguns instantes em sua companhia. Tausk, por outro lado, era obviamente inteligente demais — Marie-Luise o percebera em dez minutos — e ela supunha que, de um ponto de vista enfastiado como o de Otto, é provável que houvesse nele alguma coisa fascinante. Mas isso só tornou ainda mais importante mantê-lo subordinado a uma mediocridade católica e conscienciosa como Pfister pelo maior tempo possível. A época da ralé logo chegaria; era impossível não entender as maldições murmuradas que ouvia nas ruas ou o desafio crescente dos olhares lançados sobre ela quando passava pela cidade com o marido. Mas isso não era motivo para que aqueles que a Providência encarregara de governar o Império ajudassem a apressar a própria queda abrindo livremente as suas portas aos inimigos sem Deus.

Pelo menos o outro judeu, o financista Rotenbaum ou coisa parecida, que o marido também insistia em favorecer com a sua atenção, era bastante rico para ter alguma pretensão ao reconhecimento oficial. Até em Viena a sua disposição para contribuir com tudo o que fosse necessário para as operações semiclandestinas do governo fora calorosamente comentada na mesa de jantar por um ministro que se sabia ter a confiança especial de Sua Majestade em pessoa, e Marie-Luise sentira um prazer íntimo ao saber que um dos judeus do marido comportava-se tão bem aos olhos oficiais. Ela achava que havia especulação demais sobre o tamanho da riqueza do homem por parte de gente cujo berço deveria tornar secundárias questões assim — este tipo de curiosidade mostrava uma falta espantosa de respeito próprio em alguém como o ministro, cuja família produzira três arcebispos e uma penca de generais — mas tinha de concordar que, pelo menos, o dinheiro do judeu não parecia tê-lo deixado com aquela horrível falta de cerimônia que tanta gente da sua raça adotava de um modo tão típico assim que conquistavam algum sucesso comercial. Até então não fizera esforço algum para impor-se socialmente a ela e, nas poucas recepções de grande escala às quais fora impossível não convidá-lo — a obviedade do menosprezo só viria a destacá-lo de uma forma excessiva —, limitara-se a um cumprimento bem-educado seguido de algumas frases feitas antes de se afastar para unir-se aos outros do seu tipo perto do fundo da sala.

Marie-Luise era, por direito próprio, uma das mulheres mais ricas do Império, posição que lhe permitia sentir quase tanta desconfiança da grande riqueza em mãos da classe média quanto apreensão por uma inteligência original em qualquer pessoa que não se dedicasse à causa da aristocracia. Era preciso admitir que gente demais de boa estirpe vinha apresentando escassez alarmante de cérebro e de dinheiro; ainda assim, era absurdo criar tanta comoção por causa de inferiores sociais que, por acaso, tinham qualquer dos dois em excesso. A condessa tinha discernimento suficiente para reconhecer como era pouco freqüente que riqueza e inteligência coincidissem em seu próprio meio, e ficou bastante aliviada quando o ministro, citando uma miríade de gafes legais e políticas deliciosamente absurdas recolhidas nos arquivos secretos da polícia, garantiu-lhe que cada vez mais se encontrava a mesma divergência entre mente e dinheiro na classe dos comerciantes. No entanto, talvez fosse diferente no caso dos judeus. Era difícil para alguém de fora ter certeza de qualquer coisa quando se tratava de uma raça tão amiga do segredo, mas Marie-Luise jamais se convenceria de que seus motivos pudessem não ser perniciosos. Nesta opinião ela encontrou uma aliada inesperada e, na verdade, nada bem-vinda em Aurélia von Margutti, pretensa e famosa intelectual que passara os últimos cinco anos na embaixada de Paris sendo ignorada pela sociedade e que voltara para casa decidida a recuperar a sua posição social em Viena. Essa mulher aproveitou-se imediatamente da sua vez na conversa para tentar desviar de Marie-Luise a atenção da mesa e atraí-la para o seu próprio triste prognóstico do futuro da França, país que estava, afirmou ela a todos, inteiramente sob os tacões dos financistas judeus. Marie-Luise sorriu com benevolência para a candidata a rival e, na voz mais simpática possível, recordou-lhe a tolice de tentar parecer interessante.

— Parece pelo menos que os judeus de lá a deixaram em paz, Aurélia querida, embora Otto tenha me contado que você mandou convites aos punhados para o Conde de Rothschild e para aquela velha e terrível *mater Iudeorum*, Clara de Hirsch. Mas, levando-se em conta o vinho que servem na embaixada, seria de espantar que você conseguisse convencer até os nossos provincianos primos da Prússia a comparecer aos seus jantares oficiais.

Isso foi deselegante. Embora todos tivessem rido e a intrometida, passado o resto da noite fitando mal-humorada o seu prato, Marie-Luise sabia que Otto se exprimiria melhor e esta idéia a deprimiu mais do que o triunfo momentâneo lhe trouxe prazer. Era sempre vexatório avaliar uma conversa segundo o que imaginava que o marido diria a respeito, ainda mais agora, quando o seu sorriso zombeteiro do outro lado da mesa deixava claro que achava que ela usara artilharia pesada contra um esquilo. Mas o ministro, que sem dúvida atribuía tudo isso ao seu próprio encanto, pareceu alegremente lisonjeado com o súbito antagonismo das duas mulheres e continuou a sua explicação com um aumento marcante de entusiasmo e, no espírito da verdadeira polidez imperial, acompanhou as suas palavras de olhares intensos dirigidos alternadamente a Marie-Luise e Aurélia. Em certo ponto, Marie-Luise observou que o marido imitava discretamente a maneira como o tronco inteiro do ministro ia e vinha entre as duas damas com a exatidão de um relógio suíço, e a zombaria de Otto pareceu-lhe quase insuportável. Mas, por enquanto, não havia nada que pudesse fazer para retaliar e, aos poucos, permitiu que a curiosidade sobre o que o ministro dizia dissipasse a sua irritação. Não muito tempo depois que a festa terminou, quando os convidados encaminhavam-se para a fila de carruagens à espera no pátio, ela admitiu que a noite deixara-a profundamente inquieta com esse tal Moritz Rotenburg em quem todo mundo andava tão interessado. Não só o marido, cuja propensão a elogiar demais os judeus a levava a desconfiar da descrição que ele fazia das suas qualidades, mas até anti-semitas autênticos como o ministro pareciam desagradavelmente ansiosos para falar da astúcia do homem e da sutileza dos seus esquemas financeiros. Desde que começou a circular o boato de que ele sofria de alguma doença misteriosa, parecia que todos os que ela conhecia, dos principais personagens políticos da capital aos membros mais importantes da equipe do marido, especulavam sobre o que aconteceria se ele ficasse incapacitado enquanto a situação financeira geral do Império estava ainda tão instável. Como ninguém tinha certeza nem da extensão total nem do controle específico das suas posses, todos os tipos de conjetura maluca encontraram eco. A se acreditar nalgumas sugestões sussurradas, qualquer liquidação precipitada do seu patrimônio poderia perturbar seriamente o curso de algumas delicadas negociações tripartites, que chegavam agora ao seu ponto crítico, entre Viena, São Petersburgo e o Quai d'Orsay. No mínimo, estava claro para Marie-Luise que, agora, não tinha um único judeu problemático para levar em conta, mas dois, e esta duplicação súbita das forças acumuladas contra ela pareceu-lhe extremamente embaraçosa.

 O sofrimento de Marie-Luise só aumentaria caso ela fosse capaz de adivinhar como Moritz Rotenburg fora corretamente informado do que o ministro dissera a seu respeito naquela noite. As atividades comerciais de Rotenburg tinham criado uma rede particular de informantes em todas as capitais européias e eles cuidavam de pô-lo a par do nervosismo provocado pelos boatos sobre a sua doença. Décadas atrás, quando ele apenas começava a sua ascensão financeira, encorajara-se com fantasias intensas de como todos os que conheciam ficariam com inveja quando ele estivesse tão rico quanto o seu primeiro sócio, Ludwig Ginzburg. Quando a sua fortuna ficou muito maior do que jamais acreditara possível, nada restara daqueles devaneios. Agora, quando pensava naquela época, era principalmente para calcular que já estava onze anos mais velho do que Ginzburg no dia em que lhe acompanhou a viúva até o pequeno túmulo no cemitério judeu. Finalmente, há dois verões, a gripe também a levara e os dois Ginzburg agora jaziam juntos, esquecidos pela maior parte da cidade, que, se chegava a mencioná-los, era como o pobre casal manipulado por Rotenburg em seu primeiro grande sucesso nos negócios.

— Pelo menos ele teve a sorte de morrer antes da esposa — foi o que Moritz disse a si mesmo, como se de algum modo fosse sempre necessário considerar o antigo sócio o que tinha a melhor situação dos dois.

A junção de confiança absoluta em seu tino comercial e o hábito de uma vida inteira de observação arguta disciplinara Moritz contra a necessidade de ver-se louvado, mesmo que por sua própria consciência interior. Mas não o poupara da sensação de isolamento que nada mais conseguia romper; há muito tempo, passara simplesmente a aceitar que nenhuma outra parte de sua vida jamais pareceria familiar ou digna de confiança.

O pior era que, de algum modo, Brugger insinuara-se a tal ponto nos devaneios de Moritz que, com freqüência, era o seu rosto que via, e não o de Dina ou Hans, quando se abandonava na margem entre o sonho e o despertar. Por um momento, Moritz recordou novamente a sensação misteriosa que tivera de pé na janela, observando a cena estranha entre Brugger e o mendigo a se desenrolar na praça. Visto de baixo, Moritz não passaria de um vago contorno delineado contra uma cortina meio fechada, mas poderia jurar que Brugger orquestrara deliberadamente o espetáculo todo para dar a Moritz um vislumbre do seu poder. Várias vezes sentiu Brugger olhar para cima, para onde estava, e a sensação repentina de não ser mais o observador mas sim o objeto do exame de outrem o fez pular de volta para a segurança da sala. Não podia afastar de si a idéia de que Brugger, este demagogo judeu que viera do nada e não podia saber nada de importante sobre os seus problemas particulares, sabia, ainda assim e com exatidão, o que Moritz planejava. Em seu confronto, Moritz pretendera tratar Brugger como um impostor que mal lhe merecia a atenção, mas no fim tudo o que conseguiu foi disfarçar o quanto ficara abalado. Sem dúvida, Brugger, como os finórios do mundo inteiro, falava com generalidades tão amplas que os seus ouvintes dificilmente deixariam de encontrar em suas palavras algo aplicável a si mesmos. Mas onde estava escrito que sempre seria fácil distinguir o portador da verdade de um impostor? Embora nunca fosse dizer isso aos líderes comunitários que lhe pediram que contasse como fora a conversa com Brugger, para si mesmo Moritz admitia que jamais assistira a um desempenho que o deixasse tão nervoso. Tudo o que Brugger dissera parecia meio dúbio. Às vezes proferia as suas falas como alguém que personificasse de propósito um mau ator, porque estava abaixo dele imitar um bom ator. Quanto mais previsíveis as suas palavras, mais os seus olhos mostravam um prazer epicúrio em sua teatralidade, como certos velhos debochados que Moritz conhecera e que, depois de passar a vida toda comendo apenas os pratos mais finos, aprenderam a ter prazer comida visivelmente estragada. Brugger dava a impressão de zombar de si mesmo por falar deste modo, zombar de Moritz por esperar que ele agisse exatamente assim e depois zombar dos dois por verem a farsa mas não ousarem colocar em seu lugar nada melhor e mais honesto.

O que é que Brugger lhe dissera sobre Hans? "Quando morrer, ainda se dirá judeu e será mais velho do que o senhor é hoje." Uma profecia bastante segura, já que Moritz não estaria vivo para verificar a sua exatidão. Mas feriu-lhe o orgulho que este homem a quem seria tão fácil desprezar pudesse ter tanta certeza de que sabia quais as únicas palavras que estava desesperado para ouvir. Brugger falou sobre o futuro de Hans com uma confiança tão à vontade, quase preguiçosa, no efeito que suas palavras causariam que Moritz sentiu que o rabino lhe mostrara que para brincar com o seu coração não era preciso mais talento do que o mais simples truque mágico. Pela primeira vez em muitas décadas, Moritz sentiu o início do medo de outro ser humano e, com o medo, vieram o ódio e as noites de fantasias violentas cujo efeito sobre o sistema nervoso o seu organismo passou em vão os dias seguintes tentando reparar. No entanto, descanso suficiente era a única coisa que Moritz não podia obter nesse momento. Quando começara os seus negócios, quase sempre encontrava um jeito de disfarçar a vulnerabilidade e converter a verdadeira fraqueza pelo menos numa aparência pública de força. Mas com Brugger não havia como saber se isso funcionaria. Levar um homem daqueles a um impasse exigiria um desgaste constante da reserva cada vez menor de recursos internos de Moritz no instante mesmo em que mais precisava dela. Sabia que não podia arriscar-se a uma divisão prolongada da sua atenção e, assim como as suas decisões de investimento mais importantes sempre brotaram com evidência cristalina do enxame desordenado de possibilidades contraditórias, quer de forma quase imediata, quer só depois de várias noites tensas de ruminação, desta vez também ele levantou-se de repente da cama, jogou água fria nos olhos inflamados, enrolou-se mais ainda em seu roupão e sentou-se para redigir um primeiro bilhetinho a Jakob Tausk.

2

Viena, quarta-feira, 2 de abril de 1913.

Caro Asher, querido amigo e aliado,

    Acho que não teremos o serviço de portadores particulares de Hans Rotenburg à nossa disposição por muito tempo e quero usá-lo pelo menos mais uma vez para lhe contar o que está acontecendo por aqui. Sim, os boatos são mesmo verdadeiros: na próxima temporada, o Burgtheater vai apresentar a minha comédia O infortúnio do judeu — um título irônico, como sei que você pode adivinhar. Fui convidado de repente para uma reunião com o diretor e menos de uma hora depois estava caminhando pela Graben com o contrato assinado no bolso. Na verdade, "caminhar" não é mesmo a descrição certa; sentia-me louco de alegria e saí andando pela multidão como um herói triunfante que toma posse da cidade que acabou de conquistar. Ficava tirando o papel do bolso e olhando o selo imperial com o meu nome bem ali na segunda linha, como "AUTOR", e mal podia esperar para correr até o Café Central e esfregá-lo na cara de todo mundo. Eu, Alexander Garber, o recém-chegado da província, com sotaque suficiente para provocar sorrisos sempre que abre a boca e que ainda nem sabe amarrar direito a gravata, sou agora um dramaturgo oficial do Burgtheater! É impossível lhe dizer o que isso significa, Asher. Em menos de três anos aqui consegui mais do que um monte dos chamados personagens importantes que entram no Café Central como se estivessem concedendo uma honra imensa a todos nós por fazer o lanche da tarde no mesmo salão. Há poucas semanas, ouvi um deles cogitar em voz alta, do outro lado da mesa de bilhar, se a história o colocaria entre os cinco maiores escritores do seu tempo ou se teria de se resignar em ficar apenas entre os dez melhores, e isso apesar de ninguém jamais ter conseguido ler mais *do que algumas páginas do pouco que publicou sem que um tédio de dar sono se impusesse! Não estou exagerando. Você não acreditaria que grupo de nulidades sonhadoras é, na verdade, a maioria dos escritores daqui. Mercenários e parasitas, todos eles! Pretensiosos como ninguém, só porque eles nasceram e se formaram em Viena, não nalguma latrina fedorenta como você e eu. Todos esses senhores parecem pensar que basta ter crescido vendo a Catedral de Santo Estêvão e ter ouvido o primeiro concerto numa sala onde Schubert já tocou para ter a certeza de possuir um gosto perfeito. E lembrar que eu costumava olhá-los de baixo! Lembra-se de quando lhe escrevi contando como fiquei emocionado na primeira vez em que cruzei as portas do Café Central? Eu mal saíra do trem e guardara a sacola de pano com todos os meus livros na casa da minha prima Rina e corri até a Herrengasse para encontrar o café com que tanto sonhara quando devia estar fazendo algum trabalho de escola estúpido aí em casa. Foi como terminar uma peregrinação. Bastou ver toda aquela gente reunida, conversando alegremente entre si ou lendo jornais e comendo fatias enormes de Gugelhupf com as suas xícaras de* mocha *e foi como entrar no palco mais glamouroso que se pode imaginar, e durante muito tempo o que mais quis nesta cidade foi ser bem recebido ali, como se fosse um deles. Mas sabe, mesmo que eu continuasse voltando sempre que tinha um dinheirinho para gastar, ninguém jamais se incomodou em perguntar o meu nome ou o que eu fazia. Nem uma vezinha só! Mês após mês, a menos que o lugar estivesse quase totalmente vazio, Wellisz, o* maître *cruel que sempre tinha um sorriso respeitoso de boas-vindas para os fregueses mais famosos e mal desperdiçava um olhar com os outros, punha-me deliberadamente no canto, perto da porta da cozinha. Lá atrás, era como estar exilado de volta na província. A gente fica totalmente excluído de todas as conversas animadas e a principal atividade intelectual passa a ser cuidar para que os pés não sejam mutilados pelos garçons que passam correndo com as suas bandejas. A gente tenta escrever alguma coisa enquanto olha ansioso por trás dos ombros, com medo de que uma xícara de café escaldante se derrame inteirinha em cima da gente! Lembra-se de como o velho* Herr Ignatz, *aquele que era "elevado" demais para notar os garotos que riam das manchas de tinta permanente nos punhos da sua camisa, costumava andar de um lado para o outro da sala, hipnotizando-se com os seus casos sobre a história ilustre do antigo e falecido Café Griensteidl? De como, quando estudava na capital, todas as mais ousadas mentes jovens do Império podiam ser encontradas ali todas as tardes, a debater as inovações radicais da arte e da política que conformariam a vida deste novo século, assim como os jovens ardorosos de Viena tinham feito naquelas mesas idênticas desde "os dias gloriosos de 48"? E como ele costumava ficar melancólico ao nos contar a história da sua demo-*

lição, em 1897, como se lamentasse a queda do Templo de Jerusalém? Era como um mau Tchekhov com sotaque judeu, toda aquela saudade impotente e melancólica de estar noutro lugar. É provável que eu e você fôssemos os únicos, na turma toda, bastante ingênuos para levá-lo a sério, mas tenho de confessar que, para mim, as suas palavras soavam como a realização de tudo o que eu fantasiava sem que eu sequer percebesse. Na verdade, Ignatz me fez acreditar que havia um salão mágico onde todo mundo que tivesse verdadeiro talento seria bem-vindo e deixado à vontade, fosse qual fosse a sua posição social e o seu prestígio — e não nalgum lugar inacessível como Paris ou Londres, mas bem aqui, em nossa própria capital! O nome dos cafés de que Ignatz falava eram como encantamento para mim: o Imperial, o Sperl, o Café Museum e, acima de tudo, ao ouvir Ignatz contar, o Café Central, onde ele jurava sentir a atmosfera do antigo Griensteidl ressuscitar triunfante. Para mim, todos soavam igualmente maravilhosos. Eu só sabia com certeza é que nada parecido poderia ser encontrado nem de longe em nossa porcaria de cidade; duas visitas àquele patético clube judeu aonde você sempre vai me convenceu disso! Bem, não sei quanto a você, mas se eu visse Ignatz hoje, jogaria alegremente o idiota mentiroso escada abaixo. Dou-lhe a minha palavra: ninguém é tão detalhista com as menores manchinhas da reputação pública quanto nossos liberais literatos de café em Viena. Todos fingem ser terrivelmente cínicos e cultos, mas é apenas um jeito de disfarçar os parasitazinhos pegajosos que são. Dá quase para aplaudir a engenhosidade com que recobriram o convencionalismo mais abjeto como se fosse independência de espírito. O que mais gostariam de fazer, se ninguém pudesse vê-los, seria passar o dia todo procurando alguém influente e aí lamber-lhe os pés com devoção extasiada. Mas como o servilismo declarado saiu de moda hoje em dia, são obrigados a agir às escondidas. Iconoclastas com os olhos firmemente fixos nas gordas pensões do governo e o traseiro colado alegremente às cadeiras Thonet. Comecei a achar que esta é a única espécie nova e florescente que criamos em nossos famosos cafés. Em cem anos, todos os livros de história terão um capítulo sobre a influência generalizada dos revolucionários pagos pelo Estado!

Até que circulasse a notícia de que eu arranjara emprego escrevendo para A Nova Ordem, *não consigo lembrar de nenhum comentário dirigido a mim mas, é claro, assim que souberam que eu publicava a minha obra regularmente numa revista de verdade, ainda que tão pequena quanto a nossa, e estaria em condições de ajudá-los a imprimir o seu lixo, é espantoso quanta gente recordou alguma observação inteligente minha ou, simplesmente,* tinha *de me dizer como apreciara um texto que eu escrevera seis meses antes e que, na época, ninguém dera o menor sinal de notar. A princípio, fiquei tão espantado com a atenção inesperada que cheguei a acreditar que eram sinceros, e embora não conseguisse convencer nenhum editor a aceitar os textos deles, pelo menos fiz o que pude para conseguir convites de teatro, como críticos, para todos os que pediram. É claro que, quando perceberam que eu só conseguia entradas gratuitas para os espetáculos mais obscuros e mesmo assim só nas noites de menor público e que, entre todos os nossos leitores, não havia um único nome importante, logo fui relegado a uma posição apenas um fiapo acima do zero. Quatro mesas inteiras de distância da porta da cozinha, era ali que agora eu tinha a honra de me sentar, e durante algum tempo Wellisz me olhou com dúvidas, como se não tivesse muita certeza de que eu merecia a promoção. Mas uma peça no repertório do Burgtheater! Ah, isso é coisa totalmente diferente. A partir de agora sou realmente alguém a ser levado em consideração e é melhor que eles todos se acostumem. Observar todo mundo vendo Wellisz tentando se engraçar com os floreios absurdos com que me levará até a melhor mesa será vingança suficiente por todo o desdém que tive de sofrer naquele lugar!*

Você simplesmente não acreditaria como Herr Director von Bruck foi educado comigo. Aquele sim é um verdadeiro gentleman, *e logo na primeira frase ficou claro que, acima de tudo, é um verdadeiro* connoisseur *e só se preocupa em promover a literatura austríaca. Tem aquele tipo de brilho que não se adquire nos livros e aos poucos estou descobrindo que, quando desenvolvido em grau suficiente, este nível elevado de discernimento é, por si só, um tipo de gênio! Sem homens como ele, não haveria a grande arte e acho errado não reconhecer como o seu apoio é vital para que as almas realmente criativas concretizem todo o seu potencial. Não há dúvida que os diletantes do Café Central ficariam horrorizados se eu lhes dissesse uma coisa dessas. Não posso nem contar o número de vezes em que os ouvi declarar, como se fosse uma idéia nova e ousada que acabasse de lhes ocorrer, que o verdadeiro artista cria o seu próprio público e só se preocupa com a opinião da posteridade que as suas próprias obras ajudam a formar. Como se todos nós não tivéssemos ouvido esta frase repetida um milhão de vezes desde as aulas de gramática. Toda essa pretensão é facílima para os filhos bem-nascidos de pais ricos com boas relações. Eles podem se dar ao luxo de polir seus textos enquanto Franz, o mordomo, manda preparar o jantar e Gaby, a criada, se embeleza para o patrãozinho. No que me diz respeito, a fé na posteridade é apenas mais um item de luxo que os ricos podem comprar. Na minha posição, a aprovação de von Bruck e o aplauso de uma platéia viva de verdade valem muito mais do que qualquer aclamação póstuma, por maior que seja.*

É por isso que me envergonho de lembrar todas as coisas horríveis que disse sobre este homem no passado. É verdade que, durante meses, ele nunca respondeu a nenhu-

ma das cartas que lhe enviei, implorando um minuto do seu tempo, mas é assim mesmo, uma pessoa tão ocupada como ele... Posso ver por que demorou para ter uma oportunidade de convencer-se dos méritos de um trabalho tão novo quanto o meu. É claro que sempre ajuda ter patronos que freqüentam as altas esferas e se preocupam com a melhoria do gosto do público para garantir que o tipo certo de talento receba a preferência. Mas chega disso, eles já sabem como valorizo profundamente o seu encorajamento e como a minha gratidão será sempre inabalável. Embora você saiba que ninguém detesta tanto os parasitas quanto eu, temo que, se continuar contando a você como estou me sentindo, os homens que me orgulho de considerar meus benfeitores podem cometer o erro de suspeitar que estou querendo adulá-los.

Sei que também lhe devo desculpas, pelo menos do meu próprio ponto de vista, por todas as maldições que lhe despejei depois que saí da sala do chefe de polícia. Não me surpreenderei se as suas orelhas arderam com todas as ofensas até eu chegar em casa, mas tenho certeza de que você reagiria do mesmo jeito. Ainda me sinto nauseado quando me lembro da minha senhoria me entregando a correspondência da manhã com a ordem de me apresentar às 11 horas, dali a três dias, ao Barão von Kirchmayr em pessoa. Não sei que horrores ela imaginou que eu cometera quando me viu tão perturbado, mas agora, que me importa? Logo, logo estarei fazendo as malas para me mudar para acomodações melhores. A única coisa que sempre prosperou na pensão de Frau Reichle foram os percevejos que me torturam a noite inteira e, se eu nunca mais voltar a pôr os pés num quarto tão horrível, enquanto viver detestarei a lembrança de ter sido obrigado a viver neste tipo de miséria.

Já notou com que freqüência as pessoas com quem mais nos zangamos são exatamente aquelas que têm o nosso bem no coração? Eu devia escrever um esboço de folhetim sobre este tema e levar para Benedikt, na *Revista Semanal*. Agora que obtive os favores dos homens que realmente importam, por que não aproveitar a oportunidade para publicar mais obras minhas em todas as melhores revistas? O encorajamento faz uma diferença enorme para nós, artistas, Asher; é como ter confiança de pôr para fora o que sempre tivemos por dentro, mas que a timidez, o medo ou a simples falta de oportunidade nos impedia de exprimir. É só saber que há mesmo um público lá fora disposto a ouvir as nossas palavras, que não se está sozinho no próprio quarto com a cabeça cheia de idéias e histórias que ninguém jamais vai ouvir para que um homem se transforme. Há sempre alguma coisa malformada num mundo totalmente imaginário onde nunca se ouvem vozes de fora; acredite-me, não importa o que lhe digam sobre as alegrias do trabalho solitário, é horrível ouvir apenas os próprios pensamentos chocalhando *dia após dia sem receber resposta de nenhuma outra alma humana. Ninguém suporta viver assim para sempre sem enlouquecer. Tenho certeza de que é por isso que eu gastava parte tão grande do meu salário miserável com as prostitutas do Ottakring, não só para fazer sexo com elas, mas para ter alguém que tivesse de me escutar fingindo interesse! Com certeza, é mais do que jamais consegui indo ao Café Central! Quanto mais confiança temos de que seremos ouvidos, menos precisamos jogar conversa fora com quem está à volta e, agora, pela primeira vez na vida, está se tornando mais fácil para mim ficar sentado em silêncio nas reuniões editoriais semanais da revista e ouvir a opinião de todos sem ficar ansioso, à espera da minha vez de falar. E ninguém sabe melhor do que você como é importante, com tudo o que anda acontecendo hoje em dia, que eu me segure e não abra a boca sobre o que está sendo planejado para a revista!*

Francamente, embora eu deva tudo a você, ainda me espanto com o fato de tanta gente importante se interessar pela nossa correspondência a respeito d'A Nova Ordem. A princípio, suspeitei que você tinha simplesmente perdido a cabeça e mostrado as minhas cartas a todos os que se impressionariam ao conhecer em primeira mão as fofocas literárias da capital, mas quando von Kirchmayr deixou claro que também conhecia todos os detalhes das suas cartas para mim, que com certeza absoluta ninguém mais viu (a menos que aquela cadela da Frau Reichle andasse bisbilhotando os papéis da minha escrivaninha quando eu saía), bem, fiquei muito espantado e, não me incomodo de admitir, apavorado demais para inventar alguma teoria. No entanto, uma coisa é certa: vou me recordar daquela entrevista pelo resto da vida e, se fosse tolo o bastante para duvidar do alcance dos órgãos da nossa segurança imperial, os primeiros cinco minutos ali teriam desfeito o meu erro. Na verdade, não tenho tanta certeza de que o famoso serviço Rotenburg de portadores seja tão seguro quanto você e Hans acreditam. Do que já vi do seu poder, não me surpreenderia se Herr von Kirchmayr estivesse lendo cada palavra que escrevemos um ao outro. Bem, se for assim, com certeza não tenho nada a lhe esconder e sei que entenderá que sou apenas um súdito leal e com muita sorte por ter sido poupado de cometer um erro terrível. É claro que um escritor como eu gosta de contar aos amigos em casa a história de como foi encontrar um grande homem e não vejo como ele se ofenderia com a minha descrição. Pelo menos, espero febrilmente que não, mas se estiver errado peço desculpas antecipadas pelo tropeço.

Disseram-me que a minha especialidade seriam essas descrições rápidas e vivazes de pessoas e ambientes; mas depois de duas horas esperando num banco, no corredor gelado do lado de fora da sala do chefe de polícia, quando o guarda de serviço chamou o meu nome e abriu as enormes portas de madeira eu tremia tanto por dentro que nada chegou a penetrar-me o cérebro, a não ser pensar se eu voltaria para casa naquela tarde ou iria direto para a prisão. Desde que cheguei a Viena, este foi o único momento em que me vi com esperanças de voltar ao meu quarto na pensão de Frau Reichle *o mais cedo possível. Nem me lembro direito da cara de von Kirchmayr, a não ser que, quando o vi pela primeira vez de pé junto à janela atrás da escrivaninha, tive a impressão de que era altíssimo, mais parecido com os retratos dinásticos de corpo inteiro do século passado pendurados na parede do corredor do que com uma pessoa de verdade. Se eu estivesse inventando a cena numa de minhas peças, sei exatamente como ia querer que fosse. Mandaria o cenógrafo preparar uma dessas salas sombrias e instáveis ao estilo de Rembrandt que eles sabem fazer tão bem no Burgtheater, talvez mais ou menos como a produção de* Don Carlos. *Haveria dois personagens principais visíveis quando o pano se abrisse, um todo vestido de roupas urbanas contemporâneas e sem graça, levemente inclinado para a frente, suplicante, e o outro, de pé, a um metro e pouco de distância, no fundo do palco, rigidamente ereto, com uma farda formal, cerimonial, que lembrasse algum tempo passado, quase como uma pintura do Renascimento, quase todo de veludo negro mas com toques de dourado e arminho branco para chamar a atenção da platéia para as suas mãos finas e elegantes e a ofuscante condecoração imperial em seu peito. A princípio você pensaria que os dois estavam sozinhos na sala mas, depois de alguns minutos, assim que seus olhos se acostumassem à meia-luz, avistaria um terceiro personagem, uma criatura sombria, malévola, encostada na escada cheia de curvas da biblioteca, seus traços quase totalmente escondidos pela grande pilha de pastas que segurava. Mesmo antes de haver algum diálogo, o ambiente e a disposição dos personagens deixariam claro ao público como era perigosa a situação que se desenrolava.*

Graças aos céus as minhas fantasias literárias foram completamente contraditas pela realidade. A sala de von Kirchmayr não se parecia em nada com as soturnas câmaras dos conselhos com que o teatro nos familiarizou. Pelo contrário; embora pouco fizesse para diminuir o frio constante, pelo menos o sol saíra pela primeira vez em semanas e, quando entrei, as cortinas que davam para o pátio interno tinham sido abertas e a sala estava inundada com a luz clara, brilhante e sem sombras do meio-dia. Não havia nada ostentatório nem intimidador na sala, a não ser o seu tamanho; na verdade, o cheiro denso da fumaça dos charutos e as xícaras de café meio vazias deixadas sem cuidado numa mesinha perto da grande escrivaninha indicavam com mais probabilidade um aposento particular e elegante do que a antecâmara de um inquisidor.

Se eu não estivesse tão petrificado, acho que me sentiria emocionado só por estar na mesma sala em que eram tomadas tantas decisões que afetavam todo o Império. O homem no centro de um poder tão misterioso também não se parecia em nada com os interrogadores sinistros que observamos mais de mil vezes no palco. Depois de alguns minutos percebi que, em vez de ser altíssimo, era, na verdade, um pouco mais baixo do que eu, com uma voz suave e amigável, usando uma farda simples, cinza-esverdeada, sem qualquer insígnia que eu conseguisse reconhecer e, com certeza, sem nenhum dos enfeites e condecorações de renda e ouro que qualquer figurinista competente acharia indispensável. Tudo aconteceu no clima mais normal possível, como se eu tivesse acabado de chegar para continuar uma discussão que tivéssemos começado noutro lugar há poucos dias. Mas toda aquela tranqüilidade deliberada só tornou mais irritante a minha perplexidade com o porquê de eu estar ali. A cortesia de alguém que pode fazer você desaparecer para sempre basta para deixar qualquer um em pânico. Eu soube, logo na primeira frase, que lhe diria tudo o que me perguntasse e obedeceria a todas as ordens que me desse, sem reservas.

Estávamos só os três na sala e, depois que recuperei um pouco o fôlego, a ausência de guardas armados me pareceu esquisita, ainda mais com tudo o que a gente ouve falar sobre terroristas hoje em dia, mas é claro que Sua Excelência sabia muito bem com quem tratava. Mas eu ainda não estava entendendo nada do que acontecia e menos ainda por que fora convocado. Estava preso ou fora chamado como testemunha de algum caso sobre o qual sabia alguma coisa sem nem me dar conta? Nenhum dos meus artigos jamais fora sedicioso, mas será que alguma coisa num dos muitos textos sem assinatura que publicamos na revista tinha ofendido o governo e queriam que eu ajudasse a descobrir o autor? Ou será que alguém tinha me acusado falsamente de um crime grave o bastante para preocupar o chefe de polícia em pessoa? Senti que a melhor coisa seria manter um silêncio respeitoso e esperar atento até que o barão se dispusesse a me informar e, para a minha própria surpresa, consegui. Pelo menos ele não me deixou ali de pé esperando enquanto fingia estar ocupado com outra coisa, como os policiais costumam fazer com os suspeitos nos maus romances. Pelo contrário, depois de me agradecer por ir vê-lo, "ainda mais num dia tão bonito, tão raro nesta época do ano e mesmo assim tão característico da nossa bela cidade, não acha?", foi como ele explicou, como se eu tivesse escolha, perguntou-me, da maneira mais natural possível, por que um escritor de quem "todos nós (!) esperávamos tanto" permitira-se ser "envolvido" por um grupo de absurdos candidatos a revolucionários da província nos quais as autoridades estavam de olho há meses. Sabia que é isso que seu precioso Hans Rotenburg significa para esses homens, um incômodo inócuo e nada mais? Se conseguiu se manter em liberdade até agora foi porque ninguém se preocupa o bastante com ele para acusá-lo de nada. Acho que a polícia espera que ele os leve aos verda-

deiros líderes. E é a esta pessoa que você queria entregar o controle de A Nova Ordem? No entanto, agora, até você vai perceber que, embora o garoto Rotenburg não vá para a cadeia tão cedo, eu, por outro lado, cheguei muito perto de parar lá, graças aos seus planos malucos. Segundo o homenzinho ameaçador com as pastas, que parecia só se meter na conversa quando era hora de afirmar alguma coisa bem desagradável, bastou você mostrar a minha carta a Rotenburg sobre as dificuldades financeiras da revista e sugerir que usássemos seu dinheiro para assumir o controle para me deixar vulnerável a acusações de "impropriedade fiduciária", "tráfico de documentos empresariais confidenciais" e "conspiração para tomar o controle de uma empresa legítima e registrada através da manipulação do valor do seu patrimônio". Patrimônio! A revista toda não vale dinheiro suficiente para levar a equipe a algum lugar decente para tomar café com bolo numa tarde de sexta-feira! Mas parece que isso não faz diferença em termos legais e a punição para minha "quebra de segredo empresarial" pode ser de até cinco anos de cadeia, sem falar no fechamento total e permanente das portas de todos os jornais, revistas literárias e editoras do país à minha pessoa. E então, antes que esta imagem tão horrorosa pudesse se fixar, von Kirchmayr interrompeu-o na mesma voz educada e tranquila de antes para dizer que é claro que o seu setor não estava preocupado com impropriedades financeiras, que na verdade eram da alçada do seu colega ali (fez um gesto vago na direção do outro homem e tive a impressão que tinha um certo ar de desagrado por ter de incluir alguém tão grosseiro em nossa conversinha), mas que, quando o esquema começou a envolver "elementos de má fama", bem, eu entenderia que o ministério não teve escolha senão envolver-se diretamente.

Eu devia estar parecendo um cretino completo enquanto von Kirchmayr me explicava a situação. Durante três dias inteiros eu só fizera vasculhar meu cérebro com fantasias sobre o que eu poderia ter feito para atrair a atenção da polícia. Nem uma só vez, contudo, cruzara a minha mente que o interesse deles em mim tivesse alguma coisa a ver com as nossas cartas sobre encontrar alguém que nos ajudasse a tomar a revista. Eu me senti embasbacado perante o barão, como se não conseguisse entender aonde ele queria chegar e na esperança de que se repetisse só para me ajudar a compreender. Todo o terror que eu passara tinha de ter alguma razão mais importante! Comecei a suspeitar que ele estava tentando me enganar e vasculhei o cérebro de novo, procurando algum jeito educado de informar-lhe que não precisava usar subterfúgios comigo; eu estava totalmente ao seu serviço e só queria estar de posse de algum segredo pavoroso e realmente comprometedor para poder lhe revelar. Ah, se eu pudesse deixá-lo contente comigo só por lhe abrir a minha alma! Não havia nada que eu não confessasse de boa vontade, nada que eu quisesse esconder; quanto mais completa e vergonhosa a minha confissão, melhor. Eu também podia ser um personagem daquelas histórias russas absurdas e rebuscadas que todo mundo lê hoje em dia em Viena e que para mim é questão de orgulho não deixar jamais que influenciem meu trabalho. Para coroar tudo isso, durante o tempo todo em que fiquei ali de pé a me explicar estava mortificado por dentro por sentir anseios tão ignóbeis e pela certeza de que não tinha absolutamente nada a oferecer que von Kirchmayr já não soubesse. De qualquer modo, como ele era o típico cavalheiro vienense, acharia ridícula a extravagância emocional e assim, em vez de provocar a sua irritação com um jorro de sentimentos, fiz todo o esforço para dar as minhas respostas em frases curtas e objetivas e só deixar o meu rosto e o meu tom de voz testemunharem a sinceridade da minha devoção e o meu total arrependimento por quaisquer erros que tivesse cometido. Certa vez ouvi uma das pretensas intelectuais do Café Central se queixar a Wellisz da maneira como eu a olhava "com aqueles enormes olhos de sapo" e me senti corar de vergonha que talvez uma imagem semelhante ocorresse a von Kirchmayr. Mas, por sorte, a nossa "entrevista" aconteceu nas salas de um dos principais guardiães de nosso querido imperador e não num trecho de literatura duvidosa e von Kirchmayr deixou claríssimo que não estava nem um pouco interessado em assistir à minha degradação. Fez-me ver imediatamente que não tinha desejo algum de ouvir o inventário de todos os meus pecados e nem tentei negar nenhum dos pontos específicos que ele abordou. Mas o que ele realmente queria era muito mais espantoso. Afastou os meus protestos, como se fossem totalmente deslocados agora que nos entendíamos tão bem e perguntou ao outro funcionário se estava com o memorando em questão. O homem pegou várias folhas finas da massa de pastas espalhada à sua frente e pôs-se a lê-las em voz alta, como se o que dizia fosse a coisa mais natural do mundo. Bem, para mim não era, mas tentei ao máximo não abrir a boca de espanto. A leitura toda não deve ter levado mais de cinco minutos, embora ele proferisse cada frase como se tentasse fixar uma lição importante na mente de um aluno pouco inteligente que, não fosse assim, esqueceria algum ponto fundamental e criaria embaraços para si e para os seus instrutores na hora da prova final. E que lições de sutileza eram aquelas! Mas, por mais hábeis que me pareçam agora aquelas ordens, quando as ouvi enunciadas uma após outra achei que tinha entrado de repente numa pura fantasia, que o cartaz devia estar errado e que, em vez de estar envolvido num perigoso drama político, eu recebera um dos papéis principais de uma opereta de conto de fadas. Não expliquei isso a mim mesmo com tanta clareza naquela hora, mas uma parte de mim percebeu por instinto que o que eu vi funcionar naquela sala era o verdadeiro gênio político do nosso Império. Que pena que jamais poderei escrever diretamente a respeito! Onde mais um alto funcionário como von Kirchmayr adotaria tantos tons de voz diferentes com um zé-ninguém que acabara de convocar à sua sala e dominá-los todos com bom humor tão soberano? Era como se governasse como um autor que não temesse passar de um gênero a outro dentro da mesma frase e com tanta rapidez que mal se percebia a transição. Apesar da distância enorme de posição social que nos separa, naquele momento tive uma ânsia quase física de avançar e aplaudi-lo. Acho que se alguém conhecesse o mundo o bastante para redigir uma comédia humana para o novo século, teria de ser um homem com uma experiência de poder como aquela. Sabe, Asher, essa provavelmente é a coisa mais valiosa que aprendi morando na capital, onde parece que tudo o que é importante se apresenta como se não passasse de um esquete divertido, e acontece que o chefe de polícia consegue montar uma cena com mais eficiência do que qualquer diretor profissional. Tenho certeza de que nenhum dos nossos vizinhos na França ou na Alemanha admitiria, mas a nossa teatralidade absurda é a nossa coisa mais atualizada. Você verá que nenhum crítico estrangeiro entenderá quantos pensamentos deste tipo coloquei no elemento cômico de O infortúnio do judeu, *mas tenho certeza de que nenhum vienense, nem mesmo os que detestarão a peça, negaria que os modos mistos em que a tragédia e a farsa ficam sempre se chocando são os que mais nos agradam, por serem os únicos que refletem como realmente vivemos. De qualquer modo, os melhores elementos da platéia acabarão achando maravilhoso o meu texto porque as resenhas nos jornais da corte vão lhes dizer que pensar assim é o que há de mais patriótico e ninguém, a não ser você e eu e, claro, o barão e sua equipe, jamais saberá como* isso é cômico!

Então é isso. Em vez do seu amigo rico, é o governo que vai comprar A Nova Ordem *através de um dos seus intermediários e me transformar em editor-chefe. Não consigo imaginar por que hão de querer isso e, quando perguntei a Kirchmayr, ele só me contou que o seu departamento pretendia manter sob atenção discreta os círculos mais "boêmios" e "artísticos" da cidade e que uma revista como a nossa, sem nenhuma ligação imaginável com as autoridades, seria admiravelmente adequada para isso. Querem até que comecemos a publicar, de vez em quando, algum ensaio político que critique o governo, para encorajar os colaboradores com tendências pouco confiáveis a nos procurar com o seu trabalho. E como agora poderemos pagar tudo o que publicarmos, suponho que isto signifique que o governo vai financiar os próprios artigos que o atacam. Onde mais, além de Viena, poderia existir um esquema tão civilizado? Você consegue imaginar um prussiano criando um jeito tão sutil de administrar o departamento de polícia alemão? Mas entre a vaidade dos nossos radicais, mais ansiosos que os literatos de ver o seu nome em letra de forma, e a esperteza do chefe de polícia, que decidiu se* tornar o seu principal editor, temos um exemplo perfeito da verdadeira cooperação austríaca, que nisso é absolutamente moderna.

A forma casual como o barão mencionou que também diria algumas palavras a meu respeito a alguns amigos seus no Burgtheater impressionou-me demais. Não foi uma insinuação sórdida como oferecer pagamento por serviços prestados; foi um grande aristocrata ajudando um artista jovem, não um policial subornando um informante miserável qualquer. Sabe, nunca me ocorreu que von Kirchmayr queria dizer que falaria com o próprio diretor do teatro e, claro, quando me encontrei com Herr von Bruck na semana seguinte, ele foi discreto demais para mencionar qualquer intervenção a meu favor. Nossa conversa foi só sobre teatro, sem referência alguma ao meu interrogatório recente na sede da polícia. Mas sem que eu percebesse na hora, agora está claro para mim quanta coisa aprendi conversando com von Kirchmayr. Há nuanças de tom de voz que antes eu simplesmente nem percebia e que agora são claríssimas. É como se eu tivesse aprendido uma língua estrangeira por ter sido obrigado a passar algum tempo entre nativos perigosos que tivesse de apaziguar a qualquer custo. Por exemplo, soube que o diretor pretendia terminar a nossa reunião quando vi os seus olhos se voltarem por um instante para a janela que dava para o Ring e ele me perguntou se eu já notara como era suave a luz do início da tarde naquela época do ano. Como despedida, é claro que foi bastante sutil, mas como reconheci a semelhança entre aquela ceninha e a maneira como o barão me assinalou que terminara comigo, consegui entender a sugestão e me retirar sem precisar de uma dica mais direta. Em que mundo estranho parece que caí, Asher! Mesmo agora, que já tive um vislumbre de como as coisas funcionam por aqui, continuo me perguntando se todos eles realmente se entendem entre si como fingem ou se às vezes não ficam tão confusos quanto nós, de fora, com o que está sendo dito. Em nome dos céus, como é que gente assim consegue fazer a corte a alguém, ou pior ainda, produzir herdeiros, é coisa que me parece inimaginável, mas tenho certeza de que deve haver alguns mal-entendidos muito engraçados pelo caminho.

De qualquer modo, adquiri tato suficiente nestes últimos dias para resistir a perguntar o que nossos patrões têm em mente para você. Meu melhor conselho é, se eles ainda não o chamaram, espere simplesmente as instruções e tente ser-lhes o mais útil possível quando o procurarem. É claro que me incomoda o fato de que não parece que você venha ficar comigo em Viena em breve, mas quem sabe, depois que este negócio com A Nova Ordem já estiver resolvido, talvez acabem querendo que trabalhemos juntos aqui. Adoraria levá-lo ao Café Central e fazer Wellisz dançar enquanto nos aten-

de. Em poucas semanas, quando eu receber o primeiro adiantamento da peça e encontrar um novo apartamento, pretendo perguntar à dama intelectual da mesa ao lado da porta se quer me acompanhar a um ensaio; não sei, mas duvido que meus olhos grandes ainda lhe pareçam tão desagradáveis! Escrevo-lhe de novo assim que houver novidades, mas, enquanto isso, por favor, tome cuidado com o que diz a qualquer um na cidade e tente não criar mais problemas para nós dois.

Afetuosamente,
Alexander

◆ ◆ ◆

— Quem mais sabe do seu bilhete para mim? — foi a primeira pergunta de Tausk quando entrou no escritório do andar térreo que servia de sala de recepção informal para Moritz Rotenburg. No mesmo instante Moritz soube que tomara a decisão certa. Lá fora, o azul do céu de fim de tarde adotara o matiz quase metálico dos últimos raios gelados do sol poente do início de primavera, mas o rosto esbranquiçado de Tausk não mostrava sinal de cor com a caminhada. Era totalmente desprovido de graça física ou bons modos, mas, em vez deixá-lo desajeitado, havia algo de predatório em sua esquisitice. Todos os movimentos de Tausk confirmavam esta impressão, desde o modo como fechara a porta e tirara o sobretudo sujo, sem ser convidado, aos gestos contínuos e rápidos com as mãos que faziam o seu cigarro cortar o espaço à sua volta como a batuta de um maestro marcando o tempo, não tanto da conversa quanto de algum ritmo interior, irregular e dominador que só ele ouvia. Parecia quase tão desgastado quanto Moritz, mas só a vermelhidão chocante de seus olhos e os leves puxões quase constantes das pernas traíam algum sinal da luta entre exaustão e tensão nervosa que se travava dentro dele. Os primeiros cinco minutos seriam cruciais, ambos sentiam isso, e, embora parecesse que Tausk desmoronaria antes do fim do dia, Moritz sabia muito bem que não devia subestimar um homem daqueles. Em vez disso, o que fez teria deliciado, em sua objetividade totalmente calculada, um conhecedor de negociações delicadas do nível do próprio Conde-governador Wiladowski. Moritz simplesmente respondeu à questão beligerante de Tausk como se já estivessem conversando há horas, já tivessem passado há muito tempo por toda a troca costumeira de cortesias e estabelecido um nível de trabalho de confiança mútua. Falou como se agora simplesmente organizassem os detalhes específicos de uma transação de rotina sobre cujo resultado já tivessem, em princípio, concordado:

— Somente Asher Blumenthal, o contador, que lhe entregou o bilhete, e ele jamais ousaria abrir o envelope. Além disso, você já o tem nas suas mãos, não é? Eu também, é claro. De qualquer modo, ele é muito útil para este tipo de tarefa. Vamos concordar, então, que utilizar os talentos limitados de *Herr* Blumenthal é o primeiro e, espero, logo será o menos importante dos empreendimentos conjuntos nos quais eu e você seremos sócios.

Mais que qualquer outra coisa naquela tarde, foi o sorriso de Tausk, que via agora pela primeira vez em resposta à sua descrição de Asher, que espantou Moritz. Esperara uma careta fina e desagradável, mas em vez disso Tausk abriu um sorriso infantil, largo e expansivo, que de repente fez com que parecesse ter só 14 anos. Até fumava como o garoto que aproveita uma coisa proibida, acendendo cigarros que eram, inegavelmente, os mais baratos que havia, um depois do outro, na brasa do antecessor, sem se preocupar em nada com os seus próprios dedos amarelecidos e chamuscados nem com os maravilhosos tapetes persas do seu anfitrião. Instintivamente, Moritz soube que não devia oferecer a Tausk um dos antigos Havanas que mantinha à mão para os visitantes importantes e viu na leve inclinação de cabeça do outro a admissão de que o fato de evitar o gesto convencional fora reconhecido e apreciado. Sentiu que, na mente de Tausk, acabara de ser aprovado num teste importante e, contra as expectativas do próprio Moritz, a agressividade adolescente de tudo isso era um tanto comovente.

"Este homem precisa de mim, senão eu não estaria aqui." Não importa aonde o levassem as negociações, Tausk entrara na mansão Rotenburg decidido a agarrar-se a esta idéia, mas quando olhou mais de perto o homem sobre quem até o seu mestre, o Rabi Pelz, costumava falar com uma nuança de respeito, Tausk rapidamente lembrou a si mesmo: "mas não a qualquer preço". Pela primeira vez desde que fora encarregado da rede de agentes secretos do governador, Tausk estava frente a frente com alguém, talvez um antagonista, cujas fontes de informações apequenavam inteiramente as suas. Era também, como percebeu com um sentimento crescente de excitação, a primeira vez que se sentia totalmente alerta desde que fora expulso da *yeshiva*. Talvez por não ter como adivinhar quanta coisa dependia da entrevista ou talvez porque crescera incapaz de levar totalmente a sério qualquer gentio, por mais poderoso que fosse, nem mesmo a sua primeira reunião com o Conde Wiladowski enchera Tausk com a mesma sensação estimulante de promessa e perigo. Como armas, os retalhos de dados que acumulara sobre os negócios de Rotenburg eram risíveis e era impossível descartar a possibilidade de que o próprio financista tivesse selecionado com todo o cuidado as informações que se dispunha a permitir que caíssem nas mãos do governo. Tausk só tinha uma carta para contrapor à vastidão da riqueza e do poder de Rotenburg e havia algo emocionante em não ter certeza do seu valor. O passo mais astuto, que já decidira não dar, seria não revelar coisa alguma antes de ter uma idéia melhor de quanto valia o seu único recurso tangível. Quando finalmente parou de circular pela sala, sentou-se e inclinou-se perto o bastante de Rotenburg para sentir o cheiro leve e doce da sua carne doente, Tausk percebeu que tivera de fazer opções semelhantes vezes incontáveis, durante interrogatórios no Castelo. Ao entrar na cela de um preso, Tausk escutava o suspeito com mais intensidade do que este acharia possível. O seu pensamento e a sua atenção fixavam-se em cada sílaba que o preso pronunciava e até no modo como respirava. Tausk inclinava-se, os olhos intensamente concentrados nos lábios e nos olhos do homem, e a total concentração da escuta de Tausk deixava o suspeito cada vez mais ansioso. Tausk exauria as pessoas, desgastava-as, não com ameaças ou promessas, mas apenas com o modo como as escutava. Elas se sentiam cada vez mais culpadas durante todo o tempo em que falavam, provavelmente por provocarem um exame tão profundo sem merecê-lo a não ser por seus delitos. Um temperamento mais teatral, mesmo de alguém com um intelecto tão sutil quanto o de Roublev, esperaria sempre o que ele chamava de momento psicologicamente propício para pular à frente com algum fato mais condenatório da ficha do preso para confundi-lo e quebrar-lhe a resistência. Mas Tausk não tinha paciência para estas atuações ensaiadas. Embora não lhe interessasse formular os princípios gerais nos quais baseava a sua técnica, nem mesmo quando pressionado várias vezes para explicar os métodos que produziam o seu histórico inigualável de confissões extraídas, sabia que, quando ele e um suspeito sentavam-se um na frente do outro, queria alcançar uma coisa radicalmente diferente daquilo que Roublev chamava de psicologia do homem. Ele não se importava se era uma camada mais profunda ou coisa inteiramente diferente, mas, se tivesse de dar-lhe um nome, a palavra alma, tão valorizada pelo Rabi Pelz, seria tão boa quanto todas as outras que conhecia. Ele ia atrás da alma dos presos miseráveis que acabavam chorando diante dele nas suas celas e, para Tausk, aquelas celas eram dele, não do governo, em Viena, e nem mesmo do conde-governador, enojado demais para pôr os pés perto da prisão. Todas as informações que extraía nada lhe significavam em termos pessoais; eram a moeda com que pagava ao seu empregador e que o tornava indispensável a Wiladowski; mas a Tausk a política interessava menos ainda que a psicologia e nunca superou por completo a surpresa que sentia ao ver alguém disposto a arriscar-se por metas tão transitórias quanto substituir um conjunto de supervisores por outro. Para ele, toda esta agitação política era apenas uma forma moderna da mesma idolatria que o Rabi Pelz lhe ensinara a desprezar e, embora Tausk tivesse abandonado interiormente a idéia de dedicar a vida aos textos sagrados, nada o tentava a substituí-los pelas tênues fantasias utópicas com que os seus prisioneiros alimentavam a idéia de cumprirem uma missão. Ainda assim, aprendera uma coisa importante com todas essas confissões desesperadas, quer fossem cuspidas numa cascata sem fôlego, quer saíssem lentamente, durante horas e dias, em gotas, como o degelo de uma enorme calota que estivesse se desfazendo e derretendo em velocidades diferentes. Os homens podiam ser tão promíscuos com a sua alma quanto com o seu corpo e dispunham-se a sacrificar a vida por razões fátuas nas quais nem mesmo eles acreditavam inteiramente. Era simples assim, embora, talvez, o Rabi Pelz, apesar de toda a sua visão sinistra da natureza humana, estivesse protegido demais pela veneração dos discípulos para reconhecer como era abrangente o alcance desta promiscuidade. Mas não nesta casa. Havia uma ferocidade na concentração de Rotenburg que rivalizava com tudo o que Tausk podia extrair de si mesmo, e ele balançou a cabeça rapidamente de um lado para o outro, como um animal que saísse da chuva, para ater-se inteiramente aos menores sinais do financista em resposta à oferta que decidira fazer.

 Antes de agir, Tausk não pôde impedir um sorriso quando imaginou a expressão chocada de todos os seus auxiliares caso conhecessem a sua tática pouco ortodoxa. E por que não? A idéia de possuir uma reserva estratégica útil contra um homem como Rotenburg era, com toda a probabilidade, uma ilusão estúpida, e assim era menor do que aparentava o risco de Tausk adiantar-se e dizer:

— Sei que um homem com a sua influência tem muitas maneiras de salvar o filho das conseqüências dos seus erros, mas posso fazê-lo com mais discrição e com menos risco de que os detalhes venham a ser conhecidos.

Rotenburg nada disse até que Tausk terminou de delinear totalmente a sua oferta. Se chegou a ficar irritado com a direção que Tausk impusera à conversa — e em certo grau devia ter ficado, ainda que somente com a idéia mal fundamentada do espião-chefe de que sabia por que viera a ser chamado — a famosa paciência do financista veio bem a calhar, mesmo em seu estado enfraquecido, para a tarefa de impedir qualquer reação. Quando chegasse a hora de recuperar a sua posição de voz controladora da história ele o faria, assim anunciava sua atitude de curiosidade tolerante, sem exigir nenhum esforço especial, como se para Moritz Rotenburg ser obedecido simplesmente fizesse parte da ordem natural das coisas. O Conde Wiladowski reconheceria de imediato a encenação. Sacrificara muitas horas observando Francisco José adotar exatamente a mesma postura com os seus conselheiros, a cujos relatórios discordantes o imperador ouvia com absoluta cortesia durante várias horas só para de repente rejeitar todas as suas sugestões e informar-lhes, com polidez imutável e meio abstrata, exatamente o que queria que fosse feito. Mas até Wiladowski, apesar de todos os boatos de que preferia a companhia dos hebreus e livre-pensadores à dos homens da sua própria classe, dificilmente deixaria de encontrar algo desagradável no espetáculo desses dois judeus, um dos quais era seu próprio empregado e o outro um mero plebeu da província a seu cargo, imitando com tanta perfeição uma cena que sempre considerara inigualável na residência imperial de Viena. Mas o conde-governador era tão extravagante que também seria possível que reagisse ficando mais convencido do que nunca da sua sagacidade ao fazer uma aliança estratégica com esses homens. Já que ninguém jamais se ofende de verdade com aquilo que lisonjeia a imagem que faz de si mesmo nem com o que acha que pode lucrar, este descendente de grandes príncipes e cardeais talvez se dispusesse a não ver a presunção dos dois judeus em troca de um percentual do que os planos deles pudessem gerar.

Mas quem observasse Tausk trabalhando e aprendesse a reconhecer os sinais da tensão crescente na maneira como o movimento constante da mão que segurava o cigarro começava a divergir de forma cada vez mais excêntrica do ritmo do que estava dizendo perceberia como era diferente dos cortesãos ineficientes que Wiladowski encontrara no Palácio em Viena. Apesar de todo o seu respeito pelo poder de Rotenburg, Tausk não estava disposto a simplesmente fazer o seu discurso e retirar-se com uma reverência graciosa para o corredor, à espera das instruções finais. Quando terminou a terceira frase, Tausk já percebera que tinha errado. A única dúvida era até onde. O outro devia preocupar-se com o filho a ponto de querê-lo fora de perigo. Todas as informações que Tausk reunira enfatizavam a extraordinária generosidade de Rotenburg para com Hans e, na experiência do espião-chefe, ninguém, menos ainda um empresário brilhante, confiaria a alguém, mesmo que fosse o próprio filho, quantias tão vultosas, a menos que esperasse fazer dele seu sócio nas empresas. Somente uma sombra levíssima de frustração passara pelos olhos de Moritz — mais como uma escorregadela momentânea da atenção do que uma indicação tangível de impaciência —, mas foi o bastante para mostrar a Tausk que chegara à reunião sabendo muito menos do que esperava sobre as intenções de Rotenburg. Mas, como não tinha nenhuma via segura de retirada, decidiu-se a avançar e ver até onde a sua mão o levaria. Com uma ausência de ostentação que ele mesmo percebeu ser um traço teatral demais para um observador tão arguto quanto Rotenburg, Tausk foi até o seu casaco e do bolso de dentro tirou o resumo que fizera da extensa ficha policial de Hans. Entregou a Rotenburg a dúzia de folhas, escritas em papel timbrado bem fino do governo com a sua própria letra pequena, precisa, quase feminina, e esperou o financista levá-las à escrivaninha e ler todas as páginas com um exame cuidadoso que mais parecia um gesto de cortesia para com o oferecimento do seu hóspede do que curiosidade avassaladora sobre o próprio documento. Quando Rotenburg terminou a leitura e dobrou cuidadosamente as folhas de papel seguindo a marca original, perguntou, simplesmente:

— O senhor deve estar se perguntando quanto disso aqui eu já soube por outras fontes. Bem, a maior parte, mas nunca li um documento inteiro com as suas palavras antes, e são as suas expressões que dão valor ao relatório. Agradeço-lhe por isso. O senhor treinou bem seus homens e, como meu filho é absurdamente descuidado, a única coisa que surpreende é que ainda não tenha cometido um crime suficientemente grave para preocupar alguém importante. Mal vale a pena espionar essas reuniões absurdas no apartamento da Maximilianstrasse e duvido até que o nosso caro conde-governador, apesar de todo o medo que tem de ser morto, se preocuparia demais com o que alguns rapazes tão agitados andaram dizendo para impressionar uns aos outros.

Tausk permitiu-se um leve som de discordância.

— É mesmo? Tenho certeza de que o senhor sabe o que diz mas, na minha experiência, jamais vi o Conde Wiladowski desdenhar nenhuma ameaça potencial ao seu bem-estar, por mais distante que parecesse. Sem falar de todo aquele negócio com a revista literária. Quem tratou daquilo foi o Ministério do Interior e, até agora, parecem todos bem satisfeitos com a aquisição — de Garber, quero dizer, mais do que d'*A Nova Ordem* — mas o nome do seu filho aparece na correspondência apreendida de forma comprometedora e nunca é boa idéia chamar a atenção daqueles cavalheiros das forças de segurança vienense, mesmo quando se é um Rotenburg. Ou melhor, seria mais justo dizer *ainda mais* quando se é um Rotenburg.

— Ah, é isso. — Rotenburg não se mostrou nada perturbado com a revelação de Tausk. — Von Kirchmayr me contou como estava contente, ainda mais depois que adiantei o dinheiro a ser investido em *O infortúnio do judeu*. Nenhum de nós esperava que fizesse tanto sucesso de público e a minha parte dos *royalties* já ajudou a completar a coleta para a nova ala do Hospital Imperial dos Veteranos de Guerra, em Hütteldorf. Acho que o que mais agradou ao ministério foi a satisfação de terem desviado para os seus próprios propósitos o que todos estavam convencidos de que seria mais um plano meu para aumentar a minha influência no mercado de ações. Segundo von Kirchmayr, sua equipe tem toda a certeza de que eu pretendia espalhar com *A Nova Ordem* uma série de boatos sobre certas ações novas da ferrovia. O fato de haver dinheiro por trás disso tudo é óbvio para todos no ministério e o único enigma é por que escolhi uma revista tão insignificante. É isso que é maravilhoso na polícia em geral, e mesmo em nossa brilhante polícia austríaca: com raríssimas exceções, como o senhor, meu caro Tausk, sempre encontrarão provas conclusivas para a teoria, seja qual for, em que já acreditam. Se houver um húngaro envolvido nalguma coisa suspeita, a história vai ter de incluir nalgum momento uma amante apaixonada, um marido ofendido e um duelo secreto; se for um judeu rico, tem de ser sobre dinheiro, isso é óbvio, não é? De qualquer modo, em Viena ninguém acredita que Hans ou Asher Blumenthal sejam algo além de representantes meus nas negociações com

Garber. Creio, no entanto, que foi um golpe inspirado seu convocar o pobre e indefeso Asher para um interrogatório formal e ameaçá-lo com a conscrição imediata no exército a menos que lhe contasse tudo o que sabia sobre Hans. Como ele deve ter tremido ao ver-se tão inteiramente à sua mercê. Suponho que tenha levado menos de cinco minutos para oferecer-se para trair todo mundo com quem já entrou em contato. Pelo menos, foi o que demorou para que ele, de pé praticamente aí onde o senhor está agora, começasse a torcer as mãos e confessasse como seus métodos, que chamou de selvagens e desumanos, obrigaram-no a confessar-lhe todos os seus segredos apesar das heróicas tentativas de resistir. É claro que o senhor entende que eu ache bom que as coisas tenham decorrido de maneira tão equilibrada; em parte, é por isso que digo que podemos ir em frente e usar Asher como nosso intermediário com toda a confiança de que ambos permaneceremos informados de tudo o que ele souber. A venalidade total pode ser tão confiável quanto a mais rígida integridade, não acha? Ainda mais quando combinada ao medo.

Por um momento, Rotenburg olhou para longe, como se recuperasse o fôlego, mas Tausk viu-lhe os lábios se apertarem no esforço de controlar o que, claramente, era um ataque de dor. Mas recuperou-se quase de imediato e continuou como se nada tivesse acontecido. Tausk ouvira todos os boatos a respeito da doença de Rotenburg mas, até então, não sabia se acreditava neles ou não. Agora tinha certeza de que eram verdadeiros e que a saúde de Moritz era ainda mais precária do que todos suspeitavam. No entanto, em vez de supor que isso lhe dava alguma vantagem, Tausk só decidiu ser ainda mais prudente.

Rotenburg continuou falando sem desconforto visível, mas havia uma raiva contida em sua voz que no início Tausk não ouvira.

— Dou-lhe crédito suficiente — disse a Tausk — para perceber que eu teria remendado o tropeço de Hans ao ligar-se, não importa quão indiretamente, a esquemas malucos para assumir o controle de uma revista falida bem antes que o senhor chamasse o pobre Blumenthal para lhe mostrar a sua correspondência com Garber. Então, o que nos sobra? Algumas reuniões noturnas num apartamento que todo mundo sabe que está sendo usado para encontros sexuais. Dificilmente causa de muito alarme, até mesmo em nossa província. O nosso conde-governador pode dizer que quer que o senhor verifique todas as frases comprometedoras sussurradas em qualquer ponto da região, mas ele o contratou porque pode confiar no senhor, e não nas outras pessoas à sua volta, para tomar uma decisão sensata sobre como empregar os recursos disponíveis. É o seu discernimento que ele está comprando, não apenas a sua diligência.

— Na verdade — Tausk permitiu-se interromper — ele me contratou porque leio hebraico e iídiche e, sem isso, é impossível decifrar boa parte da correspondência que entra e sai da província. Ele está convencidíssimo de que, entre nós, não há nenhuma ameaça maior que Nathan Kaplansky. O Conde Wiladowski me fez ler todas as cartas de Kaplansky pelo menos meia dúzia de vezes para procurar códigos secretos sobre um atentado à sua vida, e meus agentes já revistaram a moradia dele tantas vezes, atrás de armas escondidas, que sua senhoria já conhece a todos bastante bem e adotou o hábito embaraçoso de acenar-lhes alegremente na escada que leva à porta de Kaplansky.

— Estou impressionado com a facilidade com que o senhor fala de Wiladowski. Está assim tão íntimo das autoridades do Castelo? Talvez as minhas informações do contrário estejam desatualizadas e, neste caso, só posso oferecer-lhe as minhas genuínas congratulações e concluir que devo ter errado ao pensar que temos algum interesse em comum.

Desta vez o sarcasmo na voz de Rotenburg era inconfundível e, se era adotado de forma estratégica e não espontâneo, sobressaíra, assim pensou Tausk, como a encenação mais convincente a que já assistira. Por um instante longo e torturante, durante o qual os olhos do financista não se afastaram do jogo das chamas na grande lareira, Tausk teve a certeza de estar a ponto de ser mandado embora com tanta possibilidade de apelar da decisão de Rotenburg quanto lhe dera o Rabi Pelz. No entanto, ao contrário daquela manhã na *yeshiva*, Tausk agora se sentia preparado para o que quer que acontecesse em seguida. Apesar de agitado e tantas vezes ansioso, passara a acreditar que, numa crise, podia contar com o apoio dos próprios nervos. A sua impassibilidade era conseqüência de uma certa distância interna de tudo à sua volta, à qual as outras autoridades do Castelo referiam-se, entre si, como o desagradável jeito *"postmortem"* de Tausk olhar para eles, e se intensificara ao viver a sua própria desintegração emocional, e a ela sobreviver, nos meses depois de deixar a *yeshiva*. Em vez de mandá-lo embora, contudo, Moritz afastou-se da lareira, fez sinal a Tausk para que aproximasse dele a sua cadeira e, quase como uma reflexão, como se falasse com uma exaustão cujo domínio tornara absurda a troca preliminar de indiretas, contou-lhe o seguinte caso curioso:

— Veja, pensei em pedir-lhe que viesse me ver por várias razões, mas o que finalmente me convenceu a tomar as providências aconteceu há bem pouco tempo. É coisa tão pequena que não tenho certeza se o senhor entenderá por que lhe dei algum peso. Embora tenha tentado impedir que todos soubessem, durante o ano passado, quando a minha doença me obrigou a sair cada vez menos, achei muito difícil resistir às reminiscências dos anos em que corria o tempo todo pela Europa, montando meus negócios. Uma coisa que recordo com prazer é que, sempre que voltava de alguma viagem, levava imediatamente Hans e sua mãe ao jardim público bem diante do prédio do Instituto de Seguro do Trabalhador. Toda aquela parte da cidade pouco mudou desde que eu era rapaz; é por isso que ir até lá era tão relaxante depois de uma viagem por alguma cidade como Paris ou Berlim, nas quais bairros inteiros são demolidos e reconstruídos o tempo todo. Até o pequeno coreto de madeira no meio do gramado parece que só foi repintado duas ou três vezes nos últimos trinta anos. Minha falecida mulher e Hans adoravam ouvir a banda militar tocar ali as marchas e valsas populares mais recentes em toda tarde de verão, pouco antes do jardim ser fechado à noite, e eu adorava assistir ao seu prazer por estarem fazendo a mesma coisa que todas as outras famílias normais. No caminho de casa, eu sempre comprava para cada um de nós um sorvete italiano colorido e uma fatia de torta de chocolate e avelãs do velho veterano do exército que detinha a concessão do quiosque bem defronte do pavilhão de exposições. Pela tradição, quando o detentor da licença ficava velho demais para gerenciar a concessão ela passava para outro ex-soldado e, ainda que o homem que nos vendia os doces tivesse altura muito diferente dos seus antecessores, todos eles eram meio parecidos, o suficiente para dar a impressão tranqüila de que era o mesmo camarada servindo contente os seus fregueses, ano após ano. Tenho certeza de que o senhor sabe que, há alguns meses, pela primeira vez na memória da cidade, a licença foi concedida a Julius Goldschagg, um judeu que nunca vestiu uma farda na vida. Todos uivaram de raiva com a decisão; não só a rafaméia anti-semita de sempre, mas também muitos dos mais sinceros liberais da província. É claro que o que provocou o ressentimento mais clamoroso dos dois lados foi a certeza de que o senhor, o novo espião-chefe do conde-governador, é que fora subornado para ajudar um colega judeu. Para o bem das melhores relações com os gentios, pediram-me que conseguisse que a decisão fosse alterada e o quiosque dos doces voltasse para um dos veteranos do 14º dos Hussardos que depois da reforma tinha voltado para cá. O que descobri quase de imediato foi que Goldschagg subornara o primeiro-secretário do conde-governador, Mathias Pfister, e que este aceitou o dinheiro exultante, porque sabia que toda a culpa acabaria recaindo sobre o senhor e ele atingiria assim dois objetivos agradáveis com um único ato venal.

A atenção de Tausk não se desviou por um instante durante a história de Moritz, mas a aparência de intensa concentração em seu rosto deu lugar a uma expressão de clara confusão quando o financista terminou-a abruptamente com um detalhe tão estranho e inconclusivo.

— Bem, é claro que agradeço o aviso e sempre me espanto com a exatidão das suas informações sobre o que acontece no Castelo — disse a Rotenburg, com cautela. — Mas devo dizer que é difícil acreditar que desta fonte venha muita coisa preocupante. Pfister não é uma ameaça séria para ninguém, nem mesmo para o seu filho. Com toda a certeza é um total e rematado anti-semita, mas tenho certeza de que jamais imaginaria que alguém com a renda de Hans Rotenburg, judeu ou não, pudesse não ser totalmente confiável em termos políticos. Ou seja, contanto que pague em dia os seus impostos e não espere os mesmos sinais de favorecimento imperial que um católico leal de boa família.

Durante todo o tempo em que assim falou, Tausk sentiu vergonha de soar tão desajeitado. Fosse o que fosse que Rotenburg pudesse pretender com a sua história, alertá-lo para o perigo de um homem como Pfister não era todo o seu significado e para Tausk era irritante estar inteiramente perdido quanto a alguma interpretação plausível. Fragmentos irrelevantes de exegese rabínica insistiam em surgir na sua mente sem serem convidados e ele se viu a pensar na história da licença dos sorvetes e tortas não como alguma coisa ligada diretamente a ele, mas como parábola da culpa atribuída injustamente, algo como um recontar distorcido da história de José e a mulher de Potifar. Mas isso era absurdo, não só porque Rotenburg não falara em alegorias como também porque, embora Tausk soubesse que era inocente no caso do suborno de Goldschagg, inocência dificilmente seria uma qualidade que pudesse, ou mesmo desejasse, reivindicar. Então, o que estava sendo passado? Talvez os boatos fossem mesmo verdadeiros e Rotenburg estivesse apenas ficando velho e permitindo-se devaneios sentimentais sobre dias mais felizes. Mas nada, em sua conversa anterior, indicava um homem que estivesse perdendo a acuidade e, assim, o problema do que realmente Rotenburg desejava era, ao mesmo tempo, real e, ao que parecia, até que ele mesmo quisesse revelá-lo, insolúvel.

— Lembra-se do estranho homem que Kaplansky acompanhou até o centro da cidade há algum tempo?

A pergunta de Rotenburg, saída assim de uma linha de pensamento que parecia não ter nada a ver com o caso que acabara de contar, aumentou por um instante a confusão de Tausk. Só mais tarde, quando voltou a estar sozinho em sua simples cama de campanha, reexaminando com todo o cuidado toda a conversa na lembrança, Tausk registrou que devia ter sido este o momento em que Moritz decidiu desviar a conversa de uma vez por todas do foco errado do espião-chefe sobre Hans. Pelo menos, foi a primeira vez que Tausk sentiu uma nova frieza na voz de Rotenburg, não tão óbvia que pudesse ser notada pelo ouvinte desatento, mas para alguém como Tausk, que se treinara para pular sobre as menores alterações de tom ou ritmo da fala, foi inconfundível, quase tão imperativa quanto se Rotenburg tivesse de repente dado um soco na mesa. Também foi aí que Tausk deve ter começado a perceber o quanto Rotenburg precisava falar-lhe sobre o estranho rabino milagroso. Era impossível deixar de perceber a transformação do comportamento do financista assim que se referiu a Brugger. Rotenburg levantou-se bruscamente e se afastou da lareira rumo à janela com tal decisão que parecia ter acabado de sacudir dos ombros todo o cansaço depois de um longo cochilo. Suas pupilas, que antes pareciam enevoadas com uma película opaca e leitosa, agora examinavam o rosto de Tausk à espera de uma reação com a clareza feroz de um homem décadas mais novo.

"Por quanto tempo ele deve ter discutido com seus botões antes de mandar me chamar! Mas ninguém no governo, nem mesmo todo o pessoal de Kirchmayr, poderia acumular tanta informação sobre Brugger tão depressa." Este foi o pensamento de Tausk ao ver o maciço dossiê que Rotenburg tirou da mesa e lhe entregou. Em comparação, a ficha policial de Hans, com que Tausk contara para provocar pelo menos algum efeito ao levá-la até a casa de

Rotenburg, era vergonhosamente pequena. Mas quanto mais lia sobre Brugger nas pastas de Rotenburg, com cada item cuidadosamente datado e comentado no código baseado no alfabeto hebraico que Tausk já conhecia de abrir todas as peças da correspondência do financista que não seguiam pelos portadores particulares, menos clara ficava a imagem do rabino. Como Rotenburg conseguira acumular tantas informações para só produzir resultados tão imprecisos? No nível da espionagem profissional, esta imprecisão era enervante. O incômodo que Tausk sentira quando lhe negaram mais dinheiro para investigar Brugger foi substituído pela idéia ainda mais mal recebida de que, mesmo que o conde-governador partilhasse da sua preocupação com o rabino, a investigação proposta resultaria bastante inútil. Quando Tausk chegou à metade da pasta, que lia de pé, levemente encostado numa das paredes de lambri da sala e balançando-se para a frente e para trás sobre os calcanhares enquanto virava as páginas, já estava sem nenhum cigarro e uma camada fina de cinza cobria o tapete formando um círculo onde ele estava. Mas, quando chegou perto do fim da última pasta, Tausk percebeu que alguma coisa no dossiê o perturbava. Ou melhor, percebeu que havia nele omissões graves e, com esta percepção, veio uma onda de excitamento.

— O nome Robert Sonnenschön significa alguma coisa para o senhor? — perguntou Tausk tranqüilamente ao anfitrião ao lhe devolver os papéis e aceitar, sem notar o que fazia, um prato de biscoitos e um copo de *brandy*. Tausk preferia um café forte, mas apreciou a oportunidade de ingerir algum alimento. Embora às vezes tomasse bebidas alcoólicas quando o trabalho exigia, o cheiro do *brandy* de Rotenburg o fez lembrar-se demais do bafio denso e fétido que saturava a taberna de seu pai e recusou a oferta de uma segunda dose. — Menciono Sonnenschön — prosseguiu Tausk, a boca desagradavelmente seca devido aos biscoitos — porque fiquei surpreso ao encontrar tão pouca coisa a seu respeito em suas pastas. Parece que ninguém achou que valesse a pena chamar a atenção do senhor sobre ele. Este desleixo pode ser perigoso. É um jovem judeu de Odessa, com fama de ser meio atleta. Desde que ouviu Brugger falar, Sonnenschön dedicou sua vida ao rabi e escreve à irmã em São Petersburgo hinos longos e violentos de louvor ao homem. Tenho cópias de várias cartas de Sonnenschön e poderia fornecer-lhe um lote.

Desta vez Moritz sequer fingiu disfarçar a curiosidade e, simplesmente, pediu a Tausk que lhe contasse ali mesmo o que conseguia recordar da correspondência. O treinamento mnemônico de Tausk como estudante rabínico facilitou-lhe citar os documentos com exatidão quase *verbatim* e, enquanto recitava as descrições extasiadas de Sonnenschön, notou com que seriedade Rotenburg ouvia cada palavra. Quando, pela primeira vez, Tausk leu as cartas em voz alta para Roublev no Castelo, o seu fervor despertara mais desprezo que preocupação, mas conforme crescia a ansiedade que Brugger lhe inspirava esta reação dera lugar a uma sensação de profunda apreensão sobre o uso que o rabi poderia dar à devoção ilimitada de Sonnenschön. Rotenburg também estava claramente perturbado, tanto com o conteúdo das cartas quanto com o fato de que a sua própria investigação não lhe trouxera as mesmas informações. Se Sonnenschön conseguira escapulir da rede de numerosos correspondentes de Rotenburg, quem poderia dizer que não haveria muitos outros como ele que, por sua vez, Tausk não conhecesse?

Mas ver Rotenburg compartilhar a sua preocupação também foi tranqüilizador para Tausk. Observara Wiladowski descartar seus alertas sobre o rabi vezes suficientes para que não se desse mais ao trabalho de levá-los ao Castelo, e agradava-lhe ver alguém com a aguda visão de mundo de Rotenburg confirmar que não havia nada de risível em sua ansiedade. Talvez em Rotenburg, pensou o espião-chefe, encontrasse afinal, se não exatamente um aliado, pelo menos um colaborador com quem pudesse conversar sobre o que deveria ser feito com Brugger. Apesar de todo o aparente poder de Tausk, as suas próprias opções naquele aspecto estavam frustrantemente limitadas. Seu instinto dizia-lhe para prender o homem e intimidar-lhe os seguidores para que não ousassem revidar, mas para fazer isso de forma eficaz precisava do consentimento do conde-governador e do apoio do governo civil. Ainda assim, o famoso novo código legal liberalizado limitava muito o direito da polícia de manter um prisioneiro sem julgamento e a última coisa que Tausk queria era dar a Brugger o papel principal num espetáculo público. Não podia deixar de refletir sobre como seria mais fácil uma tarefa dessas num governo que lhe desse meios adequados de repressão, mas tinha de conseguir um jeito de garantir a segurança de Wiladowski sem eles.

A única forma garantida de lidar com Brugger e seus seguidores seria mandar o exército pô-los a todos sob custódia e acusá-los, num tribunal militar fechado, de tramar contra as autoridades do Estado. Mas isso exigiria uma declaração de lei marcial. Depois de toda a agitação trabalhista dos últimos meses, havia elementos no exército ávidos por uma desculpa para suspender o governo civil, e só o desagrado do Conde Wiladowski com essas medidas extremas — "provocações à violência inútil no presente e incitamento à continuação das hostilidades no futuro", era como as chamava nas cartas aos superiores em Viena — impedira passos imediatos neste sentido. Mas se alguma outra coisa viesse a ameaçar a manutenção da ordem pública numa região tão próxima da fronteira russa, o governo passaria por cima das suas objeções. Nestas circunstâncias, entretanto, tanto Tausk quanto o conde-governador perderiam a sua autoridade, já que todo o governo da província ficaria, por algum tempo, nas mãos do oficial superior do exército encarregado de pacificar o distrito.

Depois da desconcertante reunião no Clube Mendelssohn, Moritz tinha tanta certeza quanto o espião-chefe de que o rabi pretendia incitar seus discípulos à violência e não poderia ser detido por nenhum tipo de apelo. Parecia indiferente tanto ao suborno quanto às ameaças e, para Rotenburg, isso o tornava realmente perigoso. A descrição de Kaplansky dos sermões de Brugger e os relatórios que Rotenburg recebera dos *shtetls* do leste mostravam um homem fascinado pelo homicídio, como se fosse um rito sagrado. Por onde Brugger passara, houvera incêndios não explicados nas sinagogas, várias vezes com muitas baixas, e autoridades importantes das comunidades judaicas locais tinham sido mortas ou gravemente feridas numa série de supostos acidentes que eram, claramente, atos de impiedoso terrorismo. Em quase todos os casos, entretanto, a selvageria aconteceu depois que Brugger já deixara a região e, assim, era impossível provar que fosse o responsável. Os seus seguidores, contudo, tinham ficado para trás para embalar e dispor de suas posses e os correspondentes de Rotenburg tinham certeza de que a destruição imposta às suas cidades era a vingança de Brugger por terem rejeitado a sua convocação messiânica.

Era evidente, para Rotenburg, que o envolvimento intenso de Tausk no caso significava que considerava Wiladowski provável alvo de Brugger. Moritz, no entanto, não tinha tanta certeza. A julgar pelo que acontecera do outro lado da fronteira, Rotenburg suspeitava que a raiva do rabi recairia, com maior probabilidade, não sobre um gentio, mas sobre alguém como ele, um judeu rico com grande influência que recusara um apelo direto do próprio Brugger. Rotenburg não se preocupava com sua segurança pessoal, mas quanta tranqüilidade podia extrair da promessa de Brugger de que nada de mau aconteceria a Hans como resultado do surgimento do rabi entre eles? Se Brugger pretendia atingir Moritz através do filho, toda a conversa sobre o futuro do rapaz podia ser um disfarce, para que o pai deixasse Hans desprotegido. Hans, agora, passava a maior parte do seu tempo no bairro Josef, e a casa que Brugger dividia com os seus seguidores ficava a poucos quarteirões do apartamento de Hans. Mas, fosse quem fosse seu alvo, Rotenburg tinha certeza de que, a menos que Brugger fosse detido, aconteceria algo terrível de que nenhum dos judeus da cidade, e talvez de todo o Império, se recobraria sem dano permanente.

Nenhum dos dois proferiu a palavra assassinato em voz alta, nem naquela noite nem em nenhuma das suas conversas posteriores. O que tornava a sua colaboração tão impenetrável para quem estivesse de fora era que pouquíssimas coisas precisavam ser explicitadas entre eles. Parte disso se devia a uma agilidade de intuição comum aos dois, que tornava supérfluas as explicações prolongadas; outra parte, à relutância de ambos de entregar certos pensamentos ao ar ou ao papel; e mais uma parte ao que seria uma percepção bem aguda de quanto, e nada além, era necessário dizerem um ao outro para que houvesse informações suficientes sem o acréscimo das mentiras que inevitavelmente se seguiriam caso insistissem na questão mesmo que por uma única sílaba a mais. Havia alguma coisa quase doméstica na maneira como se mantinham juntos perto da lareira, depois de combinar os principais detalhes com um código de conversa improvisado, parecendo a todo mundo um par de velhos amigos que se tinham conhecido há tantos anos e vivido tanta coisa juntos que nenhum dos dois tinha necessidade de mais palavras. Cada um parecia disposto a apreciar a solidão das suas próprias reflexões silenciosas protegido pelo conhecimento da proximidade não exigente do outro. A única coisa que Moritz realmente lamentou naquela história toda foi a necessidade de sacrificar o pobre Kaplansky, mas teve de admitir que Tausk estava certo: não havia maneira melhor de impedir que algum inquérito oficial do Castelo fosse além do que conteria o relatório do espião-chefe. Quem se preocuparia com um caso simples de dois judeus demasiado ambiciosos brigando pela liderança dos mais pobres de sua raça? O prazer do conde-governador de livrar-se de um homem que o aterrorizava o faria sancionar qualquer veredicto legal que Tausk recomendasse e os líderes sindicais cristãos provavelmente apreciariam qualquer acusação estritamente pessoal contra Kaplansky como justificativa retardada da forma desonrosa como o tinham tratado.

— É uma pena, porque Kaplansky é mesmo um homem decente — pensou Moritz — e não vai ser fácil cooptar outro que tenha ligações tão boas com os trabalhadores. Mas de qualquer modo Wiladowski vai mandar prendê-lo mais cedo ou mais tarde por alguma acusação política inventada e assim, pelo menos, posso garantir que seja bem tratado na prisão e que sua família receba uma boa pensão mensal.

Quanto à decisão de tramar o fim de Brugger, Rotenburg nunca sentiu nenhum remorso, nem mesmo em seu leito de morte, quando fez a lista dos seus méritos e pecados com a exatidão escrupulosa com que seu contador-chefe calculava os lucros e perdas do ano. Sem dúvida trabalhar com Tausk, que parecia não ter nenhum respeito especial pela vida e pela morte humanas, tornava as coisas mais fáceis, mas só num sentido limitado e tático. O encontro com Brugger no Clube Mendelssohn confirmara tudo o que tanto os informantes de Kaplansky quanto os correspondentes de Rotenburg no leste lhe tinham dito. As únicas opções eram unir-se a Brugger ou eliminá-lo. Todo o resto parecia secundário. As cartas de Sonnenschön tornavam o caso ainda mais urgente, já que quanto mais recrutas o rabi reunisse mais difícil seria pegá-lo sozinho e maior ficaria a sua capacidade de causar dano.

Rotenburg evitou, o máximo possível, pensar na ânsia quase avassaladora que sentira naquele dia no clube de perguntar a Brugger quanto tempo ainda tinha de vida. O gosto da comida sólida que o rabi lhe levara e o mistério de como lhe dera forças para engoli-la sem dor permaneceram em sua memória mais tempo do que todas as palavras que trocaram sobre o assunto. Bastava que Rotenburg tivesse testemunhado em pessoa que o poder do rabi não dependia apenas de ter homens armados sob o seu comando. "Os meus pensamentos provocam incêndios em suas cidades." Moritz não recordava mais se Kaplansky citara aquela frase dos sermões de Brugger ou se ela estava nalguma carta de Sonnenschön, mas durante as semanas seguintes as palavras perseguiram-no até que ele sentiu que uma conflagração terrível já começara e logo seria visível para todos.

◆ ◆ ◆

Quando, pouco depois, Tausk escapuliu da mansão Rotenburg pela mesma entrada discreta dos fundos pela qual entrara, ficou surpreso ao ver como na verdade passara poucas horas ali. Embora há muito tempo já tivesse passado a hora oficial de fechar as tabernas, ainda havia muitos lugares perto do rio onde tinha certeza que conseguiria comprar um novo estoque de cigarros e talvez alguma coisa quente para comer antes de retornar ao Castelo. Uma chuva forte voltara a cair, golpeando os telhados como uma fieira de continhas de vidro rolando sobre um balcão, e quando Tausk esgueirou-se para dentro de uma taberna barata onde ninguém o reconheceria, deixou-se relaxar o bastante para fazer o inventário de como estavam as coisas agora.

Até para aquele bairro o Bar Löffner era visivelmente miserável, e o contraste entre um lugar daqueles e a casa elegante de onde acabara de sair chamou a atenção de Tausk. Em vez de uma porta de verdade com dobradiças, apenas uma cortina de oleado grosso separava o interior e a rua e, assim que Tausk a empurrou para entrar, o miasma denso de gordura, álcool e querosene que saturava o salão tonteou-o por um instante. Logo abandonou qualquer idéia de comer ali e sentou-se com um copo de café dulcíssimo numa das mesas vazias, olhando em volta com uma cara de hostilidade tão soturna que nem o proprietário se animou a pressioná-lo a comprar mais alguma coisa. O que importava agora era estar sozinho, longe de Roublev e de sua curiosidade demasiado solícita. Tausk precisava decidir o que pretendia ganhar com tudo aquilo. Até agora, era esta a questão em que menos pensara, embora suspeitasse que ninguém que trabalhasse para ele acreditaria vê-lo naquela situação. Mas se havia alguma coisa de que Tausk tinha certeza desde o princípio era que manter fluido o assunto da remuneração pelo maior tempo possível era fundamental em seu trato com o financista. Rotenburg estava acostumado a pagar quantias imensas para obter o que queria sem que o custo lhe significasse muita coisa e, em conseqüência, desvalorizava tanto o que queria quanto todos os que tinham atendido aos seus desejos. Tausk, no entanto, estava numa posição ímpar para prestar a Rotenburg um serviço que desejava com paixão. O que Rotenburg lhe pedira criaria uma obrigação diretamente proporcional não só à gravidade do ato como à intensidade da sua necessidade de ver a coisa feita. Havia algumas dívidas que jamais poderiam ser inteiramente pagas e Tausk pretendia que esta fosse uma delas. Não tinha dúvida de que, no dia em que o conde-governador deixasse o cargo ou lhe retirasse o apoio, a sua própria posição no Castelo desmoronaria e teria sorte se só lhe mostrassem a porta de saída, como um lacaio demitido qualquer. Com a mesma probabilidade, ele poderia acabar passando algumas horas bem desagradáveis sendo interrogado numa das suas próprias celas. A obrigação de Rotenburg para com ele seria a melhor salvaguarda de Tausk contra o futuro e decidiu deixar que rendesse juros pelo maior prazo possível antes de cobrá-la. Era óbvio que o financista não estava bem, mas seria um erro cobrar prematuramente o que queria. Homens assim costumavam durar muito mais do que acreditavam os médicos e Rotenburg acabara de demonstrar uma determinação que indicava reservas de força interior ainda não exauridas. Tausk sabia que todo mundo mal podia esperar para apresentar a conta a Rotenburg na primeira oportunidade. Se não pedisse nada de imediato, o espião-chefe reforçaria que o que fizera não tinha nada em comum com os serviços que os empregados pagos por Rotenburg costumavam lhe prestar. Talvez isso fosse parte do que Rotenburg quisera lhe dizer com a estranha história sobre o suborno de Goldschagg: que um dossiê volumoso sobre as transgressões de Tausk estava sendo compilado, ao qual seus inimigos juntavam novas páginas todos os dias, ainda que eles mesmos cometessem os crimes pelos quais Tausk seria acusado mais tarde, e que já era hora de Tausk, numa posição tão isolada, encontrar outro patrão além do conde-governador.

No fim das contas, concluiu Tausk, fora uma noite muito bem-sucedida, ainda mais levando em conta como fora inepta a sua abordagem no início. Ainda estava surpreso com quão pouco Rotenburg parecia se preocupar com o fato de Tausk ter se enganado tanto com o objetivo do financista ao chamá-lo. Diversamente do Conde Wiladowski, que gostava de especular em voz alta na frente do seu espião-chefe, Rotenburg não tinha nenhum desejo de ser compreendido por Tausk. O que quer que o financista pretendesse, era evidente que as explicações que apresentara não visavam a conquistar o ouvinte; buscavam apenas garantir que os seus desejos fossem cumpridos à risca. Em vez de se ofender, Tausk ficou aliviado por não ser mais o destinatário de confidências mais elaboradas; a atitude de Rotenburg isentou Tausk de toda necessidade de adotar como suas quaisquer justificativas pessoais que Moritz estivesse criando para si. Sentiu-se livre para concentrar-se na tarefa, ainda que suas razões para concordar com ela não fossem idênticas às do outro.

Mas não podia deixar de perguntar-se se Rotenburg e Brugger já tinham tentado explicar-se um ao outro. As tentativas de Tausk de descobrir o que os dois tinham conversado no dia em que Brugger fora ao Clube Mendelssohn mostraram-se inúteis, pois a proteção de Rotenburg tornava impossível subornar os funcionários do clube. Mas a ameaça que Rotenburg via no rabi devia ser formidável, já que ajudou a selar a sua decisão de ver Brugger morto; e o alarme que Brugger fora capaz de provocar num homem tão seguro quanto Rotenburg avivou fortemente a percepção de Tausk quanto à cautela com que teria de seguir qualquer plano para liquidar o pregador.

A chuva parara de novo. O único som que vinha do outro lado da ponte estreita que levava ao portão do Castelo era o barulho dos guardas noturnos a quem o Conde Wiladowski ordenara que chamassem suas bases a cada três minutos para mostrar a qualquer terrorista escondido como a sua residência era bem protegida. Enquanto passava pelos soldados entediados até o pátio central e seguia até o seu quarto, Tausk lembrou-se de como o Rabi Pelz, para espanto dos visitantes que o procuravam devido à sua fama de santidade, gostava de escandalizá-los encontrando algo de edificante em tudo o que acontecia, ainda que fosse tirado dos jornais que só circulavam entre os góis mais corruptos. Um caso desses tinha fascinado a todos na *yeshiva* durante um mês inteiro e a história voltou com tanta vivacidade à mente de Tausk que ele teve pena de ser tarde demais para retornar e ver como Rotenburg também reagiria a ela. Dizia-se que no início do reinado de Francisco José, numa das aldeias mais pobres da Galícia, um pregador estrangeiro, vestido de trapos como qualquer outro vagabundo, estava de pé na praça, declarando-se o Messias vindo para acabar com a maldição do exílio do Povo Eleito. Estava completamente envolvido com o seu próprio testemunho apaixonado e não deu atenção a um grupo de cavaleiros fardados, encabeçados pelo magistrado local, que passava pela aldeia para combinar com o comissário militar do distrito onde construir o novo quartel do exército. Acontece que no séquito oficial havia um médico judeu que sabia iídiche e acabara de ser nomeado para o regimento como cirurgião-assistente. Os outros pediram ao judeu que traduzisse as palavras do pregador e ele o fez com óbvia expressão de desagrado. Mas assim que o magistrado entendeu o que estava sendo proclamado em sua própria cidade, ordenou indignado que o pregador fosse preso por blasfêmia. No jantar da noite seguinte, quando o caso do pregador foi citado como mais um exemplo do tipo de idiotia rural à qual era preciso se acostumar naqueles postos distantes, o juiz da província observou que, se levassem o pregador a julgamento, teriam de provar que o homem não era quem dizia ser. Segundo a lei, ele tinha todo o direito, como parte da sua defesa, de mostrar que era mesmo o Redentor. Se um julgamento desses viesse a acontecer e a imprensa vienense chegasse a descobrir, todo o governo da província passaria a ser motivo de riso na capital e suas carreiras ficariam manchadas para sempre. No fim das contas, depois de uma discreta troca de cartas com autoridades eclesiásticas e políticas mais experientes do governo, decidiram trancar o homem num hospício e não acusá-lo de nada. Depois de meia dúzia de anos ele morreu ali, ainda proclamando a sua missão messiânica a todos os internos, e parece que conseguiu converter vários deles, inclusive alguns guardas, que também foram prontamente encarcerados como loucos depois de tentar ajudá-lo a fugir.

3

Na manhã seguinte, nada nos modos de Tausk indicava que a sua atenção podia estar se afastando dos detalhados relatórios políticos que ele e Mathias Pfister tinham de preparar para o conde-governador. Há muito tempo todos no Castelo já tinham se acostumado com a aparência de exaustão irritadiça com que Tausk disparava pelos corredores, ainda mais nos dias em que era forçado a se arrancar da cama depois de apenas duas ou três horas de descanso intermitente. Como muitos insones, para quem o sono só vem com os primeiros sons leves que assinalam o início de um novo dia, Tausk vivia cronicamente preocupado em não se atrasar para as funções matutinas e, como compensação, fazia questão de chegar a estas reuniões antes de todo mundo. Desta vez ele também praticamente se lançou na sala de reuniões vazia alguns metros à frente de Pfister e do Conde Wiladowski, cujo caminhar podia perceber claramente, a se aproximarem de direções diferentes uns dez passos atrás dele. Tausk ficou aliviado ao ouvir que, pelo menos, não andavam juntos e, no mesmo instante, sentiu uma surpresa desagradável com seu próprio alívio. Talvez tivesse ficado mais abalado do que percebera com o alerta de Rotenburg sobre o dossiê secreto preparado contra ele. Em geral, era indiferente ao que o cercava, mas naquele dia a sala de reuniões, com a sua imensa mesa central na qual os criados já tinham arrumado três pilhas separadas de papel da mais pura qualidade, cada folha com o escudo imperial em relevo, encheu-o de repugnância e ele olhou em volta, infeliz, para a meia dúzia de cadeiras pesadas, de espaldar rígido e estofado de seda verde, nenhuma das quais dava a menor promessa de conforto às dores das suas costas e do seu pescoço. Mas, como sabia que Pfister adotara com entusiasmo a aversão de Marie-Luise aos seus cigarros, acendeu rapidamente o primeiro do dia e começou a fumá-lo com mais energia do que gostaria, para que o ar estivesse o mais saturado possível quando o primeiro-secretário entrasse. Quando Pfister chegou, evitou ostensivamente trocar olhares com Tausk e ficou de pé perto da porta com uma expressão desgostosa. Então, como se temesse que a encenação puramente silenciosa dos seus sentimentos fosse insuficiente, começou também a tossir alto, com o jeito exagerado de quem quer passar uma mensagem ao observador e não apenas aliviar alguma coceira na garganta. Como o Conde Wiladowski escolhera este exato momento para demorar-se no corredor por mais alguns momentos e dar novas instruções aos dois guardas de serviço do lado de fora da sala, Pfister foi forçado a prolongar a sua tosse teatral até que ficasse embaraçosa, mesmo para ele; foi bem aí que o conde-governador finalmente entrou na sala com um sorriso alegre, decidido a mostrar que é claro que entendia que o teatrinho fora encenado em seu benefício e que o aprovava — não porque fosse bem apresentado, mas porque o zelo da interpretação era, por si só, tranqüilizador. Uma província cujos mais altos funcionários tinham tempo para tais demonstrações histriônicas de rivalidade poderia ser confundida com o cenário de alguma farsa burlesca mas, assim dizia Wiladowski aos seus botões, era, com toda a certeza, um palco bem pouco adequado para qualquer deflagração séria de terrorismo revolucionário. Recusava-se a abandonar a idéia de que, mesmo em sua época, a política mantinha uma lógica interna própria com a qual, assim como com os ritos elaboradamente organizados que governavam este mundo há séculos, podia-se contar para impedir as violações mais extremadas do decoro pelas quais clamavam os radicais.

Para Tausk, que estudara textos rabínicos cheios de uma dialética muito mais alucinada e transições muito mais precipitadas, a suposição do conde-governador de que podia contar com o mesmo gradualismo que marcara o crescimento vagaroso do Império para regrar o ritmo do seu declínio só confirmava a sua suspeita de que até o gói mais engenhoso era, no fundo, de uma frivolidade espantosa. Conhecia bastante bem o seu empregador para não se arriscar a discordar seriamente dele na frente dos outros, ainda mais à vista de Pfister, que imediatamente espalharia a história da briga entre o conde-governador e o seu espião-chefe judeu por todo o Castelo. Boatos como este logo assumiam vida própria e muitas vezes acabavam criando os fatos que só pretendiam narrar. No entanto, além das reuniões oficiais marcadas em que o protocolo tornava inevitável a presença de Pfister, o conde-governador consultava regularmente Tausk em particular sobre o que descobrira vigiando os judeus da cidade, e o espião-chefe usava estas ocasiões para tentar mostrar a Wiladowski que os conspiradores interrogados nas celas alguns andares abaixo da sala de reuniões nunca demonstravam em suas tramas o menor respeito pelo paralelismo artístico. Certa vez chegou a ponto de sugerir que talvez fosse um toque de capricho do conde-governador confiar a sua segurança à sensibilidade estética dos candidatos a assassinos. Aqui Wiladowski o corrigiu: tinha pavor de ser morto por alguém muito parecido com algum dos prisioneiros de Tausk, mas via isto como uma calamidade estritamente pessoal, não como parte de alguma conflagração política maior com cujo resultado tivesse de se preocupar. Não havia nada de simbólico nem representativo em seu bem-estar físico. Pretendia evitar o homicídio não porque temesse ser sucedido em seu cargo público por algum brutamontes fanático, mas porque, com certeza, ia doer muito e dar fim ao gozo de uma vida que, afinal de contas, era absolutamente agradável. Ao contrário dos seus colegas do ministério e dos jornalistas conservadores pagos por eles, que lamentavam, torcendo as mãos, o que chamavam de degradação gradual da política do continente, Wiladowski não era nada sentimental quanto ao futuro da sua classe como um todo. Considerava um axioma que os homens do seu nível já estavam no processo de serem descartados para sempre, mas tinha igual certeza de que os beneficiários seriam os *virtuosi* do mercado de ações, os industriais e financistas impiedosos como Rathenau, na Alemanha, ou o Moritz Rotenburg criado em seu próprio país, e não uma matilha de ex-estudantes amargurados com algumas pistolas e várias malas cheias de panfletos desprezíveis. Mas, quando tentou explicar a Tausk o seu raciocínio, o estudadíssimo olhar descomprometido e quase sem expressão que recebeu fez com que Wiladowski, que não tinha nenhuma tendência a duvidar de si mesmo, achar que talvez estivesse se arriscando a um mal-entendido potencialmente fatal. Embora houvesse mais que um sopro de impertinência nos modos do seu espião-chefe, se o fato de ter a sua teoria desdenhada ajudasse a mantê-lo vivo o conde-governador dispunha-se a fingir que não via boa parte daquele intolerável descaramento judeu, como dizia sua esposa.

Na verdade, contudo, Tausk chegara muito mais perto da posição de Wiladowski do que este poderia imaginar e, nas horas que se seguiram ao seu pacto inesperado com Rotenburg, o espião-chefe reviu, nervoso, todos os seus cálculos sobre a distribuição do poder na província. Até recentemente, fazê-los parecera fácil comparados aos rigores da *yeshiva*, mas Tausk já não tinha tanta certeza. Da última vez que calculara erradamente as forças reunidas à sua volta, viu-se jogado ao mundo como um animal contaminado; não podia cometer o mesmo erro aqui. Agora prestava os seus serviços tanto ao conde-governador quanto a Rotenburg. Talvez numa das comédias italianas alegres e levemente escabrosas de que Wiladowski tanto gostava, o criado esperto conseguisse dominar sem tropeços a dificuldade de servir a vários senhores. Mas, observando pelas elevadas janelas envidraçadas do Castelo a paisagem cinzenta e encharcada de chuva que até os seus donos hereditários achavam deprimente demais para nela habitar por muito tempo, Tausk tinha aguda consciência de que as probabilidades eram muitas contra o seu sucesso a longo prazo. Simplesmente por manter o silêncio sobre a noite anterior já traíra o Conde Wiladowski e suspeitava que, cedo ou tarde, sua própria sobrevivência exigiria que traísse Rotenburg também. É provável que ambos esperassem dele uma certa duplicidade, assim como o lojista prudente sempre faz uma provisão para cobrir os itens furtados quando determina o custo final das suas mercadorias. Mas Tausk duvidava que a tolerância deles fosse muito longe. Equilibrar as exigências do financista e do conde-governador já era bem difícil sem incluir na conta a eliminação de Brugger. Se Tausk fosse um dos judeus supersticiosos e semi-analfabetos cujas histórias bêbadas eram alimentadas pela vodca contrabandeada na estalagem de seu pai, seria fácil começar a acreditar que caíra nalguma armadilha diabólica da qual não havia como escapar. Apesar de todo o seu cinismo, Tausk ainda estava bastante próximo do mundo daquelas histórias para, em dias assim, quando estava tão absolutamente esgotado que até as tarefas mais simples exigiam uma força de vontade imensa, conseguir imaginar esses personagens poderosos arrancando os seus disfarces humanos para revelar-se como demônios malignos decididos a aprisionar-lhe a alma. Foi a loucura dessas imagens fantasmagóricas momentâneas e mal admitidas que fez da solidez carnosa da testa larga e loura e a expressão ofendida de Mathias Pfister uma visão tão completa e inesperadamente bem-vinda. Tausk já sabia que a combinação de nervosismo e exaustão deixava-lhe a mente vulnerável à erupção de fantasias grotescas nas quais a realidade tornava-se vergonhosamente permeável às suas alucinações — isso lhe acontecera várias vezes na *yeshiva* — mas tinha certeza de que não havia como a sua imaginação inventar alguém tão medíocre quanto Pfister.

"Que coisa mais sem sentido! Só estou esgotado, é isso. Nem o menor dos diabinhos poderia ter uma cara tão inexpressiva", foi o que Tausk murmurou para si mesmo quando levantou os olhos e sorriu para o primeiro-secretário através de mais uma nuvem de fumaça de cigarro.

Embora todas as janelas fossem dotadas de grossas cortinas cuja cor combinava com perfeição com o estofado das cadeiras, a luz desagradável de março jorrava na sala em grandes faixas onde quer que os reposteiros não estivessem bem fechados. Por ordem do conde-governador, Tausk e Pfister sentaram-se à mesa em seus lugares costumeiros diante dele e abriram os seus relatórios. Como de hábito, Pfister falou primeiro e, assim como faria imediatamente depois do café com bolo no meio da manhã com Marie-Luise, leu a descrição de uma província na qual todos os súditos estavam contentes com a vida e, com exceção de um punhado de judeus suspeitos sem grande influência, desejavam apenas servir ao seu governador e, através dele, ao amado imperador com modesto respeito e gratidão por todos os benefícios que seu governo lhes trouxera. Como muitos homens que dependiam do favor arbitrário dos seus superiores para progredir, Pfister achava que a rota mais segura para o sucesso era permitir a essas pessoas, que já tinham um enorme amor-próprio, admirar ainda mais a si e à sua posição no mundo. A única recomendação que Pfister agora ousava permitir-se era que talvez os fundos atualmente reservados para o novo serviço de espionagem — recursos dos quais ninguém no Departamento Financeiro do Castelo jamais vira uma boa prestação de contas — seriam mais bem utilizados em doações de caridade para aumentar a boa obra que a Igreja já fazia auxiliando os pobres desamparados durante as suas dificuldades temporárias. Embora há muito tempo o Conde Wiladowski tivesse parado de demonstrar que prestava atenção, isso não inibiu a satisfação evidente com que Pfister terminou o seu pequeno discurso. Na verdade, toda vez que o proferia parecia apreciá-lo ainda mais, como se, igual a um grande poema, exigisse múltiplas declamações para que a riqueza das palavras fosse totalmente percebida; e se a platéia não parecia entender todo o significado do que dizia, sem dúvida da próxima vez tudo ficaria claro.

Quando chegou a sua vez, Tausk, como fizera nos últimos meses, evitou responder a todos os comentários sarcásticos de Pfister e foi em frente como se ninguém tivesse falado antes, tática que sabia que irritava o primeiro-secretário mais do que qualquer réplica direta. Em vez disso, e sem nenhuma emoção na voz, Tausk simplesmente leu uma lista de todos os crimes e declarações sediciosas com motivos políticos havidos na província nos últimos trinta dias, acrescentando às vezes trechinhos escolhidos que Roublev copiara para ele dos jornais mais sensacionalistas de Viena, Trieste, São Petersburgo e Berlim. Só nos dois meses anteriores, numa região próxima ainda não considerada muito contaminada com tendências antigovernamentais, as autoridades registraram mais de 120 casos de confrontos violentos entre operários desempregados e a polícia, com o resultado de mais de 30 trabalhadores mortos e um grande número de feridos. As baixas da polícia e do exército foram calculadas em 9 mortos e 15 gravemente feridos — um total não muito grande, mas o dobro das perdas do governo por problemas semelhantes no ano anterior. Além disso, tinham sido encontrados panfletos sediciosos na casa dos líderes dos choques mais violentos, com texto idêntico ao que os espiões de Tausk tinham visto nas mãos do agitador local, Nathan Kaplansky. Embora a província tivesse sido poupada até então de violência grave, as mesmas incitações impressas ao banho de sangue que tinham corrompido mentes fracas em outras regiões do Império já estavam sendo distribuídas ali também.

Embora Wiladowski não duvidasse da exatidão factual do catálogo de horrores de Tausk, sabia também que a sua récita era tão calculada e polêmica quanto a declamação suave e tranqüilizadora de Pfister. Era assim que eles sempre dividiam as notícias: Pfister tinha certeza de que o medo do conde-governador o fazia desejar apenas relatórios positivos e otimistas, enquanto Tausk preferia, instintivamente, alimentar a ansiedade do patrão. A julgar pela mudança abrupta da postura do conde-governador, Tausk acertara em sua decisão. Wiladowski não conseguia deixar de inclinar-se para a frente e escutar com atenção exaltada a menor variação da incidência ou da localização da violência revolucionária. Uma covardia tão viva quanto a sua era também uma forma de desejo e agia sobre ele de forma tão absorvente quanto as histórias eróticas que colecionava. Como o seu papel oficial era apenas coletar informações e não elaborar políticas, a menos que isso lhe fosse pedido diretamente, Tausk nunca se permitia apresentar nenhuma recomendação específica nestas reuniões. Além disso, era muito mais revelador ouvir o que o próprio Wiladowski sugeriria. Embora observasse de perto o patrão há meses, já tivesse passado horas numerosas em conversas íntimas com ele e se gabasse de conhecê-lo razoavelmente bem, não tinha ilusões de ser capaz de prever a direção que os pensamentos do conde-governador poderiam adotar. Mas nesta manhã o abismo entre o que estavam discutindo e a reação do conde deixou Tausk tão perplexo quanto Pfister. Wiladowski primeiro puxou os dois relatórios para o seu lado da mesa e folheou-os de modo a deixar claro que o ato era um gesto inato de reconhecimento bem-educado de um trabalho executado de forma mais ou menos satisfatória e não o prelúdio de algum exame do seu conteúdo. Então, depois de jogar as folhas em sua grande pasta de couro vermelho para que o seu criado particular as arquivasse depois, levantou-se e, da estantezinha giratória que ficava no fundo da sala, tirou um dos volumes suntuosamente ilustrados com que costumava relaxar depois de concluir qualquer obrigação oficial desagradável. Para Tausk e Pfister, que ainda esperavam que os mandasse embora, disse, em sua voz familiar de desapontamento levemente entristecido:

— É claro que aprecio os seus esforços, senhores, mas, sabem, os seus relatórios confirmam que não faz sentido procurar orientação para o meu futuro em nenhum lugar além da minha biblioteca. E mesmo entre os meus melhores autores, há muito mais coisas sem sentido do que compreensão verdadeira. Não sei se você já deu atenção aos romancistas franceses, Tausk, mas tenho certeza de que Pfister os conhece, no mínimo porque minha querida mulher passou a gostar muito deles ultimamente e precisa de alguém que não seja o seu confessor nem a sua aia para conversar sobre o que lê. Agora, olhem esta linda edição. Acho que não é o tipo de romance que vocês achariam na mesinha-de-cabeceira da condessa. É claro que o meu é todo sobre prostitutas magníficas porque, na verdade, é nisso que esses escritores são bons. No minuto em que qualquer um deles senta-se para descrever como são as pessoas da minha posição, bem, aí perdem completamente o pé. A maioria deles nunca chegou perto o bastante do verdadeiro poder para ter alguma idéia do que estão falando. Tudo fica romantizado e exagerado de forma tão banal... Até seus relatórios, Pfister, absurdamente ensolarados como sempre, deprimiriam qualquer homem em sã consciência. Não fique tão triste, ser ensolarado não é tão ruim assim, ainda mais perto de mim, que preciso me alegrar de vez em quando. Claro que sabemos que a alegria não é bem o forte de Tausk. Todo este pesado pessimismo judeu pode ser meio duro para a digestão assim de manhã tão cedo. O que realmente lamento é que seja impossível fechar todas as escolas secundárias do Império durante alguns anos. Seria a melhor maneira de me manter seguro. Estou convencido que, em qualquer país com muitos fanáticos políticos, as tabernas são muito menos perigosas do que as escolas secundárias e as universidades. Mas suponho que, se fecharmos as escolas, todos os criadores de problemas fugirão para estudar na Suíça e aí, quando os prendermos na volta, terão começado a falar com aquele horrível sotaque suíço, e nem Tausk conseguirá entender as suas confissões. Bem, então o que eu deveria ler para ficar mais sábio? Mais relatórios ministeriais. Isso é simplesmente morrer por tortura lenta, em vez de com uma bomba. Prefiro me aposentar e passar férias em Trieste com a minha bibliotequinha, admirando as ilustrações e observando os barcos de pesca voltarem à enseada sob Miramar ao pôr-do-sol. De qualquer modo, obrigado, senhores. Vou tomar o meu café sozinho agora, e por favor, peçam a Aloïs que o sirva em meu escritório imediatamente.

Numa das pouquíssimas vezes desde que os relatórios matutinos tinham começado, Tausk e Pfister saíram juntos da sala. Em geral, o primeiro-secretário saía antes do espião-chefe, com uma reverência formal ao conde-governador e usando a sua vantagem de cinco centímetros de altura a mais para olhar por cima da cabeça de Tausk na direção dos aposentos da família, onde Marie-Luise esperava ser informada do que acontecera na reunião do marido. Agora, entretanto, seus olhos pareciam genuinamente alarmados, como se pela primeira vez tivesse achado que as histórias sobre a tendência do Conde Wiladowski à insanidade, histórias que ele mesmo nada fez para comprovar, podiam mesmo ser verdadeiras. Um superior cruel era com toda a certeza angustiante, mas um louco seria coisa muito pior. Assim que os guardas fecharam outra vez as pesadas portas da sala de reuniões e assumiram sua posição na frente delas, Pfister parou e apoiou-se na parede de pedra, olhando intrigado para Tausk à espera de alguma explicação do que ambos tinham testemunhado. Mas assim como a solidez obtusa de Pfister acalmara os temores de Tausk quanto ao seu próprio equilíbrio mental no início da reunião, agora a sua confusão teve um efeito maravilhosamente revigorante sobre ele. Antes que Pfister dissesse alguma coisa, Tausk uniu-se a ele na parede e ofereceu-lhe um cigarro para, como disse, "acalmar os nervos". A expressão de repugnância de Pfister lutando contra a tentação de experimentar o vil remédio quase redimiu a manhã exaustiva de Tausk. Não havia como tentar construir uma ponte, por mais débil que fosse, entre eles. Assim que Pfister se sentisse recuperado, todo o seu ressentimento voltaria à superfície e, assim, Tausk aproveitou o prazer de ver o inimigo claramente desconcertado. Antes que Pfister pudesse abrir a boca, Tausk começou a lhe falar com a rapidez monótona e sem fôlego que sabia que aquele tipo de homem esperava dos judeus de classe baixa:

— O senhor terá de me desculpar agora, mas tenho trabalho urgente a fazer lá embaixo. — Acompanhou estas palavras com um olhar sinistro para a imensa escadaria curva no fundo da qual ficavam as celas do Castelo e as salas de interrogatório. — Mas gostaria de ter a sua cultura. Francamente, não entendi direito o que nosso caro patrão quis dizer no final, mas como ele mesmo teve a generosidade de ressaltar, sem dúvida isso se deve à minha lamentável ignorância do tipo de livro que nos mostrou. Tenho certeza de que o senhor não teve problemas para entender o que ele disse e eu desejaria ter tempo agora para me aproveitar da sua cortesia e pedir uma explicação. Talvez, nalgum outro dia desta semana, se a sua agenda cheia permitir, o senhor possa me ajudar nesta questão. Enquanto isso, é claro que terei de encontrar um exemplar daquele romance para entender o que o conde-governador espera de nós. Espero que os livreiros locais tenham uma edição mais barata em estoque, já que não quero acrescentar um item tão caro às minhas despesas profissionais, a menos que não tenha escolha. — Então, sem olhar para trás, Tausk desceu correndo a escada até seu quarto, onde, depois de uma tentativa rápida e, suspeitava, provavelmente inútil de cochilar, tentaria entender a estranha cena daquela manhã.

De que a cena fora improvisada mas ainda assim deliberadamente encenada Tausk não tinha dúvidas. A experiência da noite anterior com Moritz Rotenburg aumentara sua percepção de como podem ser variados e complexos os motivos para tais desempenhos e aguçara suas antenas para as conseqüências. O conde-governador zombava das peças rituais de Pfister e Tausk nas reuniões matinais, embora Pfister ficasse cego a isso. Mas havia um ferrão também no jogo de Wiladowski, um aviso de que o medo, como a luxúria, poderia saciar-se. A indiferença que se sucederia poderia brotar de fontes inteiramente diversas da verdadeira coragem, mas nem sempre seria fácil distingui-las. Se Wiladowski agora fingia estar apavorado com a possibilidade de assassinato em vez de realmente viver com medo constante de sua própria morte, mais ou menos da mesma maneira e com o mesmo controle com que há muito lidava com os seus outros vícios, Tausk precisaria mesmo ser muito cuidadoso. Mas nada na voz de Wiladowski dera a Tausk a sensação de que estava sendo repelido. Pelo contrário, houve quase um apelo a ele, um gesto, através da formalidade estrita de seus papéis oficiais, na direção de outros registros do sentimento. Mas, alertou Tausk a si mesmo, confiar nestas impressões era o máximo da loucura, ainda mais em seu atual estado de esgotamento. Mais tarde, quando estivesse se sentindo menos abalado, poderia refletir melhor sobre a plausibilidade da sua interpretação.

Mas no fim das contas Tausk não teve nenhuma oportunidade de deitar-se. Apesar das ordens estritas que proibiam qualquer um de entrar em seu quarto sem permissão, da porta o espião-chefe viu Roublev deitado, descalço, com as botas desajeitadas e cheias de lama jogadas em cima dos cobertores de lã cinzenta desbotada sobre os quais Tausk sempre dormia. Embora tivesse imenso respeito pela inteligência do seu assistente, às vezes tinha de engolir uma pontada de náusea à primeira vista do seu desmazelo. O próprio Tausk podia vagar pelo Castelo com a barba por fazer e com mais de uma mancha de sopa levemente visível nas calças, mas era exigentíssimo quanto aos outros. Wiladowski, que era o único que notara isso, compreendeu de imediato que, longe de ser uma contradição, o desdém de Tausk pela própria aparência estava intimamente ligado ao seu desagrado visceral com a negligência física de outras pessoas. Qualquer lembrete forte demais das necessidades e fraquezas do corpo repugnava Tausk e, se não mudava a sua própria roupa branca com a freqüência exigida pelo decoro do Castelo, era porque preferia esquecer inteiramente que era uma criatura dependente de ingerir alimento e cujos órgãos internos estavam sujeitos aos mesmos processos digestivos e à mesma ruína dos de todo mundo. Nunca conseguiu entender como sua mãe podia ser tão prática ao esfregar a grossa camada de álcool velho e sujeira do chão da taverna todas as manhãs e, mais tarde, na *yeshiva*, quando algum dos alunos palitava os dentes perto demais dele, Tausk afastava-se com nojo de que alguma das partículas de comida deslocadas pudesse lhe cair em cima. Agora, bastou saber que a sua própria roupa de cama estivera em contato com as roupas sempre manchadas de suor de Roublev para que Tausk se sentisse enojado, e ele se perguntou se não era assim que gente como Marie-Luise e Pfister se sentia ao avistá-lo.

"Acho que sou o Roublev deles", foi o que Tausk disse a si mesmo e, por um momento, quase chegou a solidarizar-se com as reações da condessa e do primeiro-secretário. Mas o momento passou e, em vez de compaixão, saber que provavelmente provocava em Marie-Luise a mesma reação que Roublev lhe causava só o deixou mais azedo do que nunca com a sua vulnerabilidade a tais juízos. O único deles que nunca mostrava nenhum sinal de melindre com o que havia à sua volta era o próprio conde-governador, mas Wiladowski, como o próprio Tausk testemunhara muitas vezes, achava a repulsa que o seu judeu provocava em sua mulher e no primeiro-secretário razão suficiente para não se incomodar com nenhum dos hábitos de Tausk. A combinação de vaidade com autocontrole aristocrático do seu patrão parecia um modelo tão útil como qualquer outro para ajudar Tausk a suportar o resto do dia. No íntimo, Tausk duvidou que lhe sobrassem recursos suficientes para inventar uma solução melhor. A partir do momento em que tomara o convite de Rotenburg das mãos de Blumenthal, tanta coisa acontecera que tinha certeza que a febre começava a piorar a ponto de afetar a sua capacidade de avaliação, e o arrepio quase de delírio lá em cima em nada o ajudara a acalmar-se. A presença de Roublev em seu quarto só podia significar outra mensagem urgente e isso garantia por sua vez que se passaria muito tempo antes que Tausk pudesse trancar-se e ter algumas horas de descanso. Não tinha nenhum aliado a não ser Roublev para as manobras que viriam, e assim, quando entrou no quarto, foi com o sorriso mais amigável que pôde encontrar que chutou os pés de Roublev dos seus cobertores e perguntou-lhe que diabos estava fazendo ali.

Em vez da convocação do conde-governador com que esperava que Roublev justificasse a invasão, o que aguardava Tausk era a única coisa para a qual se sentiu totalmente despreparado: a necessidade de tomar uma decisão imediata a respeito dos Rotenburg. Ainda não tivera tempo de avaliar as opções. Ao contrário de Wiladowski, que passava da indiferença entediada à rapidez de decisão sem nenhum intervalo visível, Tausk trabalhava melhor detalhando as várias contingências divergentes. Quando jogava xadrez, aproveitava ao máximo o tempo de que dispunha, delineando em pensamento todos os campos de força que se irradiavam pelo tabuleiro, enquanto alguém com os ilimitados recursos renováveis do seu patrão poderia confiar que daria uma olhadela no mesmo tabuleiro e logo moveria a peça certa, como se fosse um prodígio regozijando-se com a sua habilidade nalgum torneio de alta velocidade. O fato de que em sua maioria tais prodígios eram judeus, mas não os jogadores mais lentos e táticos que Tausk imitava, só aumentava a esquisitice da sua situação. Neste momento, contudo, Tausk não tinha escolha senão ir adiante e esperar que a sua intuição, como a do conde-governador, também fosse acompanhada de um volume saudável de boa sorte. A triste reflexão de que nada em sua vida parecia até agora indicar a presença de um dom tão providencial rapidamente se confirmou quando Roublev, depois de se calçar de novo, amarrando os cordões enlameados e trancando a porta atrás de Tausk, puxou um molho de relatórios recentes da vigilância que, anunciou com orgulho, davam provas claras do envolvimento de Hans Rotenburg com traição. E traição do tipo mais desajeitado, como Roublev adorou enfatizar. Não só o código amador exigiu menos de uma hora para ser quebrado como Hans enviara algumas cartas das mais comprometedoras pelo correio normal, em vez de usar a rede impenetrável de portadores particulares da sua família. Em todo o seu meticuloso sumário de informações, com as provas completas, página a página, prontas para o exame detalhado de Tausk mais tarde, Roublev, cujos modos costumeiros eram de uma inexpressividade mal-humorada, parecia correr o risco de explodir em uivos de alegria a qualquer momento. Como não podia se permitir isso ali, Roublev teve de contentar-se em mostrar a sua exultação com um tipo de esgar feroz que lhe servia de melhor tentativa de sorriso silencioso. Parecia tão contente consigo mesmo como se já tivesse Hans algemado e pronto para ser interrogado nalguma das celas a alguns metros dali, e foi a reação de Roublev, mais do que algo específico que escutasse, que mostrou a Tausk como era profundo o ressentimento que o filho de Rotenburg inspirava.

Se Hans quisesse oferecer-se deliberadamente em sacrifício aos seus inimigos como ato de remissão por tudo o que possuía e que lhes faltava — e nada em suas palavras ou ações até então indicava uma ânsia dessas — teria achado difícil coisa melhor que sua última loucura. As cartas entre Asher Blumenthal e o seu amigo dramaturgo vienense só envolviam Hans de forma indireta e, mesmo assim, apenas no tipo de transação financeira duvidosa que não tinha interesse para os serviços de segurança. Mas isto era uma coisa totalmente diferente. O que Roublev coletara eram exortações incendiárias a um ato de provocação política, talvez até envolvendo assassinato. Parecia haver vários planos alternativos para executar o que Hans chamava de ato exemplar de justiça revolucionária, em sua maioria aparentemente redigidos com a sua própria letra e, se isso já não fosse descuido bastante, com a sua assinatura sem disfarce visível no rodapé de vários conjuntos diferentes de páginas.

— Esse rematado idiota nunca ouviu falar em pseudônimos? — murmurou Tausk irritado. — Achei que parte do prazer de brincar de revolucionário é escolher o seu próprio nome novo e heróico.

A ânsia de não deixar Roublev ver até onde ia a sua própria agitação, além do temor de ser ouvido, mesmo num lugar tão relativamente seguro quanto seu próprio quarto, obrigou Tausk a engolir o restante das suas palavras. Mas a leitura do dossiê fez o espião-chefe, que dava muito pouca importância ao dinheiro para sentir inveja de Hans, ficar indignado com a negligência de alguém tão seguro de sua riqueza que simplesmente nunca lhe ocorrera tomar precauções, porque tinha confiança de que nada realmente mau poderia lhe acontecer. O mais exasperante de tudo era que, na noite anterior, ao garantir os serviços de Tausk, Moritz Rotenburg avançara bastante para confirmar a verdade do pressuposto do filho. Tausk não pôde deixar de perguntar-se o que faria caso informações tão incendiárias tivessem lhe caído nas mãos há 48 horas. Será que as levaria diretamente ao conde-governador? Ou tentaria primeiro abordar Moritz Rotenburg com elas do mesmo jeito? Neste caso, o que mais pediria pelo seu silêncio? Sua cartada nas negociações teria sido muito mais forte caso tivesse ido à mansão de Rotenburg com mais do que uma cópia das cartas de Asher Blumenthal no bolso. Talvez alguma revisão do seu acordo ainda fosse possível, embora, ao ver a reação de Rotenburg à ameaça que Brugger representava, Tausk tivesse pouca vontade de exigir do velho favores adicionais.

Com um gesto rápido, Tausk assinalou que queria continuar a conversa noutro lugar e, um momento depois, se alguém olhasse de alguma janela lá de cima, teria visto duas figuras magras enroladas em capas de serviço simples e pesadas, caminhando juntas ao longo da margem enlameada, o corpo inclinado um em direção ao outro, aparentemente numa conversa intensa. Mas só um dos homens realmente falava. Roublev admirava há tanto tempo o método de Tausk que começara a se perguntar se algum dia conseguiria ter alguma idéia na qual seu chefe já não tivesse pensado e aperfeiçoado. Às vezes, o seu respeito por Tausk se aproximava da adoração, mas isso também o deixava decidido a mostrar que podia agir inteiramente por conta própria. Foi por isso que esperou até conseguir levar a Tausk um arquivo completo, e não apenas alguns retalhos aleatórios de informação. Tausk não conseguia nem imaginar de quanto autocontrole Roublev precisara para não revelar nada até ter sucesso, mas agora a história de como obtivera as informações jorrava de sua boca numa única torrente longa e sem fôlego, impelida em igual medida pela intensidade do desejo de ser admirado pelo chefe e pela demora agonizante que se obrigara a suportar até poder exigir toda aquela admiração.

Eles vinham abrindo toda a correspondência de Hans Rotenburg há um bom tempo, como Tausk mandara, mas sem nenhum resultado positivo. No entanto, recentemente várias cartas continham seções escritas em código. Todas elas eram endereçadas aos filhos da nobreza da província e a codificação amadora mal retardou Roublev. As cartas tratavam principalmente de perguntar sobre o equipamento de caça mantido em bom estado de funcionamento pelos guarda-caças nas grandes propriedades e se o seu treinamento de cadetes lhes ensinara algo útil sobre o uso de material bélico leve. Hans também queria confirmar a data de todas as recepções próximas para visitantes importantes do governo no Castelo para as quais o conde-governador pudesse ter convidado seus pais. A intenção dessas perguntas era clara, ainda mais que Hans se dera ao trabalho de tentar disfarçá-las, mas Roublev sabia que não eram suficiente e indubitavelmente comprometedoras para garantir que um tribunal condenasse alguém defendido pelos advogados de Rotenburg. Pelo menos, as cartas confirmavam que Roublev não desperdiçara seu tempo espionando Hans. Não importa qual fosse a opinião geral; o garoto, definitivamente, não passava o tempo todo caçando mulheres e agindo como representante do pai nas manipulações do mercado de ações. Não, o problema era apenas como preencher um quadro delineado de forma tão excitante nas cartas.

A solução veio quando Hans aceitou o convite de Christoph von Hradl para passar uma semana com ele em Weidenau, para, como dizia o bilhete, "gozar o ar do campo e conversar mais sobre o nosso projeto comum". Roublev logo confirmou que o casal von Hradl era mesmo esperado em Viena para tratar de negócios logo depois das manobras de primavera na Boêmia e que Christoph enviara convites semelhantes para a maioria dos jovens aristocratas com quem ele e Hans se correspondiam regularmente. Até onde Roublev podia dizer, todos do círculo mais íntimo de Hans estariam lá, exceto o herdeiro von Alpsbach, cuja correspondência, também acompanhada de perto, não continha um daqueles convites. De fato, já há algum tempo ninguém no grupo escrevia nada a Brunnenberg nem à casa dos von Alpsbach na cidade. Mas é claro que isso nada prova, já que qualquer um deles poderia facilmente encontrar-se com Ernst na cidade e ali combinar as coisas. Roublev esperava que sim, porque a coisa que mais adoraria seria pegar um destacamento de soldados no Castelo e aparecer inesperadamente em Weidenau, com um mandado que o autorizasse a colocar a ferros o grupo todo. Ficava imaginando com seus botões o olhar, primeiro de surpresa indignada e depois de medo crescente, no rosto daqueles jovens diletantes mimados, cada um dos quais provavelmente gastava mais num mês com os seus cavalos bem tratados do que ele ganharia em vários anos. O traço de amargura pessoal de seu assistente, que antes já incomodara Tausk, marcava toda a abordagem de Roublev no caso e, embora o chefe nada dissesse e deixasse o assistente derramar sua história sem interrupção, teve de olhar para o outro lado para ocultar a irritação. Tausk virou a cabeça por um momento para a outra margem, tentando perceber daquela distância em qual das filas de casas dilapidadas e amontoadas por ali Brugger tinha sua morada. Logo tudo abaixo do segundo andar correria o risco de ser inundado pelas enchentes de primavera, que tornaria inabitáveis todos os cômodos dos porões. Não que as famílias que neles viviam tivessem para onde fugir, a não ser pedindo abrigo temporário a parentes e amigos. Meio distraído, Tausk ainda percebia como Roublev vibrava com o próprio relatório. O investimento pessoal excessivo do seu assistente no caso era apenas mais um problema para levar em consideração, e naquele momento Tausk não estava com paciência para novas complicações. Em sua agitação, Roublev começou a falar alto demais e a balançar os braços como se estivesse desenhando longas fórmulas num quadro-negro com uma das mãos e, ao mesmo tempo, apagando-as com a outra. Tausk tinha certeza de que dali ninguém poderia ouvi-los, mas a agitação de Roublev seria perceptível para quem quer que o avistasse e bastava isso para provocar perguntas desagradáveis quando voltassem ao Castelo. Com mais rudeza do que pretendia, Tausk mandou Roublev parar de pular tanto e terminar seu relatório como se o estivesse fazendo em sua sala, com os agentes de serviço regulares por perto.

A seu crédito, Roublev reagiu imediatamente e, sem dar nenhum sinal de como pôde ter achado difícil, interrompeu a meio caminho um de seus exuberantes floreios com o braço. Explicou que, assim que Rotenburg marcou a data da partida para Weidenau, o resto do plano se encaixou quase por si só. Teve vários dias para vasculhar o apartamento da Maximilianstrasse sem ser perturbado. A porta da frente não constituiu problema, já que vários dos melhores arrombadores profissionais da província deviam favores a Tausk e adorariam pagar-lhe a dívida exercendo a sua habilidade em nome do governo. Não, o único risco real seriam vizinhos solidários que contassem a Hans que a polícia estivera em seu apartamento enquanto viajava. Felizmente, a maioria das famílias da rua via Hans com o mais puro desagrado e fazia o possível para evitar o menor contato com ele. Aos seus olhos, a famosa dissipação do rapaz transformara o bairro numa piada pública e embaraçosa e ofendia-os que ele apreciasse usar o bairro Josef para indecências que jamais ousaria cometer em sua própria vizinhança. Roublev decidiu que o melhor seria se aproveitar da má fama de Hans. Se alguém o percebesse perambulando pelo prédio, bastaria apresentar-se como cafetão que vinha combinar com o jovem senhor, um dos seus melhores clientes, quantas moças devia mandar para a festa de Páscoa que estava planejando. Isso calaria a todos bem depressa e garantiria que Hans nada saberia sobre o estranho visitante. Mas acontece que ninguém deu atenção a Roublev, que estava dentro do apartamento cerca de uma hora e meia depois de ver Hans partir para Weidenau. Esperou todo esse tempo só para certificar-se de que o rapaz não esquecera nada que pudesse fazê-lo voltar inesperadamente para buscar. Assim que Roublev entrou, foi um brinquedo de criança vasculhar tudo e recolher todos os pedaços de papel que Hans guardava ali. Embora sem dúvida qualquer um dos ladrões especializados de Roublev conseguisse abrir rapidamente qualquer cofre ou caixa-forte, Roublev ficou aliviado por não ter precisado de auxílio profissional. Foram necessárias várias buscas cuidadosas mas, finalmente, Roublev teve certeza de que Hans não se dera ao trabalho de tomar sequer precauções mínimas de segurança. A total falta de cuidado de Rotenburg com documentos tão incriminadores era totalmente desconcertante para alguém como Roublev, cuja obsessão com o segredo era tão intensa quanto a de Tausk. Muitos papéis que Roublev esperaria encontrar cuidadosamente escondidos estavam simplesmente agrupados de qualquer jeito numa pasta manchada de couro marrom, em plena vista numa das estantes feitas sob medida, enquanto o resto estava trancado na fila dupla de gavetas que descia dos dois lados da grande escrivaninha que ocupava quase todo o quarto dos fundos. Essas fechaduras se abriram com meia volta de uma das chaves mestras mais simples que Roublev sempre levava consigo, mas ele suspeitou que um mero canivete funcionaria igualmente bem.

— O que ele estava pensando? Foi isso que ficou passando na minha cabeça enquanto eu circulava marcando com todo o cuidado onde estava cada folha de papel para poder recolocá-la no mesmíssimo lugar. Não consigo acreditar que o restante do grupo escolheu para líder alguém assim, seja qual for a riqueza do seu pai. Como será que é o grupo lá em Weidenau? Pelo menos, o descuido de Rotenburg fez com que eu não tivesse de gastar tempo demais para encontrar tudo o que procurava. Embrulhei o monte todo, coloquei o jovem Boris Morros do outro lado da rua, com ordens estritas de ficar de olho no prédio, e corri para a minha sala, onde passei o próximo dia e meio copiando cada palavra. Quando terminei a cópia, recolocar as folhas de papel exatamente no mesmo lugar onde eu as achara foi tão fácil quanto removê-las, só que minhas mãos doíam de tanto escrever. Rotenburg só voltou dali a vários dias e até agora não deu sinal de notar nada errado.

Desta vez, Tausk ficou satisfeito com o fato de que o talento de Roublev para decifrar os sentimentos dos outros estava na proporção inversa do seu talento para resolver equações complexas. Apesar do temor de Tausk que o seu nervosismo o traísse, a expressão contente de Roublev deixava claro que não tinha a menor idéia de como o seu sucesso complicava as coisas. Os dois homens continuaram andando pela margem na direção da Ponte Nepomuk, que surgia bem à frente deles onde o rio fazia uma curva fechada para longe dos restos das muralhas medievais que marcavam o perímetro original da cidade. Mas enquanto subiam lentamente os degraus de pedra da ponte, ainda escorregadios com o orvalho da manhã, a caminho da moradia de Roublev na cidade, Tausk não conseguia livrar-se da idéia de que alguém muito mais atento que Roublev a qualquer sinal de agitação os observava o tempo todo de uma das janelas do prédio distante. Não havia nada de estranho nisso. Só nos livros há algo de alarmante quando um espião descobre estar sob vigilância. Tausk esperava ser espionado, com certeza pelos subordinados de Pfister e agora, talvez, também pelos agentes de Moritz Rotenburg. Mas se sua premonição estava certa, os olhos nele fixados pertenciam a alguém bem diferente e a estranha sensação de que Brugger ou algum dos seus discípulos poderia estar tão interessado nele quanto ele no rabino milagroso só aumentou o seu desconforto. A única informação tranqüilizadora era a garantia de Roublev de que não levara nenhum dos documentos de Hans Rotenburg para o Castelo, onde poderiam ter sido vistos por alguém. Mantivera as cópias cuidadosamente ocultas na casa segura que Tausk lhe arranjara pouco depois de contratá-lo. Roublev dormia ali sempre que estava de serviço e ele e Tausk costumavam usá-la para interrogar informantes que sentiam demasiado medo de que os vissem conversando com a polícia para se apresentar no Castelo. Apesar da sua exaustão, Tausk começou a andar mais depressa, seus passos rápidos obrigando Roublev a parar de falar e acelerar o próprio ritmo.

Os documentos escondidos, depois que Roublev os tirou de um cofre de parede bem disfarçado e espalhou-os na raquítica mesa de madeira, eram quase tão ruins quanto Tausk temera. Além das próprias cartas, havia vários mapas detalhados das ruas, com os diversos caminhos que levavam ao Castelo e à Praça da Catedral marcados cuidadosamente com tinta vermelha. Todos os principais cruzamentos do percurso estavam envolvidos em preto, assim como o quartel do exército e os três postos policiais que controlavam as principais estradas que chegavam e partiam da cidade, assim como os pontos de acesso às duas pontes que cruzavam o rio. Qualquer investigador decente não teria problema algum para saber de imediato para que serviam esses mapas mas, sem um alvo específico claramente identificado, seria bem possível para suspeitos com nomes importantes como von Hradl, von Werburg, Rotenburg e von Alpsbach alegar que fora tudo um terrível malentendido. Comprovar intenções era sempre problemático e, como o novo código legal exigia agora provas incontestes de uma conspiração criminosa e não apenas de idéias criminosas, tinha ficado muito mais difícil obter condenações com acusações de crimes. A correspondência anexa, contudo, era quase bizarra demais para merecer crédito. Explosões de frustração com a estupidez dos pais e o materialismo formal das várias namoradas, identificadas somente por apelidos monossilábicos, alternavam-se com declarações de lealdade de página inteira ao que sempre era chamado de "nossa causa". Tudo, com efeito, da identidade das amantes ao alcance real da trama, era constantemente comentado, mas ainda sem um nome identificável, segundo o que parecia ser um princípio coletivo de imprecisão bem-educada. O fato desta imprecisão dever-se ao hábito das abreviaturas íntimas e não à prudência ficava claro com o fervor expansivo com que todos eles declaravam a sua disposição de sacrificar tudo, "inclusive as minhas posses, a honra da minha família e até a minha vida, para realizar a transformação cuja necessidade só fica mais clara a cada dia que passa". Tausk não dava a menor importância ao estilo literário, mas achou impossível ler frases assim sem repugnância e, para a sua própria surpresa divertida, enquanto se inclinava à frente naquele quarto gelado com um nome inventado na porta e vários passaportes falsos diferentes na escrivaninha junto à qual se sentava, sentiu uma pontada de solidariedade por um homem como o Conde Wiladowski que corria perigo com aquelas crianças. Que matassem Pfister, que se exprimia de forma semelhante nas reuniões da manhã; isso teria um certo paralelismo formal que todos, até mesmo Wiladowski, como conhecedor de simetrias ocultas, apreciariam. Era frustrante ler todo este material na letra conhecida e detalhada de Roublev, que mais parecia um texto impresso do que escrito à mão. É claro que Roublev não tentara imitar a letra verdadeira dos conspiradores e Tausk sentiu falta de ver como seria a aparência da letra de cada um no papel enquanto o homem que a escrevera tinha certeza de que exprimia alguma coisa de imensa importância. O único que parecia evitar inteiramente o forte tom romântico era Hans Rotenburg, que se esforçava ao máximo para corrigir as efusões dos amigos. Num trecho desses, Hans alertava von Hradl: "O nosso movimento é uma abordagem fria e de total racionalidade de um problema social fundamental e baseia-se no mais elevado avanço do conhecimento científico e em sua realização prática. Acima de tudo, a nossa crença é a expressão da lei pétrea da própria história, e em nenhuma circunstância deve ser entendida como mera convicção de mais um partido político. Na medida em que o esclarecimento e o despertar das classes trabalhadoras exigem o uso de certos métodos mais duros, às vezes até desagradáveis, tais métodos nascem da experiência prática e são elaborados através de considerações exclusivamente pragmáticas. Assim, será necessário tornar esses métodos parte de qualquer novo governo dedicado a completar a tarefa de transformação social até que as circunstâncias não precisem mais da sua aplicação. Toda a base do nosso trabalho deve ser a concretização da nossa obrigação histórica e a nossa missão deve ser cumprida de forma impiedosa, sem dar atenção a reveses temporários e com total indiferença a quaisquer ganhos de curto prazo."

Se as outras cartas fizeram Tausk retorcer-se de irritação, as de Hans de fato o alarmaram. O vislumbre desagradável que davam da semelhança de família entre os dois Rotenburg jamais se apresentara de maneira tão palpável. Moritz e o filho estavam totalmente dispostos a sacrificar não só o seu próprio bem-estar como o de todo mundo para concretizar os seus planos, e não pela primeira vez naquele dia a idéia de estar preso entre eles pareceu a Tausk uma possibilidade decididamente insalubre. Mas, pelo menos por enquanto, o garoto ainda estava na maior parte ensaiando o seu papel. Pelos arquivos da polícia Tausk sabia que, exceto pelo que estava contido nessas próprias cartas e pela questão discutível de possíveis irregularidades financeiras em *A Nova Ordem*, Hans nunca fizera nada ilegal em toda a sua vida. Tudo, desde o tom que adotava com os amigos e a maneira como se gabava de não ter nenhum dos seus escrúpulos com o derramamento de sangue até a mania de alinhar todas as suas opiniões ao curso inevitável da história, mostrava a Tausk como Hans estava longe da auto-suficiência controlada do pai. Ele precisava de uma platéia para dar substância à imagem de si mesmo na qual queria acreditar. Comparado ao pai, ainda tropeçava com seu personagem, experimentando inflexões e gestos diferentes como se o estudasse, sem estar pronto ainda para desempenhar o papel principal mas já com capacidade de causar muitos danos nos bastidores a todos os outros membros da trupe. No entanto, até um Rotenburg em treinamento tinha recursos para ser realmente perigoso. Tausk achou frustrante que, apesar de todas as informações que Roublev reunira, não estava claro se os conspiradores já tinham se decidido por alguma vítima específica. Até onde Tausk podia determinar, o dossiê continha um rol razoavelmente completo de todos os visitantes oficiais importantes esperados na província nos próximos seis meses, compilado a partir dos anúncios à nobreza local e das listas de homenagens do regimento. Mas, como mais de meia dúzia desses nomes tinham sido marcados por Hans, não havia como ter certeza de quando ou contra quem planejava-se um ataque.

Era o tipo de dia nublado e cinzento no qual o céu mal se alterava desde o meio da manhã até a escuridão cair e, quando Tausk finalmente levantou a cabeça das páginas agora espalhadas por toda parte em torno dele, esticou os braços acima da cabeça para aliviar a dor nos ombros e se levantou para olhar pela janela, era impossível dizer quantas horas tinham se passado. Atrás dele, Roublev, que sabia que Tausk ia querer ler tudo de uma vez sem ouvir comentários, estava enrolado numa das poltronas encostadas na parede do outro lado, mergulhado numa descrição do grande torneio de xadrez de 1912, em São Petersburgo. Assim que sentiu que Tausk começava a se mover, pousou o livro e inclinou-se à frente para mostrar a sua disposição de ser útil. Sua lealdade era tão visível no jeito como o seu olhar seguia Tausk pela pequena sala que parecia que finalmente sentia a incerteza do espião-chefe e quisesse mostrar-lhe que podia contar com ele. Tausk não tinha idéia de como conseguira inspirar tamanha fidelidade num homem famoso, mesmo em seu próprio círculo, pela irritabilidade, mas ficava tão satisfeito com ela como se a tivesse cultivado de propósito. Era uma qualidade de que precisaria se aproveitar nos próximos dias. Virou-se e, apontando a massa de folhas de papel, arregalou os olhos e fez um gesto de cabeça, mostrando sem palavras que aprovava o trabalho duro de Roublev. Então, para conseguir um pouco mais de tempo sozinho e como se sentia meio tonto de fome, mandou Roublev buscar almoço para os dois numa das tabernas próximas. Quando Roublev abriu silenciosamente a porta para sair, Tausk chamou-o para reforçar que trouxesse comida e café suficiente e, muito importante, mais cigarros para durar várias horas de muito trabalho, usando até o primeiro nome de Roublev como sinal marcante de favorecimento. Então, seguro, com Roublev fora da sala, Tausk acendeu seu último cigarro na ponta do que ainda estava aceso no pequeno pires que vinha usando como cinzeiro e tentou decidir o que fazer. Agora não havia como manter Roublev fora dos seus planos. Sabia demais para ser deixado de lado e era inteligente demais para satisfazer-se com uma história simples e falsa. Apesar da sua exaustão, Tausk adotou com facilidade o sorriso divertido e meio malicioso e o ar agradavelmente distraído com que o Conde Wiladowski conduzia as suas conversas mais importantes, principalmente sobre planos ilícitos, mas sabia que estava cansado demais para imitar o seu patrão com sucesso. Confiar na verdade era sempre a estratégia mais arriscada. Por custar tanto, havia uma tentação bem forte de superestimar a sua eficácia. Tausk acreditava que a verdade devia ser usada com o máximo de cautela possível e com tanta fé em sua potência quanto em qualquer outra história. Tudo o que Tausk tinha era o primeiro fragmento de um plano, tão incompleto e maluco, era preciso admitir, quanto tudo o que acabara de ler nas cartas dos conspiradores, e a análise desapaixonada de Roublev sobre a sua viabilidade era agora quase tão importante quanto, mais tarde, seria a sua ajuda para implementá-lo. Assim, com o alívio que sempre acompanha qualquer decisão, não importa com quanta relutância seja tomada, Tausk apagou o último cigarro, reuniu todas as pontas e cinzas soltas para poder jogá-las fora bem longe do apartamento e esperou pacientemente a volta do seu assistente.

Quando ouviu os passos das botas pesadas de Roublev na escada externa e o barulho antigo e familiar, a meio caminho entre um gemido e um suspiro, que sempre fazia quando carregava alguma coisa, Tausk quase terminara de arrumar as cartas em pilhas separadas segundo a estimativa da sua importância. Como é que um homem capaz de fazer tanto barulho conseguia realizar com sucesso qualquer vigilância sempre espantava Tausk, mas isso era parte da combinação desconcertante de delicadeza e grosseria de Roublev, e a sua ficha mostrava que, longe de atrapalhar o seu trabalho, Roublev conseguia usá-la a seu favor para misturar-se na multidão de um modo que, para Tausk, nunca fora confortável. Pelo menos desta vez os gemidos eram compreensíveis, já que Roublev cambaleou pela sala carregando comida suficiente para um banquete para todos os agentes de segurança do Castelo. Ao ver a expressão espantada de Tausk, explicou logo que sempre tinha dificuldade para decidir-se entre itens diferentes e, em vez de perder um tempo importantíssimo discutindo as opções, preferiu simplesmente comprar um pouco de cada coisa e continuar comendo aos poucos durante a semana. Juntos, abriram espaço suficiente na bancada de madeira ao lado do pequeno fogão para arrumar o enorme almoço: um pão preto da roça, inteiro; um pouco de vários tipos de salames, cortados em fatias finas e embrulhados separadamente em papel pardo encerado; um bloco de patê de fígado de ganso; alguns picles grandes, ainda frios e úmidos do barril de onde tinham sido tirados; um pouco de peixe defumado; e vários pedaços de *strudel* de maçã, além de um bom estoque de cigarros e café. Tausk não soube se achava graça ou ficava horrorizado ao perceber que, apesar da compleição magra, quase descarnada, e do rosto ossudo, o homem era, evidentemente, um glutão. Em geral, Tausk não ligava para o que comia e nunca pedia mais do que achava suficiente para afastar a fome. Mas também lhe agradou que Roublev tivesse o cuidado de não comprar queijo, já que Tausk era extremamente alérgico a ele e ficava nauseado só de sentir-lhe o cheiro, fato de que nunca falava de medo que a informação chegasse aos ouvidos de Mathias Pfister que, assim, descobriria um jeito seguro de vingar-se dos cigarros de Tausk. Um bom café bem forte era a única coisa que sabia fazer na cozinha, disse Roublev com certo orgulho, e logo os dois estavam sentados em silêncio, dando fim a uma parte da refeição maior do que Tausk imaginara ser possível. Embora nenhum dos dois seguisse mais os preceitos religiosos, comiam com a brusquidão nervosa e mecânica dos judeus ortodoxos das aldeias mais orientais do Império, que não gostavam de ser vistos numa atividade tão mundana e que em sua história tinham aprendido a nunca pressupor que teriam tempo suficiente para terminar a refeição antes que alguém a furtasse.

Antes que Roublev terminasse de limpar os restos do almoço, Tausk já estava de pé, caminhando até a mesa de trabalho, equilibrando precariamente a xícara de café e o cigarro aceso numa das mãos e puxando para si uma nova folha de papel com a outra. Pretendia começar fazendo uma lista preliminar, como preparação para um plano de batalha mais elaborado, dos fatos que podiam ter certeza de que seriam mais prováveis e daqueles que tinham variáveis demais para determinar com segurança. Tudo para parecer que estava procedendo de forma metódica. Mas depois de desenhar três colunas largas com grossos traços a lápis e escrever alguns detalhes rascunhados, Tausk amassou a folha, impaciente, jogou-a no chão e levantou os olhos para Roublev, que acabava de fechar o guarda-comida e vinha juntar-se a ele.

— Bem, o que vamos fazer agora? — perguntou Tausk irritado. — Caímos num monte de merda, eu e você. Sem mais indícios, esses idiotas ainda não fizeram o suficiente para nos arriscarmos a prendê-los. Seus pais iriam correndo até o Castelo pedir aos gritos a nossa cabeça assim que soubessem da notícia. Telegrafariam a todos os ministros importantes que conhecem em Viena e duvido que o conde-governador pudesse nos dar apoio por muito tempo contra toda essa pressão. É claro que, se ele realmente fosse assassinado, a culpa seria nossa por não ter conseguido impedir.

Raramente Tausk se mostrava confuso nem falava palavrões perto dos subordinados e, embora Roublev se assustasse ao vê-lo assim, sentiu-se também emocionado porque agora Tausk e ele não eram apenas chefe e subordinado, mas camaradas, combatendo juntos todo um contingente de inimigos poderosos. Pelo menos, era assim que Tausk pretendia que Roublev reagisse e, a julgar pelo olhar feliz e determinado no rosto deste último, aparentemente funcionara. Por dentro Tausk sentia vergonha da sua própria teatralidade gritante, mas quanto mais sério ficava para colocar em movimento a sua contraconspiração, mais se sentia obrigado a representar com exagero dramático o papel de conspirador, como se precisasse experimentá-lo antes como paródia para conseguir lhe insuflar realidade suficiente para inspirar um ato concreto. Segundo Wiladowski, parecia que era de acordo com o mesmo padrão que os acontecimentos tomavam forma no Império como um todo nessa época, quando tudo parecia redobrado, ocorrendo, por assim dizer, duas vezes: a primeira como comédia leve nos salões e palcos, a segunda como um tipo de tragédia imitativa nas ruas. No mesmo espírito, Tausk caminhou com firmeza até a porta da frente, abriu-a de um só golpe e olhou em volta algumas vezes, para mostrar a Roublev que estava se assegurando de que não havia ninguém ali a ouvi-los. Mas este foi o último floreio de uma representação cuja utilidade Tausk sentiu exaurir-se e assim, depois de fechar a porta de novo em silêncio, inclinou-se no parapeito da janela e, num tom de voz totalmente normal, começou a delinear o seu plano.

Roublev nunca soube quanto do esquema todo Tausk imaginara de uma só vez naquele dia no apartamento secreto e quanto improvisara mais tarde, conforme os acontecimentos se desdobraram. Mas a sua fé no chefe era inabalável, mesmo quando este deixava claro que considerava Wiladowski e Rotenburg superiores a ele em talento estratégico e capacidade de previsão, além de recursos. Segundo Tausk, a sua única possibilidade de sucesso dependia de explorar a potência rival desses dois homens poderosos, do mesmo modo que um contrabandista busca o caminho estreito onde duas correntes opostas se encontram, acalmando as águas e permitindo a passagem segura do nadador com o seu carregamento. De algum modo, disse, tinham de garantir a segurança de todos esses homens e isso incluía Hans Rotenburg, cujo pai destruiria quem quer que pusesse em perigo o seu único herdeiro.

Embora o vento frio da tarde começasse a penetrar na sala vindo do rio próximo, nem Tausk nem Roublev saíram do seu lugar perto da janela durante toda a análise deliberadamente sinuosa do chefe e, como o assistente admitiu espontaneamente, ainda não fazia idéia do que Tausk desejava dele. Assim, o choque foi suficiente para deixar Roublev tonto por dentro quando Tausk parou de repente e, tremendo de leve, pediu-lhe que colocasse mais lenha no fogão e pensasse na forma mais garantida de tirar Hans Rotenburg da área em segurança antes que se comprometesse ainda mais. De início Roublev teve certeza de ter ouvido mal, mas quando Tausk repetiu com calma todo o seu pedido, exatamente na mesma ordem e com a mesma voz objetiva, Roublev ficou congelado em seu lugar, os olhos arregalados para a frente como se tivesse sido flagrado num jogo infantil e tivesse de manter a mesma postura em que estava naquele momento. Só quando sentiu que os tijolos do fogão, no qual se apoiava, começavam a lhe chamuscar o pulso e o cotovelo é que se recuperou o bastante para pedir a Tausk que explicasse a piada.

— Mas o que seria mais lógico? — continuou Tausk com perfeito equilíbrio, ajudando Roublev a atiçar o fogo e a colocar mais água para ferver, para fazer um novo café. — Você é o matemático. Se conseguir arranjar uma solução diferente com maior probabilidade de sucesso, por favor, conte-me e a usaremos. Mas olhe as coisas friamente e verá que a situação é bastante simples. Pense nisso como uma equação elementar em quatro passos. Primeira condição: precisamos proteger o conde-governador; segunda condição: se alguma coisa acontecer a Hans Rotenburg, mais cedo ou mais tarde o pai dele dará um jeito de nos destruir. Mas se salvarmos o filhote, o velho terá uma dívida eterna para conosco. Terceira condição: Hans Rotenburg pretende matar o conde-governador ou alguém em sua vizinhança imediata. Quarta condição: até agora, eu e você somos os únicos que conhecemos a trama, mas, considerando a falta de cuidado deles, é provável que esses conspiradores se traiam a alguém que, então, usará esta descoberta contra nós, assim como contra os dois Rotenburg. Conclusão: temos de tirar Hans daqui o mais depressa possível e destruir os indícios contra ele antes que possa causar mais danos. Mas esta é a parte mais simples do nosso problema. O próximo estágio é que fica complicado.

Roublev continuava a fitar Tausk embasbacado, com a sua mobilidade aparentemente reduzida a mover o braço queimado para a frente e para trás para esfriá-lo. Tausk temia ter superestimado a adaptabilidade do assistente diante de uma crise. Mas, para crédito de Roublev, depois de servir-se de um copo d'água, beber metade dele e molhar o lenço com o resto para refrescar as têmporas, ele pareceu recuperar o equilíbrio. Talvez Tausk o tivesse julgado erradamente quando caminhavam e a exuberância de Roublev tivesse menos a ver com o ódio a Hans e seus amigos e mais com o desejo de agradar ao chefe. Desde que saíra da universidade, a sensação de desprazer de Roublev perante o mundo só ficou mais intensa e o seu ressentimento por todo o desdém acumulado que sofreu limitou-lhe a imaginação e, ao mesmo tempo, deu-lhe uma plasticidade notável. Como uma fera de conto de fadas, precisava de um suprimento constante de alvos para caçar, mas eles eram totalmente intercambiáveis. O fato de que os camaradas de confiança e os inimigos figadais de alguém pudessem, na manhã seguinte, trocar de papel parecia a Roublev profundamente coerente com a natureza humana, e se Tausk o mandasse prender todos os outros espiões e fazer com que os presos recém-libertados os interrogassem, Roublev não veria nada de estranho nisso além de uma certa aceleração de um processo inevitável. Em toda a sua vida Roublev procurara alguém que lhe dissesse quem, da legião ilimitada e sempre fluida de potenciais adversários, seria a sua presa e, desde o instante em que conheceu Tausk, seu instinto lhe disse que encontrara um comandante que nunca o desapontaria. A sua devoção a Tausk era tão irrestrita quanto o seu prazer de finalmente conseguir causar medo nos outros. Ele sabia que o espião-chefe não tinha idéia da profundidade com que prometera atender às necessidades de Tausk e sentira dor quase física com a pitada de incerteza na voz dele. Fora isso que o imobilizara até agora. Não a mudança de planos, e sim a idéia de que Tausk podia duvidar da sua lealdade. Se Hans Rotenburg estava vivo ou morto era indiferente para Roublev e, surpreendentemente, sentiu pouquíssima pena das horas que passara montando o dossiê que Tausk agora planejava destruir. Gostara de fazer o trabalho e, o que era mais importante, considerava a espionagem, como a matemática, uma habilidade especializadíssima que exigia o domínio de uma base imensa de descobertas separadas para, sobre ela, construir e fazer a disciplina avançar. Sabia o valor do que realizara ali e vira o seu trabalho reconhecido por Tausk; se tinha ou não alguma aplicação imediata e prática, era coisa sem importância. De qualquer modo, a vantagem de uma guerra permanente era que nenhuma arma corria o risco de ser desperdiçada para sempre.

Tausk concordou com alívio quando viu Roublev começar a moer os últimos grãos de café e jogar água fervente sobre o pó com mão firme e calma. Quando voltaram a sentar-se, as cadeiras próximas o bastante para que os olhos de Roublev logo ardessem com a fumaça do cigarro, este disse que, tecnicamente, o único fator indispensável era a ajuda concreta de Moritz Rotenburg.

— Como não podemos usar os recursos do Castelo, vamos ter de confiar nele mais do que eu gostaria, mas, afinal de contas, é o filho dele que estamos salvando e assim não creio que vá fazer objeções.

Como todos os que Tausk treinara, as observações diretas de Roublev ocultavam uma série de perguntas mais profundas. Tausk estava preparado para elas desde antes de chegarem à casa e já decidira que não havia nada a ganhar deixando de respondê-las de forma mais ou menos exata. Mas levou muito menos tempo do que esperava para descrever a longa noite na mansão Rotenburg. É estranho como uma coisa que mudava o rumo de toda a sua vida podia ser resumida em tão poucas palavras. O Rabi Pelz ensinava que a vida de um homem pode ser contada corretamente com três frases ou nas páginas infinitas do sagrado Livro da Vida, mas que tudo o que havia no meio seria exagero ou simplificação.

— E essa frase, Rabi? É o quê, exagero ou simplificação? — perguntara Tausk, orgulhoso do seu talento dialético. Só agora, sentado ali naquela cidade miserável, fazendo planos com um homem cuja alma era, talvez, mais desolada que a sua, Tausk percebeu que aquela era apenas a pura verdade. O fato de essas palavras surgirem de repente em sua cabeça naquele instante e naquele lugar foi como um beliscão doloroso, que fez o máximo para ignorar até que a lembrança se desfez por si só. Palavras de um mundo que estava a menos de um dia e meio de trem mas que, com mais facilidade, pertenceriam a um século e a um continente diferentes. Tausk perguntou-se o que as fizera surgir em sua mente, sem convite e, claramente, nada bem-vindas. Brugger? Estava exatamente se preparando para falar a Roublev sobre ele e talvez isso tivesse sido suficiente para arrastar consigo os outros pensamentos, como uma sombra que ao mesmo tempo distorce e precede os contornos de um homem que se aproxima no sol do fim da tarde. Como abordar as ordens de Rotenburg sobre Brugger preocupava Tausk mais que tudo o que tinha de revelar a Roublev. Este esperava dele clareza, mas ali não havia clareza para compartilhar, apenas uma história na qual o papel de Tausk e, portanto, de Roublev era, sem dúvida, fundamental mas também, num sentido mais profundo, secundário. O chefe repetiu, da forma mais seca possível, o que Moritz Rotenburg dissera sobre matar o rabino milagroso e a sua própria idéia de jogar a culpa do crime em Nathan Kaplansky. Sentiu que quanto mais simples mantivesse o seu relato e mais diretas as palavras que usasse, menos a sua própria incerteza vazaria. No fim das contas, era apenas outra missão urgente, diferente, é verdade, das anteriores, já que o trabalho deles ainda não incluíra tirar sub-repticiamente uma vida, mas diferente apenas em grau. Ainda assim, estava ficando mais difícil do que Tausk imaginara. Sentia a boca e os lábios desagradavelmente secos apesar do café que continuava bebendo e, em vez de tornar-se mais simples, suas frases começaram a exibir uma tendência alarmante a se desfazer enquanto as formulava. Estava a ponto de dizer a Roublev que estava cansado demais para continuar e que, com tanto trabalho de primeira linha já realizado, era uma boa hora de encerrar o dia. Mas a exuberância que começava a iluminar o rosto de Roublev interrompeu Tausk no meio de uma frase e lhe disse que a sua hesitação era desnecessária. Seu assistente mal conseguia manter-se sentado com a onda de energia nova que a história semi-acabada lhe trouxera. Longe de exigir alguma justificativa do seu superior, parecia que Roublev estivera esperando exatamente esta virada dos acontecimentos e só sentia alegria porque a sua espera afinal terminara. Antes que Tausk pudesse dizer mais alguma coisa, Roublev inclinou-se para a frente e, se o chefe não afastasse a própria cadeira e se levantasse primeiro, teria demonstrado o seu entusiasmo agarrando os ombros de Tausk com mãos grandes e peludas, ainda engorduradas do almoço.

"Era isso o que ele esperava desde que veio trabalhar comigo", percebeu Tausk. "Vem querendo matar alguém há anos e não se preocupa com quem ou por quê, contanto que seja sancionado pela autoridade de um homem a quem respeita."

— Brugger merece morrer. — Roublev quase cantou as palavras. — Desde que o vi dominar a multidão na praça diante do Clube Mendelssohn, suspeitei que alguém ia querer lhe dar um fim. Ainda bem que cuidaremos nós mesmos da tarefa e não faz diferença se quem manda é o conde-governador ou Moritz Rotenburg. O importante é fazer a coisa depressa, antes que ele consiga mais seguidores. Mas quanto a propostas específicas de como proceder, é melhor eu não tentar lhe responder agora. Sei do que o senhor precisa e quero pensar a respeito antes de fazer recomendações. Pode contar com meu total apoio, não importa o plano que o senhor adotar. — Ao dizer estas palavras, Roublev conseguiu segurar as mãos de Tausk e, apesar do desconforto visível do seu superior, não só sacudiu-as várias vezes com vigor como acompanhou este gesto com um olhar fixo e prolongado sobre o rosto do outro, prendendo-lhe os olhos com intensidade tal que era a coisa mais parecida com uma declaração de amor que Tausk jamais sentira e que o deixou enojado e ansioso para mudar de assunto.

Pela experiência de Tausk, Roublev jamais falara tanto tempo com ninguém e o fato de ter recebido tamanha torrente de confidências pessoais fez o espião-chefe concluir que já era hora de voltar ao Castelo. Antes disso, pediu a Roublev que reescrevesse todas as cartas mas num novo código de sua própria invenção que ninguém mais pudesse descobrir. Então, deveria destruir com todo o cuidado todas as cópias anteriores e livrar-se das cinzas, assim como de qualquer indício que sobrasse do almoço, no rio. Depois, antes que Roublev fosse tomado por um segundo ataque de entusiasmo, Tausk pegou o casaco, calçou as galochas e saiu, olhando por trás do ombro ao chegar à porta e dizendo ao assistente, numa voz que tentou ajustar com todo o cuidado entre a aprovação profissional e o calor pessoal, que estava feliz com a ajuda dele. Teve de correr de volta, para garantir que o Conde Wiladowski não o tivesse chamado nesse meio-tempo. Com outro aceno amigável, fechou a porta e, sem se voltar novamente, caminhou depressa rumo à ponte.

◆ ◆ ◆

— É mesmo estranho que até as pessoas mais brilhantes pareça incapazes de aprender se não foram criadas para isso.

O Conde Wiladowski recostou-se na imensa poltrona de couro que dominava o centro da sua biblioteca e permitiu que Aloïs lhe servisse uma aguardente de pêra feita em casa perto de Attersee, onde a sua família tinha uma casinha de campo à qual às vezes pretendia — em vão, afinal — voltar para visitar nalgum verão. A família de Aloïs vinha de lá, pelo menos era o que o conde-governador lembrava que ele dissera, mas, se assim era, o camarada estava a seu serviço há tantos anos que, provavelmente, também só tinha uma recordação muito vaga do lugar. Como o passar dos anos, esta se tornara a hora predileta de Wiladowski. Os últimos sinos da missa noturna tinham acabado de tocar, as luzes de vigia estavam acesas e, em sua meia sombra, um crepúsculo lilás-acinzentado envolvia os jardins do Castelo e a ponte próxima. Quando olhava para o outro lado do rio, até a cidade deprimente adotava um brilho prateado que era enganosamente convidativo. Dentro do Castelo, não havia mais reuniões oficiais a comparecer e o conde-governador finalmente tinha algum tempo para si antes de vestir-se e juntar-se a Marie-Luise para o jantar. Tausk, em cuja companhia gostava, freqüentemente, de meditar no fim do dia, não estava em lugar algum mas, de certa forma, era muito agradável não ter ninguém presente além de Aloïs, que poderia contar que não interromperia as reflexões do patrão com alguma palavra nem repetiria em lugar nenhum o que ouvira ali. Wiladowski supunha que o homem devia ter um sobrenome mas felizmente ninguém, menos ainda Aloïs, esperava que ele lembrasse qual era. Até Marie-Luise aprovava a sua taciturna lealdade e, se duas décadas como seu criado particular não tivessem cimentado uma fidelidade total ao conde-governador, sem dúvida ela teria apreciado "pegá-lo emprestado" para a sua própria equipe.

— Tomemos Tausk, por exemplo — continuou o conde-governador, acendendo um Montecristo. — Sei que a maioria de vocês não lhe dá a mínima, mas ele tem qualidades extraordinariamente úteis para um homem como eu hoje em dia. Só há duas mentes policiais brilhantes em todo o Império: Rudi von Kirchmayr, em Viena, e o meu próprio Jakob Tausk. Tenho certeza de que o imperador não tem idéia da sorte de ter alguém tão talentoso quanto von Kirchmayr por perto. Mas se for verdade, como todo mundo anda cochichando, que o desejo de von Kirchmayr de se unir à sua amante na Itália está começando a superar o seu senso de dever, quem sabe por quanto tempo o imperador conseguirá convencê-lo a continuar? Tausk é o único que, tenho certeza, poderia substituí-lo e fazer um trabalho igualmente bom, mas está fora de questão propô-lo como candidato. Não só por ser judeu — algumas gotas de água benta curariam bem depressa este defeito — mas porque, batizado ou não, sempre será socialmente impossível. É realmente uma questão da sua incrível vaidade. Por exemplo, recusa-se a aprender que quem quer aparecer numa sociedade decente não pode usar o mesmo sapato vários dias seguidos. Depois de usado uma vez, o couro precisa descansar pelo menos vinte e quatro horas nalguma boa sapateira de cedro ou vai começar a cheirar a suor velho, não importa com que cuidado seja limpo por fora. Agora, um idiota como Pfister foi criado sabendo disso, mas Tausk não, e quando lhe conto esse tipo de detalhe ele só parece se divertir — ou seja, ofendido mas incapaz de mostrar, a não ser ignorando o meu conselho. É claro que os seus cigarros ocultam o cheiro bastante bem, mas posso ver o olhar que o pessoal da minha mulher lhe lança sempre que entra na sala e sei que já o julgaram e condenaram antes que abra a boca. Tudo isso é bobo e sem sentido, concordo — e, nisso, Wiladowski fez que sim com a cabeça na direção do criado, cuja expressão não mudara durante as ruminações do patrão e que mantinha a mesma postura plácida, de pé, sem atrapalhar, atrás da mesinha de dois andares que guardava as várias garrafas de bebida na prateleira de cima, caso mais uma dose fosse pedida — mas por que dar aos inimigos mais armas contra si do que eles já têm? E não é só o pessoal da minha mulher que reage assim. Zichy-Ferraris acabou de me escrever exigindo que, quando vier para a cerimônia de consagração na Páscoa, se aquele odioso espiãozinho tiver de ficar por perto que seja mantido o mais longe possível da delegação. Parece que nunca esqueceu como foi desagradável a última vez que ficou na mesma sala que eu quando Tausk estava comigo. Se há uma coisa de que consiste a vida na Corte, é confundir o trivial com o terrível e, às vezes, acho que metade dos arquiduques preferiria partir para o exílio a ver a sua sobrevivência depender de um homem que não se sinta totalmente à vontade num salão aristocrático.

Quando ouviu o leve tossir de Aloïs atrás dele, Wiladowski já conhecia o criado bastante bem para saber que não cedia a alguma necessidade física pessoal, mas dava apenas um sinal discreto de que estava chegando a hora de arrumar as roupas de jantar do patrão. Pegou o relógio e viu que era mesmo mais tarde do que pensara. A estação devia estar finalmente mudando, já que há poucas semanas, a esta hora, já estava totalmente escuro lá fora. Wiladowski espreguiçou-se calmamente em sua poltrona e agradeceu a Aloïs o lembrete, mandou-o na frente para o quarto e prometeu ir logo para lá.

Agora que estava sozinho na biblioteca, ela pareceu, por um instante, grande demais para ser inteiramente confortável, como se a presença silenciosa de Aloïs fosse parte do que fazia dela um refúgio tão hospitaleiro. Levantou-se para servir-se de mais um pouco de aguardente de pêra e olhou distraído os livros que revestiam três das paredes. Ao contrário dos seus súditos, até mesmo os mais ricos e influentes, como Moritz Rotenburg, o conde-governador estava resignado a figurar em livros de história que se pareceriam muito com os tomos nunca lidos guardados em sua biblioteca. Como nobre ligado à maioria das antigas dinastias da Europa, Wiladowski sempre considerara os livros de história narrativa como pouco mais que versões extensas de uma grande árvore genealógica, um tipo de *Almanaque de Gotha* discursivo no qual a lista dos seus títulos ocupava várias páginas impressas com tipos pequenos. Mas tratava o seu inevitável aparecimento nestes volumes não como uma conquista, mas como um dever de família, como comparecer à recepção de uma tia chata à tarde ou ir a um baile à fantasia na embaixada, sabendo com antecedência que nenhuma mulher bonita fora convidada. Descer toda noite para jantar no grande salão principal com a mulher e os funcionários mais graduados pertencia, para ele, à mesma categoria, e Wiladowski, apesar de tanto se queixar, nunca faltava aos seus deveres formais.

"Que nem a porcaria das sapateiras de cedro. Desse modo, dependo tanto da minha educação quanto Marie-Luise e Zichy-Ferraris."

Sorriu de leve com os próprios pensamentos, sempre pronto a mostrar uma tolerância generosa com as fraquezas que discernia em si mesmo. Mas sabia que era exatamente a ausência desta tolerância que confirmava como Mathias Pfister estava errado quanto a Tausk quando descrevia o espião-chefe como um cínico desavergonhado. Pelo contrário, Wiladowski contratara-o exatamente porque vira nele o único idealista estrito que encontrara que estava disposto a trabalhar para ele. Para o conde-governador, havia algo fascinante na crença fervorosa de Tausk na soberania da mente, e o fato de que esta fé podia coexistir com a falta total de escrúpulos discerníveis só a tornava mais interessante. Caminhou lentamente pelo corredor, da biblioteca até o quarto de vestir, onde

Aloïs já terminara de escovar o paletó e as calças escuras que o conde-governador usaria no jantar, e deixou que seu criado o vestisse enquanto sua mente continuava a divertir-se cogitando se a sua relação com o espião-chefe judeu seria descrita nos livros de história. Desta vez, no entanto, a sua previsão do futuro mostrou-se bastante errada. Até então, pelo menos, a geração mais nova de historiadores não considerava a carreira de Wiladowski tão interesante para merecer sequer uma delgada monografia. Mas é de duvidar se tal destino, caso ele o conhecesse, aborreceria o conde-governador ou se ele não encontraria um modo agradável de interpretar este desdém como uma prova sutil, embora indireta, da sua maior sagacidade política.

◆ ◆ ◆

A conjectura de Wiladowski sobre o lugar que o esperava nos livros de história não foi a sua única avaliação incorreta naquela noite. Embora tivesse descido para jantar pensando estar de bom humor, mal acabara de cumprimentar a esposa e os convidados percebeu que, pelo contrário, sentia-se extraordinariamente irritado. Com o avanço da refeição, ficou cada vez mais frustrado com todos os presentes, inclusive, e talvez ainda mais, consigo mesmo. A conversa geral não era mais banal nem auto-elogiosa que de costume e, como sempre, a qualidade impecável da sua adega e da sua cozinha bastava para manter sob controle a tendência crescente a uma melancolia irritável. Mas não hoje. Embora numerosos membros da sua família fossem sujeitos a ataques de aguda tristeza e vários deles tivessem morrido em circunstâncias que impediriam a um cadáver menos distinto o sepultamento em campo santo, o conde-governador desaprovava com vigor essas características e estava decidido a não ceder a elas. Quando acompanhado, adotava um tom de voz que dava a impressão de loquacidade fácil e despreocupada. As suas frases fluíam com uma formalidade divertida consigo mesmo que lembrava aos ouvintes as conversas que tinham ouvido no palco do teatro da Corte em peças de um século mais antigo: aforísticas, bem-educadas e especulativas, a postura sempre levemente distante, irônica ou licenciosa. Por trás desta máscara, o próprio Wiladowski mantinha-se sempre fugidio. Mas, já há vários anos, o conde-governador tinha o cuidado de manter a mesma maneira de falar consigo mesmo, ainda que estivesse sozinho. Adotara o hábito de tratar a si mesmo como se fosse um conhecido bem-educado mas não íntimo demais, na frente de quem qualquer extravagância emocional seria de mau gosto. Na legação da Itália esta estratégia funcionara com perfeição, já que atraíra de imediato a colaboração ativa e inteligente de metade dos seus amigos de lá, muitos dos quais pareciam ter adotado a mesma tática por suas próprias razões, que ele, por sua vez, era delicado demais para sondar. Mas ali, em meio às distâncias imensas de névoa úmida e gelada e do entardecer precoce da fronteira mais distante do Império, os seus improvisos começaram a parecer uma encenação solitária que vinha desenvolvendo um perceptível excesso de ênfase, não porque a encenação propriamente dita tivesse mudado, mas porque, por força de ser realizada a sós e num ambiente estranho, não podia deixar de parecer um tanto histriônica. Assim, Wiladowski via-se na posição vergonhosa de falar e agir exatamente como sempre falara e agira, mas ouvindo-se soar não só de forma diferente mas quase exatamente contrária ao que desejava. É provável que todos esses judeus inescrutáveis também tivessem alguma coisa a ver com isso. De qualquer modo, com certeza não havia nada divertido no fato de que não só começava a parecer-se com a idéia que tinha de um velho judeu pouco à vontade como, se o Tenente von Sulzbach, sentado ali à sua esquerda, fizesse mais um comentário idiota sobre a eleição municipal vienense ou a temporada de caça da primavera para a gorda viúva de um proprietário de terras da província a seu lado, precisaria exercer um volume absurdo de força de vontade para não mandar que os dois fossem levados de onde estavam e jogados no rio.

Para esconder o seu desconforto interior, virou-se para o tenente, um espécime dos mais insípidos, de cabelo claro, rosto sardento e os olhos obtusos de uma carpa escaldada, e envolveu-o numa discussão amigável de como lhe parecia o seu novo posto na província. Von Sulzbach, que até então fora totalmente ignorado pelo anfitrião e vinha bebendo meticulosamente até o estupor para conseguir chegar ao fim do jantar em companhia tão terrível e rude, ficou claramente alarmado com este interesse súbito em seu bem-estar e tornou-se ainda mais pálido ao responder, com um leve gaguejar congênito, com as fórmulas que esperava serem as certas para ocasiões assim. Não precisava ter-se preocupado em não ofender o conde-governador com alguma frase inadequada que pudesse ser contada em Viena e arruinar as suas chances de uma rápida promoção para longe daquele fim de mundo. Nem, aliás, a sua parceira de mesa, a rica viúva Traudl Nahowska, de cujo vasto peito de pudim subiam nuvens regulares de pó-de-arroz num testemunho inconfundível de sua angústia com a interrupção do delicioso *tête-à-tête*, precisava tremer com a perspectiva de perder o macho mais tentador colocado em sua proximidade há muitos meses. Na verdade, Wiladowski não escutou nenhuma das palavras que o tenente se esforçou em pronunciar com tanta valentia. Em vez disso, depois de um olhar prolongado e duvidoso em sua direção que contradizia bastante o tom de voz cortês do seu "Ah, sim, entendo, sim, claro", o conde-governador virou-se, contente de deixar o casal em paz. Mas não foi outro convidado que chamou a atenção de Wiladowski. Bem pelo contrário. Alguma coisa no jeito de falar de Sulzbach, não exatamente a gagueira, embora ela fosse parte disso, mas provavelmente a sua hesitação momentânea, quase um leve inspirar antes de todas as vogais longas, recordou de repente a Wiladowski uma tarde preguiçosa de meados de outono, quando estudava no Theresianum, em Viena, e o professor, Markus Potiorek, homem brilhante cujas palavras saíam de um jeito esquisito como o deste enfadonho bobo do exército, pedira a todos os alunos que explicassem numa folha de papel o que desejavam para o futuro. Wiladowski chocou a todos ao escrever: "A minha verdadeira obra, suponho, é tornar-me um homem anônimo." Para os colegas, era a mais completa hipocrisia, o seu desejo óbvio de chocar com uma transparência surpreendente para alguém até então famoso, e com freqüência alvo de profunda desconfiança, pela sua arrogância e capacidade de enganar. Até os que mais o detestavam admitiam não só que Wiladowski era, com vantagem, o mais brilhante deles, como também que a sua ambição era alimentada com tal intensidade que fazia as suas próprias fantasias de sucesso mundano parecerem pálidos devaneios. O próprio Wiladowski não tinha idéia clara de por que respondera de maneira tão desarmônica, a não ser que a frase o atraíra sem que se preocupasse muito com o conteúdo. Mas viu, pela expressão de Potiorek, que a resposta conseguira pegar o professor desprevenido de um modo decididamente desfavorável. Dali a alguns dias, nos quais os outros garotos implicaram com ele por causa do seu amor à mentira, todos, inclusive o próprio Wiladowski, esqueceram o caso. Naquela noite, olhando em volta da sala de jantar com os seus convidados excessivamente vestidos e suados e o murmúrio constante e ininterrupto que era tão ruim quanto o barulho da Estação Ferroviária Norte em Viena, Wiladowski teve a idéia desagradável de que, talvez, alguma fada má ouvira-o naquela tarde e acabara por realizar-lhe o desejo, e que noites como esta não passavam da sua concretização. Como todas as fadas das histórias que crescera a ouvir, esta também usara o seu dom com uma variação perversa: o nome de Wiladowski seria conhecido por todas as cortes e ministérios do Exterior da Europa, mas não tinha dúvidas de que, aos olhos do garotinho do Theresianum e, cada vez mais, aos seus olhos de adulto também, a pessoa em que se transformara era tão pouco conhecida que seria difícil encontrar uma palavra mais adequada para defini-lo além de que era apenas mais um anônimo de terno bem cortado com abotoaduras de lápis-lazúli e olhar infeliz à cabeceira de uma mesa bem posta.

Wiladowski fez o que pôde para banir a imagem da cabeça, mas ela era mais persistente do que pensara. Para alguém com o seu treinamento, havia algo profundamente vergonhoso em deixar que perturbações emocionais íntimas se intrometessem no cumprimento dos seus deveres sociais. Mas tudo neste jantar estava dando errado. Até o assado de vitela com cebola, em geral um dos seus pratos prediletos, parecia um pouco cozido demais e só a sopa de almôndegas de fígado e o vinho, um Léoville Las Cases soberbo, que observara o tenente ingerir como se fosse um produto local barato, só palatável se bebido em grandes goles e a uma velocidade espantosa, chegara à altura das suas expectativas. Só por fazer disso uma prova deliberada do seu autocontrole o conde-governador conseguiu recuperar o equilíbrio, pelo menos na superfície, o bastante para agüentar o resto do jantar sem novos lapsos de atenção e com presença de espírito suficiente para dizer a Traudl Nahowska que com certeza ela perdera peso e precisava tomar cuidado para não ficar magra demais, zombaria tão gritante que Marie-Luise, que escutou o seu final, levantou os olhos para ele, meio divertida e meio enojada com a forma como o marido combinava uma aparente lisonja com uma malícia despreocupada na mesma frase, divertindo a todos com o insulto, exceto a vítima, que só sentira o prazer de ter sido elogiada. Como a sua mulher desdenhava a viúva Nahowska e ressentia-se mais do que o marido da obrigação de convidá-la, seu desprazer não foi na verdade motivado por nenhuma compaixão pela viúva crédula. Mas depois de anos como alvo do sarcasmo do marido e com inteligência suficiente para registrar cada alfinetada, Marie-Luise passara a solidarizar-se com quem quer que fosse sua última vítima. Para ela, era impossível estar presente quando o conde-governador ridicularizava alguém sem que isso lhe provocasse uma reação defensiva. Sua simpatia por Mathias Pfister, homem que, caso o encontrasse em outras circunstâncias, quase com certeza teria descartado, do mesmo modo que Wiladowski, como mero lugar-comum, era, sem dúvida alguma, motivada, em parte, pela sensação obscura de que, na cabeça do marido, ela e Pfister estavam ligados como sendo igualmente cansativos. Se ele preferia passar o tempo com os judeus esfarrapados da sua Corte, nenhum dos quais tinha a menor idéia do mundo social mais amplo que cabia a ela por direito de nascença, só poderia ser para destacar que, a seus olhos, até eles eram mais interessantes que a companhia dela. Bem, pelo menos quando se aposentasse dos cargos públicos ele teria de deixar para trás todos aqueles judeus. Por enquanto, ela não podia fazer mais do que proibi-los à sua mesa e insistir que comessem lá embaixo com os funcionários menores, tudo à espera do dia em que finalmente pudesse lhes negar também a porta da frente. Até mesmo neste momento, enquanto todos se levantavam da mesa, viu o marido chamar um dos guardas e dar-lhe instruções que, tinha certeza, eram uma ordem para Tausk procurar o patrão na sala de bilhar, onde costumava tomar o seu licor depois do jantar. Como sempre, a menos que recebessem visitantes importantíssimos, cabia a ela completar a tarefa tediosa de despedir-se dos convidados e desculpar-se pelo conde-governador que, na frase ritual que às vezes ainda conseguia dotar de um halo de sinceridade, "infelizmente fora obrigado a voltar aos seus afazeres". Por um instante, sentiu-se tentada a acenar para que Pfister fosse até ela do seu lugar perto da outra ponta da mesa e sugerir que acompanhasse o conde-governador com um convite para uma partida de bilhar. Mas seria transparente demais. O seu jogo de provocações mútuas, tão formal em sua estrutura quanto uma competição de ginástica, exigia coisa mais inesperada, ainda mais depois da piada com a pobre Traudl, que deixara Marie-Luise preocupada com a quantidade de sobremesa que ela mesma acabara de comer. O novo tenente, contudo, era outra questão. Vira o quanto ele irritara o marido durante o jantar e a sua presença contínua estragaria, com toda a certeza, qualquer conversa íntima entre Wiladowski e o espião judeu. A possibilidade alegrou-a e, em silêncio, dedicou seu plano como uma oferenda a todas as viúvas gorduchas do mundo inteiro, burras ou vaidosas demais para saber quando estavam sendo ridicularizadas. Marie-Luise precisou de todo o seu encanto para convencer von Sulzbach, que ficou simplesmente horrorizado com a idéia de passar mais meia hora com o conde-governador e tentou alegar uma inspeção do regimento de manhã bem cedo, na qual precisaria estar bem descansado. Mas acabou acedendo, como ambos sabiam que acederia, e arrastou-se atrás do anfitrião, olhando o tempo todo para a porta de saída com a melancolia resignada de um marinheiro conscrito que, depois de seis meses no mar, avistou um porto amigo só para ser proibido de desembarcar pelos caprichos de um tenente .

Para piorar as coisas, quando alcançou Wiladowski encontrou o conde-governador, com o taco ociosamente encostado na mesa de bilhar, profundamente entretido numa conversa com um homenzinho de aparência totalmente inconcebível. O camarada parecia arrasado de exaustão e exalava um cheiro desagradável de cansaço e suor. Parecia não trocar de roupa há semanas, tendo-as usado para dormir e caminhar pelas ruas durante todo este tempo. Fosse qual fosse o papel do camarada no Castelo, tinha sorte de poder manter a sua condição de civil, porque se alguém no exército de Sua Majestade aparecesse em público daquele jeito arriscava-se a ser preso por envergonhar o regimento e a sua farda. Wiladowski deu uma olhada, claramente tão infeliz de ver o tenente quanto este de estar ali, e fez as apresentações no tom entrecortado de um oficial comandante irritado a cuspir ordens num desfile.

— Jakob Tausk. Tenente Erich von Sulzbach.

O tenente não sabia o que era mais surpreendente: que o Conde Wiladowski tivesse recordado o seu primeiro nome ou que os seus deveres realmente incluíssem passar as horas depois do jantar com algum judeu, como ficava claro pelo sobrenome, que sem dúvida vinha extorquir algum favor do governador da província. Talvez os boatos que ouvira sobre Wiladowski desde que chegara fossem verdadeiros, afinal de contas. Em vez de apertar as mãos do modo civil, von Sulzbach bateu os calcanhares e baixou o pescoço alguns milímetros, o mínimo permitido pelos limites do protocolo, na direção geral deste *Herr* Tausk. Então, para o seu enorme alívio, viu que a sala de bilhar estava adornada com um grande bufê, em cuja direção olhou com um impulso tão fixo que o conde-governador interrompeu misericordiosamente as desagradáveis apresentações e convidou-o a servir-se de alguma coisa. Embora já tivesse consumido mais álcool do que devia, considerando que estava em território desconhecido e provavelmente hostil, o brilho de uma garrafa de Fernet-Branca foi irresistível. Von Sulzbach quase saltou sobre a mobília que o separava do bar e, com um "À sua saúde" murmurado bem depressa, serviu-se de uma dose generosa do conhecido licor amargo. Ficou no bar, observando os dois continuarem o estranho colóquio enquanto enchia o copo mais duas ou três vezes, até o conde-governador interromper o que estava se transformando num agradável cochilo acordado, do tipo que aprendera nas manobras, montado com os olhos bem abertos em seu cavalo mas com a mente pacificamente adormecida. Gostaria de jogar bilhar?, perguntou o Conde Wiladowski, convidando-o para um dos poucos talentos que possuía e que não envolviam a colaboração ativa de um puro-sangue bem treinado. Como, sem dúvida, o judeu era incompetente no bilhar e o conde-governador estava com vontade de jogar, von Sulzbach ficou feliz em concordar, pensando em como a graciosa condessa gostaria de descobrir mais tarde que a sua inspiração estava certa afinal de contas e que, apesar da frieza inicial, o marido acabara apreciando a sua companhia.

O conde-governador, que esperava que tudo se arranjasse segundo os seus caprichos sem ter de pensar mais no assunto, provavelmente ficou menos satisfeito do que Tausk com a disposição do tenente. A presença de von Sulzbach poupava Tausk de qualquer envolvimento a mais no jogo e a rudeza deliberada do oficial nas apresentações fora tão exagerada e executada tão sem jeito que Tausk, com um levantar de ombros, não lhe deu atenção. O mais importante é que Tausk realmente detestava o bilhar, as cartas e todos esses jogos não, como seu patrão e até Roublev tendiam a suspeitar, devido a algum resíduo da sua educação na *yeshiva*, mas porque lembravam-no com demasiada intensidade das noites inteiras de carteado miserável na estalagem do pai. Havia poucas tarefas que Tausk achava tão desagradáveis quanto ser obrigado a ficar ali na sala de bilhar, tentando travar uma conversa séria com seu patrão enquanto o conde-governador escolhia o ângulo da próxima tacada. Esses momentos reduziam o Castelo e o seu próprio papel ali a apenas uma versão mais refinada de sua casa, lugar ao qual Tausk jurara nunca mais voltar, nem mesmo quando a sua expulsão pelo Rabi Pelz o deixou sem abrigo nem perspectiva de trabalho. Todos esses jogos pareciam a Tausk uma forma tão degradante de passar o tempo que achava impossível que alguém tão inteligente quanto o conde-governador conseguisse realmente apreciá-los. Com certeza homens como Wiladowski só fingiam gostar de jogar, porque era parte necessária do repertório social de qualquer diplomata. Mas Tausk estava errado, do modo como até os homens mais espertos erram, por não compreender que era provável que criaturas tão inteligentes quanto ele tivessem prazer de maneiras totalmente diferentes. Wiladowski gostava de vários tipos de jogos, principalmente do bilhar, e valorizava-os exatamente pela semelhança com as suas atividades políticas, mas de um modo que ele mesmo chamava de frívolo. O senso da hora certa, a capacidade de cálculo rápido e exato e o sangue-frio sob pressão necessários para jogar bilhar e *skat*, ainda mais com apostas altas, exigiam talento semelhante àquele que fizera dele uma lenda nos círculos diplomáticos e, aos olhos da Corte, o sucesso de Wiladowski nas mesas compensava o fato de que sempre fora um cavaleiro e caçador medíocre. Até o pouco inteligente primo Max, que antes de seu horrível assassinato na cabana de caça fora várias vezes caçar com o imperador, admitia que alguém tão talentoso quanto Otto Wiladowski com um taco nas mãos não podia ser de todo descartado, por mais que fosse suspeitosamente livresco. Agora, só para divertir-se, o conde-governador fez uma estimativa plausível de quanto o consumo de vinho do tenente lhe custara e decidiu-se a começar com uma aposta alta para recuperar as despesas da noite. A isso, decidiu acrescentar mais 125%, cobrados como multa secreta pela impertinência ao ser apresentado a alguém no lar do seu anfitrião, que, se esquecera claramente de lembrar, o rebaixara de todas as maneiras concebíveis. O insulto, embora levasse décadas para que von Sulzbach amadurecesse o bastante para perceber, não fora a um judeu sem família nem importância, mas a quem resolvera contratar tal pessoa, o conde-governador imperial, portador da Grã-Cruz da Ordem de Leopoldo, que contava entre os seus mais íntimos amigos de infância o ministro da Guerra. Wiladowski perguntou aos seus botões se, dali a vários anos, quando o oficial envelhecido, que apesar de todas as promessas jamais subira além do posto de capitão, refletisse sobre sua carreira inexplicavelmente frustrada, marcada por uma série de missões secundárias em lugares distantes em vez das promoções crescentes com que sonhara, entenderia finalmente que um momento de descuido numa sala de bilhar há muito tempo pusera os pés descida abaixo na ladeira para a qual, já que nunca houvera nenhuma reprimenda nem explicação oficial, também nunca haveria perdão.

Tausk aproveitou-se alegremente do fato de Wiladowski estar ocupado durante um período que podia durar várias horas para enrolar-se numa das confortáveis poltronas colocadas ao longo das paredes para acomodar os espectadores. Recebeu com prazer a possibilidade de retomar o cochilo que mal começara ao ser acordado pela convocação urgente para encontrar o conde-governador e, se ela se devia ao tenente ou ao próprio diabo, não fazia a menor diferença. O barulhinho regular das bolas de bilhar se chocando umas contra as outras era calmante, de um modo como Tausk nunca sentira, e como não se ouvia nenhuma das pragas de bêbado que tanto o apavoravam quando criança, adormeceu quase no mesmo instante. Inesperadamente, foi uma das poucas noites totalmente sem sonhos que conseguia ter havia meses e, por acontecer no final de um dia daqueles, foi um presente que, ao acordar, quase o levou a fazer uma oração muda de agradecimento. Assim que limpou a cabeça para endireitar-se e olhar em volta, notou que o conde-governador estava sozinho na sala com ele, fumando contente um charuto e servindo-se de um líquido denso e cor de âmbar dourado de uma grande garrafa de Château d'Y que Tausk tinha certeza que não estava à vista quando chegara. Por hábito, Tausk examinou rapidamente a sala. Não havia janelas e, assim, seria impossível dizer pela mudança da luz lá fora quantas horas se tinham passado, mas uma olhada no enfeitado relógio de bronze dourado numa das mesinhas laterais lhe mostrou que já passava das cinco da manhã. Lembrou-se de ter entrado na sala de bilhar pouco depois das onze do dia que agora era a véspera, mas não tinha idéia de como terminara o jogo entre o tenente e o conde-governador. Quando tentou desculpar-se com o chefe por, com efeito, dormir em serviço, Wiladowski acalmou-o com um gesto de mão e disse que, afinal de contas, aquela fora uma das noites mais divertidas que tivera ultimamente. Era uma vergonha, acrescentou, que Tausk não montasse, já que acabara de ganhar do tenente um belo garanhão cinzento e, como não teria uso para ele, poderia dá-lo alegremente de presente a Tausk. De qualquer modo, Wiladowski esperava que a idéia do tal von Sulzbach chegando a pé à inspeção matutina agradasse a Tausk. Pela segunda vez, em menos de 24 horas, o espião-chefe ficou perplexo com o comportamento do conde-governador. Primeiro, o estranho discurso no final da conferência da manhã anterior e agora esta decisão sem precedentes de vingar uma ofensa que o próprio Tausk mal registrara. Pfister era igualmente rude com ele pelo menos várias vezes por dia e com freqüência na presença do conde. Até onde Tausk sabia, Wiladowski nunca mostrara antes o desejo de assumir o papel de seu defensor e fazer isso agora devido a uma provocação tão trivial era muito mais desconcertante do que o próprio confronto. Tausk sentiu o peso de um cansaço enorme, mais profundo que a simples exaustão física, diante de mais uma prova de que, provavelmente, passaria a vida toda como objeto da benevolência caprichosa e da raiva igualmente repentina de grandes homens. Nenhum dos seus colegas da *yeshiva*, sequer do Castelo, acreditaria se ele contasse que a diferença entre servir ao Rabi Pelz e trabalhar para o conde-governador — e agora, se quisesse mostrar o quadro completo, seria obrigado a acrescentar Moritz Rotenburg também — era muito menor do que imaginavam. Não importa como fossem cuidadosos os seus cálculos, no fim do dia eram sempre as decisões deles que contavam e os seus desejos chegavam a ele vindos do nada, com toda a arbitrariedade de uma autoridade que nunca precisava se explicar. Cada vez mais, Tausk acreditava que alguém com a sua própria vivência miserável do mundo seria muito mais adequado que um grande sábio como o Rabi Pelz para explicar a relação entre o povo judeu e o seu Deus inescrutável e temperamental.

Com a intuição que tantas vezes o fazia claramente alarmante para os que o cercavam, Wiladowski girou na cadeira, puxou um grande cinzeiro para perto de Tausk e perguntou-lhe, numa voz que oscilava entre o ceticismo divertido e a preocupação intensa, o que os seus livros sagrados tinham a dizer sobre a questão da traição. A pergunta chegou tão inesperada que Tausk sentou-se ereto num pulo, repentinamente desperto, com os sentidos aguçados a ponto de pensar que conseguira ouvir um dos guardas de sentinela sufocar a tosse do lado de fora da pesada porta de madeira almofadada. Acendeu logo um cigarro e levou algum tempo para terminar as primeiras tragadas, para se certificar, quando falasse, de que a voz não revelaria tanto a confusão que sentia. Mas nada lhe ocorreu e, com um certo desespero frustrado, reverteu à defesa mais débil do seu arsenal, esperando conseguir mais alguns instantes para responder ao conde-governador com uma pergunta sobre por que um tópico tão recôndito o interessava bem agora, quando com toda a certeza era cedo demais para teologia.

— Porque, meu caro Tausk, é a única pergunta que sobra para pessoas com a nossa experiência poderem levar a sério. Fiz listas incontáveis de todos os vícios e paixões, estudei todos eles e vi-os passar à minha frente fazendo poses conhecidas, como figuras carnavalescas indo a um baile decadente. Exclua a traição e elas não significam muita coisa, não é? São só pequenas gratificações infantis, como encher a boca de doces antes de entrar no confessionário. Não sei em quem vocês, judeus, tendem a jogar a culpa, mas a minha Igreja sempre aponta o dedo para o orgulho. O esquisito nisso, entretanto, é que, embora com toda a certeza eu tenha encontrado bastante vaidade em minha vida, vi tão pouco do verdadeiro orgulho que ainda posso repetir o nome dos três ou quatro seres humanos que tinham mais do que uma gota dele. O resto todo só queria mais aplausos, mais amor, mais reconhecimento, sempre alguma coisa fora de si mesmo. Não vejo como isso pode ser considerado orgulho! Nem tenho mais certeza sobre Lúcifer. Para mim, todos esses lamentos sobre rebaixamento mais parecem vaidade ferida, para não falar do mau gosto de viver chorando para sempre o que se perdeu, como um daqueles patéticos nobres arruinados do lado de fora do cassino de Monte Carlo, sempre dispostos a contar a todo mundo a fortuna que malbarataram nas mesas de jogo bem na hora em que estavam a ponto de quebrar a banca. Fico pensando se é diferente lá nas suas celas com todos os cabeças quentes que você interroga de maneira tão esplêndida. O que os faz odiar tanto a tudo a ponto de se arriscarem a uma execução só pela oportunidade de matar alguém como eu? É a vaidade ou o orgulho que faz deles traidores? Você já deve ter aprendido o bastante sobre traição lá embaixo para me ensinar mais do que põe em seus relatórios, não é? E um homem como Moritz Rotenburg? Acha que ele tem orgulho ou é apenas a vaidade de alguém com mais dinheiro do que os seus vizinhos?

A admissão inesperada de Wiladowski de que lia mesmo os relatórios de Tausk com cuidado suficiente para formar opinião sobre o que o espião-chefe excluía já era bem desconcertante; mas assim que ouviu a pergunta sobre Moritz Rotenburg, Tausk convenceu-se de que, em vez de disfarçar a tosse, o guarda da porta preparava-se para, a um sinal combinado, precipitar-se na sala de bilhar para prendê-lo. Uma dúzia de pensamentos malucos e contraditórios encheu-lhe o cérebro. Podia lançar-se aos pés do conde, confessar tudo e pedir misericórdia. Mas como fazê-lo de modo que tivesse mais possibilidade de dar certo? Com lágrimas, soluços e muitos gestos ou com uma atitude de contrição rígida e devastada? Talvez ainda pudesse negociar e salvar o pescoço oferecendo-se para sacrificar os dois Rotenburg. As várias possibilidades recusavam-se a ficar paradas por tempo suficiente para que Tausk se concentrasse numa delas, e fundiam-se umas às outras com tal velocidade que ele chegou a temer que estivesse a ponto de desmaiar. Logo, a única coisa que o impediu de realmente agir deste modo foi o violento pulsar do seu cérebro que substituiu por completo todos os pensamentos e o deixou olhando fixamente para a frente, silencioso e imóvel com tanta segurança quanto se já estivesse algemado e amordaçado. Agora os sons chegavam até ele de muito longe, ou como se antes tivessem de atravessar uma grossa camada de água, e levou alguns minutos para que registrasse uma mudança na linha de pensamento do conde-governador que parecia insinuar — mas quem poderia ter certeza com um homem daqueles? — que estava momentaneamente fora de perigo. Podia dizer pela maneira paciente mas um pouco intrigada com que o conde o olhava que este esperava algum tipo de resposta, mas como Tausk não se lembrava mais da última pergunta, obrigou-se a pedir permissão a Wiladowski para servir-se de um copo d'água antes de responder, já que o ar da sala estava muito seco e sua garganta completamente ressecada.

O pouco que Tausk conhecia sobre a etiqueta da corte era, no máximo, duvidoso, mas até ele sabia que citar uma necessidade pessoal enquanto seu patrão falava com ele devia ser uma violação bem grave. No entanto, neste momento ele já não acreditava mais inteiramente no que lhe estava acontecendo. Era como se tropeçasse numa das aldeias lendárias dos livros de histórias da infância, povoadas de tolos, demônios e homens santos, onde as leis da natureza eram regularmente suspensas. O Rabi Pelz via com péssimos olhos esses contos, ligando-os ao fascínio insalubre dos milagres e aos excessos ainda mais perigosos, por tão sedutores, dos hassídicos. Devia estar certo, porque até em sua própria *yeshiva* o gosto por estas lendas medrava sub-repticiamente entre os alunos mais jovens, até que o Rabi Pelz fez com que se envergonhassem disso e ensinou-lhes a ver até a mais piedosa dessas histórias como inimiga da Lei. O próprio Tausk deixara de lado com bastante facilidade os seus antigos livros e não sentia apego duradouro a nenhum deles, mas agora parecia-lhe que, nesta elegante sala de jogos, habilmente projetada para impedir qualquer intrusão do mundo exterior, imitar o comportamento dos personagens das histórias proibidas que aceitavam os acontecimentos mais esquisitos como se fizessem todo o sentido ou como se a própria categoria de fazer sentido fosse apenas um jeito específico de ser maluco, era a melhor maneira de agüentar o que quer que o esperava. Pelo menos o rosto do conde-governador não mostrou nenhum sinal de irritação por ter sido interrompido e fez um sinal a Tausk mostrando o bufê. Pareceu contentar-se em esperar até que Tausk trouxesse o copo até a poltrona mas, assim que voltou a sentar-se, o conde-governador voltou imediatamente aos seus estranhos pensamentos. De modo incomum para ele, Wiladowski parecia ter adotado o hábito de exprimir os seus pensamentos em perguntas diretas, mas Tausk começava a perceber que, embora tivesse liberdade de intervir com uma resposta, caso alguma lhe ocorresse, seu patrão também apreciava continuar sem nenhuma contribuição de outra voz.

"Ele não está nem um pouco interessado em me pegar!" Esta conclusão chegou a Tausk de forma tão rápida e com tão pouca conexão com o que Wiladowski dizia naquele momento que quase se esqueceu de sentir-se aliviado. A curiosidade do aonde pela própria consciência talvez fosse a única emoção que superava o seu medo de assassinato e Tausk repreendeu-se por não ter percebido muito mais depressa que era somente sobre a questão da traição a si mesmo que Wiladowski queria falar, não sobre a possível traição do seu empregado. A falta de fé de Tausk estava protegida pela sombra imensa do egoísmo do conde-governador — baseado no orgulho ou na vaidade?, permitiu-se pensar o espião-chefe — e um moralista mais rígido do que esses dois homens veria uma justiça elegante no fato de que só a absorção completa de Wiladowski em suas teorias sobre a traição cegava-o aos sinais de consciência pesada que Tausk era incapaz de impedir-se de transmitir. Aos poucos, entretanto, a certeza de que não corria perigo imediato de ser arrastado para uma das suas próprias celas acalmou-o o bastante para que tentasse pelo menos mostrar que participava da conversa. Na maior parte do tempo, apreciava estes momentos com o conde-governador. Mas há menos de 48 horas concordara em trabalhar para Moritz Rotenburg, ainda que isso significasse agir contra os interesses de Wiladowski, e passara boa parte do dia anterior destruindo indícios que identificavam diretamente Hans Rotenburg como líder de uma célula terrorista revolucionária. E ainda continuava a sentir alguma coisa parecida com afeição verdadeira pelo conde-governador. Há homens que, depois de decidirem ferir alguém, precisam sujar o mais possível aquela pessoa em sua mente, como se a descoberta das iniquidades da vítima justificasse a própria baixeza deles. Tausk não era assim. Tinha poucas ilusões a respeito de si mesmo e, deste modo, não precisava de nenhuma justificativa inventada para disfarçar a natureza dos seus atos. Apesar de tudo, talvez Wiladowski estivesse certo, afinal de contas, ao confiar em Tausk como o único homem com quem podia falar sobre a questão da autotraição, quase como se falasse com um igual.

— Vossa Excelência certa vez me disse que todo ato importante de traição envolve uma traição anterior a si mesmo. Se me recordo corretamente, o que o senhor disse foi que trair alguém significa trair primeiro o eu que se comprometera a ser fiel ao outro. Desde a nossa conversa daquela manhã, pensei muito sobre a sua idéia mas não tenho certeza se concordo com ela. Quanto mais tempo fico ao seu serviço, menos certeza tenho. Talvez ouvir tantas confissões diferentes lá na cadeia tenha me dado um vislumbre íntimo demais da traição para que alguma explicação seja convincente. Todos parecem trair mais ou menos do mesmo jeito que se apaixonam e todas as histórias que tenho ouvido parecem-se demais com a anterior ou são absolutamente singulares, dependendo de como são ouvidas. Se tenho alguma utilidade para Vossa Excelência, provavelmente é porque o meu treinamento na *yeshiva* me ensinou a ouvir as diferenças entre o que os suspeitos me contam com mais agudeza do que alguém que viesse diretamente da academia de polícia.

Tausk mal dissera meia palavra até então e Wiladowski estava despreparado para esta explosão súbita de loquacidade. Mas depois da perplexidade instantânea de ser interrompido no meio de um pensamento, durante a qual o conde-governador viu-se sentindo falta da forma maravilhosamente atenta de Aloïs manter-se em silêncio, Wiladowski mudou de idéia e decidiu ficar contente porque o seu espião-chefe estava bem acordado para que, no fim das contas, tivessem uma verdadeira discussão. Pobre Aloïs, apesar de todas as suas virtudes, mal se podia contar com ele para entender as teorias prediletas do seu senhor, muito menos para comentá-las com inteligência, e a cortesia de Tausk ao começar com uma repetição quase exata das palavras de Wiladowski semanas atrás mostrava uma queda aristocrática para a polidez que era tão agradável quanto inesperada. Além disso, as perguntas de Wiladowski não tinham sido puramente retóricas; ele estava realmente curioso quanto ao que alguém treinado primeiro como estudioso do Deus judeu e depois como espião a serviço de Sua Majestade Apostólica aprendera sobre a duplicidade. Mas ver Tausk interessar-se pelo seu tema fez o conde perguntar-se se logo não voltaria a lamentar a ausência de Aloïs. As cinzas já formavam círculos aleatórios em torno da poltrona de Tausk e o conde-governador podia ver que a qualquer momento o espião-chefe estaria de pé outra vez, caminhando pela sala, pegando qualquer objeto que estivesse ao alcance da mão e, sem realmente entender o que era, começar a cutucá-lo da mesma forma distraída que um católico piedoso pode repassar as contas de um rosário como auxílio à reflexão.

Wiladowski detestava todos os gestos nervosos involuntários e nunca entendia como um homem com a inteligência de Tausk podia ser tão desatento com o que o seu corpo fazia. Não querendo embaraçá-lo com um olhar obviamente fixo demais, o conde-governador levantou-se e foi buscar um novo charuto no umidificador marchetado perto do armário dos tacos. A última coisa que esperava escutar enquanto cortava a ponta do charuto era a súbita dureza da voz de Tausk quando este pousou a bola branca de bilhar que estivera rolando da frente para trás ao longo da borda da mesa e perguntou:

— Mas por que supor que alguém só tem uma natureza básica? Se isso for verdade, é claro que só se pode ser fiel a ela ou trair-se a si mesmo, mas não consigo ver razão suficiente para um pressuposto desses.

Tausk devia ter percebido que seu tom de voz estava extremamente deslocado, porque parou de falar de repente e olhou para o conde-governador com algo parecido com um sorriso de desculpas, como para mitigar com os seus modos qualquer ofensa que pudesse ter causado com a sua veemência indevida. Mas Wiladowski estava ao mesmo tempo interessado demais no que Tausk tinha a dizer e consciente demais da diferença entre as suas posições para registrar como rudeza pessoal o zelo sem dúvida atávico do seu funcionário, e encorajou-o a prosseguir. Tausk voltou até o bufê e ali ficou, engolindo rapidamente outro copo d'água mineral enquanto organizava seus pensamentos. Também se via profundamente atraído pela conversa por si só mas, diversamente do conde-governador, tinha de ter cuidado para não deixar que seu entusiasmo o traísse e fizesse uma confissão indesejada. É óbvio que teria de resistir à ânsia de sustentar as suas idéias com exemplos pessoais atraentes, dos quais os últimos dias tinham lhe dado vários, mas ainda que fosse o seu próprio pescoço a pender da balança Tausk encontrou uma diversão pungente em pensar consigo mesmo que agora sabia muito mais sobre traição do que quando Wiladowski começara a conversar com ele a respeito meses atrás.

— Nós, judeus, acreditamos que o nosso Deus é Uno e repetimos isso diariamente em nossas orações. Mas nenhum dos nossos textos diz o mesmo sobre os seres humanos. As almas que encontrei são, na maioria, motivadas menos pelo orgulho e pela vaidade do que pelo impulso de desejos inconciliáveis. Aquilo que alguém realiza, o voto que faz, a fidelidade que promete já não são uma traição ao desejo oposto que, no fundo do coração, parece igualmente obrigatório? Parece-me que o único modo seguro de evitar a traição a si mesmo é não fazer absolutamente nada. Para mim, a teoria de Vossa Excelência sobre a traição de si mesmo baseia-se num admirável princípio bíblico de monoteísmo, mas tendo como sujeito uma imagem específica do eu interior e não de Deus, e, mesmo para um católico, isso não é um pouquinho herético? Com relação às mulheres, é fácil entender que se possa temer igualmente ser possuído e ser abandonado por elas. Para alguns homens, acho que o mesmo medo existe, só que mais forte, com relação à própria alma. Pense nas distâncias interiores inescrutáveis que nós dois tivemos de atravessar desde que as nossas vidas começaram para estarmos conversando assim. Quem pode dizer se traímos a nós mesmos ao longo do caminho ou, pelo contrário, começamos a nos tornar mais donos de nós mesmos do que os meninos que já fomos? Desperdiçar a própria força olhando para trás, paralisado de remorsos por quem já se foi, soa muito parecido com tentar usurpar o papel de Deus e viver além do tempo.

Embora sentisse mais frases na mesma linha empilhando-se dentro de si e visse, pela expressão atenta e expectante de Wiladowski, que conquistara a atenção do conde-governador, Tausk forçou-se a parar antes que falasse demais. Sentia-se genuinamente alarmado com as próprias palavras. Tinham pouca semelhança com o que pretendera dizer. Não é que representassem mal as suas idéias, mas tudo saiu de um jeito que soava estranho aos ouvidos do próprio Tausk. A última vez que sentira esta perda do autocontrole foi no escritório do Rabi Pelz, mas embora este sentimento fosse parecido, tinha também uma diferença sutil e mais sinistra. Involuntariamente, algumas histórias sobre *dibuks* e anjos maus passaram pela cabeça de Tausk e ele decidiu que, no mínimo, os alertas do Rabi Pelz contra essas bobagens não chegaram perto de ser suficientemente fortes. Ele só sentia desprezo pelo misticismo de salão e da hora do chá que era uma das diversões prediletas das classes superiores do

Império — Marie-Luise e Pfister tentaram organizar várias sessões noturnas com uma mesa dos espíritos, embora até agora o conde-governador os tivesse ridicularizado a ponto de desistirem — mas outro episódio desses e Tausk temeu que começaria a levar a sério toda essa asneira. Por enquanto, decidiu-se a não pensar mais em por que começara a falar de um jeito tão estranho e concentrar-se em encontrar o tipo de anedota indireta, meio desrespeitosa mas pertinente, que a princípio pretendera contar. Nenhuma lhe ocorreu e reconheceu que o conde-governador mostrava sinais claros de desapontamento com o inesperado recuo de Tausk para o silêncio. Wiladowski suspeitou que Tausk fora atingido por um ataque de nervos por revelar a um estranho os segredos místicos judaicos e, como eram exatamente estes mistérios que aguçavam o seu interesse, toda a conversa corria o risco de murchar de um começo promissor para um anticlímax medíocre. O absurdo gosto pelo segredo desses judeus era mesmo muito irritante, ainda mais depois de tudo o que fizera por eles. Eles escreviam as suas histórias tribais e depois passavam a adorá-las como leis de um deus universal. A cada esquina, havia um novo conjunto de tabus e proibições. Nem as dinastias aristocráticas mais antigas da Europa tratavam as suas histórias de família com reverência tão orgulhosa. Mas não adiantava tentar forçar mais as coisas com Tausk que, pela primeira vez desde que Wiladowski começara a mostrar interesse pessoal por ele, parecia genuinamente sem palavras. A não ser pelo movimento regular do relógio de bronze dourado, que acabara de bater os três quartos de hora, a sala estava em total silêncio. Logo seriam seis horas e, fora da sala de bilhar, a rotina diária do Castelo já estava a todo o vapor. A inspeção da manhã no quartel militar já terminara há muito tempo e, sem dúvida, o tenente sem cavalo fora confinado ao seu dormitório até que o oficial comandante decidisse como cuidar do seu caso. Havia um gosto amargo e desagradável na boca de Wiladowski depois de todos os charutos que fumara e todo o álcool que consumira e percebeu que estava simplesmente cansado demais para irritar-se com Tausk. Pelos olhos semifechados e vermelhos e os traços contraídos do espião-chefe, estava claro que este sentia-se ainda mais desgastado que o seu patrão. É claro que não haveria reuniões esta manhã, tranqüilizou Tausk, cujo alívio visível ao ver Wiladowski usar com ele o seu tom de voz normal gratificou a vaidade do conde-governador e acalmou-lhe o orgulho.

— Afinal de contas — disse a Tausk ao saírem juntos da sala —, os conspiradores dos quais suponho que você me proteja provavelmente fazem todas as suas tramóias tarde da noite, e desta vez o nosso ritmo pode corresponder ao deles mais de perto. Nenhum terrorista de respeito pensaria em levantar-se numa manhã tão horrível e isso pode garantir a nós dois algumas horas de sono tranqüilo.

4

Agora nada conseguiria abalar a fé de Asher Blumenthal em que Rotenburg estava por trás de todos os distúrbios que abalaram a cidade no ano anterior. Era óbvio para qualquer um capaz de olhar por sob a superfície que, do seu leito de doente — e quem podia ter certeza de que estava mesmo doente? —, o velho controlava tudo o que acontecia na província. Quando Asher examinou o jornal local, a notícia de que outra empresa tinha falido animou-o como se ele mesmo logo fosse lucrar com a sua compra e recuperação. Toda falência aumentava a admiração de Asher e, mesmo quando a empresa não era imediatamente adquirida por Rotenburg, isso só podia significar que estava esperando que o preço de compra caísse ainda mais e os donos fossem obrigados a aceitar qualquer oferta piedosa que quisesse fazer. Embora às vezes Asher não sentisse inveja ao saber do triunfo de alguém, não era somente porque o abismo entre os seus recursos e os de Rotenburg tornavam qualquer comparação demasiado incongruente, até mesmo para ele. Pelo contrário, o orgulho de Asher ficava tão gratificado por entender o padrão secreto por trás dos acontecimentos que, por um estranho excesso de identificação, conseguia exultar com o sucesso dos planos de Rotenburg sem se sentir diminuído. Estar entre os poucos que realmente compreendiam o que vinha acontecendo era uma fonte de intenso prazer que quase se bastava a si mesmo, só diluído um pouco pelo fato de que não tinha nenhum conhecido que viesse a ficar suficientemente embasbacado caso lhe revelasse este conhecimento tão precioso. Que Rotenburg tinha o apoio tácito do governo aos seus planos ficava claro com as mensagens lacradas que às vezes mandavam

Asher levar de lá para cá entre o financista e o apavorante espião-chefe do governador, que, sem dúvida alguma, agia como intermediário do Conde Wiladowski nesses assuntos. Assim, o conde-governador também estava envolvido com Rotenburg, com certeza como um tipo de poderoso "sócio secreto". Não havia como dizer até onde subiam as linhas de envolvimento e, às vezes, quando o olhar de Asher acontecia de cair sobre os inumeráveis retratos idênticos do Imperador pendurados em todas as lojas e prédios públicos, ele os fitava com um pouco mais de cuidado, meio que esperando ver uma imagem de Moritz Rotenburg ali de pé, atento, ao lado do governante imperial. Sempre que isso acontecia, Asher quase chegava a tremer de devoção pela sua visão particular da conjunção secreta entre Estado e Capital, casamento místico diante do qual o mundo já se ajoelhava sem perceber.

Não podia esperar pelo dia em que todo o peso da potência representada pela combinação irresistível do dinheiro dos Rotenburg com o poder estatal dos Habsburgo caísse esmagador sobre a cabeça dos bobos mimados com quem era obrigado a passar tanto tempo e a quem esperavam que prestasse alguns servicinhos, como se ainda fosse um mero auxiliar de contabilidade em vez de alguém que tinha agora acesso direto aos círculos mais elevados. Até então falara com Moritz algumas vezes apenas, mas havia noites em que Asher olhava em volta para os rostos altivos e imaturos dos colegas de Hans, suando sobre os seus mapas e panfletos, e sentia-se como se fosse tão filho de Moritz quanto Hans, em quem, para dizer a verdade, ainda não vira nenhuma fagulha do brilho dos Rotenburg. Talvez o velho tivesse sido um tanto libertino quando moço e pago secretamente Eliezer Blumenthal para criar o filho que a esposa concebera quando Moritz a seduzira. Ou, mais provavelmente, Eliezer fora enganado para criá-lo sem saber que o filho não era seu; Asher sempre suspeitara que, dos dois, a mãe era de longe a mais conhecedora das coisas do mundo e esperta o bastante para convencer o marido de tudo o que fosse vantajoso para ela. Era delicioso pensar em como o mundo todo o trataria de forma diferente no dia em que o seu verdadeiro pai fosse revelado e ele pudesse mandar alegremente às favas toda a matilha de von Arnsteins, von Hradls e todo o resto daqueles malditos daqueles vons sem temer as conseqüências.

Asher passara a detestar os jovens aristocratas mais ainda do que os seus antigos superiores na Companhia Sobieski de Importação e Exportação e até do que os judeus prósperos do Clube Mendelssohn, que lhe tinham exigido uma justificativa de dez páginas antes de patrocinar-lhe algumas aulas inúteis de hebraico. Por mais diferentes que fossem entre si, pelo menos homens como Galatowski, seu antigo chefe de seção que odiava judeus, ou Rudi Pichler e Gerhard Himmelfarb do comitê executivo do clube, perceberam rapidamente os verdadeiros sentimentos de Asher e mantiveram-no a distância, deixando claro que a companhia de qualquer um era melhor que a dele, coisa que Asher achou bastante fácil de entender e que retribuiu com todo o vigor, pelo menos no caso deles. Mas a malta de imbecis cheios de títulos que conhecera no apartamento de Hans Rotenburg naquela noite horrorosa em que passara tão mal eram todos prodígios de obtusidade. Se havia uma coisa para a qual Asher sabia ser totalmente inepto era para disfarçar as suas aversões, mas não havia necessidade de tentar com nenhum daqueles nobres, porque nada que dissesse ou fizesse poderia abalar a certeza deles de que um zé-ninguém como Asher tinha de sentir-se inestimavelmente lisonjeado apenas por lhe permitirem participar de uma conspiração com homens de posição tão elevada. Talvez os ricos e bem-nascidos fossem mesmo diferentes do resto da humanidade, quem sabe até na constituição fisiológica, já que nenhum deles ficava nem um pouco desconcertado com os olhares ressentidos de Asher e o seu jorro de resmungos praticamente contínuo. É óbvio que supunham que os judeus de classe inferior eram assim mesmo no instante em que não estavam mais de serviço. Era como se os sentidos orgânicos desses conspiradores ainda funcionassem de acordo com todos os princípios aristocráticos que as suas convicções políticas condenavam à lata de lixo da História e, embora estivessem bem dispostos a assassinar em nome das classes inferiores, chegar a perceber o que pensava um dos seus inferiores sociais era coisa muito diferente. Eram simplesmente incapazes de notar a tortura que Asher suportava ao ouvi-los conversar. Ninguém se incomodava de levantar os olhos e perguntar-lhe o que havia de errado, nem mesmo quando o seu constante ranger de dentes ficava suficientemente barulhento para interferir com a conversa geral. No meio do inverno, quando sofreu terrivelmente com um resfriado durante um mês inteiro e passou as noites no sofá de Hans, tossindo com violência e despejando os fluidos do seu nariz numa atadura de algodão encharcada, nenhum dos sangue-azul achou que valeria a pena interromper-se por um momento para solidarizar-se com o camarada doente ou oferecer-se para comprar-lhe um bom lenço de linho para substituir o trapo que já se desmanchava e que era obrigado a continuar usando, e que estendia sobre os tijolos do fogão com a maior freqüência possível, menos para que pudesse secar um pouco do que na esperança de contagiar a todos eles com a sua doença.

O pior era que Asher de fato nunca teve oportunidade de verificar se ter o apartamento de Hans à disposição poderia ajudá-lo com as mulheres que moravam no bairro Josef. Começou a passar a maior parte das suas noites livres seguindo vários grupos de moças que iam a pé para casa seguindo a margem do rio, com o caminho sem pavimentação pouco visível no crepúsculo, voltando de algum emprego miserável como faxineiras ou lavadeiras nos bairros melhores. É claro que nunca se empregavam nas casas mais finas, onde só eram contratadas moças recém-chegadas do campo, não estragadas por idéias e expectativas acima da sua condição. Mas muitas mulheres mais pobres da cidade conseguiam trabalho temporário nos lares de classe média, cujas donas eram menos exigentes e dispunham-se a admitir em sua casa as esposas e filhas dos trabalhadores desempregados, contanto que pudessem pagar-lhes apenas as diárias mais baixas, suplementadas por alguns restos do jantar da família para que levassem para casa. Havia uma em particular com quem Asher ansiava conversar, uma moça roliça e de seios grandes e exuberantes que não podia ter mais de 17 ou 18 anos mas andava com um ar de tamanha autoconfiança que Asher convenceu-se que só podia vir de um extenso repertório de experiências sexuais. Tinha um narizinho levemente arrebitado e sardento, quadris largos e um cabelo louro avermelhado que parecia pintado com tinta barata. Certa vez Asher a seguiu até a tabacaria da esquina e, aproximando-se por trás dela no espaço estreito diante do balcão, sentiu-se corar de embaraço e excitação com o cheiro acre de suor das suas axilas quando ela estendeu o braço para pagar o maço de cigarros. Havia alguma coisa provocante e desavergonhada na forma como a intimidade súbita e acidental entre os seus corpos o fizera sentir os odores mais íntimos da moça. A forma como ela cedia à ânsia de fumar sem se preocupar se aquele estranho ali bem atrás dela notava a sua indiferença a decências como sabão e roupa íntima limpa prometia uma naturalidade semelhante com os seus outros desejos.

Pobreza pior que a sua sempre agira como potente afrodisíaco para Asher.

Nos fins de semana, quando ainda estudava na Escola de Comércio, embora tivesse pavor de ser surrado pelos valentões de rua contra quem o seu pai, sempre ansioso, o prevenia, Asher vadiara de propósito pelos bairros mais decadentes, fitando as janelas minúsculas e cobertas de limo das casas de cômodos. Para a sua frustração, nunca conseguiu ver nada que fosse realmente indecente, mas bastava pensar nos atos sórdidos que com toda a certeza ocorriam naquele exato momento nos quartos lá em cima para encher-se de ondas de desejo. Quando ficou mais velho e começou a trabalhar, reconheceu com que avidez cometeria quase qualquer vileza pela quantia correta e partiu do pressuposto que uma mulher cujas condições de vida fossem ainda mais abjetas que as suas não se incomodaria de entregar o seu corpo a qualquer homem em troca de um punhado de moedas. Infelizmente, apesar das gorjetas generosas que agora recebia em segredo de Moritz e os pagamentos mais modestos mas regulares que convencera um Hans obviamente cético a lhe dar como compensação pelo salário que sacrificara ao deixar o emprego — "para estar à disposição sempre que precisar de mim", foi como explicou a Hans — Asher detestava a idéia de oferecer a uma mulher dinheiro bastante para que a sua proposta fosse convincente e temia que, se mencionasse a verdadeira quantia que se dispunha a pagar, se arriscasse a ser insultado pelo seu pão-durismo ou até ameaçado de violência por algum parente irado do sexo masculino que, com toda a certeza, saberia como sumir discretamente no caso de um cliente mais gastador. É claro que Hans não sofria tais limitações do seu prazer e Asher tinha certeza de que agora ele já seduzira todas as mulheres atraentes do bairro, inclusive, sem dúvida, a loura amorangada que gostava de fumar e tinha gotas sensuais de suor nas axilas. Provavelmente, ela e todas as suas belas amigas adoravam Hans, ou pelo menos o seu dinheiro, o que, no caso de Hans, era a mesma coisa, e este pensamento irritava tanto Asher que, quando debatia consigo mesmo se realmente aumentaria a quantia que se dispunha a gastar com uma moça tão hipnótica, desanimou e de repente deu as costas e saiu da tabacaria sem olhá-la mais.

Até esse dia, para a sua frustração, o apartamento nunca estivera à disposição de Asher por tempo suficiente para ser usado como base de operações para as conquistas eróticas com que tinha contado. Sempre que Hans saía da cidade, insistia em trancá-lo e simplesmente rejeitava os pedidos de Asher para que pudesse cuidar de tudo até a sua volta. Nunca se incomodou sequer em dar-lhe alguma desculpa aceitável pela recusa. Isso, mais do que qualquer rudeza direta, deixava exatamente clara a posição de cada um deles. Hans poderia ter igualmente declarado: "Um Rotenburg não se explica aos Asher Blumenthal deste mundo. Apenas faz o que tem vontade sem perder tempo se preocupando com o que os outros vão pensar." Asher ficou tentado a arrumar uma cópia da chave para usar quando Hans partisse para visitar as propriedades campestres dos outros finos senhores, sem dúvida para festas de caça e bebidas para as quais não haveria a menor possibilidade de convidá-lo. Mas o risco de ser descoberto e até perder o seu lugar junto a ambos os Rotenburg era grande demais. Era claro que Hans agia como agente secreto do pai nestas falsas conspirações políticas e, com as pistas que recolhera aqui e ali, Asher elaborara uma hipótese engenhosa sobre o papel exato do rapaz. Quer fosse verdadeira ou não a esperança secreta de Asher de ser filho ilegítimo do velho, não era hora de verificar a suposição fazendo alguma coisa que interferisse com os planos da família. Às vezes, Hans decidia dormir em seus aposentos na casa dos Rotenburg na cidade e dizia a Asher que podia usar o apartamento naquela noite — nem é preciso dizer, só depois de pedir a ele que trocasse toda a roupa de cama e as toalhas e verificasse se os guarda-comidas estavam bem supridos de mantimentos e bebida para a próxima reunião do grupo — mas até isso acontecia com muita irregularidade para que Asher pudesse aproveitar. Quando a oportunidade se apresentava, Asher desesperava-se a ponto de sentir-se tentado por qualquer possibilidade e chegou a pensar em seduzir a garçonete eslovena de olhar feroz que lhe servia as doses duplas de aguardente na taberna local miserável que passara a freqüentar. Nos poucos segundos de que ela precisava para curvar-se e trocar o copo vazio por outro cheio, talvez conseguisse sussurrar-lhe alguma coisa sobre o seu apartamento quente e atapetado com banheira de porcelana, ali pertinho, e convidá-la para ir até lá com ele quando terminasse o serviço. Mas de algum modo nunca conseguiu desviar a sua breve troca de monossílabos no rumo certo para fazer uma sugestão dessas. Provavelmente, ainda bem. Com certeza não parecia que Asher possuísse um lugar só seu, nem mesmo naquele bairro, e ela não parecia ser o tipo de mulher a quem fosse seguro mentir. Talvez se bebesse um pouco menos pudesse desviar parte das suas economias para aumentar o que ofereceria a uma mulher. Mas desde a sua primeira visita ao apartamento de Hans, Asher começara a sentir-se cada vez mais atraído por tabernas decadentes como a do Löffner, onde achava que não seria reconhecido e poderia beber o quanto quisesse sem ter medo de chamar a atenção. Não importa como se sentisse tristonho ou deprimido ou o quanto bebesse; comparado aos outros fregueses, Asher tinha certeza de que parecia um modelo de respeitabilidade. O abismo entre ele e os destroços desesperados que pareciam ter adotado residência permanente no Löffner impedia-o de sentir-se mal demais consigo mesmo quando tentava firmar a cabeça que girava para conferir a conta da noite e via, chocado, o número de doses duplas de aguardente que consumira. Mais preocupante que o volume que bebia agora era como se sentia à vontade naquele lugar pouco agradável e com que freqüência, no decorrer do dia, via-se ansioso à espera da hora em que estaria livre de todas as suas tarefas e poderia arrastar-se até a cortina de oleado e entrar naquele porão úmido. Há apenas poucos meses, sentar-se para comer numa das mesas engorduradas de Isaac Meir no Cinco Hussardos deixara Asher fisicamente nauseado, mas, comparado ao Löffner, um restaurante de operários como o de Meir era tão limpo quanto a cozinha do próprio Moritz Rotenburg. Na maior parte do tempo, contudo, Asher recordava como uma dádiva o dia em que entrara pela primeira vez no Löffner e não duvidara que beber ali, em vez de nos bares mais respeitáveis da região, era a prova de que o seu bom senso não fora afetado por tudo o que vinha lhe acontecendo. Os lugares realmente luxuosos como o Metrópole, cujas vitrines opacas ele costumava perscrutar com profundo desejo sempre que passava por elas, como se os enfeitados salões revestidos de lambri com as suas cadeiras estofadas de veludo e as mesas de mármore pertencessem a algum reino mágico e inacessível, perderam todo o encanto depois que Hans o convidara para ir até lá com ele duas ou três vezes. Mesmo que pudesse pagar do próprio bolso os preços absurdos, bastava sentar-se a uma daquelas mesas de mármore para Asher se sentir horrivelmente desconfortável. Todos ali, do *maître* de sorriso afetado aos fregueses das outras mesas, sabiam que Asher era apenas o convidado pobre de alguém que realmente pertencia àquele meio, e o contraste entre a condescendência com que era tratado e a deferência que cabia a Hans, atendido como se fosse pelo menos um grão-duque, tirou todo o prazer de Asher de finalmente entrar em lugar tão imponente.

Havia alguma coisa muito ofensiva nos olhares desagradáveis que Anton, *maître* do Metrópole, obviamente com medo de que este intruso da ralé judia da cidade deixasse uma mancha desagradável nas famosas almofadas verde-claro do restaurante, lançava sobre Asher. Bastava saber o nome de Anton para pertencer ao círculo de privilegiados fregueses regulares, mas embora Asher tivesse visto Hans chamá-lo muitas vezes para planejar o cardápio de uma refeição com tanta naturalidade como se falasse com um dos criados da casa do pai, ele mesmo nunca ousava usar aquele primeiro nome e, como não queria rebaixar-se dizendo *Herr* Prigl, tinha de evitar dirigir-se a ele. A menos que estivesse ocupado servindo um dos seus seletos clientes, Anton sempre ficava de pé perto da entrada, alto e muito pálido, o cabelo fino penteado em linha reta sobre a testa, observando todos os que entravam no Metrópole para certificar-se de que mereciam estar ali. Levava os fregueses mais distintos às suas mesas com toda a solenidade do capelão particular de um nobre oficiando algum misterioso serviço religioso e Asher tinha certeza de que devia ser ainda mais odioso que o famoso Wellisz de Garber no Café Central. Desde que a sua vida sofrera uma virada tão estranha, Asher sentia falta principalmente de conversar sobre as suas idéias com o seu único amigo. Com certeza Garber aplaudiria a acuidade da sua percepção da estratégia financeira do velho e ajudaria a aconselhá-lo a lucrar com a sua posição junto a Moritz, mas é claro que todas as cartas entre eles seriam imediatamente lidas pela polícia e, assim, era mais seguro não escrever. De tempos em tempos recebia notícias de que a carreira de Garber como dramaturgo e contista começava a alcançar um sucesso além de todas as expectativas. Embora ficasse feliz pelo amigo, também achou um tanto irritante a extensão do seu triunfo. Não só os jornais do governo mas até algumas revistas liberais faziam críticas maravilhosas às suas peças. Um artigo que lera classificava Garber acima de Schnitzler e quase no mesmo grupo de Hofmannsthal na capacidade de captar "a essência do encanto melancólico vienense", descrição que deixou Asher totalmente deprimido até que se consolou imaginando a pressão política imposta ao infeliz crítico para que ele produzisse um exagero tão inflamado. Parecia injusto que a apreensão da sua inofensiva correspondência sobre *A Nova Ordem* pudesse ter catapultado Garber para a fama como o queridinho do Burgtheater de Viena, com o apoio da polícia, ao mesmo tempo que condenara Asher ao papel de informante e garoto de recados provinciano. Era exatamente sobre este tipo de capricho do destino que

Garber costumava escrever em suas primeiras peças, muito antes que qualquer um deles o conhecesse em primeira mão, e se Asher já não via nada de muito engraçado no tema em seus tempos de estudante, agora então tendia ainda menos a achar graça nele. Há pouquíssimo para rir quando alguém descobre que a própria vida foi prevista numa farsa popular, ainda mais quando essa farsa foi escrita pelo seu único amigo.

Mas a aflição não impediu que Asher se perguntasse o que Garber faria com a súcia de nobilíssimos candidatos a sabotadores do apartamento de Hans. Como será que os apresentaria no palco? O censor insistiria para que disfarçasse as pessoas reais envolvidas ou deixaria Garber ensinar os seus atores a imitar-lhes as características, ainda que isso significasse ridicularizar algumas das famílias mais importantes do Império? Seria maravilhoso ouvir algum ator cômico, talvez até um judeu convertido, nascido nos cortiços vienenses, representar com perfeição a leve língua presa hereditária que limitava a ferocidade com que Leo von Arnstein, o recruta mais recente do grupo, recém-saído do internato de Mährisch-Weisskirchen, tanto se esforçava para conferir às suas declarações de lealdade à "nossa grande causa". Asher já ouvira de von Hradl histórias suficientes sobre o tipo de relação nojenta entre os calouros mais bonitos e os alunos mais antigos que acontecia nos dormitórios depois que as luzes se apagavam para formar a sua própria teoria de por que tantos desses rapazes coravam com tanta rapidez, mesmo anos depois. Mas supunha que nada disso poderia sequer ser mencionado numa peça algum dia. Ainda assim, um ator suficientemente corajoso poderia fazer muita coisa com insinuações e sugestões. Agora, se Garber tivesse coragem de basear a sua próxima comédia nas histórias de Asher sobre os acontecimentos políticos da cidade — digamos, como um correspondente gói do imenso sucesso de *O infortúnio do judeu* — e a intitulasse *A desgraça do cadete*, Asher admitiria de bom grado que ninguém captara o temperamento nacional de forma mais satisfatória que Alexander Garber. Até onde Asher podia dizer, esses aristocratas já tratavam tudo mesmo como um tipo de elaborada festa à fantasia, então qual o mal de retratá-los com exatidão? Mas aí uma peça dessas teria de fazer sucesso sem a ajuda da mão pesada da burocracia imperial e agora, Asher tinha certeza, Alexander já se tornara prudente demais com os modos da capital para correr o risco de entrar em conflito com os seus patronos. Ao contrário da malta de Hans, aqueles homens eram bem capazes de se ofender com uma única expressão deslocada de um subordinado e, pior ainda, estavam mais do que dispostos a agir com base em sua irritação. Asher podia dar-se ao luxo de entrar cambaleando no apartamento de Hans, as roupas fedendo à mistura de fumo e bebida barata que se agarrava a quem quer que passasse as quatro horas anteriores no Löffner sem se banhar depois e dizer a todos os que estavam na sala como estava cheio de toda aquela farsa, já que nada importante para ele mudaria até que alguém lhe arranjasse uma namorada e dissesse à diretoria do Clube Mendelssohn que *Herr* Blumenthal seria nomeado a partir dali o seu presidente permanente para compensar todas as injustiças passadas. "Para que serve essa sua revolução se ainda tenho de ir para a cama sozinho e todos os que odeio andam por aí prósperos como nunca?" Era isso o que desejava gritar na cara deles e, embora nunca tivesse se exprimido assim, chegou bem perto disso em várias ocasiões, de modo a não deixar dúvidas sobre os seus sentimentos. Mas exceto por um levantar de ombros entediado, ninguém, nem mesmo Hans, de quem esperara algum sinal de amizade, lhe dava atenção. Poderia nunca ter pronunciado uma única palavra. Considerando as coisas sempre funcionavam para ele, Asher tinha certeza de que ser ignorado assim na vida real correspondia exatamente ao papel que teria no palco, na peça sobre a conspiração que nunca seria escrita por Garber.

Em termos artísticos, o maior desafio de Garber seria como retratar Hans. Essa era uma coisa sobre a qual o próprio Asher estava longe de ter clareza. Por si só não havia nada de muito interessante em Hans, Asher sabia que podia garantir; mas como principal instrumento dos planos do pai, Hans teria de ocupar um papel mais importante do que Asher gostaria e seria impossível negar-lhe certa sutileza. A simples duplicidade necessária para cumprir sua missão significava que Hans possuía uma profundidade que não deixava de preocupar Asher. E que plano era este também, a obra-prima culminante do maior homem que Asher já conhecera. Moritz podia manipular o mercado de ações para deixar de quatro os industriais da cidade e aí usar os grevistas, incitados por aquele palhaço ingênuo do Nathan Kaplansky, que sequer percebia que fazia apenas o que Moritz queria dele, para completar a sua ruína. Mas é claro que isso não era suficiente para um homem com a estupenda ambição de Moritz Rotenburg, já que deixava a aristocracia da província, cuja riqueza dependia pouquíssimo do mercado de ações, relativamente intocada.

Era aí que Hans entrava. Ao seduzir seus filhos a participar de uma ridícula conspiração criminosa projetada desde o princípio para acabar em traição e com a total ruína deles, Hans deixaria essas famílias completamente desonradas. Depois da desgraça pública, muitas delas ficariam desesperadas para abandonar por completo a região, talvez até mesmo o país, deixando Moritz como único possível comprador das suas propriedades. No mínimo, teriam de recorrer a ele para obter o dinheiro necessário para financiar a defesa judicial dos filhos, endividando-se pesadamente e adiando, apenas por algum tempo, a inevitável venda forçada das terras para pagar os empréstimos. É claro que os Rotenburg desejavam nada mais, nada menos que controlar todas as propriedades desejáveis de toda a província e tinham encontrado um jeito maravilhoso de pegar todas as suas presas numa só rede. As cartas que Asher levava de Moritz a Jakob Tausk e vice-versa deviam estar cheias de discussões estratégicas sobre o momento certo para disparar a armadilha e Asher esperava com fervor que lhe permitissem assistir a tudo em pessoa. Quem saberia dizer o que Moritz Rotenburg ainda não pediria a Asher depois do dia decisivo? Jogar com tamanhas apostas significava um certo volume de risco. Tudo poderia acontecer na confusão da captura e era impossível garantir inteiramente a segurança de Hans. Se alguma coisa infeliz lhe acontecesse, Asher estava decidido a ser um consolo para o velho e deixá-lo perceber que a sua dinastia continuaria apesar da grande perda, assim como a casa imperial continuara depois do duplo suicídio do príncipe herdeiro e de sua amante em Mayerling, há um quarto de século.

◆ ◆ ◆

Desta vez, contudo, Asher subestimara gravemente o seu efeito sobre os outros. Do desagrado imediato e visceral desde a primeira vez que os saudara à porta do apartamento de Hans, os conspiradores logo passaram a desprezar Asher sem reservas. O simples fato de estarem no mesmo cômodo tornou-se uma tortura física, como esfregar-se nalguma coisa úmida e maligna quando em manobras da escola militar nos pântanos fétidos perto de Brody. Tinham sido treinados desde a infância a não demonstrar os seus sentimentos a ninguém que não fosse íntimo e, mesmo com os mais próximos, confiavam num certo véu indispensável e mutuamente protetor de distanciamento cortês. Mas até a sua rígida educação, que lhes ensinara como usar a polidez para manter à distância os tipos desagradáveis, ficava aquém da tarefa de se manterem agradavelmente impessoais diante de Asher. A experiência deles jamais incluíra conversar com alguém que lançava aos ares a sua grosseria como se fosse uma realização especialmente elogiável, com a qual todos deviam sentir-se tão encantados quanto ele mesmo. Todos tinham conhecido criados rudes que precisavam ser demitidos caso a sua presunção crescesse demais, mas em vez de Asher aceitar com gratidão o papel de empregado privilegiado ao qual a sua postura aproveitadora deveria tê-lo confinado, todo o seu comportamento enfatizava a insistência de ser considerado um deles e, relutantes, eles tinham de admitir que a sua pretensão tinha algum mérito. Na verdade era tudo culpa de Hans. No que é que ele estava pensando quando trouxera um homem daqueles para o seu círculo, sujeitando todos a alguém tão irremediavelmente repugnante? Sem mencionar que o homem era tão digno de confiança quanto Judas Iscariotes e, sem dúvida, aproveitaria toda oportunidade de traí-los assim que vendê-los às autoridades fosse mais lucrativo do que continuar a extorqui-los. Enquanto Asher estava por perto, evitavam com todo o cuidado dizer qualquer coisa específica sobre os seus planos de modo que, mesmo que corresse à polícia, não teria nada a relatar além das previsíveis críticas à política social antiquada do Império que todo mundo com menos de trinta anos fazia nessa época — exceto, como Hans observou soturnamente, aquele soldadinho de chumbo do Karl Gustav von Alpsbach e, pelo que sabiam, talvez também o seu irmão Ernst. De qualquer modo, pessoas do nível deles não seriam jogadas na cadeia apenas por fazer algumas queixas contra a ordem social, da qual eles mesmos estavam entre os principais beneficiários, e com certeza não devido ao testemunho de uma criatura como Blumenthal. Felizmente, também, o conde-governador fora bastante excêntrico para nomear como seu espião-chefe um judeu ainda mais desagradável do que Asher, e se este tal Tausk tivesse a metade da inteligência que sua fama sugeria, certamente saberia que qualquer juiz ou júri da região teria má vontade para com ele. Jamais os tocaria sem o tipo de prova que, como Christoph lhes explicou num passeio meditativo antes do jantar no parque fechado atrás da casa de Moritz na cidade, só se tornaria disponível depois que tivessem agido e já fosse tarde demais.

Ainda assim, a presença regular de Asher no apartamento do bairro Josef fizera com que mudassem o seu centro de operações para outro lugar. Usavam, principalmente, os espaçosos aposentos de Hans no segundo andar da mansão Rotenburg, que logo concordaram ser um ambiente muito mais agradável que aquela parte deprimente da cidade e, quando o tempo começou a melhorar, combinaram encontrar-se no campo, em Hirschwang, propriedade dos von Arnstein, ou em Weidenau, que lhes permitia mais privacidade. Hirschwang fora concedida ao Barão Johann Alexander von Arnsteins em 1772, ano em que a província fora anexada ao Império, como recompensa por cinqüenta anos de serviço exemplar tornando a vida péssima para luteranos, judeus, ortodoxos russos e gregos e todos os outros tipos de hereges e cismáticos. Ao contrário de tantas dentre as grandes propriedades da época, Hirschwang não tinha nada da custosa rusticidade que ainda estava muito em voga. Em vez de seguir os seus pares e construir, a um custo altíssimo e em escala mastodôntica, uma imitação de casa de fazenda ou cabana de caça, ficando assim com uma réplica sem o encanto da simplicidade genuína nem a serenidade da elegância conquistada, Johann Alexander finalmente deu vazão à sua impulsividade até então oculta e escolheu o sentido diametralmente oposto, ordenando ao seu espantado arquiteto que projetasse nada mais nada menos que um retiro campestre rigorosamente formal no estilo de um grande de Espanha, algo como o palácio real e os jardins de La Granja, perto de Segóvia, onde passara muitas horas felizes como membro da delegação austríaca. Alguns vizinhos seus menos rígidos, para quem o zelo religioso de von Arnstein era quase de mau gosto, pelo menos para um austríaco, brincavam que construíra uma imitação de palácio espanhol por frustração de não conseguir levar para casa, ao fim dos seus anos na Península Ibérica, as respeitáveis tradições da Santa Inquisição. Em vez disso, o que conseguiu foi sobrecarregar os seus descendentes com um Palácio Real estranhamente miniaturizado com os jardins formais que custavam uma fortuna manter — aquecê-lo no inverno era praticamente impossível e ninguém conseguia habitá-lo durante os meses mais frios sem considerar cada dia ali passado um tipo de penitência religiosa — e que era tão pouco parecido com o seu modelo original na Espanha quanto os enormes chalés rurais dos outros nobres da província com qualquer coisa onde fazendeiros de verdade pensariam em morar.

Foi no fim da tarde, nos terraços dos jardins de Hirschwang, perto de uma estátua casta e decorosa de Ariadne adormecida, que os amigos decidiram questionar Hans abertamente sobre ter levado Asher para o seu meio. As grandes janelas da sala de música, diretamente no andar térreo atrás deles, brilhavam com o pôr-do-sol do início da primavera e, quando se inclinaram na beira do terraço, para não ficarem mais de frente para a casa, seus olhos seguiram a imensidão de um céu de ouro avermelhado que incendiava os inumeráveis hectares de florestas e campos arados que fluíam por toda a extensão desde aquele posto avançado mais oriental do Império até as estepes asiáticas. Em vez de preparar-se internamente para a discussão feroz que sabia iminente, Hans, para sua surpresa, viu-se recordando a época em que ele e Batya saíram juntos para um passeio até uma estalagem campestre para provar as primeiríssimas batatas da estação. Embora fosse um dia frio, queriam ficar sozinhos e pediram ao dono da casa que colocasse uma mesa para eles do lado de fora, no pequeno parreiral cercado. Hans ouvira muitas vezes o seu pai se queixar de que nada lhe era mais difícil relembrar do que um gosto ou sensação específicos, mas o sabor daquelas maravilhosas batatinhas quentes e de casca fina, ainda com o perfume do campo próximo de onde tinham sido colhidas naquela mesma manhã e que mal precisavam da manteiga fresca e da salsa com que eram servidas, e do vinho branco local, gelado e levemente ácido, que acompanhava a refeição estava tão vivo em sua boca ali, no terraço de Hirschwang, como se tivesse acabado de levantar-se da mesa e entrado na estalagem com a ponta dos dedos desenhando de leve as linhas das veias de Batya da palma de sua mão até o cotovelo. Embora ele mesmo se sentisse vagamente incomodado por não perceber nenhuma ligação entre os pensamentos que pareciam inundá-lo com tanta rapidez quanto as ondas sucessivas de luz no campo, agora tingido pelas primeiras sombras da escuridão que se aproximava, Hans lembrou-se de como, no clímax de uma das discussões mesquinhas e malvadas que marcaram os últimos dias da sua intimidade, Batya virara-se para ele de repente e, numa voz nova e quase intrigada, disse: "Mas ainda não sinto nenhuma dessas palavras todas que nós dois estamos gritando."

Tinham ido ao teatro mais cedo naquela noite, mais pela curiosidade de assistir a uma peça curta de um só ato de um dramaturgo jovem e promissor de Viena. Moritz fora um dos grandes patrocinadores do novo e luxuoso teatro de língua alemã, construído a alguns metros da bolsa de valores pelo mesmo arquiteto que projetara os famosos teatros de Graz e Odessa. Embora os Rotenburg tivessem ali um camarote para toda a temporada, nenhum deles usava-o com freqüência, preferindo distribuir as entradas entre os funcionários mais graduados das empresas ou os numerosos sócios com tendências literárias mas insolventes do Clube Mendelssohn. Em geral Hans era indiferente a qualquer tipo de obra imaginativa, principalmente à comédia, e não conseguia mais se lembrar da peça cinco minutos depois de caído o pano, mas Batya a detestara e insistira em descrever tudo o que a incomodara, da vulgaridade dos personagens femininos ao louvor deslumbrado ao comportamento aristocrático. Durante o jantar tardio no Metrópole, restaurante de que ela não gostava e ao qual só concordara em ir porque o freguês certo conseguia ali uma refeição completa a qualquer hora, passara a dissecar a encenação e, embora Hans não duvidasse que a reação da moça fosse sincera, ambos também admitiram que ela aproveitava um tópico aparentemente neutro para exprimir a frustração crescente com o seu papel na vida do rapaz. Falava com mais paixão do que os atores no palco e, uma ou duas vezes, quando sua voz ficou mais alta, Anton, torturado pelo conflito entre a veneração ao dinheiro dos Rotenburg e a necessidade quase igualmente forte de pedir à jovem dama que por favor falasse mais baixo para não incomodar os outros fregueses, lançava um olhar de puro sofrimento em sua direção. Afinal, o medo de perder a gorjeta de Hans venceu e Anton ficou paralisado em seu lugar de sempre junto à porta, mas por alguns instantes os dois impulsos mantiveram-se em perfeito equilíbrio e, em sua calada violência interior, a luta interna de Anton foi, talvez, o drama mais intenso representado em toda a cidade naquela noite. Quando olhou em volta para pedir outro café, Hans notou que a postura de Anton estava ainda mais rígida do que de costume e adivinhou que alguma coisa devia estar incomodando o seu *maître* predileto. Mas, conhecendo como conhecia a circunspecção de Anton, decidiu não aumentar-lhe o embaraço perguntando qual era o problema. De qualquer modo, Bátia, que desenvolvera um profundo desagrado por Anton, ficaria furiosa com um indício tão claro da atenção errante de Hans e ele temia outro mal-entendido enquanto ainda havia esperança de conseguir que passassem a noite juntos. Achou difícil acompanhar a maior parte da polêmica, a não ser por uma bizarra explosão que depois lhe voltou em momentos inesperados.

Nunca teve uma idéia clara de qual fora a grande questão, mas era evidente que Batya via o desempenho daquela noite como manifestação muito esquisita de algum mal-estar nacional básico. No final da refeição, quando já estavam tomando o café com chocolatinhos que, para ela, eram a única coisa que redimia o Metrópole, Batya inclinou-se em sua cadeira, como se decidida, por seu próprio excesso de energia, a dissipar o torpor que infectava a todos no salão e exigiu saber:

— Por que todos mexem os braços tão sem jeito no palco? Por que não sabem o que fazer com os braços? São os pequenos detalhes que os deixam tão desajeitados. Por que não conseguem mexer os braços como gente que dá importância ao que sente?

Hans não se lembrava de como terminara a conversa. Tudo o que recordava era que, pouco depois, ela insistiu em voltar sozinha para a casa dos pais e, naquela hora, ficou mais aliviado do que desapontado com a decisão da moça. E agora provavelmente ela e Ernst estavam juntos em Brunnenberg que, num bom cavalo, ficava a menos de quarenta e cinco minutos de distância. No dia anterior, quando ele e Leo estavam na biblioteca, estudando os mapas detalhados do distrito colecionados pelo von Arnstein mais velho, Hans não conseguira impedir-se de observar cuidadosamente a disposição exata das estradas entre Hirschwang e Brunnenberg. Na manhã seguinte, quando todos saíram para praticar tiro ao alvo no bosque de faias além do parque formal em estilo inglês, a primeira coisa que Hans fez foi confirmar que o caminho direto para Brunnenberg começava mesmo do outro lado da trilha particular que ia até os elaborados portões de ferro batido na entrada da propriedade dos von Arnstein. Mas quanto mais Hans fitava a estrada vazia, mais se via pensando em Batya e Ernst como habitantes de algum país estrangeiro, mais distantes dele do que todos os sócios das empresas de sua família no exterior. Era como se tivessem perdido contato há anos e, se agora às vezes conseguia lembrar-se deles sem rancor, era porque, nesses momentos, inspiravam apenas a tristeza ambígua que sentimos ao saber de um antigo companheiro muito próximo pelo qual já nos tornamos emocionalmente indiferentes muito antes de rompermos o contato. Mas há bem pouco tempo recebera uma carta de Batya, a primeira em muitos meses, pedindo-lhe que não prosseguisse com a sua "idéia louca" e insinuando nas entrelinhas que as coisas com Ernst não iam tão bem como antes. Ao lê-la, Hans teve a sensação estranha de que o que despertava nele não era um novo desejo por Batya, mas somente pela pessoa que ele mesmo fora quando se tornaram amantes. Sabia que tinha pouco talento para compor frases, mas ainda assim gostaria de ter sido capaz de achar um modo melhor de responder do que o bilhete apressado que acabou lhe enviando: "Você me faz sentir falta de mim mesmo, Batya, mas até eu sei que esta é uma péssima razão para voltar à vida de alguém. Você sempre quis deixar este país. Espero que consiga e que convença Ernst a ir consigo. É provável que ele seja o melhor de todos nós e talvez vocês dois encontrem a felicidade longe de toda esta lama. Tente pensar bem de mim. Hans."

A brisa fria da noite começava a alcançar o prédio principal, vinda do laguinho com a sua fonte de Netuno importada em volta do qual se projetara a parte principal do jardim. Um a um, os rapazes voltaram até as grandes portas francesas e entraram na casa, onde uma refeição quente fora preparada para eles na sala de jantar menor. Leo dispensara os criados naquela noite e o jantar estava arrumado com cuidado numa série de travessas, cada uma delas aquecida pelo seu próprio *réchaud*, num bufê do outro lado da sala. A prataria e a porcelana Meissen azul e branca especialmente encomendada ostentavam identicamente o escudo dos von Arnstein e, num círculo de folhas de louro, a data em que a família adquirira Hirschwang. Christoph, cuja família se tornara nobre um século e meio antes dos von Arnstein, olhou do alto a ostentação com expressão de zombeteiro divertimento. É claro que Leo viu as sobrancelhas do amigo se levantarem no gesto de pantomima teatral característico de von Hradl — como, aliás, este pretendia — e corou, furioso. Sem dúvida, o seu gaguejar ficaria ainda mais forte esta noite, caso o debate se inflamasse e ele e Christoph se vissem em lados opostos. Mas naquele momento ninguém, exceto Hans, pensava no que viria a acontecer, já que todos estavam ansiosos para começar a comer e correram a encher os pratos como se ainda fossem estudantes chegando ao refeitório depois de muitas horas na sala de aula. Desta vez, no entanto, a fome vinha do dia passado praticando tiro ao ar livre com armas de fogo de vários calibres, de pistolinhas que podiam ser escondidas entre as roupas com facilidade a espingardas de caça maiores, equipadas com as mais novas e potentes miras telescópicas Zeiss. Com uma daquelas, um atirador habilidoso conseguiria atingir o seu alvo a grande distância. Apesar de todos os defeitos da escola, quem se formava na Mährisch-Weisskirchen era bom de tiro. Hans, no entanto, jamais fora cadete e a posição do pai lhe garantira o adiamento indefinido do serviço militar obrigatório. Do ponto de vista do Ministério da Guerra, Hans constituía um enigma administrativo, racial e ético complicado. O exército não tinha interesse em poupar ao rapaz os rigores do serviço ativo, já que os filhos das famílias mais antigas e poderosas do Império serviam como se fosse natural e consideravam este período parte indispensável de sua educação. Não; o problema é que, como judeu, Hans não podia integrar-se a nenhum dos regimentos mais conceituados nem ser promovido ao posto de oficial da reserva sem provocar imediatamente uma oposição inflamada. E é claro que seria totalmente impensável nomear um israelita para o estado-maior. Mas, como Rotenburg e herdeiro único do pai, dificilmente poderia ser colocado noutro lugar qualquer sem causar aflição nos ministérios do Exterior e do Tesouro. Até mesmo no próprio Ministério da Guerra ninguém queria se arriscar a ofender um dos mais generosos patrocinadores de todas as várias campanhas de caridade em prol dos veteranos desmobilizados. O mais importante é que Moritz Rotenburg era um dos principais acionistas de duas fábricas de armamento pesado com as quais o exército negociava novos contratos e o Estado-Maior contava com a sua influência para conseguir termos mais favoráveis. Assim, de acordo com as melhores tradições do Império que, sem dúvida, sempre preferira o retardamento estratégico aos perigos da pressa excessiva, ficou tacitamente decidido que, já que não se conseguia encontrar uma solução satisfatória para a questão do serviço militar de Hans Rotenburg, o problema todo devia ser adiado para a convocação do ano seguinte. Uma vez atingida uma política tão judiciosa e depois que o memorando apropriado foi anexado à ficha de Hans, não havia razão para não continuar renovando o adiamento até que o rapaz ficasse velho demais para o serviço ativo e o seu caso fosse definitivamente encerrado.

Uma conseqüência indesejada de todo este intrincado planejamento a seu favor foi que Hans tornou-se um dos poucos rapazes saudáveis do Império sem nenhum treinamento militar. Como também não achava graça nenhuma nas caçadas, faltava a Hans o mínimo de habilidade com armas de fogo, limitação sem conseqüências para o herdeiro de um império financeiro internacional mas que causava certos obstáculos para alguém que pensava em homicídio político. No estande ao ar livre que tinham montado, os resultados de Hans eram sempre piores que os dos outros e os seus tiros costumavam acertar tão longe da mosca que ele começou a achar que talvez precisasse de óculos. Até Langer era mais confiável com uma arma do que Hans. Embora este achasse irritante qualquer tipo de falta de destreza em si ou nos outros e evitasse ser visto fazendo qualquer coisa na qual parecesse desajeitado, revelar-se como atirador medíocre era uma falha boba demais para incomodá-lo. Mas bem agora, quando sentia que a sua autoridade sobre o grupo estava mais abalada do que nunca desde a saída de Ernst, o perigo de qualquer fraqueza visível era muito maior do que o seu significado objetivo.

Quando se inclinou sobre o prato fumegante de sopa de rabada, levantou os olhos para fitar a longa mesa à qual estavam sentados, imaginando de onde viria o primeiro ataque. Sentia-se inteiramente calmo agora que o momento do conflito declarado era iminente. Sem Ernst para estimulá-los, nenhum deles tinha autoconfiança ou força de vontade suficientes para questionar com êxito a liderança de Hans. Se Ernst tivesse ficado, o resultado seria imprevisível e havia a possibilidade de que se conformassem com o tipo de reformismo social morno que Ernst e Batya pareciam preferir na época. Indistinguível, na verdade, das bobagens que Nathan Kaplansky e Viktor Adler cuspiam diante de todas as fábricas fechadas, sem fazer a menor diferença para quem estava desempregado. Hans sabia que seu pai dominava Kaplansky, embora o próprio homem provavelmente não conseguisse perceber até que ponto. Em Viena, sem dúvida, o primeiro-ministro pagava um estipêndio regular em segredo a todos os líderes do sindicato para manter a agitação contra o governo em níveis fáceis de controlar e, se Moritz abrisse a Hans todos os seus livros, inclusive os livros-caixa particulares que ficavam trancados no cofre escondido no escritório, provavelmente ficaria claro que a firma Rotenburg era a grande patrocinadora também deste subsídio. Neste país todo mundo era comprado e vendido várias vezes e o fato de o dinheiro da sua própria família ser responsável por boa parte destas compras e vendas enchia Hans de uma síntese muitas vezes alucinante de nojo e orgulho. Fora matar alguém próximo da família imperial, é provável que não houvesse nada que ele pudesse fazer que uma boa propina do pai não atenuasse e, se Hans já se sentira tentado a vacilar em seu plano, a evidência da corrupção de Kaplansky combinada à cantilena que Ernst e Batya usavam para polir a sua falta de fé apagou de sua mente qualquer idéia assim.

Mas a respeito de uma coisa Hans logo viu que se enganara. Tinha certeza de que seria Christoph a iniciar a tentativa de golpe mas, em vez disso, a primeira rajada veio de Gerling, cuja voz, quando se elevava numa discussão, ficava muito mais aguda do que seria possível imaginar pelo tom das suas raras tentativas de envolver alguém numa conversa comum. O pai de Gerling era um tipo de acadêmico muito favorecido pelo governo — Hans não conseguia recordar exatamente de que campo, mas lembrava-se de ter visto o seu nome numa lista de especialistas convocados por uma das comissões imperiais que cuidavam da crise do desemprego — e Joachim dava a impressão de que a sua única noção de como falar diante dos outros sobre um tema sério era fazer uma imitação perfeita do estilo de seu pai como professor. Sempre que falava, o jovem Gerling, como se estivesse num púlpito, mantinha o olhar fixo nalgum lugar logo acima do ombro esquerdo de Hans e dava a impressão perfeita de alguém que sente um desconforto agudo. Mas tudo o que disse devia ter sido ensaiado por todos, já que os movimentos concordes de cabeça dos outros vinham antes que ele completasse as frases. Hans só precisou de algumas frases destas para entender a essência da acusação e, assim que compreendeu, toda aquela encenação previsível encheu-o de irritada impaciência. Discutir com Ernst era totalmente diferente, mas naquela noite não havia nada em jogo a não ser a vaidade ferida de alguns temperamentos de segunda classe aos quais faltava a autoridade interior necessária para liderar ou então o auto-reconhecimento para aceitar um papel subordinado sem resmungar. Quando ia a um concerto ou ao teatro, Hans costumava surpreender-se cochilando aqui e ali durante a apresentação, mesmo que fosse uma peça de que gostasse. A princípio, sentiu-se arrasado com a incapacidade de manter-se acordado e tentou, em vão, combatê-la tomando xícaras incontáveis de café bem forte e puro antes que a cortina se erguesse. Nada adiantou, entretanto, e logo ele deixou de lutar e simplesmente aceitou o fato de que qualquer tipo de passividade forçada causava-lhe uma certa sonolência caprichosa. Agora também percebera de repente que, embora mantivesse os olhos fixos, com desprazer crescente, na direção de Gerling, devia ter perdido uma série inteira das frases cuidadosamente ensaiadas do colega. De algum modo, durante o surto de desatenção de Hans, as queixas passaram da sua soberba geral ao exemplo específico de Asher Blumenthal, que Joachim agora condenava com o farisaísmo de um pedante de nascença.

— Ele é tão desprezível, de forma tão absoluta e irredimível, que o simples fato de que a sua companhia foi imposta a todos nós durante estas semanas é uma ofensa a tudo em que acreditamos. Não tem um grão de consciência revolucionária e agora que também virou um bêbado totalmente incapaz de manter a boca fechada é ainda mais perigoso do que antes para nós. Não me surpreenderia se metade dos donos de taberna do bairro Josef soubesse tudo sobre nós, graças ao seu novo recruta. Isso sem falar nos fregueses desses lugares, onde sabemos que a polícia gosta de manter um ou dois espiões para identificar possíveis criadores de problemas. Mal dá para imaginar o que ele vem dizendo sobre nós nas pocilgas onde prefere se enfiar e se encharcar. A única coisa que faz no restante do tempo é ficar ali no seu apartamento nos pedindo dinheiro e apresentações a mulheres fáceis de quem talvez tenhamos nos cansado. Tem alguma idéia de como esse fluxo constante de indecências nos ofende? Ser abordado assim por um verme como Blumenthal quando o direito das mulheres de se salvarem da exploração faz parte daquilo pelo que lutamos! Nenhum de nós consegue entender que utilidade você achou que ele teria para nós, Hans, e temos direito a uma explicação mais completa. O que aconteceu com o princípio da decisão coletiva? Todos nós admitimos que até agora foi você quem fez a maior parte do trabalho; mas não nos unimos para sermos sócios minoritários noutra empresa Rotenburg e com certeza não queremos que você nos comprometa com algum plano que tenha inventado se nenhum de nós tem voz na sua elaboração.

    O ritmo ascendente do discurso de Gerling deixou claro que estava longe de terminar. Pelo contrário, pelo modo como começava a passar de uma perna a outra atrás da cadeira de espaldar alto na qual se apoiara até então havia uma grande possibilidade de que pretendesse continuar discursando ali ainda por um bom tempo ou, pior ainda, começar a andar de um lado para o outro por todo o comprimento da mesa de jantar para acrescentar a pontuação das demonstrações físicas ao que via, claramente, como eloqüência irresistível das suas palavras. O encanto consigo mesmo que, pelo menos aos seus próprios ouvidos, transformara um subordinado terrivelmente tímido e de língua presa no Danton desta revolta de sala de jantar era emocionante demais para Gerling prestar atenção ao efeito que as suas palavras tinham sobre os ouvintes. Hans, entretanto, fora treinado pelo pai a aproveitar qualquer mudança mínima da distribuição do poder numa negociação comercial e notou de imediato que os outros, principalmente Christoph, mostravam sinais claros de inquietação com o desempenho de Gerling. Tinham parado há muito tempo de concordar com a cabeça com as suas tiradas e quanto mais apaixonado o rapaz soava mais Christoph e Leo pareciam insatisfeitos.

"Eu estava certo desde o princípio", pensou Hans. "Foi von Hradl que pretendeu tomar-me o poder esta noite, com Leo como seu lugar-tenente. Foi por isso que organizaram este fim de semana com tanta prática de tiro, na qual sabiam que eu teria maus resultados. Provavelmente, planejam rastejar de joelhos, daqui a um ou dois dias, até Brunnenberg e implorar a von Alpsbach que se una a eles como o seu líder perdido. Ernst, o cavaleiro andante de alma pura e *pedigree* impecável. Gerling seria apenas o seu fantoche, é tudo. Só que agora o ator coadjuvante descobriu como gosta do papel principal e é óbvio que não pretende entregar o centro do palco a mais ninguém. É maravilhoso ver Leo se encolher na cadeira toda vez que Gerling agita as mãos e quase bate na terrina ao seu lado. Para eles, serem liderados por um Rotenburg é uma coisa, não exatamente o que esperavam, mas depois de verem os seus pais engolirem o orgulho para pedir ajuda ao meu, isso passou a fazer parte da sua vivência do mundo. Mas acontece que receber uma aula sobre decisão coletiva do filho de um professorzinho burguês é mais do que podem agüentar, mesmo que só durante uma hora."

Pouco antes de ouvir o barulho da queda, Hans viu os olhos de Leo se arregalarem de horror e adivinhou imediatamente a causa. A grande sopeira, que fora um presente das Majestades Reais de Madri a Johann Alexander von Arnstein por ocasião da sua partida do país para voltar à pátria e nunca mais voltar, balançou no bufê alguns segundos e então, antes que alguém conseguisse segurá-la, jazia em pedaços no chão de madeira de lei, com exceção de um pedacinho que agora pendia sem sentido da manga encharcada de Gerling. Hans tinha uma boa idéia de como Hirschwang e as florestas circundantes estavam pesadamente hipotecadas e de como os von Arnstein tinham pouco dinheiro disponível para substituir itens muito menos caros que esta antigüidade de aparência assustadora. Quando o resto da família de Leo voltasse, ficar incomunicável numa das prisões do imperador pareceria uma alternativa agradável a enfrentar a sua fúria coletiva. Agora, no entanto, para espanto de todos, o rosto mais irritado da sala era o de Joachim Gerling, visivelmente indignado porque coisa tão trivial como uma peça de louça quebrada pudesse tê-lo interrompido no meio de uma frase. Continuava a balançar o braço para soltar o caco que ali se prendera, espalhando gotas de sopa e partículas de carne por toda parte e ameaçando a segurança das outras travessas ainda ao alcance do seu tronco comprido. Além disso, já que tinha certeza de que o resto do grupo estava tão ansioso para ouvir o resto do seu discurso quanto ele de atendê-los, fez um sinal tranqüilizador para todos com a cabeça, para mostrar que tinha total intenção de recomeçar assim que se livrasse dos últimos restos de porcelana ainda presos a ele e, com efeito, no momento em que o caco final uniu-se aos outros no chão voltou à posição original atrás da cadeira e, como se nada tivesse acontecido, continuou:

— O que todos nós combinamos tem de acontecer, Hans...

— É você se sentar, calar esta droga de boca e parar de agitar os braços como um lunático enquanto ainda existem pratos inteiros.

Nunca tinham visto Christoph tão irritado. Seu rosto estava contorcido com a mesma fúria histérica que os arrendatários de von Hradl pai tinham de agüentar quando ousavam pedir uma prorrogação dos pagamentos trimestrais. Gerling ficou ali de pé, imobilizado, olhando espantado em volta como se não conseguisse entender o que Christoph dizia. Durante vários segundos, nada lhe causou nenhuma impressão, com exceção da surpresa com a interrupção do amigo com uma voz que lhe pareceu, mesmo através da paralisia que lhe embotava a mente, enraivecida. Mas não conseguiria repetir uma única sílaba, como se tivesse ficado surdo-mudo de repente. Era como se um conjunto de sons ao acaso o alcançasse vindo de muito longe e ele precisasse de tempo para conseguir decifrá-los e formar alguma declaração compreensível. Lentamente, enquanto o seu torpor passava a dar lugar à percepção de que alguma coisa dera muito errado, Gerling esforçou-se para buscar apoio nos olhos dos outros, mas quando só viu a ausência desdenhosa de qualquer solidariedade, desmoronou na cadeira como uma marionete cujos fios que a sustentavam tivessem sido cortados de repente. Não parecia mais capaz de levantar a cabeça e deixou-se ficar ali sentado, resmungando na direção geral de von Arnstein:

— Desculpe-me, Leo, nem posso lhe dizer como estou arrependido.

Ninguém sequer se incomodou de olhar para Gerling, abandonado ali na cadeira como se fosse invisível, como um criado inepto e demitido e com quem qualquer trato seria embaraçoso para todos os envolvidos. Foi exatamente aí que Hans foi até ele e, como se fosse a coisa mais natural do mundo, deu-lhe um tapinha amigável nos ombros caídos, um sorriso rápido e solidário e, sem nenhuma demonstração indevida, sentou-se na cadeira vazia ao seu lado. Nenhum deles ouviu o que cochichou no ouvido de Gerling, mas o olhar de total adoração que o rapaz devolveu a Hans deixou claro que Rotenburg acabara de conquistar um seguidor cuja lealdade nada mais seria capaz de abalar. Depois, Hans desatarraxou cuidadosamente a tampa da sua enorme caneta-tinteiro de ouro e laca negra, pegou o caderninho de notas de couro no bolso interno do paletó, colocou-os ambos na mesa à sua frente e só então olhou friamente os outros. A sua expressão era impossível de decifrar, mas não havia como deixar de perceber o caráter contido e mortal da sua raiva. Todos eles se armaram contra os gritos e descomposturas e prepararam-se para revidar, mas quando Hans finalmente começou a falar foi sem levantar nem um pouco a voz. Ficou quase imóvel em sua cadeira enquanto se dirigia a eles. Nenhuma das suas palavras recebeu ênfase ou expressão especial e, como falava num tom de voz quase baixo demais para uma sala de teto tão alto, todos tiveram de se inclinar e prestar atenção para não perder nenhuma das suas palavras.

— Então quais de vocês realmente acreditam nessa bobagem contra-revolucionária? Digam-me, por favor, porque tenho certeza de que os chefes do partido adorarão saber até onde a podridão se espalhou e eu gostaria de encaminhar a lista das queixas de vocês. Que droga de facçãozinha antipartido vocês arranjaram aqui? Quando uma sopeira cai, todos se chocam, mas violar a disciplina do partido e espalhar a dissensão às vésperas da nossa ação mais ambiciosa e arriscada, bem, isso não é nada, uma bobagenzinha para os gentis-homens. Porque é isso o que vocês são: gentis-homens que se queixam dos pais e professores, não revolucionários, e com toda a certeza não do tipo de que o partido precisa para cumprir a sua missão histórica. Quem são vocês para falar de consciência revolucionária? Alguém tomou alguma providência para limpar a sujeira no chão? Não, claro que não. Os criados cuidarão disso pela manhã. Temos coisa melhor a fazer. Como conspirar uns contra os outros e transformar tudo num grupo de discussões inflamadas, como se ainda estivéssemos na escola. Mas isso não serve mais e para que não haja a possibilidade de outro erro, deixem-me dizer-lhes exatamente por quê.

"Acreditam mesmo que a nossa cidade é a única no Império onde se decidiu realizar uma ação exemplar? Não suspeitam de que esteja em jogo alguma coisa maior do que uma brincadeirinha de subversão na província que todos sabem ser a mais atrasada do segundo Império mais atrasado da Europa? Todas essas queixas de mulherzinha sobre Asher Blumenthal? Não conseguem perceber como soa patético? 'Ora, querido. Ele bebe demais e faz comentários indecentes. Ah, se Ernst ainda estivesse aqui, ele nunca suportaria alguém que não respeita as mulheres.' Bem, Ernst não está aqui e podem ter certeza de que nenhum dos líderes lamenta isso. Se soubessem o quanto tive de implorar em certos lugares para que deixassem que se afastasse sem enfrentar conseqüências extremamente desagradáveis pela sua deserção! E quanto a Blumenthal, se o partido precisa usar alguém como ele, a única coisa que importa é que ele cumpra bem a sua tarefa! Se ele quer foder todas as mulheres do bairro Josef ou sacrificar-se para 'salvá-las da exploração', isso é totalmente insignificante, a menos que afete a tarefa que recebeu.

"Todos tivemos de ouvir Ernst matraquear sobre por que rejeita a violência como instrumento político. Bem, o partido também conhece a posição dele e, no que diz respeito à liderança, as opiniões de Ernst não passam de asneiras sentimentais. Sermões de um professor de catecismo, é isso o que representa hoje a sua política. As únicas pessoas a quem esta tagarelice pode soar convincente são os elementos mais reacionários da nossa classe dominante, se antes não morrerem de rir. Se os oprimidos realmente renunciarem à luta armada, as classes dominantes poderão dormir para sempre em segurança. Afastar-se da violência é apenas uma desculpa para nunca combater o mal. Não agir, não fazer todo o possível — seja o que for — para derrubar todo o sistema social corrupto não passa de cumplicidade criminosa com a polícia e o governo. Nenhuma classe jamais abdicou voluntariamente do poder e duvido que os nossos governantes passem a fazê-lo agora para que almas nobres como Ernst von Alpsbach e Elisabeth Demetz gozem o seu pequeno idílio em Brunnenberg de consciência limpa. Porque, na verdade, isso é tudo o que tais ideais elevados pretendem realizar. Um modo para os ricos sensíveis continuarem a viver a sua vida sem que tenham de se sentir culpados. Mas nós nos comprometemos a fazer mais do que isso e, felizmente, há toda uma rede de camaradas de armas prontos a fazer o que for necessário para manter a revolução no rumo certo.

"Provavelmente eu não deveria lhes contar nada disso e terei problemas graves se alguém descobrir que o fiz. Embora vocês talvez não saibam, às vezes fico tão confuso quanto vocês com as razões de uma diretriz específica, mas sei que o meu dever de revolucionário é não desperdiçar um tempo precioso discutindo cada ordem. Se acham que estou tomando todas as decisões por nós, bem, posso lhes dar a minha palavra, vocês não poderiam estar mais enganados. Sou apenas um dos canais que os líderes do partido escolheram para transmitir as suas instruções para esta região e não tenho mais influência sobre o que eles decidem do que ninguém nesta sala. O que me disseram, no mais estrito segredo, é que há dúzias de células como a nossa em toda a Europa, preparando bem agora um golpe contra as classes dominantes do qual elas nunca se recuperarão. A idéia é fazer todos os ataques no mesmo dia e o mais perto possível da mesma hora, ao meio-dia desta Páscoa, para deixar claro que somos um exército revolucionário organizado e disciplinado e que ninguém está fora do nosso alcance. Nenhum de nós sabe o nome dos militantes das outras cidades nem a identidade dos alvos selecionados, de modo que, se um grupo for ameaçado, os outros não ficarão em perigo. Como há tanta coisa em jogo para o partido, criaram um corpo de esquadrões disciplinares móveis com ordens de encontrar e liqüidar todos os renegados que, por covardia ou vacilação ideológica, ameaçarem a causa. Vi um ou dois desses tribunais revolucionários em funcionamento e acreditem-me, detestaria cair em suas garras. Neste momento já estamos em guerra e, no meio da batalha, a justiça proletária não tem tempo para as delicadezas legais da burguesia. Assim, se eu lhes disser que usei toda a pouca influência que tenho junto aos líderes para proteger Ernst — e talvez mesmo só temporariamente — da visita desses homens e que, depois de ver um dos membros fundadores de uma de suas células abandoná-la, o partido não tolerará de nós mais nenhuma defecção, é com a nossa segurança e não com a minha posição que estou preocupado. Minhas ordens foram muito explícitas neste ponto: o partido suspeita que haja elementos contra-revolucionários em todas as células e querem que eu lhes mande uma lista de todos os que acho que não merecem confiança — para quê, deixo que vocês imaginem. Assim, pergunto-lhes pela última vez: quem quer ser registrado por questionar as decisões dos líderes e quem quer esquecer toda a bobagem deste fim de semana e voltar às tarefas revolucionárias sem mais nenhuma dissensão?

Todos os vestígios de raiva tinham sumido há muito tempo do rosto de Hans. Quando terminou de falar, inclinou-se na cadeira, segurando de leve a caneta, e começou a escrever algumas palavras na folha branca à sua frente. Se foi de propósito ou apenas devido à posição em que estava sentado, seu braço ocultava o papel e, apesar do que parecia um esforço consciente para que a curiosidade não os dominasse, os outros lançavam olhares a Hans, tentando observar o movimento da sua mão para decifrar o que estaria escrevendo pelo modo como a caneta avançava pela folha. A não ser pelo som leve do raspar da pena de ouro no papel, o silêncio na sala era absoluto. Nenhum deles se entreolhava e só a atração aparentemente irresistível que a pena e o bloco de Hans exerciam sobre os seus olhos dava sinal de que ele não estava inteiramente só. Era como se cada um deles estivesse preso num estreito lençol de gelo e, quando o frio se espalhara pelos seus membros, perdera a capacidade de perceber a presença de outro corpo a menos de um metro de distância.

De início nenhum deles, nem mesmo Hans, tinha certeza da fonte das batidas claras e repetidas que perfuravam o silêncio. Então, como se reagissem em uníssono à mesma deixa, todos olharam para a cadeira ao lado de Hans e viram Joachim Gerling batendo de leve na borda da mesa com o punho fechado, no conhecido gesto estudantil de aprovação. Quando viu, satisfeito, que finalmente todos o olhavam, Gerling começou a aumentar o volume e o ritmo de seu aplauso solitário e a acompanhá-lo de uma mirada desafiadora a cada um dos outros. Um por um, eles afastaram os olhos de Gerling, fecharam a mão em punho e passaram a socar a mesa até que a sala inteira ressoava com as batidas. Até ali Hans mantivera o ar de suave impassibilidade, mas quando o barulho foi crescendo e sustentou-se sem nenhuma diminuição porque ninguém queria ser o primeiro a parar, sorriu de leve, fechou o caderno, devolveu a caneta ao bolso interno do paletó e fez um pequeno gesto de cabeça, como se para dissipar qualquer tensão remanescente. Quando sinalizou o desejo de voltar à conversa, foi com extrema boa educação, como se pedisse cuidadosamente a sua boa vontade, mas ainda assim as batidas continuaram por mais alguns instantes, como se tivessem adquirido vida independente das mãos que as produziam, até que finalmente amainaram, com as últimas vibrações a se demorar no ar como o ribombar de uma espingarda disparada várias vezes num lugar fechado.

— Agora, quanto a Asher — disse Hans em seu tom mais empresarial, passando ao próximo item não resolvido da pauta como se estivessem realizando uma reunião de rotina da diretoria de alguma das várias empresas das quais o pai era o maior acionista —, não consigo imaginar que ninguém, eu inclusive, consiga passar quinze minutos ao seu lado sem ficar com a mesma impressão de Joachim e Christoph.

Quando Hans disse isso, os músculos do pescoço de von Hradl tensionaram-se visivelmente e ficou claro que estava se preparando para uma crítica indireta ao que dissera sobre a suposta cegueira de Hans aos defeitos de seu protegido. Leo também se inclinou e tentou concordar com mais entusiasmo ainda com a encenação de Hans. Mas este não olhou para nenhum dos dois e manteve o mesmo ar amigável mas apressado que adotara o tempo todo, mais preocupado em incluir todos os que estavam à mesa em seu relatório do que tratar de áreas de atrito anteriores e não mais pertinentes.

— Ele é um lixo mercenário. Totalmente indigno de confiança e sem lealdade a nenhuma causa maior do que ele mesmo. É exatamente por isso que é indispensável em nosso plano. Ele mantém um livro-caixa de tudo o que deseja ter e que até hoje lhe foi negado e estou convencido de que se tornou contador principalmente para manter este livro o mais atualizado possível. O que o torna tão odioso a vocês, a sua ganância e o seu egocentrismo, é que impede que se desintegre completamente, por mais paralisado que fique com o envenenamento alcoólico. Há alguma coisa quase transcendente numa concentração tão cega e egoísta que faz um homem dispor-se a sacrificar todos à sua volta para gratificá-la. No entanto, até esta noite nunca suspeitei como um individualismo tão mesquinho quanto esse poderia ser contagioso. Porque é óbvio que os nossos problemas anteriores se inspiraram não só no exemplo de Ernst como também na disseminação sub-reptícia do blumenthalismo entre nós. Se tivéssemos tempo, poderíamos escrever um folheto coletivo sobre a nossa experiência como um alerta para os outros e intitulá-lo *Contra o blumenthalismo: o desvio antipartidário vindo de baixo*.

"É claro que Blumenthal não tem nenhuma consciência revolucionária. Quando foi que a pequena burguesia já manifestou alguma real solidariedade com a classe trabalhadora? Pelo contrário. Chegam a adoecer com a ânsia de viver como os seus superiores. O que o partido pode fazer, no entanto, é usar esta doença para fins úteis. Nos últimos meses, recebi ordens de passar horas, as horas mais dolorosas e entediantes da minha vida, ouvindo o catálogo interminável de ambições frustradas de Asher para que o partido soubesse como motivá-lo melhor quando chegar a hora, e fazer isso me ensinou como a missão pessoalmente mais desagradável pode vir a ser importante."

Hans parou de repente, menos para tomar fôlego do que para certificar-se de que a concentração de todos era tão firme como quando começara. O medo é um grande concentrador de atenção e, assim, havia pouco risco de que o interesse de alguém se desviasse. Mas apesar da confiança de Hans de que ninguém o questionaria agora, sabia que não devia ultrapassar um determinado ponto ao forçar seus cúmplices a admitirem a extensão do seu domínio. O pai lhe ensinara os benefícios a longo prazo de deixar aos parceiros menores a ilusão de serem consultados, tática ainda mais valiosa porque não custa nada a não ser a disciplina de não ostentar o próprio poder. Segundo Moritz, era surpreendente como poucos homens conseguiam controlar a vontade de lembrar a sua importância a todos os circundantes, mesmo quando seria do seu próprio interesse não fazê-lo. Parece que o Conde Wiladowski era um dos raros exemplos que Moritz encontrara de pessoa de indiscutível inteligência cuja família passara os últimos três séculos e meio ajudando a administrar o Império e que ainda assim aceitava que o tomassem por bem menos do que era na verdade. Desde os seus tempos de escola, Hans crescera acostumado a ouvir o conde-governador da província ser desdenhado como nobre afetado e insignificante por todos os que queriam se mostrar atualizados. Mas a sua experiência ao lado do pai nas reuniões de negócios dera-lhe boas razões para confiar na opinião de Moritz sobre as pessoas, e veio a desenvolver um respeito cauteloso por um homem que o pai tinha em tão alta conta. Quase sozinho no grupo, Hans o via como o alvo ideal de um atentado. Mas se o conde-governador seria o principal alvo dos conspiradores ou apenas uma das possibilidades era menos importante agora do que garantir que todos se sentissem diretamente envolvidos em tomar esta decisão. Assim, Hans deixou deliberadamente a questão em aberto, até mesmo em sua cabeça, enquanto esperava que Christoph acalmasse os nervos o bastante para intervir na discussão.

Finalmente, Christoph conseguiu, só depois de impor ao corpo todo um balé de contorções e viradas esquisitas, coreografadas de acordo com alguma complexa música interior que só ele ouvia e, ao vê-lo agitar-se em seus balbucios, Hans pensou, quase sem solidariedade, que sucesso teria um dos caros alienistas do novo tipo de Viena no tratamento deste mal. Como os outros do grupo, Christoph, daí por diante, pareceu dirigir suas palavras somente a Hans, sem sequer virar a cabeça para fitar diretamente a mais ninguém, de modo que, embora Hans tomasse o cuidado de envolver a todos na conversa, os outros, por sua vez, só falavam com ele e comunicavam-se entre si principalmente pelo que diziam a Hans. O próprio Hans concluíra há muito tempo que não havia base racional para preferir a lealdade livremente concedida à fidelidade forçada pelo medo e pelo interesse pessoal. Pelo contrário, havia muitas razões para supor que esta última duraria mais e seria menos vacilante, e ele estava inteiramente disposto a aceitar Christoph e os outros de volta contanto que se comprometessem. Christoph, que era o mais inteligente do grupo, logo entendeu o que lhe era exigido e surpreendeu até Hans com a prontidão com que se lançou ao papel dele esperado. Foi, com certeza, um desempenho exemplar de Christoph, e todos os outros, especialmente Leo, o invejaram por ter sido o primeiro, e, Hans tinha certeza, tentariam imitá-lo quando chegasse a sua vez.

Não só Christoph condenou a deserção de Ernst nos termos mais ofensivos que se podia imaginar como insinuou com bastante clareza que nunca conseguira realmente confiar nele e que prolongara por tanto tempo a farsa devido à lealdade míope a um ex-colega de escola que conhecia por toda a vida. O potencial de utilidade para a causa dos laços familiares dos von Alpsbach com o Estado-Maior Geral do Império também causou grande impressão a Christoph e ele sentiu apenas gratidão por Hans fazê-los ver que a confiabilidade ideológica e a dedicação revolucionária importavam muito mais do que quaisquer atributos externos. Quanto aos esquadrões disciplinares, bem, Christoph tinha certeza de falar por todos os presentes ao aprovar a idéia com total entusiasmo. A necessidade de medidas fortes era óbvia para quem quer que analisasse a situação objetiva do ponto de vista correto. Além disso, embora seguramente fosse um ato nobre de Hans gastar o seu próprio estoque de boa vontade acumulada para proteger o ex-amigo da justiça revolucionária à qual as suas atividades antipartidárias tornaram-no vulnerável, Christoph não podia deixar de perguntar-se se, ao fazê-lo, Hans não cometera um erro parecido com o do próprio Christoph, deixando os sentimentos pessoais enevoarem a sua avaliação das questões maiores em jogo. Enquanto dizia isso, Christoph ficou na ponta dos pés para abrir um grande sorriso para Hans, de modo que não houvesse como deixar de ver que a sua observação era apenas um gracejo para ressaltar como os dois tinham coisas em comum e, com toda a certeza, jamais uma crítica séria. Mas o seu sorriso, que em geral tinha um traço malicioso e feroz, parecia irremediavelmente aleijado enquanto brigava contra os tiques nervosos que ainda percorriam, embora em intervalos maiores, os músculos do seu rosto e a sua mandíbula. Enquanto Christoph lutava para controlar de volta o rosto, Hans deu-lhe um sorriso de aprovação, rindo com aparente prazer com a sua esperteza de envolvê-los a ambos num ato semelhante de fraqueza. Depois, olhou em volta da mesa para encorajar os outros a também seguir a iniciativa de Christoph. Com precisão treinada digna da orquestra da Casa de Ópera Imperial de alguns anos antes, quando Mahler era o primeiro regente, todos começaram a falar em sucessão rápida mas hierárquica, com a ordem e o nível de decibéis da sua intervenção determinados pela importância da família no *Almanaque de Gotha*, até que o tumulto das palavras misturadas pareceu quase tão alto quanto as batidas anteriores na mesa. Logo, a única questão em dúvida era quem tivera primeiro despertadas as suspeitas de Ernst e quem era o mais desapiedado em sua avaliação. Neste aspecto estavam bastante dispostos a competir entre si, cada um afirmando com paixão que a sua própria desconfiança de Ernst era pelo menos igual à de Christoph e que nunca fora atenuada pelo sentimentalismo escolar. A sua unanimidade foi tudo o que um partidário cético da regra da tomada coletiva de decisões desejaria, já que, como gesto de boa-fé, iniciado formalmente por Gerling e imediatamente secundado por Christoph, que ficou visivelmente envergonhado por não ter pensado antes na moção, a célula inteira votou a favor do plano de Hans, antes mesmo que ele o explicasse.

— É inconcebível que não lhe demonstremos desde o princípio a nossa confiança, Hans — declarou Gerling solenemente em nome de todos e, como a sua voz estava a ponto de romper-se com a intensidade dos seus sentimentos, foi bom que precisasse de tão poucas palavras para terminar o seu discurso.

Para Hans, o mais notável em meio a todas estas declarações de fidelidade era o cuidado com que todos evitaram mencionar Asher, ainda que — ou melhor, como ele corrigiu-se em silêncio, exatamente porque — foi associando-o à degeneração do rapaz que planejaram originalmente justificar o golpe. Nem a sua pista deliberadamente apetitosa sobre o papel central de Asher na conspiração fora suficiente para provocar uma única pergunta, como se, depois de absorverem a idéia de que o partido identificara o blumenthalismo como perigoso desvio pequeno-burguês, o mero levar à boca o nome de Asher se tornasse de repente arriscado demais. Mas Hans não tinha a intenção de deixar o seu nome sumir e, por mais que tivesse confiado na improvisação para apresentar o seu plano, o único elemento de que não tinha intenção de se afastar era ressaltar que Asher seria vital para o sucesso.

Há apenas algumas horas seria impossível ao observador mais arguto prever como todos os homens na sala podiam ficar bem afinados ao menor sinal de Hans. Ele mal começou a afastar a cadeira da mesa e todos ficaram instantaneamente em silêncio, à espera de que começasse a falar de novo. No entanto, ao contrário dos outros, Hans não fez menção de levantar-se antes de falar. Levou alguns instantes para encher o seu copo d'água e voltou exatamente ao ponto de onde saíra, sem ignorar o que todos tinham dito no intervalo mas tratando as suas palavras como uma precondição necessária mas estritamente preliminar à continuação. Falou-lhes o tempo todo sem se levantar da cadeira, mas, embora mantivesse quase os mesmos modos amáveis e sem mudanças de entonação de antes, o que disse soou como um discurso formal num congresso do partido, redigido antes mesmo que ele aceitasse passar o fim de semana em Hirschwang e não necessariamente por Hans sozinho. Fazia deliberadamente um discurso, não falava simplesmente, e a maneira como descartou até a forma exterior de uma conversa foi mais intimidadora do que qualquer ameaça real em suas palavras. Não havia mais possibilidade de diálogo. Falou sem consultar anotações, citando de memória, como alguém que declama um texto específico e sabe que os seus ouvintes se apressarão a decorá-lo.

— O que precisamos ter em mente — disse-lhes Hans — é que a primeira morte que conseguirmos acabará atraindo milhares de partidários à nossa causa. Ainda que fracassemos e o nosso alvo sobreviva, basta o fato de ousarmos atacar um personagem público importante para levar as autoridades a uma repressão generalizada, que só poderá mobilizar a solidariedade do público ao movimento de oposição como um todo. Se a repressão for suficientemente severa, fileiras de liberais, inclusive homens como o nosso ex-camarada Ernst, aos quais falta coragem para a ação direta, virão a reconhecer a obrigação ética e social de prestar aos combatentes armados o seu apoio tácito. Acabaremos conseguindo causar-lhes vergonha bastante para nos fornecer abrigo, dinheiro, documentos adequados para viagens e até a sua casa para escondermos armas. Se recusarem, é claro que isso vai marcá-los como cúmplices da polícia e, então, podem esperar o mesmo destino de qualquer inimigo fardado do povo. Alguns bastões de dinamite colocados com cuidado numa dessas casas, acompanhados de uma explicação pública e clara de por que tal passo foi necessário, e tenho certeza de que não enfrentaremos mais nenhuma recusa. O nosso objetivo imediato deve ser simplesmente provocar e continuar provocando o governo, não importa a que custo, até que ele se lance contra a agitação ou reforma mais leve, para que em todos os bons círculos liberais, inclusive o dos professores universitários e primários, engenheiros, jornalistas, advogados e médicos, pelo menos algum nível de solidariedade aos nossos militantes seja exigido como prova de "consciência limpa". A partir daí, é apenas uma questão de aumentar a pressão até estarmos em condições de exigir também ajuda ativa. Quando alguém nos ajudar de forma tangível, por pouco que seja, esta pessoa será nossa para sempre, porque bastará a ameaça de uma denúncia anônima à polícia para deixá-la de joelhos.

"Agora, é óbvio que, se queremos que a nossa ação tenha repercussão mais do que local, colocar uma bomba na delegacia de polícia da cidade ou atirar nalguns fura-greves não será suficiente. É provável que nem um ataque isolado a Wiladowski provoque o tipo de reação demasiada com que conta o partido. É por isso que é tão perfeito que o Ministério do Interior tenha decidido arrumar toda essa confusão com a festa do Campanário. As autoridades de Viena devem ter esperanças de que um pouquinho de ostentação distraia as pessoas dos seus sofrimentos. Uma chance destas acontece com tanta raridade que não podemos deixar de aproveitar ao máximo o que nossos inimigos nos deram de presente. 'A sorte é um resíduo do planejamento.' Todos vocês conhecem a frase das conferências do partido; chegou a hora de transformar essas palavras em realidade.

"A maior parte das nossas famílias já recebeu o convite para as comemorações que o Castelo está organizando e farei o máximo para obter com o meu pai mais alguns para quem não estiver na lista de convidados. Estão vindo de Viena nomes importantes em quantidade suficiente para atrair a atenção de todo o Império para a nossa cidade. Haverá, como sempre, a rodada de bailes à noite, mas são as cerimônias públicas do Domingo de Páscoa, quando todos os dignitários estarão amontoados, que nos dão mais possibilidades. Até agora, pelo que vi no programa oficial, os momentos mais promissores serão os discursos planejados para o meio-dia na Praça da Catedral, onde já estão montando o palanque e o pálio para os principais participantes, e mais cedo, quando a procissão pela cidade fizer as paradas de "surpresa" já combinadas para uma inspeção no quartel do exército, seguidas de uma breve visita ao Clube Mendelssohn e à Igreja Ortodoxa grega. É óbvio que escolheram os dois últimos para demonstrar a nossa famosa tolerância austríaca. Não tenho certeza exatamente de que tipo de cerimônia planejam para a igreja mas sei que os diretores do Clube Mendelssohn receberam permissão do próprio conde-governador para apresentar uma petição solicitando respeitosamente um aumento da quota de judeus na universidade. Tenho certeza de que, se eu lhe pedir, meu pai pode conseguir que Blumenthal faça parte da delegação, já que há anos Blumenthal diz a todo mundo no clube que, se não fosse pela quota judaica, poderia ter seguido uma carreira acadêmica.

"É claro que Wiladowski espera receber um belo presente por honrar o clube com a sua visita e a diretoria ficará felicíssima se eu me oferecer para fornecer-lhes um às minhas próprias custas. Se eu disser que é para pedir desculpas por não ter comparecido à festa que deram para mim, ficarão ainda mais contentes. Agora, o que proponho dar a Wiladowski é um raríssimo relógio de mesa do século XVII, assinado por Margraf, relojoeiro imperial de Praga. Consegui encontrar um negociante na capital especializado em peças assim e, como famoso apreciador, Wiladowski reconhecerá de imediato o valor do presente. Tenho certeza de que vai querer mantê-lo à vista e em segurança o máximo possível. Assim que o relógio chegar do antiquário, vou levá-lo ao clube e mostrá-lo a todo mundo, para que todos possam satisfazer a curiosidade. Sem dúvida vão se sentir obrigados a me oferecer a honra de entregar o presente em pessoa, mas vou sugerir que seria melhor que um dos signatários mais humildes da petição, alguém como Asher Blumenthal, fosse responsável por entregar ao conde-governador a sua lembrança. É o tipo de idéia que vai deliciar os diretores, já que pode lhes poupar brigas intermináveis sobre quem o faria em meu lugar. Então levarei o relógio para casa comigo, para guardá-lo até o dia da cerimônia, e usar este tempo para substituir parte do mecanismo por uma bomba poderosa preparada para explodir meia hora depois do momento marcado para que Wiladowski o receba. Blumenthal ficará felicíssimo de receber um papel tão importante na cerimônia e vai desempenhá-lo com perfeição. O relógio é pesado demais e só poderá ser levado numa das carruagens — e dado o seu valor, quase com certeza a do próprio Wiladowski — e quando explodir, vai levá-lo consigo, a ele e a todos os que estiverem por perto. Há sempre um leve risco de levar a bomba da minha casa até o clube e estarei acompanhando Blumenthal o tempo todo, mas se tudo funcionar de acordo com o plano ambos estaremos bem longe quando ela explodir. Caso contrário, bem, suponho que seja um jeito tão bom de morrer quanto outro qualquer. Mas para que tenhamos possibilidade de sucesso, tudo depende da chegada do especialista em explosivos que o partido vai nos mandar de Genebra. Usa o apelido Botho e me disseram que é um químico brilhante, encarregado de mais de uma dúzia de atentados bem-sucedidos organizados pelo partido. Recebi instruções de trabalhar com ele e garantir que obtenha todo o material necessário para o serviço. Ele não permitirá que mais ninguém o conheça nem saiba como é seu rosto; é uma pena, aliás, mas as ordens foram muito explícitas neste aspecto. Mas garanto que todos serão informados do seu progresso. No caso de o plano dar errado, ainda podemos recorrer ao tiro direto contra o inimigo. Dois de vocês — eu sugeriria quem obteve o melhor resultado no treino de tiro de hoje — tomarão posições em esquinas opostas da Praça da Catedral, perto da frente da multidão, e se a procissão chegar até lá, saberão que a bomba falhou e caberá a vocês usar a habilidade que mostraram hoje de forma tão impressionante. Daquela distância até eu teria possibilidade de acertar vários tiros e atingir o meu alvo antes de sumir na multidão, e é claro que o partido espera que façam muito melhor do que isso, principalmente depois do relatório exultante que vou mandar-lhes sobre a sua excelência como atiradores. Na confusão, há uma chance razoável de os atiradores conseguirem escapar a salvo e, neste caso, haverá passaportes falsos e passagens de trem para fora do país à espera de todos no apartamento do bairro Josef. Sei que há muitos detalhes específicos que precisam ser elaborados e conto com sua engenhosidade para melhorar o que ainda é um simples esboço, mas como a Páscoa, este ano, cai em 12 de abril, não temos muito tempo. Assim, sugiro que limpemos juntos agora a sujeira no chão para poupar aos criados todo este trabalho pela manhã e depois tentemos dormir um pouco antes de voltar à cidade separadamente para cumprirmos o nosso dever. Mas primeiro, suponho que deva perguntar se há alguma coisa que vocês queiram esclarecer agora mesmo e, mais importante, se alguém aqui reluta em seguir adiante com o plano.

◆◆◆

Embora cada cômodo da enorme mansão tivesse a sua própria lareira, todas cuidadosamente mantidas acesas pelos criados, estivesse ocupado ou não o cômodo, o calor do quarto de dormir de Moritz era forte o bastante para invadir todo o prédio. Hans costumava achar a casa insuportavelmente abafada e pedia que as janelas dos seus aposentos ficassem abertas o tempo todo, mas depois de Hirschwang, onde fora obrigado a usar um casaco grosso de inverno até para ir dormir, ficou grato com a obsessão do pai por aquecimento. Subiu correndo as escadas, passou pela porta do quarto do pai, aliviado com a ausência de barulho ali dentro, que só poderia significar que Moritz estava descansando e, assim, seria improvável que chamasse o filho para perguntar-lhe onde estivera naqueles dias. Assim que fechou e trancou a porta do seu quarto, Hans jogou-se inteiramente vestido na cama, cansado demais para pedir aos criados que lhe preparassem um banho, embora tivesse esperado por isso durante toda a viagem de volta à cidade. Agora que a verdadeira tensão terminara, toda a fadiga e a energia nervosa acumuladas no fim de semana e que mantivera sob controle em Hirschwang sem nenhuma sobrecarga aparente voltaram a inundá-lo. Nunca se sentira tão sem energia e tinha certeza de que dormiria pelo menos doze horas assim que a cabeça tocasse o travesseiro. Em vez disso, ficou lá deitado por um número de horas que pareceu interminável, exausto demais para adormecer e agitado demais para deixar a mente derivar para um tópico relaxante. Desde que podia se lembrar, Hans conseguia manter-se calmo de forma quase sobrenatural em meio a uma crise, não importa quão ameaçadora fosse a situação ou quanto tempo ela levasse para resolver-se, mas assim que o problema ficava definitivamente para trás todo o seu organismo entrava em colapso sob o peso da pressão adiada. Agora que estava sozinho, em vez de admirar o seu desempenho diante dos outros conspiradores, Hans descobriu que a inocuidade de todo aquele exercício bizarro não parava de lhe percorrer a mente. Tudo fora muito mais fácil do que imaginara antes, mas por que levara as coisas tão longe? Mantivera o grupo unido apesar da deserção de Ernst e fortalecera muito o seu domínio sobre ele, apesar da ambição de Christoph e Leo de substituí-lo. Mas com que propósito? Além de provar a si mesmo do que era capaz, achava difícil ver que o seu triunfo lhe trouxera algum ganho a não ser a pressão de manter a encenação daí para a frente, como um ator jovem cujo sucesso precoce num determinado papel condena-o a representar variantes do mesmo personagem pelo resto da carreira.

Só aos poucos, enquanto estava ali deitado, reproduzindo interminavelmente na cabeça a cena da sala de jantar, Hans deixou-se entretecer algumas conseqüências prováveis do que pusera em andamento. O fato de só agora fazer isso era uma das diferenças irritantes entre ele e o pai, cuja tática Hans adotara instintivamente para orquestrar a sua vitória em Hirschwang. Moritz Rotenburg mostrara a Hans como mudar toda a dinâmica de uma negociação exatamente quando os adversários acham que o têm em seu poder e Hans se espantara ao ver com que facilidade conseguira adaptar as técnicas do pai à trama contra si em Hirschwang. Não admira que Christoph, Leo e os outros fossem tão facilmente derrotados; não teriam a mínima chance contra a força de vontade e a concentração impiedosas que Moritz legara a Hans, mais pelo exemplo do que por instrução formal. Tudo se resumia à intuição do que faria o outro lado ceder e à capacidade imaginativa de tornar aquele cenário plausível e vivo para eles. Embora a maioria dos escritores famosos que os seus professores e amigos admiravam parecessem só demonstrar desprezo pelos homens de negócio (isso quando os representavam em suas obras), Hans estava longe de convencer-se de que a diferença entre um homem como o seu pai e um romancista sério fosse tão absoluta assim. Talvez também fossem mais os leitores intelectuais do que os próprios autores que sentiam apenas desdém pelas grandes mentes financeiras. Hans observara o pai fazer homens de considerável força de vontade e confiança em si mesmos verem exata e exclusivamente o que ele queria que vissem e tornar absolutamente real o roteiro imaginário em que precisava que acreditassem usando para isso, em cada caso, apenas as suas próprias palavras. É verdade que essas palavras nunca foram escritas e que o seu público compunha-se sempre de apenas alguns outros homens do mesmo mundo de Moritz, mas a força imaginativa necessária pareceu a Hans semelhante ao tipo de poder que um bom escritor podia exercer sobre alguém como Bátia. No geral, o próprio Hans não dava muita importância a escritores ou homens de negócios e estava perfeitamente disposto a desdenhar os dois, mas não via por que denegrir um às custas do outro. Ele tinha como certo que, num futuro mais racional, ambos ocupariam um lugar muito inferior na hierarquia social do que hoje em dia, mas tinha de admitir que estava satisfeito com tudo o que aprendera com Moritz sobre vencer os adversários.

Entretanto, o problema era que, para Moritz, "romancear" era uma tática estritamente subordinada a uma estratégia geral, enquanto Hans tinha de admitir que o que mais lhe faltava era um plano geral. A sua tática se tornara um fim em si mesma e isso era sempre um erro. Sentira-se ameaçado e reagira com as armas mais eficazes à sua disposição mas, ao fazê-lo, deixara-se levar pela excitação do papel que estava inventando sem incluir nenhuma escapatória. Foi um erro que o pai jamais cometeria e lembrava demasiadamente uma certa tendência à teatralidade que Hans deprezava em si mesmo. Tudo no episódio de Hirschwang parecia-lhe agora de baixo nível e secundário. Não tinha vontade nenhuma de ser preso nem, na verdade, de ver os outros se arruinarem por um plano cuja possibilidade de levar a alguma coisa positiva era tão remota. Até o seu melhor golpe, a invenção dos esquadrões disciplinares com que intimidara tão completamente a todos, ele devia a um dos livros absurdos de Batya, que certa vez o lera para ele em voz alta na hora de dormir. Até o instante em que passara de repente por sua cabeça experimentar a idéia para ver o seu efeito, Hans não sabia que chegara a registrar o episódio e mesmo agora não conseguia recordar o nome do livro que Batya lera. Mas era assim que as idéias costumavam lhe chegar, em fragmentos vindos das origens mais diversas, ligados por nada além da necessidade que tinha deles naquele momento. Raramente conseguia encontrar uma genuína necessidade interior entre eles ou criar uma nova sozinho para além do seu objetivo de curto prazo. Até então o seu dom brilhante para a improvisação e o seu sobrenome lhe tinham conseguido tudo o que quisera, mas sem satisfazer a necessidade de confirmar que era mais do que uma mediocridade talentosa. Anos atrás, depois de aprovado nos exames com a nota mais alta já concedida na escola, perguntara a um dos professores mais jovens, *Herr* Portatius, se o seu trabalho mostrara algum sinal de genialidade, explicando que, se fosse certo que jamais seria um gênio, preferia ir para casa e explodir a cabeça naquela mesma tarde. Da forma mais amigável possível, o professor simplesmente riu-se dele, e com razão. Mas Hans jamais se esqueceu do que aconteceu depois. Para um professor de nível colegial, Portatius vinha de uma família relativamente rica, com relações na classe administrativa permanente do Império. Era um personagem importante nos círculos liberais locais e se orgulhava de desprezar vulgaridades como o anti-semitismo dos partidos radicais. Depois que parou de rir, Portatius levou Hans à sua sala e, como sinal de favorecimento especial e para mostrar o seu desdém pelas convenções, fez menção de oferecer a Hans um dos seus próprios cigarros, embora, para um aluno, fumar dentro das dependências do prédio fosse estritamente contra as regras da escola. Hans sabia muito bem que devia declinar do convite e, ao mesmo tempo, deixar claro que apreciara o gesto. Portatius olhou para Hans do outro lado da mesa com genuína afeição e garantiu-lhe que era, indubitavelmente, um rapaz inteligente e, como o pai, algum dia viria a ser um grande sucesso nos negócios, mas que naturalmente seria apenas iludir a si mesmo se, como judeu e filho de um empresário, aspirasse a algo mais elevado. A não ser na esfera religiosa, a verdadeira criatividade não era coisa que os judeus possuíssem, não devido a algum defeito moral, mas porque a sua natureza básica era de expositores e analistas das idéias dos outros povos. Até a sua invenção mais nobre, o Deus do Velho Testamento, fora em grande parte aproveitada e remodelada a partir de fontes egípcias. Eram uma raça racional e analítica demais para ser profundamente criativa e, embora freqüentemente entendessem melhor as idéias de um gênio original mas confuso do que ele próprio se entendia a si mesmo, a contribuição dos judeus, em essência, limitava-se a esclarecer e aprimorar as intuições de naturezas mais simples e diretas.

— Em seu povo surgem excelentes músicos e regentes, mas não compositores, e embora eu admire muitos articulistas israelitas dos nossos principais jornais, você há de concordar comigo que, até agora, não houve um só escritor judeu criativo de primeira linha em nossa língua alemã.

Hans correu da sala enraivecido, tanto consigo mesmo por ter-se colocado em posição vulnerável a estas bobagens venenosas quando implorou aprovação quanto com o professor, a quem nunca mais dirigiu a palavra.

No entanto, pior do que esta breve humilhação foi nunca ter expurgado inteiramente da cabeça o que Portatius dissera e, às vezes, quando se sentia mais desgostoso consigo por alguma falha, as teorias do professor voltavam para persegui-lo.

Hans nunca contou ao pai o que acontecera mas nos meses seguintes observou Moritz mais de perto do que antes e, pela primeira vez, passou a ouvir com toda a atenção as suas explicações sobre os projetos financeiros nos quais estava envolvido. Começou até a fazer ao pai perguntas detalhadas sobre como administrava os negócios, tudo na tentativa de descobrir quanto do sucesso de Moritz se devia ao dom da análise desapaixonada e quanto à percepção inspirada dos princípios profundos que governam as tendências econômicas internacionais. Moritz ficou contentíssimo com o novo interesse do filho pelos negócios da família e não só respondeu às perguntas de Hans com a seriedade que, como dizia brincando, o herdeiro da fortuna Rotenburg merecia como passou a convidar Hans a comparecer a todas as reuniões onde a sua presença seria aceitável para os outros participantes. Ainda que a sua posição política se tornasse cada vez mais radical, Hans nunca deixou de comparecer à maioria das grandes negociações da firma e, apesar de todas as suas diferenças e das explosões freqüentes de impaciência e atrito mútuos, Moritz desenvolveu um respeito genuíno pelo discernimento do filho e teve certeza de que, se Hans viesse a querer administrar a empresa depois da morte do pai, faria um trabalho melhor do que qualquer outra pessoa disponível. Do seu lado, contudo, Hans não tinha nenhum desejo neste sentido. Tudo o que realmente o fascinava, quando aprendeu a compreender o modo como o pai construía um empreendimento novo e complexo, não era o lucro nem o prejuízo que resultaria, mas sim a falta absoluta em Moritz de dúvidas a seu próprio respeito, tanto quando ainda sopesava as opções antes de uma decisão importante quanto depois de decidir-se por uma trajetória. Hans não via em seu pai nenhum sinal dos intermináveis auto-exames entrecruzados com que ele mesmo perdia tantas horas cansativas. A segurança de Moritz, diferente da do filho, não parecia flutuar loucamente com o resultado de cada nova realização nem, pelo menos depois da morte de Dina, podia ser abalada pelo que os outros pensavam dele. O distanciamento interior entre Moritz e a sua vida pública e até, pelo que Hans podia avaliar, entre ele e o seu eu particular era uma característica que o filho admirava e invejava mas considerava, mais que tudo, de uma estranheza de pasmar. Numa das suas muitas altercações sobre a indiferença de Hans pelo judaísmo, o rapaz gritou que *ele* e não o pai, cujo caráter não exibia uma única característica judaica autêntica, era o verdadeiro judeu. Moritz podia sustentar meia dúzia de seminários rabínicos e contribuir com todas as organizações de caridade e coletas de fundos judaicos, mas Hans via como ninguém que nada disso realmente emocionava o pai. O que o emocionava, se é que isso existia, Hans não conseguia adivinhar. Só tinha certeza de que, no fundo de si mesmo, Moritz não se identificava com ninguém e menos ainda com um povo inteiro, embora tivesse a máxima boa vontade de fazer tudo o que pudesse em seu benefício. Mas, como admitia a si mesmo, Hans na verdade não era muito diferente. Sentia-se do mesmo modo com relação às causas políticas em cujo nome acabara de se comprometer com um assassinato e com boa possibilidade jogaria fora a própria vida no processo. Detestava genuinamente a falsidade e a corrupção que via por toda parte mas muitas vezes sentia-se distante da própria política em cujo nome se dispunha a morrer. Só que, se Hans estava certo sobre a distância entre o pai e os seus próprios atos, por que isso não deixava Moritz tão inquieto e dividido por dentro quanto Hans? Como um apostador que joga cada vez mais fichas na mesa não porque esteja interessado em ganhar ou perder, mas porque teme a pouca importância real que o resultado tem para ele e espera reviver o interesse minguante por um jogo que começou a entediá-lo, Hans não conseguia pensar num modo de sacudir-se e sentir que estava fazendo uma coisa importante a não ser intensificando o risco. O assassinato planejado era o seu modo de jogar tudo no vermelho sem muita atenção à teoria revolucionária que inventara para levar os outros consigo. A sua posição de herdeiro de Moritz Rotenburg dava-lhe imunidade automática diante da maior parte dos problemas da vida. É difícil obter satisfação ao queimar as próprias pontes quando o seu pai pode construir novas com tanta facilidade. Assim, quando Asher, num dos seus discursos de bêbado, acusou-o de ser apenas um diletante fingidor, a censura foi leve se comparada às acusações que há anos Hans fazia a si mesmo. Com o tempo, passara aos poucos a acreditar que somente um crime político violento, como um assassinato, ainda mais contra uma autoridade dos Habsburgo, não seria lavado pelo dinheiro do pai. O fato de que os outros seres humanos envolvidos, inclusive os alvos do atentado e quem mais Hans conseguisse levar a cometer os crimes juntamente com ele, pudessem não dar valor tão alto à confirmação da autenticidade do rapaz jamais lhe cruzou seriamente o pensamento. No entanto, até a cena em Hirschwang esses sentimentos tinham-se mantido na maior parte incipientes e, agora que se comprometera, quase por acaso, com um plano específico, percebeu quão pouco isso o satisfazia.

Em Hirschwang, Hans vira-se tão profundamente envolvido na história que criava que cometera o erro fundamental de dar detalhes específicos demais e não reter mais a liberdade de que precisava. Como o romancista que permite a publicação dos primeiros capítulos antes de terminar a obra e que, daí para a frente, fica preso a opções de personagens e tramas que gostaria de rever inteiramente, Hans construíra uma descrição profunda o bastante para ser plausível para os outros conspiradores, mas à custa de ter de seguir linhas que só poderiam ficar cada vez mais opressoras. Devia ter parado na ameaça das unidades disciplinares. O seu espectro fora mais do que suficiente para assustar os conspiradores a ponto de desistirem de qualquer questionamento à sua liderança. O mais impressionante é que parecia ter paralisado também a sua capacidade de avaliação e deixou-os ansiosos para acreditar em qualquer invenção que ele conjurasse. Nada mais poderia explicar a prontidão com que aceitaram a realidade de uma figura como "Botho", que pareceu a Hans, mesmo enquanto inventava sua lenda, perigosamente implausível. Mas agora a crença deles dera a Botho uma realidade potencialmente ruinosa para Hans, que não sabia quase nada sobre bombas e não tinha como projetar nada parecido com o dispositivo que descrevera. É claro que nenhum dos outros sabia mais que ele, ou teriam se sentido encorajados para interrogá-lo, mas era claro que o misterioso Botho teria de sofrer um acidente fatal antes de cumprir a sua tarefa. Pelo menos, como pensava Hans horrivelmente, fitando pela janela aberta os primeiros botões da primavera a surgirem nas árvores do jardim do pai, agora ele sabia o nome do primeiro homem que liqüidaria, mas era mesmo bem esquisito que fosse um personagem que trouxera à vida há pouco mais de 12 horas. Bem, talvez encontrasse um modo de usar a morte de Botho em proveito próprio. Segundo os livros de mineração que consultara nas últimas semanas, as opções para construir um artefato explosivo normal pareciam muito limitadas. A menos que usasse nitroglicerina, os explosivos, em sua maioria, pareciam relativamente inofensivos em estado de repouso e não eram perigosos demais para transportar. Um engenheiro suíço especialmente fleumático garantira aos leitores ser possível pular em cima de um bastão de dinamite sem fazê-lo explodir e que o que chamava de bomba clássica, feita com seis bastões de dinamite ligados a um relógio, seria levada em segurança para onde quer que se fosse — contanto, é claro, que o relógio em questão fosse de uma fábrica suíça de confiança. Embora só percebesse a ligação em retrospecto, sem dúvida foi a lembrança que Hans tinha desta frase que fez Botho ser enviado até eles vindo de Genebra. Ainda assim, era bom ter em mente o alerta quanto à nitroglicerina na hora de dar fim ao Botho imaginário. Sentindo-se mais contente consigo mesmo conforme o nervosismo acumulado foi dando lugar aos poucos a uma fadiga agradável, Hans decidiu que, talvez, toda a distinção entre estratégia e tática fosse exagerada. Começava a ver uma estratégia brotar de todas as suas decisões imediatas e locais, não porque partisse de uma única visão geral em sua mente à qual se subordinavam rigorosamente todos os detalhes individuais, mas porque todas as suas escolhas individuais se reuniam para produzir um resultado tão coerente quanto se tivesse começado com um único objetivo. Sem dúvida, como em todo projeto em evolução, ainda havia muitos pontos mal acabados — e neste aspecto fora inteiramente franco ao confessá-lo aos outros na noite anterior — mas os elementos não resolvidos não pareciam suficientes para atrapalhar o empreendimento como um todo. A conspiração estava a salvo, por enquanto, de ser descarrilada por tensões internas ou pelas autoridades. Mesmo que o famoso espião-chefe do conde-governador fosse tão incansável como diziam, seria tarde demais para detê-los. Agora que tinham marcado a data da sua ação, teria de livrar-se de todas as provas incriminadoras que ainda estavam no apartamento do bairro Josef, mas mesmo que o apartamento ficasse comprometido o perigo era pequeno, já que seria improvável que o seu código fosse descoberto pelos recursos limitados à disposição da polícia para a tarefa. Um dos empregados da empresa em Viena, que inventara o código para os segredos comerciais, assegurara a Hans que só um matemático de primeira linha conseguiria decifrá-lo. De repente, ocorreu a Hans que ainda havia uma coisa importantíssima a fazer antes que pudesse sentir que realmente ajustara todas as velhas contas naquele fim de semana. No dia seguinte, voltaria ao apartamento e cuidaria de criar pelo menos alguns documentos envolvendo Ernst como um dos líderes da conspiração. Seriam deixados para trás ali com alguns dos outros documentos com a intenção de confundir a polícia quanto às datas; se as autoridades iriam achá-los ou não, estava fora do controle de Hans. Deste modo, em vez de vingar-se diretamente, deixaria a cargo do destino determinar se Ernst conseguiria desembaraçar-se e passar o resto da vida na paz de Brunnenberg, com ou sem Batya. Era como fazer uma aposta final, só que com o futuro de Ernst em jogo. Hans sentiu-se extremamente confortado com a idéia e finalmente adormeceu, não pensando mais nos outros conspiradores nem em planos para o futuro, mais complicados do que o maravilhoso banho quente que tomaria assim que acordasse.

5

Um pouco para a sua surpresa, Wiladowski passara a dormir melhor desde o seu triunfo sobre o Tenente von Sulzbach no bilhar. Acordava cedo toda manhã, descansado e de bom humor, depois de apenas seis horas na cama. Enquanto sorvia o primeiro café forte do dia, observando o barbeiro aquecer as toalhas macias que usaria para barbeá-lo, Wiladowski sentia-se tranqüilo e feliz consigo mesmo, lembrando-se de como derrotara completamente um adversário trinta anos mais novo. Em princípio, dispunha-se a admitir que não havia ligação entre uma vitória fácil na sala de bilhar e um período prolongado de boa sorte em outros terrenos, mas este era um axioma no qual não acreditava inteiramente. Como o seu alcance emocional se reduzira a ponto de o seu bem-estar imediato ser o único assunto que ainda conseguia levar a sério, a mente do conde-governador era toda turbulência e tédio, gerados por ela mesma. Em conseqüência, começara a ver tudo o que lhe acontecia como simbolicamente interligado. Passara a acreditar em augúrios e presságios, mas só quando lhe diziam respeito diretamente. Bastava que a história fosse sobre outra pessoa e desprezava qualquer insinuação de conexões ocultas como indigna da inteligência de um adulto.

Fazer a barba pela manhã, como de costume, era um dos rituais favoritos do conde-governador. Ninguém tinha permissão de interrompê-lo e assim só depois que o resto do Castelo já fervia com a notícia é que foi possível informar-lhe que um corpo horrivelmente mutilado fora encontrado, há algumas horas, perto da Ponte Nepomuk. Uma criada, a caminho do trabalho, tropeçara num tronco sem cabeça, nu, com as costelas esmagadas e todas as extremidades grotescamente mutiladas. Os gritos da moça, pouco antes de desmaiar, despertaram toda a vizinhança e, quando a polícia correu para o local, fez tanta bagunça na investigação inicial que os homens de Tausk não ficaram otimistas quanto a uma solução rápida para o caso. Por enquanto não havia como identificar o cadáver. Tanta gente desaparecia na época, por desespero ou só para fugir das dívidas, que a maioria dos sumiços nunca era comunicada às autoridades. Quando o corpo finalmente foi levado para a autópsia no Castelo, tudo o que o legista conseguiu dizer com certeza foi que a vítima era um homem de meia-idade, entre quarenta e quarenta e cinco anos, e estava morto há pelo menos 16 horas. Com toda a probabilidade, a cabeça fora cortada com um machado pesado, mas era impossível determinar quantos dos vários ferimentos causados ao tronco, principalmente o corte total dos órgãos genitais, precederam a morte do pobre homem.

Tausk ficou espantado com a calma com que o seu patrão pareceu receber a notícia. O conde-governador não traiu nenhuma emoção, a não ser uma curiosidade atenta. Pediu um relatório completo, por escrito, de tudo o que se sabia até então e que o informassem imediatamente de qualquer novidade.

— Nas atuais circunstâncias — disse ao seu espião-chefe com deliberada polidez —, você tem a minha permissão para me interromper, até mesmo quando o meu barbeiro estiver trabalhando.

Quando Tausk começou a pedir desculpas por não ter trazido a notícia imediatamente, Wiladowski balançou a cabeça e, com um leve sorriso, disse:

— Não, não é preciso. Deste modo tive mais uma manhã pacífica e, já que não haverá muitas delas por algum tempo, estou contente com isso. Ademais, não há nada que eu pudesse fazer caso soubesse uma ou duas horas antes e acho que o morto agora nada tem, a não ser paciência e tempo. — Com isso, virou-se e voltou para sua sala particular junto à biblioteca, para ficar só até que o relatório preliminar estivesse pronto.

Assim que fechou a porta atrás de si e teve certeza de que os sentinelas armados tinham voltado aos seus postos, Wiladowski foi até a janela e fechou bem fechadas as cortinas duplas. Acendeu apenas um pequeno abajur de cúpula cor de âmbar na mesinha lateral ao lado da sua cadeira predileta, de modo que a sala ficou quase toda na sombra, com exceção de um único arco de luz suave e difusa. Era a primeira vez em muitos anos em que realizava estas tarefas sozinho, mas naquele momento não queria ninguém, nem mesmo Aloïs, na sala com ele. Resistiu à vontade de servir-se de *brandy*, achando que conseguiria com mais sucesso manter sob controle o pânico que já se abrigava nele caso o ignorasse por completo. Não foi o fato de outro assassinato que o alarmou. Os relatórios semanais da polícia tinham-no acostumado a uma cota regular de mortes, mas mesmo ali aquele grau de selvageria era digno de nota. Por mais que tentasse, Wiladowski não conseguia parar de imaginar o corpo mutilado, só que em sua imaginação a cabeça que faltava pertencia ao primo Max, cujo corpo também fora dilacerado de forma semelhante. Estava claro que os assassinos queriam que o corpo fosse descoberto, ou não o deixariam numa parte tão movimentada da cidade. Este fato, além da violação do cadáver, revelava a Wiladowski que os assassinos não queriam apenas massacrar a própria vítima mas também assustar os outros. Mas com que propósito? As paredes da casa de férias de Max, onde ele fora destripado como um dos veados que fora ali para caçar, tinham sido cobertas de estranhos rabiscos apocalípticos, mas ninguém jamais conseguiu dar uma interpretação coerente do seu significado. Até então, nada parecido surgira perto da ponte, mas ainda assim Wiladowski achou que os dois assassinatos estavam ligados. Quase como uma mocinha arrancando as pétalas de uma flor para descobrir se é amada ou não, o conde-governador inclinou-se para a frente em sua cadeira, os olhos fixos no colo, calculando na ponta dos dedos a probabilidade da sua própria sobrevivência. Tudo dependia da identidade ainda não determinada do cadáver no necrotério da prisão, vários andares abaixo. Decidiu que, se o morto fosse da nobreza da província, as intenções políticas dos assassinos seriam tão claras como se um bilhete estivesse preso ao peito da vítima e seria óbvio que um atentado contra a sua vida era iminente. Mas se o corpo fosse apenas o de algum contrabandista que tentara e não conseguira fraudar os cúmplices ou de um amante pego nalgum caso de adultério, haveria uma boa possibilidade de que não corria perigo imediato. Mas, ao contrário do jogo da flor, que sempre tinha algum resultado, embora nem sempre satisfatório, as especulações de Wiladowski logo se ramificaram em demasiadas direções inconclusas. O morto podia ser um militante sindical assassinado numa luta pelo poder entre facções rivais ou um dos fanáticos religiosos que tanto pareciam preocupar Tausk. Mas como Wiladowski poderia concluir qual possibilidade constituiria uma ameaça maior? Os seus deveres oficiais tinham-no levado a numerosos funerais onde esperava-se que falasse aos que choravam o morto em nome do governo da província, e esta era uma obrigação que se orgulhava de cumprir com o toque exato de gravidade solidária. Nestas ocasiões, vinha-lhe naturalmente um tom respeitoso e a sua deferência pela finalidade sinistra da morte baseava-se na idéia desagradável que algum dia também aconteceria a ele. Mas no momento a ausência de platéia o fez romper numa risada estridente, levantar as mãos do colo e exclamar:

— É difícil mesmo chegar a alguma conclusão quando se lida com um homem que aparece praticamente à sua porta sem cabeça nem pênis!

O conde não percebeu como fora alta a voz com que exprimira sua idéia até levantar os olhos e ver a expressão espantada no rosto de Tausk ao entrar na sala, trazendo o relatório que Wiladowski pedira. Foi uma das poucas vezes que o conde-governador viu Tausk claramente embaraçado e a tentativa do espião-chefe de olhar discretamente para longe só lhe aumentou o momentâneo desconforto. Mas ambos logo se recuperaram e, quando Tausk entregou a pasta ao patrão, foi com visível ar de alívio.

— Suponho que ainda não conseguiu pegar os assassinos — disse Wiladowski irritado —, e acho difícil imaginar quais outras notícias o deixariam tão alegre.

Antes de responder, o espião-chefe perguntou se podia acender mais algumas luzes e, como sempre fazia, pediu permissão para fumar durante a conversa. Wiladowski fez que sim com a cabeça sem prestar atenção e Tausk imediatamente acendeu o cigarro que já tinha entre os dedos. Então apontou nervosamente com o cigarro para os últimos parágrafos do dossiê.

— Se Vossa Excelência fizer a gentileza de dar uma olhada aqui — Tausk falava ainda mais depressa do que de costume —, verá que tivemos a sorte de encontrar as... como direi?... as partes que faltam à nossa vítima. Na verdade isso não me surpreende, já que tinha certeza de que o resto do corpo surgiria não muito longe de onde jogaram o tronco. Se tivéssemos chegado primeiro ao local e não precisássemos de trabalhar em torno da polícia da cidade, tenho certeza que localizaríamos os outros restos com muito mais rapidez. Mas há pouco tempo tivemos um golpe de sorte. Quando um dos meus homens viu um desenho do rosto, achou que conseguiria identificar o morto e só estou esperando a confirmação da família para remover qualquer dúvida.

— E como tudo isso pode me ajudar? — perguntou Wiladowski.

Com toda certeza a solução rápida do caso era bem-vinda, mas o conde-governador não tinha a intenção de aplaudir nenhuma descoberta antes que a sua própria segurança fosse categoricamente garantida. Mas, pelo menos, agora que Tausk estava com ele, estragando o ar com o seu fumo barato, não parecia haver mais razão para Wiladowski negar a si mesmo os seus próprios prazeres e levantou-se para acender um charuto e servir-se de uma boa dose de *brandy*. A gratificação de não resistir mais à vontade também deixou Wiladowski menos crítico da satisfação de Tausk com o progresso do caso.

— Então, nas últimas quatro horas o nosso pobre corpo recuperou a cabeça e o nome — comentou o conde-governador, mais bem-humorado, enquanto continuava a folhear o relatório, a sua inquietude evidente apenas na maneira como virava as páginas sem na verdade ler nenhuma delas. — E suponho que os outros apêndices desaparecidos também tenham surgido — perguntou a Tausk, aproximando-se do tom costumeiro que usavam. Mas quando pareceu que Tausk ia responder, Wiladowski mandou-o embora com um gesto, dizendo: — Pode me poupar os detalhes físicos, a menos que sejam fundamentais para a investigação. Ainda bem que as coisas parecem estar avançando, mas só o que importa é garantir que não haja mais incidentes como este.

A testa de Tausk estava pegajosa de suor quando se inclinou na direção do conde-governador.

— Infelizmente, não tenho certeza de que seja possível garantir que não haverá mais mortes. — Falava com objetividade pouco característica. — Mas saber o que sabemos agora sobre a vítima pode nos ajudar a prever o que os assassinos tentarão a seguir. É por isso que acho que Vossa Excelência precisa ser informado das provas e indícios legais conforme os recolhermos, ainda que alguns sejam desagradáveis. No caso, a nossa primeira pista da identidade do cadáver surgiu quando encontramos a sua genitália cortada e embrulhada num lenço velho ainda pegajoso de sangue, jogada no mato a alguns metros do corpo.

"Tausk se diverte ao me contar tudo isso", pensou Wiladowski. "Deus sabe que ele tem temperamento para isso." Mas o conde-governador estava preocupado demais com o que Tausk descobrira para se importar muito com o modo como as informações lhe eram apresentadas e tomou coragem para deixar Tausk discorrer sobre todos os detalhes escabrosos que quisesse sem mostrar mais nenhum sinal de repugnância.

— Sim, você já disse que encontraram todas as partes cortadas — disse com voz objetiva. — Mas por que isso é importante, a não ser para a família, que sem dúvida preferiria recebê-lo de volta completo? Há alguma coisa especialmente digna de nota no órgão do homem?

— Só que ele foi circuncidado, Excelência.

O conde-governador não pareceu impressionar-se.

— Mas saber que a vítima era judia não nos diz muita coisa sobre ele, ainda mais nesta província.

— Não por si só, Excelência — concordou Tausk imediatamente —, mas pelo menos não teremos de lidar com nenhuma acusação de homicídio ritual.

— É *isso* o que o preocupa? — Wiladowski começava a entender o alívio de Tausk. É claro que, em épocas como aquela, se a vítima fosse cristã seria impossível descartar a probabilidade de que alguns fanáticos começassem a espalhar o boato de que os judeus o tinham matado como parte da sua comemoração da Páscoa. Nos últimos anos, as Terras da Coroa tinham visto um surto de acusações deste tipo e uma vez que as denúncias começassem seria difícil interrompê-las sem uma investigação em grande escala. Tausk devia ter ficado nervosíssimo com a perspectiva de se ver preso num caso que poderia facilmente envolver mais derramamento de sangue e no qual a sua própria posição de judeu que trabalhava para o governo ficasse insustentável. Wiladowski, que considerava a disseminação de boatos prerrogativa exclusiva do governo, desdenhava e temia quaisquer deflagrações de fúria do populacho. Testemunhara várias erupções dessas em sua carreira, nem sempre voltadas contra os judeus, e os participantes sempre lhe recordavam ratos a sair de um cano de esgoto para descarregar a sua fúria em quem quer que parecesse mais vulnerável. Não tinha desejo nenhum de ver os seus recursos se esgotarem para proteger os judeus da província nem de reduzir a sua autoridade requisitando ajuda militar especial de Viena e, assim, a sua expressão de empatia por Tausk foi inteiramente sincera. Talvez fosse esquisito congratular o seu espião-chefe judeu pelo fato de uma vítima de assassinato ser do próprio povo dele, mas não havia dúvida de que era o melhor resultado possível para todos. Adivinhando que até o judeu menos provinciano seria bastante sensível à questão do homicídio ritual, Wiladowski teve o cuidado de explicar a Tausk o seu desprezo por quem quer que levasse a sério tais lendas e, como não conseguia pensar noutro modo de demonstrar a sua benevolência, serviu um cálice de *brandy* ao espião-chefe ao mesmo tempo que voltava a encher o seu. — Proponho um brinde à solução rápida de todo este caso horrível — disse, indicando a um espantadíssimo Tausk que devia pegar o segundo cálice que estava agora na mesinha.

A não ser pelos homens que ele mesmo contratara, Tausk conhecia menos as normas de etiqueta do Castelo do que qualquer outro a serviço de Wiladowski, mas até ele percebeu que extraordinário sinal de favorecimento o conde-governador lhe demonstrava. A última vez em que Tausk tocara álcool fora quando Moritz Rotenburg lhe servira um *brandy* e ali estava ele, aceitando bebida idêntica do Conde Wiladowski.

"Com toda a probabilidade", refletiu Tausk, "Rotenburg pagou tanto por esta garrafa quanto por aquela do seu próprio escritório.

Para esses homens poderosos era impossível imaginar que Tausk não sentia prazer nenhum com nada além de café e costumava sofrer dores de cabeça só de sentir cheiro de álcool, e ambos partiam do princípio de que seus subordinados ficariam maravilhados ao provar qualquer coisa de que eles mesmos gostassem. Mas, pelo menos, Tausk sabia que não devia revelar o seu desagrado e esvaziou o copo com uma expressão que, esperava, transmitisse como apreciava a sua boa sorte.

Seu estômago levou alguns minutos para se acalmar, e neste meio-tempo Tausk acendeu um novo cigarro e colocou cuidadosamente mais duas folhas de papel, contendo uma série de desenhos a carvão da cabeça e do corpo do morto, sobre o relatório. Chamou a atenção do conde-governador para os esboços e explicou que o médico-legista orgulhava-se do seu talento como desenhista. Disse que achava as imagens repelentes, mas que sentira ter o dever de levá-las ao seu chefe. A cabeça da vítima fora violentamente cortada na clavícula e depois embrulhada num pacote separado, feito de papel grosso toscamente costurado. Levara mais tempo para ser encontrada porque o barbante que fechava o pacote se soltara e a cabeça rolara para a terra perto da beira d'água. No pouco tempo em que o crânio ficou na terra, a pele do rosto já começara a soltar-se com o ataque de vários insetos. Mas sobrara o bastante do monte de pele e carne meio comidas para que o médico registrasse a sua impressão — Tausk levantou a folha, para que Wiladowski olhasse o desenho no mesmo nível dos olhos — tanto do modo como ficara a cabeça quando encontrada quanto da reconstrução do rosto do homem quando vivo. Foi pelo esboço do médico que um dos assistentes de Tausk reconheceu um certo Shmuel Kosch, que há mais de um mês viera queixar-se de ter sido agredido por seguidores do novo rabino milagroso. Aparentemente, este Kosch era discípulo ardente de um homem santo rival que mantinha a sua corte em Buczacz e se especializara em curar epiléticos. Quando Kosch ouviu os outros louvando Brugger acima do seu próprio rabino, irritou-se e foi enfrentar o recém-chegado. Segundo as suas próprias palavras, interrompera um dos sermões de Brugger e desafiara-o a igualar os poderes maravilhosos do rabino de Buczacz, e foi arrastado para fora da sala e surrado pela sua impertinência. Fora imediatamente à polícia dar queixa mas, como ele mesmo provocara o ataque e o caso não parecera ter importância política, o assistente de Tausk anotara a declaração de Kosch, prometera cuidar do caso e apagara-o da mente. É claro que o relatório fora devidamente arquivado e Tausk logo o encontrou; mas continha pouca coisa além do nome e do endereço de Kosch e uma breve descrição das suas declarações. Não havia testemunhas da surra e Kosch não foi capaz de dizer o nome dos agressores. Afirmara ter sido atacado por um grupo de pelo menos cinco discípulos de Brugger, armados de cassetetes, inclusive, para o seu grande horror e nojo, uma mulher, facilmente a mais cruel de todos. Depois de ser machucado com suficiente gravidade para ter levado vários pontos, avisaram-no para nunca mais mostrar o rosto na casa de oração.

— A julgar pelos resultados — disse Tausk, sardônico, com os olhos nos desenhos do médico —, eu diria que o pobre Shmuel cometeu o erro de ignorar o conselho.

Wiladowski seguiu o olhar de Tausk mas, para ele, a cabeça do morto parecia-se, curiosamente, com os desenhos grosseiros de santos martirizados que vira nas igrejas das aldeias de toda a Áustria. Se ao menos conseguisse parar de pensar no primo Max, disse o conde-governador com seus botões, conseguiria achar mais tranqüilizadoras as notícias de Tausk. Enquanto esses fanáticos religiosos limitassem a sua violência a eles mesmos, a questão não o preocupava muito. Mas Max jamais acreditara em nada, a não ser em caçadas e cavalgadas, e ainda assim quem invadira sua cabana e o cortara inspirara-se a fazê-lo como parte de alguma missão sagrada.

— O que acha, Tausk? — perguntou Wiladowski, exasperado, empurrando a pilha toda de papel, inclusive os desenhos do médico. — O homem foi morto porque insultou o rabino ou isso nada teve a ver com aquilo?

Sem esperar resposta, Wiladowski foi até a janela e abriu as cortinas, mas depois de ficar ali de pé alguns minutos, olhando para a estrada pela qual Tausk e Roublev tinham feito a sua recente caminhada, virou-se de repente e fechou-as de novo. Tausk tomara o cuidado de não falar enquanto o patrão estava perdido em pensamentos, satisfeito com a obrigação de permanecer em silêncio respeitoso. Abanar aqueles esboços fora estúpido e achou que tinha sorte de o conde-governador estar preocupado demais para se ofender. O próprio Tausk estava fascinado pelos desenhos, não apenas pelo que mostravam sobre até onde os seguidores de Brugger dispunham-se a ir, se eram mesmo eles os assassinos, mas também pelo que se podia aprender até com fragmentos mutilados de um corpo. A autópsia podia ter sido incapaz de determinar quantos ferimentos foram infligidos depois da morte, mas os esboços que o médico fizera do rosto revelavam um esgar de dor como nunca Tausk vira igual. Aprender o quanto um homem podia ser obrigado a suportar antes de morrer foi uma coisa que Tausk jamais esqueceria e decidiu manter os desenhos junto a si, do mesmo modo que um geômetra de talento guarda às vezes o seu primeiro exemplar de Euclides na mesinha-de-cabeceira, muito depois de ter superado a necessidade de consultar alguma das suas proposições. Ainda assim, fora idiota em achar que o seu empregador teria o mesmo interesse, que, como Tausk reconheceu com atraso, era estritamente técnico.

Antes que Wiladowski pudesse voltar à sua pergunta, Tausk foi chamado lá embaixo, aonde a família de Kosch finalmente chegara e esperava para identificar o corpo. O espião-chefe deixara ordens estritas de que queria ser o primeiro a falar com eles e pediu permissão ao conde-governador para voltar e concluir a conversa depois que terminasse com os parentes da vítima. Quando Tausk lá chegou, Roublev já esperava por ele na entrada no necrotério e explicou que todos os que podiam alegar alguma ligação com Kosch insistiram em acompanhar a polícia de volta ao Castelo. Felizmente, Roublev estava de serviço quando uma pequena carroça cheia de gente chorosa despejara-os pelos portões, gritando histericamente e incomodando a todos no pátio. Com uma combinação de ameaças e pedidos, Roublev conseguira levá-los para dentro e isolá-los numa sala separada até que Tausk decidisse como agir. Até algumas horas atrás a família supunha que Kosch partira numa de suas regulares viagens de negócios, percorrendo a província para vender utensílios domésticos de ferro esmaltado comprados na Alemanha. Os visitantes não paravam de chorar desde que foram convocados pela polícia, mas a fama sinistra de Tausk e a sua voz fria e impaciente ao falar-lhes silenciou-os quase de imediato. Só permitiu que a mulher de Kosch, o filho de vinte e cinco anos e o irmão mais novo que morava com eles vissem o cadáver. Todo o resto ele mandou de volta para casa assim que fizessem um relato detalhado de tudo o que sabiam sobre as relações de Kosch com o rabino de Buczacz e Brugger. O próprio Tausk seguiu os três parentes mais próximos até o necrotério e observou-lhes o rosto atentamente quanto o corpo de Kosch foi exibido. O reconhecimento foi imediato e horrorizante. Uma série de soluços profundos mas quase inaudíveis, como se de repente lhes faltasse fôlego suficiente para gritar, encheu a sala e removeu a última possibilidade de que o esboço do médico tivesse levado a um erro de identificação. A mulher de Kosch perdeu a consciência antes que puxassem o lençol mais do que alguns centímetros e só os reflexos rápidos do auxiliar médico impediram que caísse no chão. Depois Tausk ficou com a família mais alguns minutos, mas assim que teve certeza de que não tinham mais informações que pudessem ajudá-lo deixou-os com o médico e chamou Roublev para acompanhá-lo de volta ao seu quarto.

Tausk sabia que só tinha pouco tempo antes de ter de voltar ao conde-governador. Wiladowski queria que lhe garantissem que não haveria mais assassinatos deste tipo mas, até agora, não havia como determinar se o ataque a Kosch era um fenômeno isolado ou se assinalava o início de alguma onda de violência por parte dos seguidores do rabino milagroso. Falar com a família de Kosch só confundira as coisas. Embora todos soubessem da surra e a mulher, principalmente, tivesse insistido com ele para que contasse tudo à polícia, Kosch jamais dissera nada sobre enfrentar Brugger de novo. Talvez, além de vender os seus pratos e panelas de esmalte de porta em porta, Kosch traficasse mercadoria mais ilegal e lucrativa e por isso tivesse morrido. Mas, embora Tausk admitisse esta possibilidade, não acreditava nela. De algum modo Brugger tinha de estar ligado ao crime. Ninguém mais do que Tausk sabia como podia ser absoluto o domínio de um homem daqueles sobre os seus discípulos. Se Avraham Pelz ordenasse aos alunos que saíssem pelo mundo cortando a garganta de todos os que encontrassem pelo caminho, homem, mulher ou criança, os melhores dentre eles obedeceriam imediatamente, certos de que não estariam cometendo um pecado se fora Pelz quem mandara. O controle que Brugger tinha sobre seus seguidores chegava a se igualar ao do Rabi Pelz e tanto controle assim nas mãos de outro, distanciado de toda reserva prudente, constituía uma ameaça intolerável. Tausk já perdera tudo uma vez por causa da retidão moral inabalável de um rabino. Não se dispunha a deixar a criminalidade demoníaca de outro rabino destruir o abrigo que construíra para si com os destroços da sua vida anterior.

 Tausk estava tão acostumado com a presença de Roublev que, embora qualquer tipo de familiaridade física o repelisse, não hesitou em arrancar a camisa encharcada de suor e banhar o rosto e os braços com água fria no momento em que chegaram ao quarto. Depois, enquanto vestia roupas limpas, mandou Roublev buscar-lhe café quente e catar todos os fiapos de informação que tivessem sobre Brugger. Roublev correu de volta com tudo o que Tausk pedira e os dois sentaram-se lado a lado na grosseira mesa do exército, examinando as pastas e selecionando os detalhes mais perigosos. Não havia tempo suficiente para Tausk ensaiar o que realmente diria ao conde-governador, mas no código particular que ele e Roublev tinham desenvolvido para interrogar prisioneiros pelo menos Tausk conseguiu testar o núcleo de seu argumento. Agora tudo dependia de Wiladowski, e Tausk voltou à biblioteca lá em cima profundamente inquieto com o estado de espírito em que estaria o conde-governador.

 Quando entrou na sala, Tausk viu Aloïs levando embora uma bandeja com os restos de uma pequena refeição. Embora as janelas ainda estivessem bem fechadas, as pesadas cortinas tinham sido abertas e Wiladowski estava em sua mesa, examinando os despachos da manhã. Exceto pela garrafa de conhaque pela metade na mesinha lateral e o dobro de guardas no corredor e na escadaria, seria um dia quase normal. Tausk esperou até que Aloïs terminasse a sua tarefa e fechou a porta atrás de si antes de se apresentar a Wiladowski para continuar a conversa. O conde notou que Tausk trocara de roupa e supôs que o espião-chefe o fizera como cortesia à família da vítima. Perguntou como fora a identificação do corpo e Tausk rapidamente contou ao patrão tudo o que acontecera lá embaixo. Mas sobre a questão de os assassinos constituírem uma ameaça ao próprio Wiladowski, Tausk admitiu que ainda lhe faltavam informações suficientes para prever o próximo passo.

 — Temo que só a descoberta de novos corpos determinaria sem ambigüidade as suas intenções — disse —, mas no caso de decidirem matar outra vez não podemos nos arriscar a supor que escolherão sempre as suas vítimas entre os seus iguais.

— Então, sugere que ataquemos primeiro?

Wiladowski estava irritado com a falta de objetividade de Tausk. Queria ações imediatas, aplicadas com mão firme. Lembrava-se com simpatia da bela frase do príncipe Schwarzenberg quando instado a demonstrar misericórdia com alguns rebeldes húngaros. "Sim, é uma idéia excelente", dizem que o príncipe respondeu, "mas primeiro teremos um pequeno enforcamento." Bem, Schwarzenberg sobrevivera o bastante para ver a sua estátua erigida em todas as cidades do Império e, embora Wiladowski não tivesse tamanha ambição, o esboço da cabeça cortada de Shmuel Kosch fazia um pequeno enforcamento parecer uma estratégia sensata.

Quando o conde-governador contou a história a Tausk, o espião-chefe mal controlou um meio sorriso espremido.

— Não duvido que uma solução dessas seria recomendável — disse ao patrão —, mas se posso falar à vontade, infelizmente, não vai ajudar muito. Os húngaros tiveram a consideração de identificar-se rebeldes declarados e assim o príncipe sabia exatamente a quem enforcar. Não estamos com a mesma boa sorte e, como a província não está sob lei marcial, teremos de passar pelas formalidades tediosas de prisões e julgamentos públicos antes de chegarmos à parte divertida do processo todo. Acredito que, em 24 horas, eu conseguiria extrair uma confissão de qualquer um trancado em nossas celas, mas agora não há base legal para agir contra os suspeitos.

O conde-governador nunca vira Tausk se preocupar com a legalidade de uma medida importante e, pelo seu tom de voz, suspeitou que já estivesse elaborando um esquema para contornar o problema. O espião-chefe caminhava pela sala totalmente absorvido em suas maquinações, com uma aparência de concentração que lembrou a Wiladowski o modo como um jogador de bilhar mais hábil contorna a mesa calculando sua próxima tacada.

— Seja o que for que Brugger ordenou — disse Tausk com cuidado —, tenho certeza de que não estava por perto quando ocorreu o assassinato de Kosch. Um homem como Brugger sussurra sugestões; dá ordens. Mas não mancha de sangue as próprias mãos.

Tausk disse estas últimas palavras por alto, com um olhar rápido para

Wiladowski, que lhe devolveu o olhar com um leve aceno positivo de cabeça. O espião-chefe parou por um momento antes de continuar.

— Se prendermos o rabino, não tenho dúvida de que apresentará um álibi inabalável e seremos obrigados a soltá-lo imediatamente. Qualquer um dos seus discípulos irá feliz para o patíbulo em seu lugar e, embora eu espere que logo consigamos enforcar vários deles, por enquanto ainda não temos um jeito eficaz de tornar o próprio Brugger inofensivo.

— Tem tanta certeza de que é mesmo ele o responsável pelo crime? — perguntou Wiladowski. Parecia não convencido de propósito, não porque duvidasse de Tausk, mas para forçar o espião-chefe a revelar mais dos seus pensamentos.

— Não, Excelência — admitiu Tausk. — Aqui estamos lidando com probabilidades e não certezas. Não posso provar que Brugger foi responsável pela morte de Kosch, assim como não consegui ligá-lo ao assassinato de seu primo na Bukovina. Mas as circunstâncias apontam claramente para esta ligação, assim como sugerem que haverá mais mortes. E com a cerimônia da catedral tão perto, não fazer nada até que não haja mais dúvidas poderia ser catastrófico.

Na menção da festa da Páscoa, os olhos de Wiladowski caíram sobre os convites que ainda esperavam a sua assinatura. Viu-se sentado num palanque na Praça da Catedral durante a tarde inteira, incapaz de sair antes que todos os discursos terminassem. Seria um alvo perfeito, com muito menos possibilidade de defender-se do que o primo Max na cabana de caça. Zicny-Ferraris, que estaria sentado ao seu lado na primeira fila, quase com certeza escolheria uma das suas fardas enfeitadíssimas para usar e, com sorte, toda aquela purpurina seria mais atraente para os maníacos do que o seu próprio terno comparativamente baço. Mas Wiladowski não gostava da idéia de confiar a sua sobrevivência ao senso estético de uma gangue de fanáticos religiosos. Qualquer coisa que Tausk propusesse seria preferível, contanto que o plano tivesse uma possibilidade razoável de sucesso e que Wiladowski não tivesse problemas por causa dele. Mas, antes de comprometer-se irrevogavelmente, queria entender melhor esses homens que, por alguma razão que não conseguia compreender, passavam de uma vida de oração ao assassinato aleatório. Tudo o que Tausk lhe contara até agora sobre Brugger era de uma opacidade irritante e Wiladowski suspeitava que, por trás da reticência de Tausk, havia mistérios tribais que não poderia continuar permitindo no subordinado em quem mais confiava.

Quando o conde perguntou diretamente a Tausk o que o rabino poderia ganhar encorajando os seus seguidores a cometer tais atrocidades, Tausk respirou fundo antes de explicar que, no mundo que Brugger habitava, o assassinato não era importante devido a algum valor funcional, mas unicamente como poder mágico.

— Para os judeus religiosos — prosseguiu Tausk —, o assassinato é a proibição mais antiga de todas, antecedendo até o pacto dos Dez Mandamentos. No Gênese, Deus proíbe categoricamente o derramamento de sangue humano. Ele o disse a Noé, logo após o Dilúvio, que destruiu a todos com exceção de uma só família que recebeu esta ordem fundamental, a proibição do assassinato. Ao contrário das outras obrigações, esta é considerada uma proibição universal, não apenas para os judeus. Assim, quebrá-la de propósito é um gesto extremo de desafio Tem havido numerosos falsos messias na nossa história e a maioria deles tentou mostrar que estava acima da Lei cometendo transgressões ousadas como comer a proibida *cheleb*, ou gordura dos rins, e mudar o calendário litúrgico. Mas Brugger leu Bakunin e Nietzsche e, para ele, todas essas profanações anteriores são, evidentemente, leves demais. Precisa de gestos mais violentos para romper o tecido do mundo.

No início, o tom de voz de Tausk estava tingido com sua ironia habitual, mas enquanto continuava a falar pareceu perder-se na própria exegese. Seu discurso ficou mais excitado e, com os braços finos torcidos como se não tivesse mais nada com que gesticular, corria o risco de incendiar-se a si mesmo com o cigarro.

"Até onde o próprio Tausk acredita nisso?", pensou Wiladowski. "Sei que estudou com essa gente. Ainda assim, Gênese, gordura de rim, calendários litúrgicos? Podemos estar vivendo na província menos esclarecida de todo o Império, mas até mesmo aqui estamos no século XX, temos jornais e telégrafo. Fora Moritz Rotenburg, Tausk é a pessoa mais inteligente que já conheci desde que me tornei governador e recuso-me a acreditar que veja algo nessas idéias além da total insanidade."

Embora notasse o olhar intrigado de Wiladowski, Tausk estava decidido a terminar a sua explicação. O que começara como estratégia tornara-se algo mais. Era como se, pela própria intensidade da sua história, esperasse cruzar o abismo entre a total estranheza dessas categorias para o conde-governador e sua esquisita intimidade para ele, Tausk. O Rabino Pelz ensinara-lhe a reconhecer as aspirações de Brugger como a própria voz do mal, mas aquela familiaridade também lhes dava uma realidade que nada tinha a ver com a verdadeira crença. Há muito tempo, Tausk se esvaziara de tudo o que pudesse ser chamado de fé religiosa mas, por razões tão incompreensíveis para ele quanto para o seu patrão, nada lhe importava mais naquele momento do que fazer Wiladowski vislumbrar as forças espirituais por toda parte acumuladas em combate em torno deles.

— Os judeus ortodoxos — continuou — têm um mandamento chamado *tikkun olam*, ou cura do mundo. Tem muitas interpretações — aqui, percebendo a reação divertida de Wiladowski, Tausk rompeu sua própria e intensa absorção para concordar com a cabeça — assim como a maior parte das nossas doutrinas, como, sem dúvida, Vossa Excelência está certo de pensar. Mas, para que a cura seja necessária, é preciso que primeiro haja o ferimento e todos os rabinos concordam que o universo criado como um todo é testemunha de alguma ferida fundamental. Uma rixa entre o Criador e a Criação. Não fosse assim, não poderia haver tanto sofrimento e tanta dor. Mas a meta de Brugger não é curar o mundo e sim aumentar a ferida, para que, com um tipo de dialética demoníaca, a verdadeira natureza da vida seja revelada. Só um estado de terror permanente pode trazer uma nova era, porque é o colapso final da era antiga.

— Estou confuso, Tausk — Wiladowski levantou a mão para chamar a atenção, num gesto não muito diferente da maneira como chamaria um garçom distraído num restaurante. — Se tudo isso é alguma misteriosa disputa teológica judaica, por que eu deveria me preocupar? Não é provável que os assassinatos sejam mantidos dentro da sua própria igreja, por assim dizer?

— Pelo contrário, Excelência. Como a proibição de derramar sangue é universal, sua violação tem de ser universal também. O assassinato não pode estar ligado a nenhuma raça, classe ou desagrado pessoal e a única maneira de garantir isso é escolher o alvo ao acaso. O membro de uma família tão bem-nascida e distinta quanto a de Vossa Excelência ou um zé-ninguém como Shmuel Kosch são opções igualmente legítimas. A morte é um ato puramente simbólico que tem de ser mantido tão livre de motivos vis quanto qualquer oferenda ritual. Brugger acredita que a Casa de Israel está em chamas e que o sangue que derrama é a única maneira de apagar o fogo. Quem será o açougueiro e quem será sacrificado será um acidente do lugar e da história, nada mais.

Tão repentinamente quanto começara, Tausk calou-se. Com cuidado, pôs o cigarro no cinzeiro da mesa do conde-governador e afastou-se, como um ator que acaba de sair do palco e volta ao camarim para saudar os amigos e familiares ainda com o figurino completo.

— Pelo menos acho que Brugger e os seus discípulos acreditam numa coisa assim. — Voltou a falar com o seu tom de voz normal. — Peço desculpas se a minha descrição foi intensa demais, mas não havia outro modo de fazer Vossa Excelência ver o perigo que este homem representa.

Wiladowski olhou com interesse o seu espião-chefe. Quer aquilo que acabara de ouvir fosse ou não um desempenho teatral, Wiladowski estava convencido de que a eficácia constante de Tausk exigia que tivesse permissão de cuidar do rabino a seu próprio modo.

— Então — perguntou de novo —, o que sugere que façamos se Brugger é tão perigoso assim?

— Já sabemos que Brugger e pelo menos alguns dos seus discípulos entraram no país sem documentos válidos. — Tausk falava com tanto cuidado quanto durante as reuniões regulares na biblioteca, quando Pfister estava presente, pronto a atacar qualquer coisa que ele dissesse que pudesse ser inadequada. — Mas só mandá-los de volta pela fronteira de nada adiantaria. Simplesmente esperariam alguns dias e voltariam. Uma ameaça radical exige medidas radicais. Proponho prendermos Brugger e os seus seguidores mais leais quando estiverem juntos e sozinhos, sem mais ninguém por perto, e acusá-los a todos de matar Kosch. Quando estiverem em segurança, sob custódia, poderei oferecer-lhes uma troca objetiva: a confissão completa do crime em troca da liberdade do rabino. Tenho certeza de que pelo menos um ou dois deles concordarão com a proposta e, então, poderemos ter o enforcamento que o príncipe Schwarzenberg defendia. Cumpriremos a nossa palavra com os discípulos e só acusaremos Brugger de entrar ilegalmente no Império. Será dada a ordem de deportação e eu e um dos meus assistentes o levaremos diretamente da prisão à fronteira. Mas, a menos que consiga levantar dos mortos, jamais se ouvirá falar dele.

O conde-governador nada disse por alguns momentos. Seu rosto se afastou levemente de Tausk, na direção da porta fechada, pela qual mal se podiam perceber os passos das sentinelas andando de um lado para o outro no chão de mármore. Parecia estar ouvindo os sons abafados do corredor e, enquanto pensava na história de Tausk, batucava os dedos na mesa no mesmo ritmo dos passos pesados dos soldados. Então, ao se decidir, abriu rapidamente a gaveta da escrivaninha e pegou uma folha oficial de papel timbrado. Desatarraxou a tampa da grande caneta-tinteiro preta e dourada sobre a mesa e começou a escrever algumas frases. Quando terminou, entregou a folha a Tausk e, no conhecido tom de voz com que costumava terminar as reuniões assim que tomava uma decisão administrativa de rotina, disse ao espião-chefe:

— Sim, achei que era nesta direção que você se encaminhava. E levando tudo em conta, acho que é a melhor opção. Eis a ordem para prender Brugger e todos os seguidores que você quiser. Vai notar que não dei todos os detalhes, e assim fica a seu cargo escolher o momento e as pessoas certas. Como vai arrumar as coisas a partir daí fica inteiramente por sua conta. Só se lembre de que não quero mais nenhum problema no bairro Josef. Um mártir judeu é a última coisa de que precisamos nesta Páscoa!

Tausk pegou o mandado assinado e colocou-o em sua pasta, juntamente com os desenhos que o médico fizera da cabeça de Kosch. Sabia que o conde-governador não gostaria que voltasse a mencionar o assunto e, quando saiu da biblioteca, seu olhar era profissionalmente neutro. Wiladowski viu-o sair e fez-lhe um aceno de mão preocupado, dizendo apenas que tanto ele quanto Pfister eram esperados na hora normal no dia seguinte, para começar os últimos preparativos para a próxima cerimônia. Mas, quando voltou a ficar sozinho, Wiladowski viu-se inundado por uma lembrança que tentara emergir desde que Tausk começara o seu estranho relato.

Estava na lua-de-mel com Marie-Luise e uma das suas primeiras paradas foi Veneza, onde passaram duas semanas de sol radiante num pequeno *pallazzo* de cujas janelas podiam ver, do outro lado da laguna, a ilha faiscante de San Giorgio Maggiore. Certa tarde, Marie-Luise estava cansada demais, depois de um lauto almoço, para sair de novo e, assim, enquanto a noiva descansava, Wiladowski decidiu dar um passeio à toa sozinho pela cidade. Perdeu-se várias vezes pelos becos estreitos sem se incomodar e sentia a leve fadiga do esforço como mais um prazer oriundo daquele lugar milagroso feito de água, mármore e luz. Jamais se sentira tão pagão quanto nessa cidade de mil igrejas e, quando entrou pela grande estrutura barroca da igreja de Santa Maria della Salute, foi com um espanto renovado de que inventividade tão exuberante fosse posta a serviço de uma fé tão hostil aos sentidos quanto o cristianismo. Quando Wiladowski e Marie-Luise tinham visitado juntos a Salute havia alguns dias, ele chamara a atenção dela principalmente para as *Bodas de Caná* de Tintoretto, pretendendo, com o tema da pintura, fazer um cumprimento sutil ao talento da esposa para a hospitalidade pródiga. Mas agora, sozinho, estava mais interessado em olhar de perto o tríptico do altar de Luca Giordano, o excêntrico mestre napolitano cuja violenta *Queda dos anjos rebeldes* admirara tantas vezes no Kunsthistorisches Museum lá em Viena. Primeiro, no entanto, queria admirar a imensa estrutura octogonal da Salute em sua inteireza, projetada, pensava ele, mais como um grandioso teatro do que como um lugar de adoração, e por esta razão ainda mais agradável para ele. Acabara de passar por uma das oito arcadas simétricas que levavam do centro da igreja a um altar lateral, imaginando se seria falta de educação, num lugar assim, cantarolar uma melodiazinha alegre que ouvira uma jovem dona de casa veneziana cantar perto do Campo Santa Margherita, quando de repente congelou-se, cobriu-se de um suor pegajoso e perdeu por alguns instantes todo o fôlego. Ali, pendendo no meio do ar, a poucos metros do seu próprio rosto, estava o corpo ensangüentado de Cristo, violentamente pregado em sua cruz e com os enormes olhos cheios de dor fixos nele. Por um longo momento Wiladowski teve certeza de que estava a ponto de perder a consciência com tamanho pânico. Mas de algum modo conseguiu jogar-se num banquinho e ali ficou tremendo, com a cabeça apoiada nos joelhos, obrigando-se a respirar, o tempo todo certo de que a aparição incompreensível e apavorante ainda estava ali, esperando que levantasse os olhos. Como todos os austríacos, Wiladowski crescera ouvindo sermões sobre visões milagrosas, mas quando chegara à adolescência elas lhe soaram fábulas ingênuas, compostas com o pior gosto possível. Agora, contudo, defrontado pela prova dos seus próprios sentidos de que uma coisa dessas podia mesmo acontecer — até com alguém como ele! — sentiu a mente vacilar como um prédio que desmorona devido a uma fissura há muito escondida em seus alicerces.

— Nada disso é real — tentou dizer a si mesmo. — Devo ter pego uma febre no trem na vinda para a Itália e estou tendo alucinações. Não sou responsável pelo que o meu delírio me faz ver.

Agarrando-se ao último fiapo de força de vontade, obrigou-se a levantar os olhos. Havia a possibilidade de que, depois de diagnosticar a visão como mero sintoma de doença, seu cérebro a rejeitasse inteiramente. Para seu horror, nada mudara. A imagem torturada ainda estava ali, encarando-o com decisiva tristeza. De algum modo Wiladowski encontrou forças para continuar olhando em volta e então, de repente, conseguiu explicar o que acontecera. Uma escultura de madeira pintada em tamanho natural de Jesus crucificado fora descida de um dos altares para reparos e apoiada à parede do corredor diante de um espelho do outro lado. No ângulo certo e com a luz tênue do interior da igreja, o reflexo da estátua parecia ter-se materializado no espaço entre as meias colunas onde estava Wiladowski. Tanto a estátua quanto o espelho eram invisíveis do ponto de vista do conde e só depois que avançou alguns passos os dois entraram no seu campo de visão. Assim que avistou a escultura, o medo de Wiladowski dissipou-se, substituído por embaraço e alívio, mas levou um bom tempo para a sua respiração voltar ao normal, e ele nunca mencionou esta experiência a ninguém nem entrou sozinho em nenhuma igreja durante o restante da lua-de-mel.

Wiladowski ficou perplexo com o fato de esse episódio, no qual não pensava havia décadas, ter retornado tão inesperadamente. Continuava a sentir que tinha de resistir a ser puxado de volta para um sonho há muito esquecido do qual já fora bastante difícil acordar da primeira vez e, embora se tivessem passado apenas alguns minutos desde que Tausk saíra com o mandado, a conversa deles parecia ter acontecido há horas. De repente, estar sozinho pareceu impossível, mas neste momento não havia ninguém com quem o conde-governador suportasse conversar. Chamou Aloïs, pediu-lhe que ficasse por perto, em silêncio, caso precisasse dele para alguma missão urgente, e voltou a trabalhar, tranqüilizado pela presença calada de alguém que o servia lealmente desde a sua primeira nomeação. Aos poucos, o ritmo da rotina diária dissipou os últimos fragmentos da demorada inquietação de Wiladowski e ele conseguiu deixar totalmente para trás a lembrança da aparição na Igreja da Salute. O resto do dia estava cheio de obrigações e, quando chegou a hora de trocar de roupa para o jantar parara há muito de dedicar ao assunto algum pensamento. Mas naquela noite, quando, pela primeira vez em mais de duas semanas, viu-se incapaz de adormecer, percebeu de repente que, por mais que Tausk se convencesse de que era meramente um bom ventríloquo, a descrição que fizera da motivação de Brugger testemunhava uma atração da qual provavelmente o próprio espião-chefe não tinha consciência. Tausk acreditava tanto no estranho rabino milagroso quanto Wiladowski acreditava na Santíssima Trindade, mas isso não impedira o conde de quase morrer de pavor numa igreja veneziana nem poderia impedir o espião de temer que houvesse algo mais que natural no poder de Brugger.

Wiladowski não chamou Tausk para lhe fazer companhia na biblioteca aquela noite. Em vez disso, contentou-se em ficar só, folheando de vez em quando algum dos seus romances licenciosos, mas na maior parte do tempo sentado simplesmente por um bom tempo junto à janela, observando o espesso nevoeiro da primavera enrolar-se nas filas de lâmpadas de gás perto dos muros do Castelo. Pouco antes do amanhecer, quando finalmente ficou cansado o suficiente para voltar à cama, a última coisa ainda em sua mente foi uma história de Páscoa que Tausk lhe contara com grande alegria durante uma de suas muitas vigílias noturnas. Agora, contudo, Wiladowski não tinha mais tanta certeza de que a intenção da história fosse inteiramente divertida. Segundo Tausk, um judeu convertido encontra um velho amigo, um dos seus antigos correligionários, que lhe pergunta se o batismo recente foi sincero ou meramente um artifício para avançar na profissão. O convertido responde que não só acredita inteiramente nos ensinamentos da Igreja como chegou a converter-se com muita relutância e ainda sente remorsos por ter deixado para trás a fé da sua infância.

— A minha própria escritura não me deu escolha senão aceitar a verdade das Escrituras — disse o homem —, mas isso não me traz nenhuma alegria.

Intrigado, o amigo judeu pergunta:

— Então o que você vai fazer na Páscoa?

— O que mais posso fazer? — responde o cristão-novo. — Vou prantear a Ressurreição.

◆ ◆ ◆

Não houve necessidade de contar a Brugger diretamente o assassinato da Ponte Nepomuk. Metade do bairro Josef fora acordada pelos gritos de Racheli Mayer e o restante descobriu logo depois pela polícia da cidade, quando guardas fardados correram de casa em casa, interrogando todo mundo que encontrassem. No ano anterior houvera várias mortes na área mas nenhuma como aquela e, conforme os detalhes hediondos foram surgindo nos dias seguintes, a morte de Kosch adquiriu um fascínio sinistro. Quando alguém lançou o boato de que ele era informante da polícia, a repugnância geral inspirada pela mutilação do seu corpo diminuiu muito e o seu desmembramento foi incorporado à lenda de um bairro que se orgulhava de acertar as próprias contas.

Naqueles dias, o vento do início da manhã já não era mais tão gelado e os primeiros e ricos odores da primavera próxima começavam a ser notados até mesmo no centro da cidade. Brugger começou a sair para passeios solitários durante o dia todo no campo aberto além do cemitério, chegando muitas vezes à mata fechada que levava até a fronteira. Embora normalmente saísse sem quipá, fazia questão de colocá-lo sempre que entrava na floresta, porque, como disse a Linnetchen, "este é um dos poucos lugares não aviltados que restaram por aqui". Em raras ocasiões, permitia que alguns dos seus discípulos mais íntimos o acompanhassem e eles valorizavam muito o privilégio de estarem sozinhos com ele, longe da multidão que agora comparecia regularmente aos seus sermões. Numa manhã de incomum suavidade, uma semana depois da descoberta do corpo de Kosch, Brugger calçou as botas de caminhada de sola grossa, encheu uma cestinha de vime com pão e carne defumada e convidou Linnetchen, Robert, Leah Wissotzsky, filha caçula de um rico comerciante de chá, e Voytek Jakobi, ex-professor de música baixinho e sempre inquieto que se unira ao grupo logo depois de Robert, para caminharem com ele. Ainda era cedo demais para catar cogumelos, mas Brugger levou os seus discípulos com toda a confiança pelas estreitas trilhas da floresta que havia apenas uma semana estavam invisíveis debaixo de grossa camada de neve e indicou onde aglomerações densas de cogumelos boletos-doces começavam a ficar visíveis ao abrigo dos abetos. Robert, que passara muitos meses como vagabundo, forçado com freqüência a sobreviver catando alimentos no mato, ficou espantado ao ver o quanto o rabino parecia conhecer sobre a vida no campo. A não ser por avisos curtos e ocasionais para tomar cuidado ao se afastar demais da trilha devido às armadilhas para animais deixadas por caçadores das grandes propriedades próximas, Brugger caminhava em silêncio, olhando diretamente para a frente, absorto em seus próprios pensamentos. Depois de cerca de duas horas, chegaram a uma pequena clareira, onde até a fraca luz do sol do início da primavera parecia inesperadamente quente na pele, e o céu sem nuvens estava tão claro e fluido como se já estivessem no meio do verão. Os troncos de várias árvores grandes, provavelmente derrubadas pelos lenhadores dos von Alpsbach, estavam caídos na borda da clareira e Brugger sentou-se num deles e fez sinal aos outros para que se juntassem ao seu redor num pequeno círculo. Robert, que trouxera a cesta na maior parte do caminho, colocou-a onde todos pudessem alcançar e, por algum tempo, ocuparam-se alegres com a refeição. Linnetchen deitara-se no chão morno, o corpo gozando o prazer de sentir a terra nas costas, e Robert viu-se com esperanças de que a intimidade do longo passeio juntos e a alegria de estar ao ar livre o dia todo pela primeira vez desde o outono anterior aguçasse na moça a fome de tê-lo na cama aquela noite.

Sem indicação alguma de que pretendia romper o silêncio, Brugger virou-se de repente para eles e disse:

— Se se pudesse matar alguém toda noite, as coisas seriam muito mais fáceis, Todo mundo aprenderia a ser bom.

Com o tempo, todos tinham percebido que o estado de espírito de Brugger era mais visível nos seus lábios do que em seus olhos e, para quem se imaginasse próximo do rabino, nada era mais assustador que o esgar contraído para baixo que às vezes distorcia o semi-sorriso irônico e imperturbável que costumava manter no rosto. A leve depressão em semicírculo que formava uma meia-lua entre o lábio inferior e a ponta do queixo se destacava sempre que estava tenso, ficando perceptivelmente alongada e mais profunda. Nesses momentos era comum Brugger acariciar sem perceber os lábios e a depressão do queixo e aí os discípulos sabiam que não deviam interrompê-lo. Sentados ali na clareira, o tom de voz de Brugger era tão tranqüilo e meditativo como se estivesse elucidando algum abstruso enigma rabínico, mas as suas mãos não paravam de cutucar-lhe o lábio com insistência nervosa que não deixava dúvidas sobre seu desprazer. Embora todos os discípulos estivessem concentrados com atenção absoluta às suas palavras, tomando todo o cuidado para não irritá-lo mais fazendo algum barulho, Brugger evitou-lhes o olhar e continuou a fitar um ponto além deles, na linha de pinheiros que marcava a borda da clareira. Falava como se pensasse em voz alta, só para si, tão baixinho que precisavam se esforçar para ouvir o que dizia.

— Nos comentários, falam-nos de dois crepúsculos, ditos do corvo e do pombo, um feroz, o outro gentil. Na época da purificação final, quem espera sobreviver tem de aprender a estar à vontade em ambos, e nem a piedade nem a espada sozinhas serão suficientes. Mas sei que aquilo em que acredito é chamado de heresia pelos que temem ver além da escuridão e que, enquanto estamos aqui sentados conversando, há homens na cidade que já tramam a minha morte.

Robert tentou segurar-se, mas as palavras de Brugger foram demais para ele. Ficou de pé e jurou que, enquanto tivesse forças para lutar, ninguém chegaria perto o bastante para ferir o seu mestre. Se o rabi sabia quem eram esses homens, Robert implorou que lhe dissesse e nenhum deles viveria até a semana seguinte. Brugger olhou para Robert, que sacara a sua grande faca de caça de dois gumes e, com expressão cansada, disse-lhe para guardar a lâmina e deixar de ser bobo.

— E se foi a sua lealdade que deu aos meus inimigos uma desculpa? — perguntou a Robert. — Seja quem for que tenha matado aquele zombador enviado pelo rabino de Buczacz, com toda certeza a culpa será lançada sobre mim.

Com isso, Robert vacilou como se tivesse levado um tapa violento e os outros, que estavam observando o diálogo sem emitir um som, começaram a se mexer e a olhar para longe. Brugger afastou de Robert o olhar para envolver a todos e continuou como se não tivesse havido nenhuma reação.

— Certa vez, antes que Robert se unisse a nós — disse-lhes —, falei a Linnetchen que nunca se deve tentar pegar uma faca que cai. Mas estava errado, porque há momentos em que isso é tudo o que qualquer um de nós tem permissão de ser. Como os seus motivos foram puros, nenhum de vocês é culpado do que aconteceu. Um pecado cometido com boas intenções é melhor do que um mandamento obedecido com o coração cruel. Não pergunto o que fizeram em meu nome nem o que farão. Não o encorajo nem proíbo. Mas entendam que revelam as suas próprias necessidades, não as minhas, pelo modo como interpretam as minhas palavras. Quanto a mim, sei que é dentro da minha própria alma que devo silenciar a voz da dúvida. A minha guerra é contra os poderes demoníacos que criaram este universo de dor no qual estamos aprisionados. Mas as batalhas que para alguns são espirituais para outros são materiais e cada um de nós deve lutar da única forma e no único lugar que lhe for possível. Algo selvagem e estranho está se insinuando nas coisas mais familiares. E se seremos nós os seus mensageiros, é desperdício de fôlego calcular o custo. No fim, tudo sempre se resume a quem está disposto a sacrificar mais. Esta manhã acordei com a aurora e, antes de decidir se vinha para cá sozinho ou buscava a companhia de vocês, sentei-me à janela e meditei sobre a morte daquele pobre Shmuel Kosch. Se foi ou não mandado pelo rabino de Buczacz como sacrifício inconsciente para completar minha ruína não importa mais. Já ouço os gritos e lamentações que logo encherão o ar vindos das viúvas em todas as janelas e de todas as mães sem filhos pelas ruas. Uma ânsia homicida percorre a cidade como uma fera predadora. Será a nossa missão abrir os portões e deixar a coisa começar?

Nem mesmo Linnetchen sabia o que Brugger esperava que respondessem. Muitas vezes tinham-no ouvido falar assim, mas nunca com tanta ansiedade. Kosch era um homem sem importância na comunidade; até na corte do rabino de Buczacz sua voz não tinha peso, mas para Brugger a morte dele parecia ser o sinal de alguma coisa bem maior do que tinham suspeitado quando deixaram o corpo como aviso para que todos vissem. Insolência como a de Kosch tinha de ser punida. Linnetchen estava tão convencida disso agora quanto na noite em que atraiu Kosch para a margem do rio, onde os outros aguardavam para matá-lo. Mas ficou furiosa consigo mesma por não ter previsto que, apesar de todas as precauções, Brugger seria responsabilizado. Tinham tomado o cuidado de não mencionar uma só palavra do que iam fazer no dia do crime para que o rabino pudesse jurar, de consciência limpa, que nada sabia da história toda. Ainda assim, Robert estava certo afinal de contas. Deviam ter jogado o corpo no rio, preso a algumas pedras pesadas, para que só emergisse dali a vários meses. Mas foi a reação do rabi que chamou a atenção de Linnetchen. Ele não mostrara surpresa quando lhe deram a notícia nem pareceu perturbado com o esmagamento de uma casca vazia como Kosch. Mas havia uma certa distância no modo como falava agora a respeito, como se o fato de terem colocado em prática os seus ensinamentos fosse coisa para a qual não estivesse totalmente preparado e sobre cujo significado ainda não tivesse se decidido. Linnetchen não tinha dúvida da justiça do ato e não sentia a vacilação do rabino como crítica nem como sinal de falta de coragem. Ele mesmo já explicara isso melhor: as suas batalhas aconteciam numa esfera superior e freqüentemente havia épocas em que a necessidade de sobrevivência diária era tão estranha para ele quanto para um anjo nu que viesse diretamente dos portões do paraíso para os cortiços do bairro Josef. Ela vira muitos dias em que ele ficara no quarto, fraco demais para levantar-se do leito. Normalmente, ninguém tinha permissão de vê-lo nessas ocasiões, mas uma ou duas vezes ele permitira que ela lhe levasse uma compressa fria para as têmporas e, como era incapaz de ingerir qualquer alimento, um chazinho fraco de camomila para impedir a desidratação. Nessas vezes, ele ficava tão desanimado que perdia a capacidade de ler e ela sentava-se durante horas ao lado da cama, lendo em voz alta os livros prediletos dele. Agora, embora estivessem ao ar livre o dia todo na brisa suave da primavera, o rosto de Brugger estava tão pálido quanto durante os seus ataques e não contraía mais o lábio com a mesma energia nervosa. Em vez disso, envolvera completamente a testa com a palma da mão direita e usava os dedos e o polegar para massagear suavemente as têmporas, primeiro sinal de que temia sucumbir a uma de suas enxaquecas esmagadoras. Perplexidade, fúria e exaustão brigavam em sua expressão, mas Linnetchen não tinha como prever qual venceria. Tinha a sensação, pela maneira como ele ainda se inclinava à frente, envolvendo a todos com a sua presença, que Brugger pretendia dizer mais sobre o que estava para lhes acontecer nos próximos dias mas, com um gemido abafado, levantou-se de repente e, sem falar, indicou que era hora de voltar à cidade.

No caminho de volta, o passo de Brugger parecia mais pesado e menos seguro, mas não precisou de ajuda para continuar caminhando e, uma ou duas vezes, quando Robert ou Voytek lhe ofereceram apoio para atravessar um pedaço de caminho mais escorregadio devido à neve derretida ou para ultrapassar um galho caído que bloqueava a trilha, afastou as mãos e murmurou que estava se sentindo melhor e logo estaria bem. Robert e Linnetchen ficaram próximos, poucos metros atrás do rabino, para não invadirem sua solidão e, ao mesmo tempo, poder estar ao seu lado no instante em que os chamasse. Ambos sentiam apenas uma tristeza infinita com a dor do seu mestre e teriam-na suportado alegremente em seu lugar. Tinham certeza de que o sofrimento de Brugger era resultado direto da malevolência do rabino de Buczacz. Ele os levara a assassinar Kosch para que as autoridades civis o livrassem de uma presença cuja santidade revelava a própria nulidade espiritual dele. Robert achou possível que, ao lado das suas tramas e acusações caluniosas, o rabino de Buczacz também usasse magia negra para piorar as dores de cabeça de Brugger. O mal era sempre mais forte e incansável quanto mais perto ficava da derrota final e o próprio sucesso dos planos contra Brugger testemunhava o pavor que a sua missão inspirava entre os impuros. Robert sabia que não tinha cabeça para as sutilezas teológicas e gostava que Linnetchen traduzisse as lições de Brugger com palavras que pudesse entender. Apesar do perigo que corriam, Robert sentia-se mais livre e mais em paz consigo mesmo do que nunca. Linnetchen também parecia desabrochar com a possibilidade de uma guerra declarada contra os seus inimigos. Instintivamente, combinou o seu passo ao de Robert e os dois andaram juntos num ritmo constante que, por si só, era um tipo de forte intimidade física. Às vezes, suas mãos se tocavam enquanto oscilavam levemente uma ao lado da outra e Robert espantou-se ao sentir a pele de Linnetchen febril de excitação. Quanto mais ela explicava os ensinamentos do mestre, mais apaixonada ela mesma parecia ficar, até que o seu rosto assumiu um brilho interior que deixou Robert ardendo de admiração e desejo. Na maior parte do caminho de volta, Brugger não deu sinal de ter ouvido a conversa dos dois, mas quando passavam pelas antigas muralhas da cidade antes de entrar na longa avenida que os levaria até em casa, parou e sorriu para eles com um olhar de prazer que havia muitas semanas não viam em seus olhos.

— Sinto-me quase recuperado — disse-lhes —, e em boa parte graças à sua fidelidade. Se a luz é verdadeiramente semeada na terra para os virtuosos, exige colhedores leais como vocês. Uma parte minha sentiu-se poluída com todos os zombeteiros que nos cercam e precisei da fé de vocês para lavar as palavras deles do meu coração. Se eu ainda a tiver nos dias que virão, nada do que os nossos inimigos inventarem contra nós me fará vacilar de novo.

O restante da caminhada até em casa pareceu passar numa névoa. As palavras de Brugger encheram seus discípulos de ilimitada alegria, em comparação com a qual tudo o mais parecia vazio. As pessoas pelas quais passavam nas ruas pareciam títeres mecânicos movendo-se bem devagar, imitando uma vida que jamais conheceriam por dentro, e se a polícia chegasse naquele momento para prender a todos teriam ido para a prisão contentes, certos de que só poderiam mantê-los presos enquanto eles mesmos o permitissem. Quando chegaram à casa ainda não era noite e, durante mais uma hora, sentaram-se em silêncio observando o crepúsculo cair em faixas lentas desde o grande Campanário até as ruas enlameadas do bairro Josef. Ninguém teve vontade de comer. Só depois que as outras janelas da vizinhança já refletiam o brilho suave das velas e lâmpadas de óleo é que alguém percebeu que estavam sentados na semi-escuridão. Em vez de retirar-se sozinho, como costumava fazer à noite, Brugger ficou encostado na janela da grande sala central com todos os discípulos. Mas quando afinal acenderam a lâmpada de mesa e alguém buscou uma garrafa de vinho na cozinha, Brugger levantou-se devagar, esticou o braço para pegar Linnetchen pela mão e, sem mais palavras, foi diretamente para o quarto com ela.

Robert adormeceu ouvindo pelas paredes finas os sons dos dois fazendo amor. Era raro que Brugger tomasse uma mulher depois que terminava seu período inicial com ela, mas era impossível não reconhecer os gritinhos de prazer rápidos e conhecidos de Linnetchen. Embora fosse impensável para ele sentir ciúmes do rabi, Robert sentiu-se entristecer ao ouvir os dois e pensou rapidamente em ver se Leah Wissotzsky queria companhia. Mas, para a sua surpresa, sentiu-se cansado demais para dar-se a este trabalho e afundou de volta na cama, o travesseiro enrolado na cabeça para abafar o barulho. A certeza de que Linnetchen voltaria a ele na noite seguinte era tranqüilizadora e, quando aos poucos o contentamento que sentira na volta para casa retornou e deixou-o deslizar para os seus próprios sonhos, considerou tudo um presente de Brugger, tão bem-vindo quanto a satisfação que sabia que Linnetchen estava sentindo.

Na manhã seguinte, Robert e Linnetchen começaram a fazer seus planos. Era fácil misturar-se aos artesãos pobres que formavam a maior parte da congregação do rabino de Buczacz e, duas vezes seguidas, levemente disfarçados apenas, Robert e Voytek compareceram a um dos seus sermões. Uma semana depois, a casa do rabino explodiu de repente numa imensa bola de fogo, bem quando ele e a família sentavam-se para jantar. As chamas se espalharam tão depressa que ninguém conseguiu sair e o fogo continuou a fumegar durante vários dias até que toda a estrutura foi reduzida a cinzas. Nada restou da construção nem dos seus habitantes. Sabia-se que pelo menos oito pessoas, além do rabino de Buczacz, morreram queimadas na casa, mas foi impossível identificar os corpos, e meia dúzia de outros seguidores se apresentaram para jurar que algum parente seu fora visitar o rabino para falar sobre algum problema pessoal na noite da explosão e nunca mais voltara.

O funeral foi um evento sombrio. A maior parte dos judeus de Buczacz veio para a ocasião, mas não havia corpos para enterrar no túmulo há muito reservado para o rabino, e a sugestão bem-intencionada do magistrado local de que se juntasse um pouco das cinzas da casa para colocar numa urna comemorativa foi rejeitada com aversão, já que levaria a uma mistura promíscua entre os restos do rabino e os dos outros que foram imolados com ele, inclusive os de várias mulheres. Depois que bastante gente disse ter sentido um cheiro claro de querosene, as autoridades classificaram formalmente o incêndio como criminoso e mandaram um pequeno contingente de policiais fardados para servir de guardas durante o funeral. Apesar da recompensa considerável em troca de informações sobre o incêndio, não apareceu nenhuma testemunha para auxiliar as investigações e, até durante as cerimônias pela memória do rabino, os membros da sua congregação olhavam em torno nervosos, como se temessem pôr em risco a própria vida simplesmente por demonstrar respeito pelo morto.

◆◆◆

Adquirir um estoque de armas acabou sendo menos complicado do que Hans imaginara. Numa região famosa pelas reservas de caça, não havia escassez de armeiros competentes e mercadores desejosos de atender à necessidade de ampla variedade de armas de fogo. Muitos integrantes da aristocracia da província orgulhavam-se da sua pontaria e ainda era fonte de grande satisfação na região toda que, há vinte anos, o velho Barão Károlyi tivesse vencido a competição de tiro de pistola em Garmitsch-Partenkirchen, na presença de Sua Majestade Imperial em pessoa. O Magazine Koppensteiner tinha uma excelente seleção de armas leves e, quando Leo von Arnstein e Chrissi von Hradl foram até lá certa tarde, conversando em voz alta sobre a sua determinação de igualar o grande feito de Károlyi na competição do ano seguinte, *Herr* Lászny ofereceu com todo o prazer a sua ajuda para garantir que tivessem as melhores e mais modernas armas para treinar. O pai de Joachim Gerling estava novamente em Viena, oferecendo os seus conselhos de especialista a mais um comitê do governo que buscava um modo de sair da prolongada recessão, e Hans decidiu usar isso como desculpa para que o próprio Joachim fosse à capital comprar mais equipamento para a célula.

Como a maioria das casas da Maximilianstrasse, o prédio de Hans tinha um grande porão sem acabamento usado por todos os inquilinos para guardar provisões que não caberiam em seus pequenos apartamentos ou que precisavam ficar no frio durante o ano todo. Grupos de famílias saíam juntos no verão, durante as duas semanas em que os pepinos amadureciam do dia para a noite no campo, compravam-nos bem barato dos fazendeiros e voltavam a negociar com os mesmos agricultores em outubro, quando chegava a época do repolho. Toda dona de casa tinha as suas próprias receitas para preparar os alimentos para o inverno seguinte. Em todo o bairro Josef, uma parte de cada porão era reservada para armazenar grandes barris cheios de pepinos em conserva e outros menores que continham repolho picado, conservado numa mistura de sal, cascas de maçã e vinagre. Os imigrantes mais recentes na cidade que ainda se agarravam aos hábitos comuns nas fazendas que tinham deixado para trás também tentavam guardar batatas, cenouras, beterrabas e cebolas para o inverno empilhando-as debaixo de uma grossa camada de palha. Em princípio, o espaço do porão era distribuído de acordo com o tamanho do apartamento do inquilino, mas até então isso nunca fora problema porque havia espaço mais do que suficiente para guardar as coisas de todo mundo. Hans, no entanto, logo percebeu a utilidade de um porão daqueles para os seus planos. O arsenal de armas e munição que a célula estava acumulando caberia perfeitamente em barris de pepino vazios e ele tinha certeza de que ninguém jamais pensaria em procurar armas ali. Ainda mais promissor era que o porão sem janelas, com as suas paredes de pedra maciça, seria um lugar ideal para armazenar as substâncias químicas necessárias para as suas experiências de construir uma bomba que funcionasse. Hans, que nunca suspeitara de como já era detestado pela maioria dos vizinhos, tinha certeza de que a perda de alguns recipientes de comida sensaborona seria um pequeno sacrifício em comparação com o risco que ele e os seus camaradas corriam e não teve compaixão na hora de alugar o porão inteiro para si. O proprietário, felicíssimo, mandou imediatamente o seu representante a todos os outros inquilinos ordenando-lhes que tirassem dali as suas posses em 48 horas ou elas seriam jogadas fora. O fato de que não havia lugar para onde levar aquelas coisas não fazia diferença para ele. Mesmo que a maioria dos apartamentos já não estivesse apinhada, os barris enormes eram pesados demais para transportar escada acima. Estavam em risco semanas de trabalho duro para armazenar as hortaliças das quais todos dependiam para complementar a magra dieta que conseguiam comprar na cidade. Só o medo generalizado de irritar Moritz Rotenburg, cujo nome inspirava um respeito temeroso em todo o bairro e cujo poder era temido até por aqueles que não tinham nenhum medo da polícia, impediu que Hans fosse atacado pelos vizinhos enraivecidos. Certa noite, Asher Blumenthal ouviu alguns fregueses do Bar do Löffner resmungar que quem andava por aí decapitando gente escolhera o alvo errado em Shmuel Kosch, quando havia um candidato muito mais merecedor à disposição. Depois de passar várias horas torturantes sopesando o que lhe seria mais interessante, Asher decidiu que, no fim das contas, seria mais seguro revelar a Hans o crescente ressentimento público.

De início Hans não acreditou que alguém pudesse pensar mal dele. Mesmo que ainda não tivessem como saber, tudo o que fazia era em benefício apenas dos trabalhadores. Era óbvio que os fregueses daqueles bares sórdidos que Asher freqüentava eram todos bêbados vadios, lumpemproletariado, oportunistas pequeno-burgueses. Quando Asher ressaltou que algumas ameaças mais clamorosas vinham de homens presos na manifestação contra a Madeireira Hollweg, obrigados a pagar multas pesadas e que, assim, dependiam ainda mais da comida previamente armazenada, Hans não se impressionou.

— Este é exatamente o problema da mentalidade sindicalista — disse a Asher. — Todos esses tipos só se preocupam com melhoras graduais e, para consegui-las, dispõem-se a desistir da pressão por uma mudança de verdade. Reformistas graduais como esses só acabam diluindo o potencial revolucionário do operariado.

Embora o próprio Asher não tivesse grande simpatia pelos operários em cujo nome a célula afirmava agir, não podia deixar de refletir que, se a opção fosse alimentar a família ou vê-la passar fome, as melhoras graduais não seriam assim tão ruins. Até um grosso como Galatowski, ex-chefe de seção de Asher, pelo menos tinha consciência do mal que fazia, mas Hans simplesmente agia como tinha vontade sem levar em conta a reação de ninguém, a nobreza de seus motivos tornando aparentemente irrelevantes tais considerações. Asher temia que ele mesmo corresse perigo de apanhar caso estourasse um choque declarado entre Hans e os vizinhos. Além disso, se conseguisse ficar conhecido como o homem que convencera Hans a deixar todo mundo continuar guardando os suprimentos de inverno no porão, o seu próprio prestígio no bairro Josef só poderia aumentar e talvez chegasse mesmo a seduzir a garota de cabelo avermelhado e axilas úmidas, em quem vivia pensando desde que entrara atrás dela na tabacaria. Asher decidiu que a forma mais eficaz de convencer Hans seria falar com ele como se o problema fosse inteiramente uma questão de tática e, apesar do olhar azedo de Hans, foi em frente e sugeriu que poderia ser útil, a curto prazo, garantir a boa vontade dos outros inquilinos. Afinal de contas, se houvesse algum distúrbio, ainda mais envolvendo um Rotenburg, a polícia interviria de imediato e com toda a certeza agora o mais importante era atrair o mínimo possível de atenção. Gostou de ver que, apesar de tudo, Hans pareceu sensível ao que dizia. A eficácia aparente do seu argumento tornou mais fácil para Asher não acrescentar que, aos seus olhos, toda a idéia de gente tão rica quanto Hans e os outros conspiradores se iludindo e acreditando que podiam permanecer despercebidos por um só instante num bairro onde mais da metade dos homens estava desempregada era risível demais para ser levada a sério. Ainda estava convencido de que Moritz Rotenburg manipulava secretamente a situação toda e achava uma pena que o financista tivesse de contar com uma ferramenta tão inepta quanto Hans, cuja única base para ser o preferido era a sua certidão de nascimento. Fossem quais fossem os detalhes do plano de Moritz, sem dúvida seriam executados bem melhor por alguém com uma visão menos estreita de toda a situação, alguém assim como o próprio Asher, que, se a verdade algum dia se revelasse, poderia comprovar ter tanto sangue Rotenburg em suas veias quanto Hans.

Desta vez o argumento de Asher fez sentido para Hans. A última coisa que queria era desperdiçar tempo precioso num confronto com os outros inquilinos. A notícia da morte de Kosch abalara Hans profundamente, mas não pelas razões que Asher imaginara. Hans não tinha dúvida de que o crime fora ação de outra célula clandestina de cuja existência jamais suspeitara. Era alarmante perceber que se estabelecera em sua própria cidade em completo segredo e, embora tentasse descobrir quem eram os seus rivais, ainda não tinha idéia de quanta gente estava envolvida e que facção ideológica representavam. Tinham conseguido agir primeiro e isso lhes dava uma prioridade que talvez nunca conseguisse recuperar. Por que escolheram um alvo tão insignificante era outro enigma, mas talvez eliminar um suposto informante da polícia fosse a sua forma de obter um apoio mais amplo no bairro Josef para alguma ação maior no futuro. Era uma idéia astuta, mas Hans continuava convencido de que atingir diretamente um personagem famoso da classe dominante seria muito mais eficaz. No entanto, teria de ser feito logo, não importa quão incompletos fossem os preparativos da célula. Para os outros, Hans sempre falara em termos da cerimônia de reconsagração do Campanário, mas no fundo estava longe de ter certeza de que já estariam prontos para agir na Páscoa. Agora tinha certeza de que não havia outra opção. Permitir que alguém usurpasse aquele que deveria ser o seu momento de violência revolucionária seria impensável. Fossem quais fossem os seus verdadeiros objetivos, os assassinos de Kosch estimularam Hans a levar mais a sério os seus planos do que quando os propusera em Hirschwang.

Fora surpreendentemente fácil para Hans livrar-se de Asher. A promessa de repensar o plano de ocupar todo o porão pareceu deixar o contador felicíssimo e ele não pôde esperar para correr ao Bar do Löffner e comemorar as novas esperanças. Para apressá-lo, Hans concordou em deixar que Asher o representasse no novo sistema que decidisse e depois desceu sozinho para examinar as possibilidades. Já acumulara um estoque volumoso de explosivos químicos, inclusive frascos de mercúrio e garrafas de nitrato de amônio, dimetil-uréia e sais de ácido sulfônico. Além disso, tinha pólvora, dinamite, detonadores simples e cápsulas explosivas suficientes para arrasar dois terços do bairro Josef, mas ainda não tinha certeza de como combinar os componentes do modo certo. Os livros sobre técnicas de mineração foram de alguma ajuda, assim como alguns manuais de química e engenharia civil que consultara, mas levaria algum tempo para que se tornasse competente para construir o tipo de aparelho explosivo de que precisavam. Que pena que na verdade não existisse nenhum Botho que pudesse construir a bomba para ele, ainda mais porque os outros contavam com o especialista de Genebra.

Pelo menos, não havia este problema com as armas. Além das espingardas de caça e das pistolas de pequeno calibre trazidas da loja de *Herr* Lászny, tinham conseguido várias poderosas pistolas automáticas Roth-Steyr, usadas pela cavalaria em 1908, além de meia dúzia de carabinas de repetição Mannlicher de oito milímetros, principal arma do exército desde 1895, mas ainda longe de estar superada. Moritz Rotenburg era um dos principais investidores da empresa sediada em Steyr que fabricava as duas armas e vira as suas ações subirem tremendamente quando o exército as adotara. Para o seu próprio uso, Hans preferia a pistola alemã Luger Parabellum de nove milímetros, que tinha o peso e a aparência letal que procurava. Havia um quê de emocionante ao manejar esta arma, principalmente para alguém cuja vida se passara sempre entre livros e idéias, mas apesar dos treinos práticos constantes nos bosques perto de Weidenau e Hirschwang, Hans nunca conseguiu se tornar um bom atirador. Por consentimento geral, os outros se responsabilizariam por atirar em quem sobrevivesse à explosão da bomba, pela qual Hans seria o único responsável. De pé ali, no meio do porão, olhando o estoque de armas e explosivos que a célula conseguira juntar, sentiu-se tão contente com a sua aquisição quanto um *connoisseur* percorrendo a sua coleção de raros tesouros artísticos. Assim que encontrasse um novo lugar, o próprio arsenal seria fácil de levar, mas tudo teria de ser acelerado para garantir a eficácia da ação.

Logo que alugou o apartamento na Maximilianstrasse, Hans ficara intrigado com uma construção dilapidada do outro lado da rua, onde ela se curvava na direção da margem do rio. Diferente dos prédios de três e quatro andares que tinham sido construídos no bairro Josef há trinta anos para abrigar o fluxo de novos trabalhadores do campo, este galpão baixo e desabitado datava de uma época anterior da história do bairro e, obviamente, fora abandonado. Só a prolongada recessão impedira que o proprietário demolisse tudo e o substituísse por um dos prédios padronizados maiores. Certa época, Hans pensara no galpão como possível esconderijo para onde ele e os outros poderiam fugir caso alguma coisa desse errado. Ninguém entrava mais ali e talvez desse para ficar deitado lá dentro até que fosse seguro usar os passaportes falsos para sair do país. Agora, entretanto, ocorreu-lhe que, se o lugar tivesse um porão adequado, poderia ser convertido, sem muita dificuldade, num depósito e fábrica de bombas bem mais seguro do que o porão do prédio, acessível a qualquer um. Comprar o galpão seria, provavelmente, a melhor forma de ter carta branca e, se Hans pagasse em dinheiro vivo, a tentação de evitar o elevado imposto cobrado em todas as transferências de imóveis daria ao proprietário uma boa razão para não registrar a venda. Asher poderia cuidar do caso na manhã seguinte e, em troca de algum percentual que, sem dúvida, conseguiria extorquir de ambas as partes, podia-se contar com ele para realizar todas as negociações com a velocidade necessária. Mesmo com antecedência, o prazer de Asher por se fazer de capitalista era visível no bom humor com que saíra do apartamento. A expectativa de algumas boas peças de ouro no bolso o fez andar com mais orgulho, como se ele mesmo já fosse um importante proprietário. Sua mão ia repetidas vezes ao bolso do paletó, como se quisesse se certificar de que a gorda carteira estava guardada em segurança, e seu passo, enquanto prosseguia pela Maximilianstrasse, era uma pantomima perfeita do rico que examina judiciosamente as suas posses e debate consigo mesmo onde investir em seguida. Sorria com benevolência satisfeita para todos os que passavam. Até então juntara mais dinheiro cumprindo missões para Hans e os outros membros da célula do que ganhara passando informações sobre eles a Moritz e Tausk e esta última aventura provavelmente lhe traria a maior de todas as quantias. Talvez só na Áustria trabalhar para revolucionários fosse a maneira mais rápida para alguém como Asher tornar-se um homem de bens, mas se era assim, concluiu alegremente, seria um tipo de traição ao espírito nacional não aproveitar ao máximo todas as oportunidades que aparecessem.

Para exasperação de Asher, agora que finalmente tinha a coragem e, mais importante, o dinheiro para falar com a garçonete eslovena do Bar do Löffner, parecia que ela fugira do bairro com outro freguês, um conhecido ladrão e contrabandista cujas mercadorias ela costumava esconder debaixo da cama. Tinham conseguido sumir poucas horas antes que a polícia invadisse o quarto dela, aparentemente denunciados por alguém da tropa com quem a moça trocava sexo por informações úteis sobre as patrulhas na fronteira. Asher ficou furioso consigo mesmo por ter retardado a sedução da moça até que fosse tarde demais, ainda mais após a sua terceira aguardente, quando uma sucessão de imagens nítidas de todos os atos arrepiantes que ela e os seus amantes realizavam nos lençóis por cima das pilhas de caixotes de mercadorias ilícitas recusou-se a lhe abandonar o cérebro. Na manhã seguinte, com a cabeça ainda pulsando de álcool e frustração, Asher pôs-se a negociar a compra do galpão de Bernard Auer, um velho ranzinza que vira a maior parte das suas posses no bairro perder três quartos do valor na recessão e ficou felicíssimo de encontrar alguém bobo o suficiente para pagar-lhe por uma propriedade da qual já dera baixa como inútil. Como Hans esperara, a promessa de pagamento em dinheiro levou o próprio Auer a sugerir a Asher que não se dessem ao trabalho de registrar a venda no Comissariado do Distrito e, em vez disso, redigissem um contrato particular de transmissão de propriedade. Quando Asher pareceu hesitar, sem saber se podia ou não fazer isso ou se nem recomendava a transação ao seu mandante, considerando a estrutura claramente instável, Auer ofereceu-lhe uma comissão de 5% e, depois de alguns minutos de barganha, fecharam em 7,5%, quantia que Asher pretendia complementar com o acréscimo de 10% do que conseguisse fazer Hans pagar. Antes de voltar ao apartamento de Hans para lhe informar que concluíra o negócio, Asher teve o cuidado de informar tanto a Moritz quanto a Tausk do último plano de Hans, com o resultado de que o galpão passou a ter supervisão constante de uma equipe dos agentes mais leais de Tausk. Se Asher não tivesse levado pessoalmente a notícia aos seus dois senhores, omitindo apenas os detalhes do seu próprio ganho financeiro com a compra, sem dúvida teriam ouvido falar da notícia quase na mesma hora através das suas outras fontes no bairro Josef. Dali a três ou quatro dias todo mundo sabia quem comprara aquela ruína velha no fim da Maximilianstrasse.

Apesar da melhora nas finanças de Asher, sempre que Hans não precisava dele o rapaz continuava a jantar nos Cinco Hussardos, de Isaac Meir, antes de ir para o Bar do Löffner, onde, enquanto se gabava para quem quisesse ouvir de ter negociado uma das transações mais complexas do bairro ao mesmo tempo que salvara da fome um punhado de famílias trabalhadoras, passava o resto da noite bebendo e chorando a garçonete eslovena de sangue quente. Ficava ali sentado, fitando descontente a sua substituta, uma viúva corpulenta cujo bigode inconfundível e os braços e pernas carnudos e de veias escuras tornavam-na um alvo impossível de devaneios eróticos, por mais que se bebesse. Poucos dias depois, Asher foi de porta em porta, no prédio de Hans, para avisar aos outros inquilinos que os seus guardados estavam seguros no porão e podiam ficar lá para sempre, graças inteiramente à sua oportuna intervenção. Como o fez durante as horas em que mais provavelmente os homens estariam fora, trabalhando, no caso dos afortunados que ainda tinham emprego ou, caso contrário, na rua com a multidão de colegas sofredores procurando nos jornais algum sinal, por mais leve que fosse, de melhora da economia, Asher imaginara que pelo menos uma ou duas das donas de casa mais jovens, em gratidão pelo seu esforço, por pura solidão ou, melhor que tudo, porque sua nova situação financeira o transformava no tipo de homem capaz de inspirar forte curiosidade sexual, o convidaria a entrar e, sem perder tempo com preliminares, o levaria direto para a cama. Ficara tão excitado com esta esperança que, na hora em que bateu à porta, não havia dúvida da sua prontidão para o sexo. Infelizmente para Asher, apesar de tudo o que ouvira dizer sobre tais mulheres, a gratidão, no bairro Josef, não se exprimia da maneira que esperara e, embora a notícia fosse recebida com sorrisos de alívio e apreciação, tudo o que recebeu em troca foram algumas sílabas de agradecimento. Ninguém chegou a convidá-lo para entrar e tomar um copo de aguardente para comemorar a boa sorte coletiva dos inquilinos. Assim que passava a sua mensagem, as portas se fechavam atrás dele, e em pelo menos um dos andares Asher teve a certeza de ouvir risos reprimidos vindos do apartamento que acabara de visitar.

Em vez de Asher, foi a reputação de Hans que começou a ter novo brilho no bairro. O fato de ter comprado o galpão convenceu a todos que era mais do que um garoto mimado em busca de prazeres, interessado apenas em usar o seu dinheiro para atacar mulheres. A única razão concebível para um Rotenburg adquirir uma estrutura tão dilapidada seria demoli-la e substituí-la por um prédio moderno e lucrativo. Isso finalmente traria algum dinheiro para o bairro e representaria empregos para muitos trabalhadores da vizinhança. Da noite para o dia o comportamento de Hans, desde que se instalara entre eles, foi reinterpretado como parte de um esquema bem maior, orquestrado pelo pai, para aproveitar os preços baixos do bairro Josef. Entre os moradores do bairro que se orgulhavam de ter boa cabeça para os negócios, todos concordavam que a velha raposa planejava comprar todos os prédios disponíveis um por um, usando, provavelmente, uma série de intermediários, até controlar parte suficiente da área para obrigar os outros proprietários a vender-lhe tudo segundo seus próprios termos. Hans devia ter sido mandado pelo pai para alugar um apartamento no bairro e avaliar em primeira mão as oportunidades. Não viera porque as moças eram baratas, mas porque a propriedade era barata. Os Rotenburg tinham fama de aumentar o valor de tudo o que possuíam e, assim, era inevitável que fossem uma melhora em relação aos proprietários atuais. As mesmas pessoas que resmungavam maldições quando Hans passava por eles na rua agora saudavam-no com afabilidade e quem falava mal dele havia apenas uma semana soube que, se quisesse evitar problemas, era melhor não fazer isso de novo.

O rapaz só percebeu a mudança de atitude a seu respeito quando os vizinhos lhe perguntaram várias vezes se queria ajuda para levar as suas coisas do porão comunal para o seu novo prédio. Era irritante que todos parecessem saber da compra e falassem sobre isso tão abertamente, graças, sem dúvida, à famosa garrulice de Asher e à falta generalizada de autodisciplina de trabalhadores que tinham dissipado a sua consciência de classe em inúteis movimentos reformistas. Era inútil negar o que, obviamente, era sabido por todos no bairro, e contentou-se em declinar com certa falta de gentileza os seus oferecimentos de ajuda. Mas, com a veia prática que herdara do pai, pôs de lado o seu incômodo para perguntar aos que lhe ofereceram auxílio quais eram seus talentos específicos. A opinião que Hans tinha das pessoas nunca o impediu de usar seus serviços sempre que achasse adequado. Para ele, fazia pouca diferença se os outros se ofereciam gratuitamente ou na expectativa de alguma recompensa e não sentia gratidão pelo trabalho feito de boa vontade para ele nem surpresa quando lhe apresentavam uma conta claramente exagerada. No entanto, assim que tomou posse formal do galpão Hans viu como tivera sorte de ter um quadro de trabalhadores hábeis à disposição. O lugar precisava de uma boa reforma para ser minimamente útil como simples depósito e, se queria aprender ali a misturar substâncias químicas, precisaria instalar iluminação apropriada, uma boa mesa, prateleiras, uma bancada e um bom sistema de ventilação. Quando Hans mencionou isso com alguns homens que moravam no andar acima do seu, mantendo um tom de voz tão casual como se estivesse discutindo alguma alteração puramente cosmética em seu quarto na mansão Rotenburg, prometeram cuidar de tudo para ele, pedindo apenas o dinheiro suficiente para comprar o material necessário. Hans não tinha certeza se mereciam confiança mas, para a sua surpresa, eram homens de palavra e puseram-se ao trabalho imediatamente. No final da semana, sem nenhuma planta arquitetônica e usando apenas a descrição vaga de Hans da função que pretendia para o lugar, toda a reforma estava pronta.

Do labirinto de salinhas amontoadas e estreitas, conseguiram extrair um único espaço maior, com ampla iluminação e saídas de ar, preparado exatamente de acordo com o que lhes explicara que precisava. O resto do prédio não era recuperável, disseram, mas engrossando as paredes internas em lugares estrategicamente escolhidos e usando suportes simples de madeira para criar uma estrutura interna estável, tinham conseguido uma área considerável para a sua necessidade imediata. Era apenas uma solução temporária, admitiram com algum embaraço, e sem obras mais extensas dificilmente agüentaria mais um inverno, mas até lá Hans com certeza já teria decidido demolir toda aquela casca e transformar o que era um lugar potencialmente maravilhoso num prédio modelo ou num escritório para si. Embora ainda estivesse incomodado com tanta confusão devida a alguns picles e legumes ridículos para o inverno, ficou impressionado com tudo o que os trabalhadores fizeram em tão pouco tempo e pôs-se a organizar a transferência das armas escondidas no porão do prédio. Leo, Christoph e Manfred apresentaram-se devidamente no apartamento de Hans depois do jantar na noite seguinte e, tomando todo o cuidado para agitar o mínimo possível os explosivos, conseguiram transferir tudo em segurança até de manhã.

◆ ◆ ◆

Para Tausk, a última maluquice de Hans quase bastou para fazê-lo perder as esperanças de conseguir manter a promessa ao pai do rapaz. Deixar tantas casas sob observação ao mesmo tempo, sem incluir nenhum detalhe nos seus relatórios oficiais, fazia-o arriscar-se a despertar suspeitas dos seus numerosos inimigos no Castelo. Pior ainda, o galpão que Hans estava usando agora parecia a ponto de desmoronar na primeira tempestade forte da primavera e a idéia de informar a Moritz Rotenburg que o seu filho único fora soterrado num depósito em ruínas no bairro Josef, numa sala entupida de armas ilegais e produtos químicos perigosos, dificilmente tranqüilizaria o espião-chefe. Mais do que nunca, Tausk estava satisfeito de ter colocado Roublev a par de tudo e recordou a previsão do assistente de que em breve teriam de usar os imensos recursos do financista caso quisessem proteger-lhe o filho. Mas, apesar das várias sugestões anteriores do assistente de que já era mais do que hora de fazê-lo, Tausk resistira a abordar Moritz diretamente desde a noite da sua longa entrevista. Decidira-se a não pedir nada a Moritz por enquanto, nem para si pessoalmente nem para ajudá-lo no trabalho, e disse a Roublev que pensasse em Moritz como um cheque em branco, ilimitado em seu valor potencial, mas que só deveria ser preenchido e cobrado no máximo uma ou duas vezes, quando então estaria sacado para sempre. Agora, no entanto, concordava que chegara a hora de uma parcela inicial. Tausk combinou com

Moritz abrir uma conta discreta e independente com a qual pudesse pagar o salário integral de mais quinze homens, que Roublev escolheria e supervisionaria pessoalmente. Como Rotenburg já tinha uma combinação bem parecida com o Conde Wiladowski, para cujas despesas políticas e recreativas contribuía com uma quantia mensal apreciável, a sugestão do espião-chefe divertiu Moritz pela sua simetria. Sentado em seu escritório superaquecido, preenchendo os papéis necessários, refletiu que logo Marie-Luise, escudada por sua riqueza particular e seu anti-semitismo implacável, seria o único personagem importante do Castelo que ainda não subsidiava.

A nova equipe de Roublev foi dividida em grupos de três homens, cada um deles encarregado de cobrir um dos alvos secundários, com a meta de liberar Tausk para que pudesse concentrar-se nas suas duas principais preocupações, Hans Rotenburg e Brugger. Sabia que lhe restava pouquíssimo tempo antes de acertar as contas com os dois face a face, mas a ansiedade do conde-governador com a cerimônia da Páscoa continuava a exigir a sua atenção nos momentos mais inoportunos. Wiladowski vinha ficando cada vez mais agitado com a aproximação do grande dia e voltara ao hábito de convocar Tausk para lhe fazer companhia noite adentro enquanto tentava dissipar os seus temores. Para deixar os vizinhos russos sem nenhuma dúvida da importância que o imperador dava à sua província mais oriental, Viena decidira aproveitar ao máximo a festa do Campanário, decisão que só aumentava a tensão já aguda de todos. De festa comemorativa com significado apenas local, a celebração tornara-se parte de uma complexa linguagem diplomática cujo público-alvo morava bem longe, em São Petersburgo e Londres, e a nova lista de convidados fora montada com todo o cuidado, tendo em mente este objetivo. Além de Zichy-Ferraris, a dinastia estaria representada agora por Eduard Trautmannsdorff, primo em primeiro grau do próprio ajudante-de-campo do Imperador, pelo príncipe Konrad von Hohenlohe-Schillingsfurst, ex-vice-governador de Trieste, e por Adrian von Kirchstein, neto do famoso ministro da Justiça que polemizara contra a concessão de todos os direitos civis aos judeus, ainda que tivessem recebido medalhas de honra na guerra contra a Prússia, com a frase tão admirada: "O pressuposto da sua malignidade fundamental não é invalidado por atos de bravura temporária." Cada um desses homens seria acompanhado por sua própria equipe e séquito de criados e podia-se contar que todos eles, garantiu Wiladowski a Tausk, brigariam eternamente uns com os outros e com o anfitrião por causa das menores questões de precedência. Além disso, esses eram apenas os convidados principais. A lista que Wiladowski recebera da capital incluía também vários dignitários importantes da Igreja e alguns membros do Parlamento e oficiais do Estado-Maior Geral que, aparentemente, eram da região mas estavam fora havia tanto tempo que ninguém mais se lembrava direito de como eram. Havia noites que Wiladowski ficava simplesmente ao lado da escrivaninha, fitando a lista de nomes com um certo desespero mudo nos olhos, e voltava-se para o seu espião-chefe, murmurando:

— Você tem mesmo de me salvar disso, Tausk. Os assassinos nem vão ter de atirar para me destruir completamente! Esses homens aqui vão me entediar até a morte e este será o meu fim!

Pela primeira vez na vida, Tausk ficou genuinamente grato pela presença de Mathias Pfister no governo na província. Se pudesse ficar livre para concentrar-se em sua tarefa, Tausk tinha razoável confiança de que conseguiria garantir a segurança física dos participantes, mas quando Wiladowski começou a envolvê-lo em questões que exigiam habilidade diplomática o espião-chefe sentiu-se inútil. Quem ficaria hospedado nas suítes do Castelo e quem iria para a casa dos nobres da província, e se um Trautmannsdorff ou um von Kirchstein deveria ir na frente na grande procissão pela cidade até a Praça da Catedral eram mistérios que Tausk não tinha conhecimentos nem tendência para resolver. Mas, aparentemente, a paz do evento dependia tanto da decisão correta nestes assuntos quanto de impedir que algum daqueles senhores fosse feito em pedacinhos. Tausk viu-se imaginando se os conhecimentos genealógicos seriam de alguma utilidade caso os terroristas conseguissem explodir uma bomba e as partes espalhadas dos corpos dos visitantes precisassem ser identificadas, mas conhecia o perigo de arriscar uma piada a este respeito na frente do conde-governador. Entretanto, no caso de todos esses problemas Pfister estava realmente em seu elemento e Tausk teve a satisfação singular de convencer o conde-governador a mandar o guarda da noite acordar o seu primeiro-secretário e convocá-lo à biblioteca às duas horas da manhã para uma consulta urgente.

Pfister ouvira boatos sobre essas sessões noturnas entre o conde-governador e Tausk e alimentava os pensamentos mais negros sobre o que acontecia ali. Imaginara tudo, desde misteriosos rituais maçônicos a orgias sexuais indescritíveis, mas jamais se permitira esperar que seria convidado a unir-se a eles. Então, ao entrar cautelosamente na biblioteca, com os olhos baços de fadiga mas formalmente trajado, tendo até, notou Tausk divertido, se dado ao trabalho de barbear-se e perfumar-se, Pfister olhou em volta, surpreso de não ver nada incomum, nem implementos estranhos de adoração pagã nem vestígios de uma orgia recente. Tentou não revelar o seu desapontamento, mas algo em seus modos deve ter feito transparecer o que pensava. Com o seu habitual autocontrole abalado pelo acúmulo de tensão, o Conde Wiladowski explodiu inesperadamente numa gargalhada suficiente para assustar os guardas de serviço na frente da porta. Quatro deles entraram imediatamente na sala com as baionetas em riste e empurraram o pobre Pfister contra a parede antes que o conde-governador os mandasse embora e, pedindo desculpas ao aterrorizado primeiro-secretário, convidasse o coitado a sentar-se e ajudá-lo numa questão importantíssima.

Depois de se recuperar do susto, Pfister logo percebeu toda a extensão do dilema. Ao contrário do espião-chefe, não só entendeu a delicadeza com que a cerimônia propriamente dita teria de ser administrada pelo Castelo como compreendeu também, como gente do meio, o zelo dos visitantes de alto berço com o respeito à sua posição correta na hierarquia. Permitiu-se olhar de cima para Tausk com uma expressão de pena, certo, antes mesmo que ouvisse o próprio confirmar, que o espião simplesmente não fazia idéia de como essas coisas se organizavam. Declarou-se felicíssimo de fazer tudo o que estivesse ao seu alcance para aliviar o fardo do conde-governador. É claro que adoraria se encarregar da coordenação das acomodações de todos e, baseando-se nos valiosos conselhos de Marie-Luise, garantiria que a distribuição de lugares nos banquetes formais fosse exatamente como deveria ser. Além da sua própria experiência bastante considerável com questões de protocolo, prometeu vasculhar os livros sobre o assunto na biblioteca do Castelo em busca de descrições de festas imperiais que pudessem servir de modelo e preparar uma sinopse com recomendações específicas para cada passo da cerimônia. Pfister prosseguia alegremente na mesma veia quando Tausk fez uma reverência e saiu da sala com um sorriso aliviado, deixando o triunfante primeiro-secretário a saborear o que interpretava como derrota completa do inimigo. Wiladowski notou a expressão de Tausk e respondeu com um suspiro quase imperceptível, afundando na cadeira para ouvir, desanimado, as propostas cada vez mais complicadas de Pfister.

6

Nas horas logo antes do amanhecer do sábado, 28 de março, quando a maior parte do bairro Josef dormia, uma explosão tremenda, aparentemente vinda de perto do rio, abalou todo o distrito. Um tremor correu pelo chão, parecido com a onda de choque de um pequeno terremoto. Imediatamente depois houve três ou quatro disparos rápidos vindos da mesma direção. A maioria ficou apavorada demais para correr às ruas e ver o que acontecia, mas os poucos que o fizeram contaram que as detonações vinham do galpão recém-remodelado de Auer. As chamas escapavam dos buracos que já tinham sido as janelas do andar térreo. Havia caliça espalhada por toda a rua e descendo a margem do rio, e um grande pedaço de alvenaria estava de pé, grotesco, no mato à beira d'água. Onde fora a porta da frente do prédio havia um brilho profundo e incandescente, mais atemorizante que as próprias chamas, que vinha de algum lugar no fundo da casa. Em meio a toda a fumaça e o caos, ninguém viu um homem sozinho cambalear para fora da estrutura em fogo, com os braços horrivelmente queimados e o rosto chamuscado. A explosão queimara a maior parte das roupas do seu corpo. Cambaleava adiante meio tonto, coberto de fuligem e cinzas, e mal evitou ser atingido por um grande pedaço do teto que caiu na rua a poucos centímetros de onde estava. Parecia não perceber os pedaços de alvenaria que despencavam e ficou balançando de trás para a frente no meio da rua, tremendo de choque. Quase no mesmo instante um segundo personagem, de compleição franzina e com uma palidez pouco natural à luz das achas em fogo, surgiu das sombras da esquina, ignorou os escombros que caíam à sua volta e, movendo-se depressa mas com calma objetividade, embrulhou a vítima queimada e desorientada num cobertor grosso e arrastou-a para fora das vistas numa carruagem que estava à espera.

Nesta hora, uma quantidade suficiente de moradores do bairro tinha se reunido para tentar impedir que as chamas se espalhassem. Os soldados do quartel próximo, seu número reforçado no ano anterior pelo conde-governador para o caso de problemas políticos, também correram para ajudar e, finalmente, retardado pela distância entre a sua sede e o bairro Josef, chegou o corpo de bombeiros. Felizmente para todos, era uma noite sem vento e, como o galpão ficava afastado dos prédios maiores por um trecho de terreno baldio, nenhum deles pegou fogo com a explosão. A proximidade entre o rio e a estrutura tornou fácil carregar água para continuar molhando todas as construções próximas durante várias horas até que as chamas foram controladas e contido o perigo para o bairro como um todo.

Horas antes que o incêndio se apagasse por completo, um contingente de homens fortemente armados cercou a ruína ainda fumegante e impediu que alguém tentasse olhar lá dentro. Usavam roupas civis e não participaram da operação de resgate. Embora ninguém no bairro Josef os reconhecesse, o seu comportamento deixava claro que tinham vindo diretamente do Castelo para cuidar da investigação. Proibiram os bombeiros e os policiais da cidade de se aproximar demais e, quando o Sargento Gruber tentou explicar que o dever lhe exigia que examinasse o local, o seu chefe fez que não com a cabeça com ar indiferente e, com um gesto rápido para que os seus homens se unissem atrás dele, afirmou que, infelizmente, considerações de segurança tornavam isso impossível. Gruber, que já recebera uma repreensão oficial por desarrumar a cena do crime no assassinato da Ponte Nepomuk, sentiu-se secretamente aliviado por lhe tirarem das mãos o caso todo e retirou-se com uma ameaça bem austríaca de preencher um memorando oficial com objeções ao desacato público à sua autoridade. Os mesmos agentes taciturnos, trabalhando em turnos de seis horas, mantiveram a vigilância por mais um dia e meio, controlando com todo o cuidado o acesso ao local. Foram vistos vasculhando com cautela os escombros e removendo todo o conteúdo em caixas seladas. No final do segundo dia, um dos agentes deixou escapar que um único corpo, horrendamente deformado pela terrível explosão e queimado a ponto de não poder ser reconhecido fora encontrado lá dentro. Todos supuseram ser os restos mortais de Hans Rotenburg, que procurava uma propriedade adequada para investir e cometera o terrível erro de começar com a armadilha de Auer. Nunca se identificou nenhuma causa específica da explosão.

Em público, Moritz Rotenburg tentou controlar a sua tristeza, mas ficou claro que o seu espírito se alquebrara com a calamidade. Nunca mais foi ao Clube Mendelssohn, declinou de todos os convites e mandou pedir desculpas pelos que já tinha aceitado mas aos quais teria agora de renunciar. Chegou a recusar o pedido pessoal do conde-governador para unir-se a ele na cerimônia de reconsagração do Campanário como único judeu entre os convidados de honra no palanque da Praça da Catedral. Tudo pareceu certo e compreensível para a comunidade mas então, para choque de todos, recusou-se absolutamente a permitir que enterrassem a vítima ao lado de Dina no mausoléu da família ou a observar os sete dias de luto ritual. Disse que, como o corpo nunca foi identificado com certeza, não abandonaria a esperança de que não fosse o seu filho. Se Hans se salvara milagrosamente, seria uma provocação a Deus enterrar outra pessoa com o seu nome e em seu túmulo. Como mais ninguém duvidava da morte do rapaz, o comportamento de Rotenburg cheirava a impiedade, só desculpável como teimosia de um velho demasiadamente ferido em seu coração para aceitar a verdade. Para os seus inimigos mais antigos e rancorosos, como Gerhard Himmelfarb, era a condenação do orgulho de Rotenburg ter não só perdido o filho único como também ficado perturbado demais para lhe dar o devido funeral. O homem que forjara um império financeiro usando a sua habilidade inigualável de analisar os acontecimentos com deliberação desapaixonada agora fechava os olhos à verdade mais básica e tornara-se tão iludido como o mais pobre judeu sonhador da cidade.

Moritz tomou providências para se manter informado do que as pessoas diziam ao seu respeito, mas o fez por puro hábito, não por real interesse. Nada do que ouvisse o surpreendia, a não ser, talvez, a malícia de Himmelfarb, que excedia até mesmo as expectativas mais sinistras de Moritz. A sua dificuldade de engolir ficava cada vez maior e, ultimamente, mal conseguia consumir o caldo de carne e o mingau morno de farinha de trigo que constituíam a sua principal forma de nutrição. Observava a deterioração do seu corpo como se fosse o de algum conhecido que já fora íntimo mas que hoje estava cada vez mais distante e do qual, sem dúvida, logo teria de separar-se. Em contraste, o seu imenso desapontamento com Hans parecia quase insuportável. Saber como a tolice do rapaz chegara perto de lhe custar a vida atingira Moritz como um golpe físico. A tristeza em seu rosto não era fingida. Pensar que o filho fora poupado por pura sorte de tornar-se um suicida ou um assassino era mais doloroso do que tudo o que Moritz já tinha imaginado. Só a morte de Dina deixara-o mais emocionalmente vazio. Quando Tausk levou-lhe a notícia de que Hans estava vivo e se recuperava lentamente dos ferimentos numa das casas de segurança do espião-chefe, Moritz ficou contentíssimo e nada diminuiria esta sensação de alívio. Mas tudo o que ouviu depois de Tausk encheu-o de uma mistura debilitante de desgosto e raiva. Sem conhecimentos adequados das precauções mais rudimentares, o rapaz tentara montar uma bomba inteiramente sozinho. Tausk examinara dezenas de vezes o pouco que sobrara do galpão e, pelo que podia dizer, Hans devia estar atrás de um dos suportes de madeira grossa quando a explosão aconteceu. A força do choque aparentemente lançara-o para a frente, para longe da bancada onde ficavam armazenados os produtos químicos, na direção da rua, onde Tausk conseguiu interceptá-lo e levá-lo às pressas a um médico antes que fosse visto. Por enquanto estava ferido demais para ser removido, mas assim que fosse possível teria de ser levado em segredo para fora do país. Seria transportado primeiro para uma clínica na Suíça até se recuperar inteiramente e, daí, poderia ir para a Inglaterra ou os Estados Unidos, onde Moritz fora um dos poucos financistas da Europa Central a investir pesadamente. No entanto, era quase certo que voltar à Áustria estaria para sempre fora de questão.

— Impiedoso, pueril e pretensioso — foi assim que Moritz descreveu o filho a Tausk e só depois disso lhe ocorreu que era a primeira vez, em muitos anos, que dizia a alguém o que pensava de Hans. Mas o que disse a todos no Clube Mendelssohn também era a mais estrita verdade. Apesar da insistência de Tausk de que, simplesmente por questão de segurança, seria melhor que Moritz fizesse o funeral de Hans, não pôde conseguir que o velho concordasse. — Talvez eu seja um bobo supersticioso — respondeu ao espião-chefe —, mas não me disponho a provocar o destino fingindo enterrar meu próprio filho. A experiência seria demais para mim. Já que na verdade ninguém morreu na explosão, você pode jogar todas as cinzas que quiser num caixão e escrever o nome que preferir, mas não o de Hans Rotenburg.

A decisão de Moritz deixou os conhecidos com um problema insolúvel. Não havia como enviar palavras de consolo ao pai enlutado por uma perda que este se recusava a reconhecer, mas não dizer nada podia parecer insensível e rude. A maioria protegeu-se por trás de fórmulas bem-educadas que exprimiam pouquíssimo diretamente mas insinuavam sentimentos mais profundos que não podiam expressar. A questão de quem herdaria agora a sua riqueza era palpável por trás de muitas cartas que Moritz recebeu, e seguir as contorções verbais com que seus redatores tentavam apresentar a pretensão de ser os beneficiários mais merecedores, ao mesmo tempo que fingiam nada dizer a respeito, era como observar uma trupe de acrobatas de circo não muito hábeis a realizar manobras precárias na corda bamba sem rede de segurança. O esforço dava náuseas. Moritz leu todos os bilhetes entregues na mansão Rotenburg e ficou espantado ao ver como até as expressões de genuína tristeza eram poucas e convencionais.

"Acho que é este tipo de coisa que vão dizer quando eu estiver morto", supôs, com a momentânea pena de si mesmo que até os velhos mais fortes, que sabem que têm pouco tempo de vida, se permitem.

Podia dizer que alguns missivistas, como os Demetz, eram sinceros em suas expressões de solidariedade e sentiam-se genuinamente entristecidos por não poderem dizer-lhe tudo abertamente. Talvez o temor de perderem a filha para um aristocrata cristão, que nunca os visitara em sua casa nem os convidara para a sua, lhes permitisse uma certa identificação com a angústia de Moritz. Neste caso, seria um triste paradoxo que a carta mais emocionante que Moritz recebeu foi da filha deles e do amigo dela, Ernst von Alpsbach. Moritz lembrava-se de que tinham sido os companheiros mais íntimos de Hans antes da viagem ao exterior e, embora não soubesse o que provocara o rompimento, tinha certeza de que a posição política do filho fora, pelo menos em parte, responsável. Mas a carta, assinada pelos dois e enviada da propriedade dos von Alpsbach no campo, onde agora moravam juntos, não mencionava nenhuma briga. Mandaram-na assim que as primeiras notícias sobre a morte de Hans na explosão começaram a circular e, portanto, não sabiam da insistência de Moritz que nada definitivo sobre o destino do filho fora determinado até então. Suas palavras atingiram Moritz como expressão de uma generosidade emocional instintiva, que não diziam demais nem evitavam a tristeza da ocasião. Hans, escreveram, marcara para sempre suas vidas com sua paixão e sua coragem, como fizera com a vida de todos os amigos de escola e, embora compreendessem que a sua perda não era nada comparada à de um pai, queriam que Moritz soubesse como o filho fora importante para eles. Em sua morte, concluíam, tinham visto extinguirem-se as melhores esperanças da sua geração e nenhum deles jamais esqueceria o quanto deviam ao seu exemplo.

Ler as palavras de Ernst e Bátia foi uma das experiências mais exigentes em termos emocionais das muitas ocasiões exaustivas a que Moritz se submeteu durante os dias que se seguiram à explosão. Havia algo esquisito em receber uma carta de condolências como aquela quando Hans estava bem vivo, agira como um total idiota e, a cada dia, corria mais risco de prisão do que de problemas clínicos permanentes. A primeira idéia de Moritz, da qual se arrependeu depois, foi lamentar que Ernst não fosse seu filho em vez de Hans. Se as circunstâncias se invertessem e um incêndio em Brunnenberg matasse ali o jovem casal, Moritz tinha certeza de que Hans seria incapaz de escrever ao velho von Alpsbach uma carta tão afetuosa como a que acabara de receber. Ainda assim, disse a si mesmo, o que Ernst e Batya diziam devia ter sido provocado, pelo menos em parte, por qualidades reais de seu filho e, se Hans fora capaz de emocionar os seus contemporâneos daquela forma, talvez não fosse necessário perder toda a confiança nele. Era o tipo de esperança da qual se riria numa negociação comercial, mas agora, enquanto tomava as complicadas providências para tirar o filho do país para sempre, Moritz tinha pouca coisa a mais em que se agarrar.

O contraste entre a reação de Ernst e Batya e a dos companheiros regulares de Hans nos últimos meses foi notável. Embora ultimamente tivessem evitado se reunir na mansão Rotenburg, Moritz lembrava-se de quando eram visitantes assíduos e, pelos parcos comentários de Hans, concluiu que tinha mantido certa intimidade com eles durante a primavera. Conhecia as famílias bem o bastante para ficar chocado com o silêncio de Leo von Arnstein e Chrissi von Hradl e não pôde deixar de imaginar se a intimidade deles com seu filho fora desde o princípio contra a vontade, encorajada pelos pais para garantir o consentimento de Moritz na hora de renovar as grandes hipotecas sobre suas propriedades. Quando Hans era muito mais novo, Dina costumava repreender Moritz por suspeitas semelhantes, principalmente porque pareciam deixar o filho tão irritado. Muitas vezes era difícil para Moritz considerar as expressões de interesse por Hans, fossem de seus professores ou de seus amigos, como totalmente livres de cálculo, e eram necessários muitíssimos encontros para que Moritz se dispusesse a concordar que alguém gostava genuinamente do garoto sem ter nenhuma pretensão à sua riqueza. Agora, contudo, Moritz dispunha-se a admitir que, talvez, os repetidos avisos a Hans para tomar cuidado caso as pessoas só quisessem aproveitar-se dele para ter acesso ao pai tivessem ajudado a empurrar o rapaz para um caminho que acabou chegando ao bairro Josef e ao galpão de Auer. Mas Moritz não acreditava nessas teorias, não só porque o tornavam responsável pelo que Hans se tornara como também porque explicavam demais. Ser pai de Hans ensinara Moritz a ter modéstia suficiente para não superestimar a sua influência e, embora visse muita coisa sua na teimosia do filho e na distância interior que tinha dos outros, também sabia que a natureza do rapaz ainda estava se desenvolvendo segundo a sua própria trajetória misteriosa, que ninguém poderia prever.

Se a sua desconfiança dos conhecidos de Hans era ou não justificada no caso dos outros conspiradores, com toda a certeza seguira um rumo errado. Como mais ninguém na cidade, eles preferiram adotar a firme recusa de Moritz de admitir a morte de Hans como exemplo para si mesmos. Apesar de toda a insistência das famílias, foram inflexíveis na atitude de não lhe escrever uma carta de condolências. Assim como Moritz, decidiram agir como se Hans, por razões só suas, tivesse decidido simplesmente ausentar-se da área por algum tempo. Na segunda-feira depois da explosão, encontraram-se todos em Weidenau, onde Christoph assumiu imediatamente a liderança para determinar o próximo passo.

— Nunca pensei que admitiria isso, mas, sabem, o velho está certo — começou. Estavam de pé, próximos uns dos outros, no caminho de cascalho perto da estufa envidraçada da mãe, olhando para a larga avenida de nogueiras, sentindo-se gelados de fadiga e choque. Os galhos escuros sustentavam o céu nebuloso do meio da manhã como pautas musicais à espera de alguém que lhes traçasse as notas. As árvores só floresceriam no final de maio, mas alguns pequenos brotos na ponta dos galhos já começavam a aparecer, dando às longas colunas duplas uma aparência menos austera do que tinham há algumas semanas, quando os conspiradores caminharam por ali com Hans. Para eles era impossível agora não pensar naquela época e, embora se ressentissem da tomada da liderança por Christoph, ficaram satisfeitos porque alguém se dispusera a assumir o comando.

— Se Hans está mesmo morto — prosseguiu —, então a melhor maneira de honrar a sua memória é completar a tarefa com a qual todos nos comprometemos e, se estiver vivo e o partido lhe deu ordem de ir para a clandestinidade antes de agirmos, há mais razão ainda para mantermos a disciplina e não desertarmos no último minuto. O químico enviado para ajudar com os explosivos deve ter sido detido na fronteira antes de se encontrar com Hans, e assim agora estamos inteiramente por conta própria. É a nossa oportunidade de mostrar o que podemos fazer numa crise para que o partido se orgulhe de nós.

A sua voz transmitia mais convicção do que ele realmente sentia, mas simplesmente com o desempenho do papel Christoph começara a dar-lhe uma certa realidade. Um tanto para a sua surpresa, percebeu como os outros o aceitaram prontamente. Talvez tivessem se acostumado tanto a seguir as ordens de Hans que, como qualquer reflexo, o hábito da obediência se transferisse com facilidade para quem quer que o reivindicasse com vigor.

— Mas o que, exatamente, podemos fazer? Todo o material para fazer bombas se foi na explosão, junto com a maior parte das nossas armas, e praticamente não há tempo para substituí-lo até a Páscoa. — A ansiedade deixou a voz fina e infantil de Leo ainda mais queixosa do que de costume. Mas pelo seu olhar aliciante ficou claro que a pergunta era menos um questionamento do que uma solicitação de instruções mais exatas.

— É óbvio que temos de desistir da idéia de explodir a procissão, mas isso só significa que teremos de improvisar. Sempre suspeitei que, no final, tudo se resumiria a olhar nossos alvos nos olhos e puxar o gatilho nós mesmos. Para mim, de qualquer forma, parece mais honroso assim.

— Com a cabeça, Christoph encorajou os outros. Tentava imitar a maneira característica de Hans de estimulá-los a abraçar as suas convicções e sentiu-se contente consigo mesmo pela facilidade com que representava o papel. — Além disso, pelo menos agora não temos de envolver Blumenthal — disse, com um sorriso agradável. — A idéia de Hans de fazê-lo levar a bomba foi brilhante, não há dúvida, mas já que agora não temos escolha além de usar as nossas pistolas, podemos dispensar inteiramente aquela criatura repulsiva.

Apesar de toda a conversa de prosseguir corajosamente sem Hans, ninguém deu um passo para se afastar do abrigo da parede da estufa. A camada delicada de névoa se desfizera e o azul rico do céu indicava a proximidade do verão. O dia estava ficando visivelmente mais quente, mas eles mantinham abotoados seus casacos de feltro e olhavam saudosos a casa principal, onde os criados ainda tiravam da mesa os restos do seu lauto desjejum. Com um alçar de ombros Christoph disse que, até que terminassem de fazer os seus planos, não poderiam arriscar-se a entrar de novo, para que ninguém os ouvisse. Ressaltou que o estande de tiro, na outra ponta do grande terreiro atrás do celeiro, fora preparado e, como logo precisariam estar na melhor forma, sugeriu que todos treinassem tiro ao alvo algumas horas a mais. Enquanto percorriam lentamente o caminho, Christoph observou os companheiros com um novo ceticismo e, pela primeira vez, viu-se imaginando como é que Hans conseguia parecer que confiava tanto no talento de todos. Decidiu que a única maneira de ter certeza de que ninguém se confundiria no último minuto e cometeria um erro grave era manter o máximo possível do plano original de Hans. Apesar de considerá-lo excessivamente complicado, pelo menos estavam todos familiarizados com ele. Em sua própria cabeça, Christoph já começava a pensar em Hans como um precursor distante que jamais criticaria diante dos outros mas cujo modo de fazer as coisas era preciso consertar imediatamente. O primeiro passo seria simplificar tudo e concentrar-se apenas na cerimônia propriamente dita na Praça da Catedral. Era impossível ter certeza de acertar o alvo durante as breves paradas da procissão diante da Igreja Ortodoxa Grega ou do Clube Mendelssohn, onde a linha de mira ficaria irremediavelmente bloqueada. Mas durante a celebração a Praça da Catedral ficaria totalmente fechada pelos três lados, deixando apenas uma via para entrar e sair. A polícia supunha obviamente que, afunilando o acesso à praça por uma única entrada, poderia manter um controle estrito de quem teria permissão de entrar e eliminar possíveis criadores de problemas bem antes que a procissão chegasse. Mas já que nenhum dos conspiradores pertencia à categoria de "tipos suspeitos", não teriam problemas para entrar e, uma vez lá dentro, podiam usar em seu próprio benefício as medidas de segurança. Numa multidão tão compacta seria muito mais fácil fazer pontaria cuidadosa sobre seus alvos do que na rua, quer na hora em que a procissão entrasse na praça, quer quando seus membros ocupassem seus lugares no palanque em frente à igreja. Ele e Leo tentariam ficar o mais perto possível do palanque e, daquela distância, a menos que as pistolas falhassem ou eles perdessem a calma, seria impossível errar. Joachim e Manfred se posicionariam mais para o fundo, em pontas opostas da praça, cada um numa fila externa perto da rua, de onde poderiam atirar em qualquer um da procissão que tentasse fugir. Também estariam no lugar perfeito para atrapalhar a corrida do destacamento de segurança rumo ao conde-governador na frente da coluna. Com tiros vindos de quatro lugares diferentes, seria difícil para a polícia estimar imediatamente quantos terroristas havia ou encontrá-los na multidão. A confusão resultante poderia dar a todos uma oportunidade de escapulir. Se conseguissem largar as armas um instante após dispará-las e fundir-se de novo na multidão sem serem identificados, ninguém suspeitaria que um jovem von Hradl ou von Arnstein, cujos próprios pais ocupavam lugares de honra na procissão, estariam envolvidos num homicídio. Joachim e Manfred eram ambos da classe média, mas a longa ficha de devoção dos seus pais à ordem estabelecida também os deixava acima de qualquer suspeita. O mais importante é que o fato de todos continuarem em liberdade só poderia significar que a trama não fora descoberta com a explosão e, assim, as providências tomadas por Hans e pelo partido para a sua fuga talvez ainda fossem válidas.

Christoph era bastante inteligente para saber como era pequena a chance de conseguirem fugir para o campo, mas não via razão para enfatizar isso aos outros. A necessidade que tinham de acreditar na possibilidade de escapar em segurança era palpável pela ansiedade com que não paravam de olhá-lo em busca de encorajamento, e foi de acordo com isso que delineou o seu plano. Tudo o que disse foi aceito com o mesmo entusiasmo unânime com que tinham saudado todas as propostas de Hans e, quando terminou de explicar a sua estratégia, o grupo andava rumo ao estande de tiro com um estado de espírito visivelmente mais animado.

O humor dos rapazes melhoraria ainda mais se suspeitassem como, na verdade, a sua posição era segura. Tausk continuava a mantê-los sob observação, mas sem provas claras era incapaz de fazer acusações contra eles e, como todos os seus indícios apontavam para Hans Rotenburg como líder do grupo, estava impedido de usá-los. Até que cometessem um crime de verdade, os conspiradores eram legalmente intocáveis. Mesmo que as relações das suas famílias não os protegessem da prisão preventiva, Tausk preferia deixá-los em liberdade por enquanto, vigiados por uma equipe de agentes secundários, enquanto concentrava os seus homens mais bem treinados no confronto iminente com Brugger. Todos os documentos que Tausk interceptara convenceram-no de que, sem a liderança de Hans, os conspiradores seriam incapazes de ação independente e tinha certeza de que haveria tempo para ajustar as contas com eles depois da Páscoa, quando a sua própria autoridade se fortalecesse com o sucesso da cerimônia na Praça da Catedral. Tausk e Roublev tinham decorado todos os detalhes do plano de Hans e pretendiam inundar as áreas em torno do Clube Mendelssohn e da Igreja Ortodoxa Grega com policiais suficientes para sufocar qualquer ataque à procissão. Se ainda assim os conspiradores fossem suicidas a ponto de tentar alguma coisa, gostaria de vê-los sofrer as conseqüências de sua loucura, mas suspeitava que já tinham abandonado qualquer idéia dessas. Tinha certeza de que o verdadeiro perigo viria de Brugger. Tausk passava sem uma boa noite de sono havia tanto tempo que mal conseguia lembrar como era se esticar na cama sem estar vestido e calçado, mas quando arranjava alguns momentos para uma soneca acordava invariavelmente mais exausto do que antes. Para onde quer que se virasse em seus sonhos, via o rosto de Brugger, ou melhor, via uma série de rostos que mudavam o tempo todo, e sabia que todos eles, por detrás dos seus disfarces zombeteiros, eram de Brugger. Às vezes o personagem lhe aparecia magro e barbeado só para se transformar, um instante depois, num homem muito mais velho, curvado e de barba comprida, mas sempre sorrindo para Tausk, quer com dentes brancos e brilhantes, quer podres e amarelados. Às vezes Brugger lhe surgia sentado a uma mesa cheia de alimentos proibidos, aos quais se lançava como um animal, comendo de tudo com as mãos sujas e se estendendo para tocar Tausk com os dedos lascivos manchados de gordura. A pior noite de todas foi aquela em que Brugger conseguiu assumir os traços e a voz de Pelz e passou a falar com Tausk com a costumeira atenção assustadora do rabi. Nos imensos olhos líquidos de Pelz, sombreados por pálpebras pesadas que não conseguiam amortecer-lhes a intensidade, Tausk viu refletida uma visão do alto das regiões malditas que atravessara desde que deixara o seminário. Balbuciou uma resposta a uma das perguntas inquiridoras do rabi só para ver o rosto pálido do mestre ficar ainda mais pálido quando começou a gritar de nojo:

— Você é ainda mais estúpido do que corrupto!

Quando Tausk tentou se desculpar, Pelz zangou-se ainda mais. Cuspiu uma série de obscenidades, cada uma mais horrenda que a outra, culminando com uma ordem furiosa:

— Faça as malas e vá embora! Vá e não volte nunca mais!

Então, diante de um Tausk completamente aturdido, rompeu numa risada horrível e estridente que transformou o seu rosto de volta no de Brugger.

Tausk nunca contou a ninguém o conteúdo dos sonhos, mas a sua angústia ao acordar era impossível de esconder. Quando Roublev tentou demonstrar alguma preocupação, Tausk conteve-o com uma de suas fórmulas típicas:

— Não se preocupe por minha causa — disse. — Descobri um ótimo jeito de impedir os pesadelos.

— Qual? — perguntou Roublev.

E Tausk respondeu, simplesmente:

— Desisti de dormir.

Na maior parte do tempo Tausk tinha pouca opção além de seguir sua própria receita. Além de ir várias vezes do Castelo ao bairro Josef e dali para o centro da cidade para supervisionar as providências de segurança ao longo da rota da procissão, também tinha de se certificar de que os ferimentos de Hans estavam melhorando o bastante para que ele conseguisse viajar quase imediatamente. A delegação de Viena seria acompanhada pelo seu próprio corpo de guardas de segurança que respondiam diretamente ao Ministério do Interior e, com tantos agentes competentes na cidade fora do controle de Tausk, o risco de que encontrassem Hans era grande demais. O médico de Moritz insistira muito com ele para que fosse à Suíça consultar um especialista na doença que vinha tornando cada vez mais difícil para ele respirar e engolir devidamente e ninguém se surpreendeu quando decidiu partir antes dos feriados da Páscoa. Os seus concidadãos de maior astúcia psicológica tiveram certeza de que a tristeza não admitida de Moritz com a perda do filho contribuíra para que seu estado piorasse e afirmaram solidarizar-se com o desejo dele de uma mudança de ambiente, para algum lugar onde tudo à sua volta não lhe recordasse Hans. Pela primeira vez na vida, Moritz pareceu aceitar o conselho dos outros. Mandou que dois vagões particulares fossem acrescentados ao trem expresso para Zurique no meio da semana e mandou um bilhete ao Conde Wiladowski explicando a sua decisão. Desejava o máximo sucesso ao conde-governador na cerimônia do Campanário e juntou um cheque bem gordo para ajudar a amortizar o custo da festa, para que a diversão pudesse ser adequadamente luxuosa sem exigir demais do tesouro da província. Wiladowski não sentia escrúpulos por embolsar uma contribuição de que não precisava, mas, como disse a Tausk, lamentava sinceramente a ausência de um dos poucos homens na cidade com quem conseguia conversar e com cuja companhia contava para aliviar o tédio de Zichy-Ferraris e Trautmannsdorff. Ordenou a Tausk que acompanhasse Moritz à estação em seu nome e, em reconhecimento pelos muitos atos de generosidade de Rotenburg com a comunidade, disse ao espião-chefe que colocasse o selo oficial de Wiladowski na porta do vagão de Moritz para que o ancião pudesse descansar na viagem sem ser incomodado por agentes alfandegários nem guardas de fronteira.

Para Tausk, convencer Moritz a deixar a cidade foi tão importante quanto levar Hans para longe secretamente e em segurança. Tinha certeza agora de que a vida do próprio financista estava em perigo. Enganara-se perigosamente ao pensar que Brugger pretendera ferir o Conde Wiladowski. Brugger desprezava a política convencional tanto quanto Hans, mas também acreditava profundamente no poder das ações simbólicas. No mundo em que Brugger vivia, nada teria mais ressonância do que orquestrar o assassinato do judeu mais rico do Império durante a Páscoa. Tausk cogitara dias e dias sobre o passo seguinte de Brugger e finalmente concluiu que Rotenburg era o único alvo que fazia sentido. Entender a lógica das mortes anteriores foi difícil mas assim que Tausk conseguiu o padrão ficou inconfundível. Era bastante estranho, mas nada tinha a ver com vingança. Brugger não tinha a menor idéia de que Moritz tramava matá-lo mas, mesmo que tivesse, Tausk estava certo de que o rabi jamais deixaria que isso lhe afetasse os planos. Os messias não se preocupam com meras represálias. Tausk demorou a entender que Brugger estava construindo uma escalada da morte, uma progressão de vítimas numa seqüência estritamente hierárquica. O primeiro degrau fora Shmuel Kosch, pequeno comerciante tão insignificante que era quase anônimo. Kosch foi seguido pelo rabino de Buczacz, um homem santo venerado como milagreiro pelos seus seguidores. Agora, para completar o padrão, a oferenda final viria do reino secular do poder e da riqueza. Nessas três vítimas de sacrifício, Brugger juntaria todo o mundo descaído dos judeus e, ao lhes tirar a vida, simbolicamente o superaria.

    Apesar de toda a sua coerência interna, Tausk ainda se via imaginando quantos desses pensamentos seriam mesmo de Brugger e quantos seriam a cristalização dos seus próprios pesadelos. Os sonhos tinham ficado suficientemente alarmantes para levá-lo a questionar a sua percepção quando acordado. Já interrogara prisioneiros suficientes para saber que a falta prolongada de sono podia fazer um homem acreditar em qualquer coisa e reconhecia em si uma exaustão de profundidade semelhante. Mas também sabia que as pessoas tomadas de alucinações raramente questionam a realidade das suas visões, e tinha esperanças de que esta mesma incerteza comprovasse que a sua inteligência ainda funcionava com a lucidez de sempre.

    O espião-chefe se espantaria se soubesse que, assim como não tinha mais certeza da sua capacidade de entender Brugger, o próprio Brugger passava por uma terrível perda de fé em seus próprios poderes. Para Brugger, a explosão do galpão de Auer fora devastadora. Mudava tudo. Se Hans fosse o seu próprio filho, Brugger não se sentiria mais abandonado. Recordava as palavras exatas que dissera a Moritz e ficava a repeti-las na cabeça: "O seu filho é jovem e cometerá muitos erros lamentáveis, mas não precisa se preocupar com ele. Quando morrer, ainda se dirá judeu e será mais velho do que o senhor é hoje." Na mente de Brugger, quando disse isso a Moritz estava simplesmente informando-o de um fato tão incontroverso quanto a notícia de um acontecimento que já tivesse ocorrido. Vira Hans com tanta clareza como se estivesse sentado na mesma sala que ele, já idoso, ocupado a escrever uma longa carta a alguém, vestindo um terno excelente de macia lã inglesa cinza-carvão. Mas se errara tanto a respeito de Hans não havia razão para acreditar em nenhuma das suas outras visões. Até a hora em que recebeu a notícia da morte de Hans, a maior desolação de Brugger sempre fora não ver nada, quando um vazio indiferente enchia-lhe a consciência e as suas orações por uma compreensão especial ficavam sem resposta. Aprendera a reconhecer e até a esperar, embora nunca sem tristeza, a alternância dentro dele de cegueira e revelação. Mas nunca antes um momento de presciência se mostrara inteiramente ilusório. Suas visões já eram dolorosamente incompletas; se além disso também fossem falsas, não lhe restava mais nada a oferecer.

Começou a passar todo o seu tempo sozinho, trancado no quarto ou bem longe da casa. Parou de falar com os discípulos, exceto uma vez, quando, num sussurro áspero, disse a Robert que mandasse embora os visitantes que se acumulavam em torno da soleira da porta querendo uma audiência com ele, e que depois fosse até a *shul* para avisar que o rabi não voltaria a pregar ali. Se Brugger chegava a comer e beber, devia ser sozinho, nalgum lugar em seus passeios, porque quando Linnetchen aproveitava a sua ausência para limpar-lhe o quarto não encontrava um único prato ou copo sujo. Os seus seguidores mais próximos começaram a esperar por ele e ficavam tristíssimos com a freqüência com que ele só voltava para casa pouco antes do amanhecer, as roupas amarfanhadas e sujas de mato e o rosto molhado de lágrimas. Passava correndo por eles na sala, sem realmente vê-los na escada, com a aparência de um homem que se esvazia por dentro até não sobrar mais nada.

Certa noite, na esperança de fazer o mestre voltar a si, Linnetchen permitiu-se visitá-lo em seu quarto sem ser convidada, coisa que nunca ousara antes. Banhara e perfumara o corpo com todo o cuidado e delineara os olhos com *kohl*, imitando da melhor maneira possível as descrições eróticas das canções andaluzas que Brugger lhe ensinara da primeira vez que a levara para a cama. Mas quando ouviu o barulho da porta, ele levantou a cabeça na direção dela com um horror vazio e ela fugiu do quarto, apavorada não só com o olhar perplexo do mestre como com a maneira como se encolhia no pequeno catre junto à janela, os joelhos grudados no peito, fitando-a através de um par de óculos grossos.

◆ ◆ ◆

O entusiasmo de Pfister com as suas novas atribuições de chefe de protocolo da cerimônia de Páscoa só fez crescer quando ele se lançou ao trabalho. Não era somente o título e o prestígio adicional que o atraíam, embora apreciasse ambos depois de ter-se sentido rejeitado com a influência generalizada de Tausk sobre o conde-governador. Com o instinto de um burocrata natural, Pfister logo percebeu que não havia razão para o cargo ser temporário. No momento mais propício, talvez quando fosse congratulado pelo conde-governador agradecido pelo sucesso triunfante da festa da Páscoa, pretendia apresentar uma proposta formal explicando a sua convicção de que seria muito mais eficiente alguém ficar permanentemente encarregado de tudo o que estivesse ligado a festas e eventos públicos da província. Nos próximos anos haveria uma série de ocasiões notáveis, algumas das quais, principalmente o septuagésimo aniversário da coroação do Imperador, em 1918, deixariam na poeira, em importância, a cerimônia de reconsagração do Campanário. Oficialmente, a posição de Pfister como primeiro-secretário já era mais elevada do que o novo cargo, que, pensava ele, com certeza lhe seria oferecido, mas combinar as duas pastas lhe permitiria demonstrar diretamente a Viena a sua competência e talvez atrair a atenção favorável do próprio ministro. Já via como a união dos dois papéis lhe permitiria fazer exigências a todos os departamentos do Castelo, das cozinhas às forças de segurança. Dificilmente se passava uma hora sem um novo memorando de Pfister indagando sobre a organização da hospedagem dos visitantes de mais alto coturno e a disposição dos guardas em volta do palanque na Praça da Catedral. Também cumpriu a promessa e mandou, tanto ao conde-governador quanto a Marie-Luise, uma série de transcrições detalhadas dos mais famosos jantares oficiais registrados nas histórias diplomáticas, para que o casal pudesse selecionar os pratos para o banquete formal com um olho na precedência histórica. Até um *gourmand* tão devotado quanto o conde-governador viu-se perder o apetite ao contemplar páginas e páginas de cardápios mal elaborados, recomendados somente porque já tinham sido servidos a alguém de título principesco. O Conde Wiladowski levou seu exemplar ao quarto da mulher e pôs-se a lê-lo em voz alta com seriedade zombeteira. Marie-Luise, que sempre defendera Pfister do desdém do marido, ficou furiosa quando o primeiro-secretário ousou se intrometer no que considerava o seu domínio exclusivo. A família da condessa recebia as casas reinantes da Europa havia gerações e ela não precisava das sugestões de um subordinado para cumprir a sua responsabilidade de anfitriã. Aos seus olhos, Pfister cometera o pecado imperdoável da presunção e, sem admitir diretamente que poderia ter errado ao lhe conceder a sua proteção, Marie-Luise deixou claro que estava disposta a abandonar o seu ex-favorito assim que o Conde Wiladowski achasse adequado colocá-lo em seu lugar.

— Sim, não há dúvida de que ultimamente Pfister ficou mais insuportável do que de costume, mas acho que devíamos esperar até depois da cerimônia para decidir o que fazer com ele — disse Wiladowski, sorrindo contente ao garantir com antecedência o consentimento de sua mulher para o que viesse a resolver. No mínimo, a gafe do seu primeiro-secretário permitira um dos raros momentos de concordância entre ele e Marie-Luise. Além disso, por enquanto a oficiosidade de Pfister era útil ao seu senhor. Muitas diretivas desagradáveis que impunha eram necessárias para que a cerimônia se realizasse sem problemas e era sempre bom ter um subordinado impopular à mão que pudesse ser sacrificado depois para aliviar os sentimentos ofendidos de todos.

Sem que o próprio Pfister percebesse, o seu zelo intrometido fizera dele o homem mais odiado do Castelo, substituindo até o espião-chefe neste papel. Conseguira colocar todo mundo contra si simplesmente ao insistir que fizessem o seu trabalho corretamente. Já que um acontecimento como a cerimônia de Páscoa não oferecia muitas oportunidades para recolher propinas, o pobre Pfister viu-se universalmente malquisto no mesmo momento em que as circunstâncias obrigavam-no a agir com retidão pouco característica. A única pessoa cuja opinião sobre o primeiro-secretário melhorou neste período foi Tausk, que sentiu um alívio enorme por não ter de se preocupar com nenhum dos problemas agora sob a única autoridade de Pfister. Para o espião-chefe, era a sua última chance de agir com carta branca no bairro Josef antes que a cerimônia começasse. Ainda tinha no bolso o mandado de prisão de Brugger e todos os seus discípulos e não pretendia retardar o seu cumprimento. Vinha vigiando de perto os movimentos do rabi, tentando escolher o momento certo de atacar, e conhecia cada passo seu na rota habitual quando saía da casa rumo à clareira predileta na floresta dos von Alpsbach. Tausk se espantou que Brugger escolhesse os dias antes do *Pessach*, quando os seus conselhos seriam buscados por mais gente do que nunca, para parar de ensinar na *shul* e afastar-se de todos os seus seguidores, mas era um presente que pretendia aproveitar ao máximo. Era fundamental evitar qualquer perturbação em grande escala no bairro Josef e, sem o seu mestre por perto, Tausk confiava que os discípulos ofereceriam pouca resistência aos seus homens bem armados. O importante é que, depois da série de choques — do encontro do corpo de Kosch ao incêndio do rabi de Buczacz e à explosão do galpão de Auer — que varrera o bairro e deixara os moradores angustiados com o que poderia acontecer em seguida, seria improvável que algum cidadão comum interviesse para salvar os seguidores de um homem que aparentemente abandonara a todos por vontade própria. Ainda assim, Tausk pretendia correr o mínimo risco possível e, ao lado de Roublev, passou horas treinando os seus homens para o ataque. Naquele ano, a primeira noite do *Pessach* caía numa sexta-feira, de modo que o jantar comum do *shabbath* seria o mais sagrado de todos e ninguém, a não ser os judeus mais desafiadoramente seculares, estaria nas ruas depois do anoitecer. Se Brugger mantivesse o padrão dos últimos dias e saísse sozinho mais cedo naquela sexta-feira, Tausk e Roublev o seguiriam em segredo e deixariam os seus homens atrás para vigiar a casa. Quer Brugger pretendesse ou não voltar a tempo para a refeição do *Pessach*, assim que estivesse bastante longe da cidade seria fácil dominá-lo e garantir que ninguém mais voltasse a vê-lo. Quando Brugger não aparecesse naquela noite, o choque para os discípulos seria incalculável e Tausk imaginou-os todos sentados na mesa ricamente enfeitada, desanimados e confusos. Por volta da meia-noite, os agentes de Tausk invadiriam a casa e prenderiam todos os que estivessem ali por suspeita de homicídio e incêndio criminoso. Os presos seriam levados diretamente ao Castelo e mantidos incomunicáveis nas celas de interrogatório até que Tausk chegasse e obtivesse as suas confissões. Se alguém resistisse, na casa ou a caminho da prisão, Tausk ordenou aos seus homens que atirassem sem hesitar como aviso para os outros.

◆ ◆ ◆

Incomum em abril, a leve chuva de primavera que começara a cair nas primeiras horas da manhã de sexta-feira e continuou, intermitente, até pouco antes do meio-dia nunca virou uma tempestade. Não havia vento e os caminhos da floresta ainda estavam fáceis de transitar para quem os conhecia. As árvores à beira da clareira favorita de Brugger brilhavam à luz do sol a pino, as gotinhas d'água em sua casca dando-lhes uma estranha aparência de leveza, como se, apesar de toda a sua profundidade, a própria floresta não passasse de um reflexo do céu lá em cima e pudesse ser desfeita e rearrumada com uma simples mudança das nuvens. O ar estava rico com o cheiro do solo recém-molhado e das agulhas dos pinheiros quando Brugger, vazio de pensamentos e sensações, sentou-se encostado a um tronco caído.

Não houve surpresa em seu rosto quando levantou os olhos e viu Tausk e Roublev surgirem das árvores e ficarem de pé diante dele. No mínimo, pareceu aliviado e simplesmente perguntou com amargura a Tausk:

— Tem certeza que aqui é retirado o suficiente? Eu o estou esperando há muito tempo, mas sempre achei que nos encontraríamos enquanto ainda era importante. — Embora nunca tivesse conversado antes com Tausk, Brugger falou como se já se conhecessem há muito tempo e finalmente tivessem concordado em representar as últimas cenas de um drama cujo desenlace fosse uma certeza.

Apesar da exaustão e do nervosismo, Tausk mantinha flexibilidade imaginativa suficiente para adequar-se ao tom de Brugger. Sentou-se ao lado do rabi e ofereceu-lhe um cigarro. Brugger aceitou agradecendo com a cabeça e, durante alguns minutos, os dois ficaram sentados olhando o horizonte sem trocar palavras. Quando terminaram, Brugger apagou o cigarro com a bota, fez um gesto na direção de Roublev e perguntou tranqüilamente a Tausk:

— Vai mandá-lo me matar agora?

Quando Tausk hesitou antes de responder, Brugger continuou:

— Com certeza você levou bastante tempo para chegar aqui. Estou vindo sozinho a este lugar há quase duas semanas, esperando você, e quase desisti. Amanhã eu teria ido embora deste distrito, para além do seu alcance, e então o que todos diriam? Pobre Tausk. Aprendeu tanta coisa com o Rabi Pelz, a não ser o que realmente importa.

Tausk se irritou, como Brugger já sabia, ao ouvir o nome do seu mestre usado com tanta liberdade. Mas havia alguma coisa no tom de voz do rabi, além da isca da alusão a Pelz, que o deixou intrigado. Não era o tom de resignação com o seu destino. Tausk já o ouvira antes de homens que sabiam que seriam executados e tinham parado de lutar. Este era diferente. Não havia rendição em Brugger nem submissão aos que tinham vindo eliminá-lo. Estava pronto para morrer nas mãos de Tausk, mas falava como se visse Tausk menos como seu executor e mais como seu instrumento, chamado ali para cumprir o destino que escolhera. Ser ferramenta de Brugger em qualquer coisa, até mesmo em sua própria morte, deixou Tausk exasperado, mas antes que pudesse abrir a boca, Roublev, que nunca interrompera um interrogatório antes, gritou de repente:

— Não dê ouvidos a mais nenhuma palavra dele. Ele não é um homem santo, é uma latrina!

Toda a clareira reverberou com as ondas da explosão de Roublev. Assim que se recuperou do seu espanto, Tausk virou-se, fitando Roublev, e preparou-se para passar-lhe uma selvagem descompostura. Então, viu Brugger concordar enfaticamente com a cabeça.

— O seu homem está certo — disse Brugger. — Você não tem razão para repreendê-lo. É exatamente isso o que sou. Qualquer um pode ver nos olhos dele como me odeia e quer me ver morto. Mesmo que as suas razões estejam erradas, o seu juízo está certo. Ele é mais limpo em seu ódio simples do que nós dois.

Tausk pôde sentir aquele instante fugindo ao seu controle e decidiu refreá-lo. Estava percebendo que perdera toda a sensação de quanto tempo tinham levado para chegar ali e há quanto tempo já estavam conversando. Era como se aquele lugar existisse separado do resto do mundo e só esperasse que todos se fossem para desaparecer por completo. Lá bem no alto algumas nuvens eram arrastadas na direção deles por um vento fresco, mas por enquanto a luz na clareira era quase sólida o suficiente para ser tocada. Somente a cobertura do chão parecia tornar-se aos poucos mais profunda, os trechos sombrios sob as árvores adotando um verde-esmeralda escuro com a mudança do tempo.

Brugger notou que Tausk se esforçava para sentir de que direção vinha o vento e rapidamente a sua expressão perdeu parte da amargura.

— Não que faça alguma diferença para você ou para os homens que o mandaram, mas a única pessoa para quem realmente fui uma ameaça sou eu mesmo — disse a Tausk com voz objetiva. — O seu conde-governador e eu não moramos no mesmo mundo. O que ele faz só importa aos dele, não aos nossos. Mas Moritz Rotenburg é um caso diferente. Juntos, eu e ele poderíamos fazer muito pelo nosso povo. Talvez tudo. No final, falhei com ele muito mais do que ele me falhou e, se quer meu sangue por este erro, é direito seu. Tudo o que peço a você é que, quando acabar comigo, volte e diga a ele que peço desculpas por ter me enganado tanto.

Nisso Tausk já se convencera de que, fossem quais fossem as intenções de Brugger, a sua atitude não era simplesmente um estratagema desesperado para agarrar-se à vida pelo máximo de tempo possível. Mas, em vez de inclinar-se à solidariedade, o espião-chefe sentiu uma frustração crescente ao ver-se travando um diálogo cujo significado lhe escapava. A necessidade de conhecer tudo à sua volta impelia Tausk mais do que o desejo de poder. Até hoje não podia entrar na sala de ninguém sem pegar e examinar todos os objetos ao seu alcance, inclusive, para alarme do dono, cartas e bilhetes obviamente particulares. Em certos estados de espírito, conseguia compreender e perdoar quase qualquer transgressão, por mais vil que fosse, mas não podia suportar a sensação de desamparo, de cochicharem sobre ele pelas costas e de tomarem decisões importantes a seu respeito, mas sobre cujo resultado ele mesmo não tinha influência, que o inundava assim que sentia que lhe ocultavam alguma coisa.

— Enganado sobre o quê? — perguntou a Brugger. — Não tenho o hábito de entregar mensagens de homens na sua posição. Até agora você não me deu nenhuma razão para fazer alguma coisa por você, ainda mais perturbar alguém como Moritz Rotenburg com as suas desculpas.

— Permiti-lhe que me prendesse. — Durante todo o tempo em que falavam Brugger não mostrara nenhum dos rompantes de raiva que os seus seguidores temiam. Agora, contudo, devolvia o sarcasmo de Tausk e algo de sua antiga ferocidade brilhou em seus olhos e na contorção dos seus lábios para baixo. — Sei que não sou o que pensei que fosse, mas acredite-me, mesmo hoje ainda conseguiria impedi-lo com uma palavra.

— Acredite no que quiser, Brugger. — O sarcasmo de Tausk só era palpável em sua voz, não em seus olhos, que mantinham sua prudente atenção.

Brugger riu-se com desdém e fez um gesto na direção da floresta atrás deles.

— Falo de táticas elementares, não de feitiços. Você sabe um pouco do que meus seguidores fariam por mim. Esse bosque é tão familiar para mim quanto o bairro Josef e toda vez que me seguiu até aqui entregou-se milhares de vezes. Pense como seria fácil para mim esconder meia dúzia de homens em qualquer lugar do caminho e outro número igual entre as árvores da borda da clareira. Talvez agora mesmo alguns dos meus estejam por perto, prontos para me proteger. Se ouvirem você admitir que veio me matar, não gostaria de estar na sua posição.

Nem Tausk nem Roublev voltaram os olhos para onde Brugger apontava. Se pretendia emboscá-los, isso já teria acontecido. Mas, embora não sentisse medo, Tausk reconheceu que Brugger lhe dissera a mais pura verdade e ficou desgostoso com o seu próprio tropeço. Se ele e Roublev voltassem vivos à cidade, seria porque Brugger decidira que era isso o que queria. Desde o início, a escolha sempre fora de Brugger.

"Bem", pensou Tausk, "esta noite, se os mortos ainda pensarem, Brugger terá uma boa aula sobre os limites da gratidão."

Brugger olhou para Tausk com um enorme cansaço. Balançou a cabeça e suspirou como se reunisse forças para uma tarefa desagradável.

— Quando lhe disse que você aprendeu muita coisa com o Rabi Pelz, a não ser o que realmente importa, não tentava feri-lo, Tausk, só forçá-lo a admitir o que já sabe. A sua mente se tornou um mar estagnado, que nada renova, que transforma em si mesmo tudo o que se aproxima de você. Muito antes de ser expulso da *yeshiva* você já fora reprovado nas lições mais importantes. Mas não por falta de brilho. Longe disso. Todos sabiam que naquela geração não aparecera ninguém tão inteligente quanto Jakob Tausk. Mas você nunca esteve de verdade ali no seminário, a não ser como estranho e espião. Seu próprio brilho e o poder que ele poderia lhe auferir, isso é tudo em que já acreditou. São os seus pesadelos, aos quais deu o meu rosto, que agora precisa destruir.

Tausk nada disse. Acendeu outro cigarro na guimba ainda acesa em sua mão e fitou Brugger com os seus olhos grandes e próximos. Apesar de estar ao ar livre desde antes do amanhecer, a palidez de Tausk mostrava-se ainda mais marcante, dando à sua pele uma translucidez acinzentada. Finalmente, um lento tremor o percorreu e ele estendeu a mão para equilibrar-se, mas ao encontrar apenas o ar vazio, puxou-a de volta com um movimento brusco e forçou-se a permanecer ereto com a pura força de vontade.

— Mas eles morreram — sussurrou —, Kosch e toda aquela gente de Buczacz. O que eles eram? O meu pesadelo ou o seu?

— Por que tem de ser um ou outro? — desafiou Brugger. — Avanço aos tropeços, às vezes guiado por uma clareza irresistível, às vezes perdido no escuro. Você descobre um padrão nos meus atos quando eu só percebia passos improvisados, dados um de cada vez. Quem sou eu para dizer que as ligações que você descobre não são reais? É a malícia das suas interpretações que me assusta, não o seu direito de fazê-las.

O ar começava a ficar mais frio. Brugger puxou bem sobre os ombros a sua capa de viagem. Então, articulando cada sílaba com pedante cuidado, como se a lucidez fosse apenas outro código infantil, como uma gíria de crianças de escola com a qual ele também pudesse brincar, disse:

— Agora você vive entre cristãos, Tausk, e assim deve saber que, na história deles, numa noite exatamente como esta, seu rabi foi abandonado por todos os seguidores antes de ser preso e levado ao conde-governador romano. Uma versão herética diz que, se um único discípulo tivesse se mostrado fiel e ficado acordado, ele teria sido poupado da cruz. Não direi nada sobre o sentimentalismo da lenda deles. Foi-lhes bastante útil. Mas passei a aceitar que o nosso Deus, diferente do deles, é um mestre da dialética irônica. Fui condenado a morrer porque todos os meus seguidores me foram fiéis demais; longe de desertar-me, seguiram a parte de mim que sondou a escuridão.

— Foi por isso que permitiu que o pegássemos? Porque acha que os assassinatos o deixaram impuro? — Tausk não conseguiu deixar de perguntar. Apesar de si mesmo, havia uma familiaridade com essas idéias, uma sensação de ansiedade que nada do que vivera no Castelo, nem mesmo os seus colóquios tarde da noite com Wiladowski, apagara.

— Pecados e erros esvoaçam à minha volta como um enxame de moscas — disse Brugger amargamente. — Espanta-me que não possa ver por si mesmo. Mesmo que tudo em que eu acreditei fosse certo, ainda seria maldade ensiná-lo. Ninguém pode conferir sabedoria aos outros e dar o conhecimento sem a sabedoria é a atividade do demônio. Achei que todas as minhas transgressões estavam santificadas porque a minha alma era virtuosa, mas só havia vaidade e o riso alegre da danação. Prometi a Rotenburg que o seu filho lhe sobreviveria e morreria judeu, velho e respeitado junto ao seu povo. Eu o vi, Tausk. Sei o tecido de sua roupa e o cheiro da sua água de colônia. Em vez disso, ele morreu estupidamente e desonrado e, com ele, a minha fé em mim mesmo. — Quando terminou de proferir essas palavras, Brugger tombou para a frente sobre o tronco, o rosto cadavérico em seu distanciamento.

Os olhos rápidos e cinzentos de Tausk se abriram espantados, mas nada disse. Como poderia ter certeza do que seria mais satisfatório: confundir Brugger contando-lhe a verdade quando já era tarde demais ou deixá-lo morrer convencido de que as suas visões eram miragens vazias? No final, não foi o cálculo que determinou a decisão de Tausk, mas a simples curiosidade. Tinha de deixar Brugger saber, pelo menos para descobrir como reagiria. Como tantas revelações súbitas, o ato de contar foi simples e rápido. Tausk estava acostumado com o fato de a verdade ser sempre mais complicada do que as suas mentiras, mas agora viu que bastavam algumas frases e, mesmo a essas, Brugger pareceu ouvir com atenção vacilante. Quando compreendeu o fato de que Hans Rotenburg não morrera na explosão, mostrou pouco interesse nos detalhes adicionais que Tausk apresentou. Sua atenção voltou-se inteiramente para dentro, os lábios formando uma série de salmos de gratidão, dos quais Tausk só conseguiu distinguir uma frase ou outra. Quando terminou, abriu os olhos, mirou em volta com um olhar claro e, num tom de voz tão simples como se conversasse com um colega depois de fazerem uma refeição juntos, disse:

— Obrigado. Não pode imaginar o fardo que me tirou dos ombros.

Tausk achara que estava preparado para qualquer reação, mas os hinos de Brugger o deixaram perdido. O espião-chefe não descartou a possibilidade de que, apesar de toda a sua aparente concentração, parte do êxtase devocional de Brugger fosse uma encenação para impressionar os seus captores. Mas, proposital ou não, a reação fora suficientemente perturbadora para que Tausk vacilasse pela primeira vez em sua intenção desde que ele e Roublev saíram pela manhã para pegar o rabi. Não é que levasse a sério os sonhos messiânicos de Brugger — se é que Brugger ainda tinha mesmo alguma dessas noções — mas a idéia de assassinar este homem na véspera do *Pessach* perturbou-o de repente. Assim, respondeu exatamente do mesmo modo que fizera quando se vira sentado numa das suas celas diante de um suspeito cujo destino ainda não conseguira decidir: pediu ao próprio preso que lhe dissesse o que estava fazendo ali.

— Acredita que é o Messias judeu? — perguntou a Brugger, mantendo a própria voz o mais possível neutra e sem empatia.

Brugger virou-se e olhou-o com calma curiosidade.

— Posso ter tido uma fagulha deste dom certa vez — respondeu, como se discutisse alguma faculdade valorizada mas de modo algum inconcebível —, mas nem eu nem a época estavam prontos, e assim mandei-a embora. O que importa se já tive ou não pensamentos assim? Partiram do meu coração e a sua ida me deixou tão alquebrado como o judeu mais miserável desta província.

Em vez de mostrar apreensão, Brugger parecia totalmente sereno, como se tivesse chegado à solução de uma grande crise e a conversa com Tausk fosse apenas o seu plácido dia seguinte. Um estranho que ouvisse os dois homens poderia concluir que Brugger era o interrogador levando inexoravelmente o seu prisioneiro a condenar-se pelas próprias palavras.

Tausk percebeu que devia simplesmente levantar-se, ir embora e deixar Roublev terminar o que tinham vindo fazer. O vento ficara frio e enregelava a fina camada de suor que encharcava o corpo de Tausk. Brugger já estava em paz consigo mesmo. Assim também ficaria Rotenburg assim que o rabi estivesse morto e Hans totalmente restabelecido. Em três dias, quando as festividades terminassem e os dignitários voltassem em segurança para Viena, Wiladowski também teria tudo o que queria. A imagem de todos esses rostos contentes ficou cada vez mais repugnante. Tudo o que Tausk queria era dormir. Ao menos uma vez, que os vivos enterrem sem ele os seus mortos e vejam que resultado isso trará. Sem aviso, afastou-se vacilante de Brugger.

— Não posso matar este homem — disse ao espantado Roublev. O olhar que lançou ao assistente congelou qualquer idéia de discussão. — Leve-o até a estrada que leva à fronteira e depois volte para cá para me buscar. Se ele for visto novamente deste lado, mate-o na mesma hora como um cão raivoso.

Quando Roublev voltou sozinho, o sol já se pusera. Nas sombras, a clareira parecia vazia e Roublev temeu que o seu mestre tivesse sumido. Quando finalmente viu Tausk, ele estava caído inconsciente no chão, o corpo tremendo de febre.

7

— Cheguei à conclusão de que a nossa política nacional é executada em três passos admiravelmente sincronizados: concebida nos vários ministérios de Viena, aprovada no Palácio Imperial e implementada em lugar nenhum.

Wiladowski, frustrado, largou o último pacote de despachos da capital. O seu humor não poderia ser pior e foi só para impedir que se abandonasse totalmente ao seu desprazer que tentou brincar sobre isso com Pfister, sentado diante dele com expressão desconfortável e um maço ainda mais grosso de papel nas mãos para que o conde-governador examinasse em seguida. Os visitantes tinham começado a chegar na noite anterior e parecia que cada grupo trouxera consigo o seu próprio conjunto de diretrizes — é claro que enunciadas como polidas recomendações — do setor do governo que representavam, muitas vezes contradizendo explicitamente as propostas entregues poucos minutos antes por um departamento rival. Marie-Luise ainda recebia os que tinham chegado primeiro num dos seus famosos almoços e Wiladowski pedira desculpas para sair antes que todos terminassem para que ele e o seu primeiro-secretário pudessem providenciar os detalhes finais da cerimônia. O homem era inteiramente infatigável, isso Wiladowski tinha de admitir, e agora, com Tausk inexplicavelmente confinado na enfermaria do Castelo, Pfister se encarregara do evento todo. Tudo ia tão mal quanto nas piores premonições de Wiladowski, com exceção de que não parecia haver ameaça imediata à sua integridade. O Castelo estava lotado de hóspedes desagradáveis, a oficiosidade de Pfister atingira proporções assustadoras e o tempo estava soberbo, eliminando, assim, a sua última desculpa para abreviar a festa. Marie-Luise aproveitava cada instante de atenção que Zichy-Ferraris e Trautmannsdorff lhe dedicavam enquanto Wiladowski tinha de manter um sorriso de apreciação como se se sentisse congratulado ao ver com que brilho a esposa gerenciava essas coisas e como desperdiçava os seus talentos naquela região tão distante e atrasada. E agora a partida de Moritz Rotenburg para a Suíça estragara a melhor possibilidade de retaliação do conde. Com manobras hábeis, Wiladowski convencera o ministro das Finanças a exigir, como questão de interesse urgente do estado, que o Castelo convidasse Rotenburg para todas as festas particulares realizadas paralelamente à cerimônia do Campanário. Mas assim que Wiladowski teve uma desculpa irretocável para fazer o que sabia que irritaria profundamente Marie-Luise e Zichy-Ferraris, o seu estratagema se frustrou com a necessidade de Rotenburg viajar para tratamento médico. Para o conde, parecia que os médicos o sabotavam a cada esquina. A fuga de Rotenburg para Zurique já era bastante má, mas ser obrigado ao mesmo tempo a abrir mão dos serviços de Tausk era um ultraje. Mandara o seu médico pessoal cuidar do espião-chefe, em parte como gesto de grande favorecimento, mas também para ver se Tausk não podia ser encorajado a juntar forças e reassumir os seus deveres só por mais dois dias antes de voltar ao leito. No entanto, o médico retornou e garantiu ao conde-governador que o paciente precisava de completo repouso para não arriscar a vida. Em seu estado atual, o espião-chefe estava fraco demais para levantar-se e o médico enfatizou que, até que a febre cedesse, o juízo de Tausk provavelmente estaria tão prejudicado quanto a sua força física.

Como a sua educação não incluíra conselhos sobre o que fazer quando um superior desrespeita os líderes da nação, Pfister nada respondeu a nenhum dos comentários sardônicos de Wiladowski sobre as instruções mutuamente contraditórias que lhe davam. De qualquer modo, o primeiro-secretário estava preocupado com os seus próprios problemas urgentes. Não se vira incluído na lista de convidados de Marie-Luise para nenhuma festa, com exceção das maiores nas quais a sua presença seria praticamente obrigatória, tendo em vista o seu cargo na administração do Castelo. Sabia como a mulher do conde-governador gostava da sua companhia e achou incompreensível este súbito ostracismo. O Conde Wiladowski não gostava dele, Pfister sabia disso muito bem, mas não arriscaria a sua tranqüilidade doméstica para pedir à mulher que excluísse o protegido favorito dela e, mesmo que o tivesse feito, ela dificilmente obedeceria. Não, concluiu Pfister, a conspiração contra ele fora organizada noutro lugar. Quase com certeza Tausk estava envolvido, levado a isso pela inveja da atuação brilhante de Pfister na organização da cerimônia de Páscoa. Todos no Castelo comentavam como Roublev, o sinistro assistente do espião-chefe, chegara na noite de sexta-feira, carregando-o nos ombros até a enfermaria num avançado estado de delírio. O triunfo de Pfister deve ter descomposto Tausk completamente e, com a famosa tendência da sua raça à histeria, na verdade não surpreendia que tivesse sucumbido ao seu desapontamento de uma forma tão desavergonhada. Mas se Tausk estava tão doente como todos diziam, como ainda conseguira conspirar com tanta eficiência contra um inimigo cujo aumento de poder deveria proteger de ataques? Já que todos no Castelo, naturalmente, ficariam do lado do primeiro-secretário contra o judeu intrometido, Tausk não tinha ninguém por meio de quem pudesse trabalhar, mas a lista de convidados para o lanche da tarde nos aposentos particulares de Marie-Luise mais uma vez excluía claramente Pfister. O primeiro-secretário ficou tão perturbado tentando entender a trama planejada contra ele que até o Conde Wiladowski, cuja política firme era nunca notar o que os seus subordinados pudessem estar sentindo, não conseguiu deixar de reconhecer a angústia de Pfister. Com relutância perguntou qual era o problema e, um instante depois, quase se arrependeu de ter-se desviado do princípio da indiferença benevolente. Em toda uma vida observando cortesãos rastejarem atrás de promoções, Wiladowski nunca ouvira nada tão abjeto quanto a pergunta quase lacrimosa de Pfister sobre a razão pela qual não tinha mais o privilégio inestimável de auxiliar a Condessa Wiladowski em suas recepções. Wiladowski não tinha idéia do que responder e pouca vontade de fazê-lo. Mas a boa educação exigia que encontrasse um modo de dar fim à cena e, assim, murmurou alguma coisa sobre como Pfister devia na verdade perceber que, nesses dias, era necessário noutra parte e não podia ser desperdiçado em funções sociais menores. Como último agrado ao seu primeiro-secretário, cuja demissão imediata assim que o último hóspede partisse Wiladowski já decidira terminantemente, o conde-governador ofereceu-se a permitir que Pfister ficasse no fundo do palanque da Praça da Catedral, dividindo assim o espaço com todos os principais dignitários. A presença de Pfister não era nem de longe tão ofensiva para a sua esposa ou Zichy-Ferraris quanto seria a de Rotenburg ou Tausk, mas era o melhor que Wiladowski podia fazer e, quando o agradecido Pfister saiu da sala proclamando, efusivo, a sua gratidão, teve o prazer trivial mas mesmo assim concreto de satisfazer dois impulsos bem diferentes com um só gesto.

Depois de certificar-se, pelo menos pela terceira vez, que a doença de Tausk não era contagiosa, Wiladowski, acompanhado por dois guardas, cruzou o pátio do castelo até a ala norte, onde ficava a enfermaria. Precisava de alguma animação depois da conversa com Pfister e visitar Tausk pareceu ser, de longe, a melhor opção. Provavelmente seria mais gentil deixá-lo descansar, mas Wiladowski achou que ultimamente tinha sacrificado pelos outros um volume suficiente da sua própria energia — embora, se insistissem, acharia difícil pensar num exemplo específico — para sentir que era justo aproveitar um pouco da companhia de seu espião-chefe.

Além de Tausk, que ocupava um quartinho particular, a enfermaria só abrigava alguns soldados, deitados em longas filas na enfermaria geral, sofrendo de intoxicação alcoólica e vários pequenos ferimentos sofridos durante os exercícios. Wiladowski entrou com a enfermeira de plantão e encontrou Tausk meio acordado, apoiado numa massa de travesseiros e parecendo mais emaciado do que nunca. Os olhos ainda estavam toldados pela febre e precisava muito de um banho e de fazer a barba, mas para o conde-governador, que achava inquietante ficar perto de alguém doente e que, por egoísmo e não por amabilidade, era um otimista convicto quanto à saúde dos outros, Tausk pareceu estar se recuperando de forma admirável. O quarto do doente tinha o cheiro doce e enjoativo dos espaços confinados onde alguém suou com febre alta durante muitas horas e Wiladowski fez um sinal para que a enfermeira abrisse a janela o mais possível. Ela nunca vira o conde-governador a não ser bem de longe e estava visivelmente emocionada com a honra que ele conferia ao hospital com a sua presença. Correu de um lado para o outro para arejar e arrumar o quarto e, levando em consideração a augusta posição social do visitante, tentou lavar o rosto do paciente e o máximo do seu tronco que a decência permitia. Tausk pareceu acordado o bastante para entender o que estava acontecendo, embora tremesse como se estivesse no meio do inverno quando a primeira brisa quente da janela aberta entrou no quarto.

Há muito tempo Wiladowski se convencera de que quem estivesse doente o bastante para ficar de cama, fosse devido a alguma moléstia fatal ou a qualquer coisa fácil de curar, só queria ser distraído de pensar em seu estado, e assim, depois de algumas frases convencionais de encorajamento, sempre falava sobre o que lhe passava pela cabeça, com total certeza de que nada poderia ser melhor para o paciente. Às vezes, chegava a estar certo neste pressuposto. Com certeza Tausk pareceu receber bem o alívio de fugir aos seus próprios pensamentos e ficou visivelmente grato com as perguntas do conde-governador, vagas o bastante para só exigir como resposta alguns sons gerais de assentimento. Agora estava totalmente acordado e capaz de engolir várias colheradas do caldo quente trazido pela enfermeira, ansiosa para demonstrar como cuidava bem daqueles a seu cargo. Quando Tausk terminou de comer, Wiladowski pediu para ficar sozinho com o paciente e ordenou aos guardas que assumissem o seu posto do lado de fora da porta, para garantir que não seriam interrompidos.

O alimento pareceu restaurar parte das forças de Tausk. Embora a sua fala fosse interrompida algumas vezes por ondas de fadiga debilitante, nas quais afundava indefeso nos travesseiros durante vários minutos antes de conseguir se recompor, ainda assim começou pedindo desculpas ao patrão por cair doente num momento tão inoportuno. Explicou que o úmido ar da noite do bairro Josef devia ter inflamado os seus pulmões sempre sensíveis e causado o seu estado atual. No entanto, começava a sentir-se melhor e, embora fosse incapaz de sair da enfermaria, faria o possível para ajudar dali. Roublev, o seu imediato, em quem o conde-governador podia confiar inteiramente, estaria a seu serviço sempre que possível e manteria Tausk informado de tudo o que acontecia na cidade. Quando Wiladowski perguntou até que ponto deveria sentir-se preocupado ao encabeçar a procissão no domingo, ainda mais porque estaria sem Tausk ao seu lado, o espião-chefe garantiu-lhe que os seus homens já estavam trabalhando em todo o percurso do desfile do dia seguinte e tinham tornado segura a área toda. Por insistência do conde-governador, Nathan Kaplansky e mais alguns agitadores sindicais foram presos por distribuir folhetos proibidos na última greve e só seriam soltos na semana seguinte, quando a cidade estivesse de novo tranqüila. Até os fanáticos religiosos sobre os quais ele e o conde-governador tinham conversado estavam todos trancados em segurança. Em resumo, até onde Tausk podia dizer, todo o possível fora feito para garantir que a cerimônia se realizasse sem incidentes. A única preocupação era que Pfister, que insistia que o seu posto o deixava como único responsável por todas as providências na Praça da Catedral propriamente dita, rejeitara, como insultante para a nobreza da província, as sugestões de Tausk para revistar, em busca de armas, todos os que entrassem na praça. De qualquer modo, Pfister disse que pretendia garantir que toda a praça seria ocupada pelas melhores famílias da cidade e ordenara à polícia que deixasse de fora qualquer um que parecesse inadequado. Todavia, de modo mais útil, como todos os visitantes importantes tinham trazido os seus próprios e treinadíssimos guarda-costas, Tausk tinha confiança de que haveria pessoal de segurança suficiente na praça.

— Além disso — conseguiu dar um débil sorriso para o conde-governador —, pelo que Sua Excelência me contou, duvido que alguém como von Kirchstein ou Zichy-Ferraris se disporia a passar por cima de um bom católico como o seu primeiro-secretário em prol de um judeu, e assim não insisti muito na minha idéia.

— Observei que você foi educado o bastante para não incluir a minha esposa na lista dos seus inimigos. — Wiladowski surpreendeu-se ao ver como se sentia deliciado de implicar outra vez com Tausk, ainda que fosse num quarto de hospital. — Neste caso, o seu tato quase corresponde à verdade. Embora eu nunca chegue a ponto de dizer que hoje ela prefere você a Pfister, agora ela sente tanta antipatia pelo meu primeiro-secretário que quase tudo é concebível. Bem, talvez não tanto assim — concordou Wiladowski com um sorriso, ao ver a expressão cética do seu espião-chefe. — Mas, deixe-me ler para você a última idéia dele.

Wiladowski desdobrou a folha grossa de papel que tirara do bolso do paletó e abanava no ar enquanto lhe resumia o conteúdo.

— Amanhã à noite, quando voltarmos da Praça da Catedral para o baile no Castelo, Pfister providenciou exatos quinze metros e meio de tapete vermelho para desenrolar e receber o grupo. Não me pergunte como se decidiu por este número, provavelmente pela descrição de alguma festa parecida na época de Maximiliano I ou de Maria Teresa. Mas o plano não pára por aí. Quando os convidados entrarem no saguão principal, quer colocar 18 suboficiais de uniforme de gala no caminho para que, a um sinal do comandante, trinta e seis esporas soem ao mesmo tempo para anunciar a entrada dos dignitários. Não há som no mundo que eu deteste tanto quanto o bater de esporas, a não ser tiros de verdade, e para mim os dois barulhos estão intimamente ligados. Ia vetar a idéia toda, é claro, mas de algum modo Zichy-Ferraris ouviu falar dela e jurou que era a maneira perfeita de dar início às festividades da noite. Como anfitrião, não tinha escolha a não ser concordar. Mal posso lhe dizer o quanto todos eles estão me dando nos nervos.

O rosto de Tausk se torceu de um modo que o conde-governador interpretou como expressão de solidariedade, embora bem nesta hora o espião-chefe tivesse sofrido outro ataque de tremores. Wiladowski notou a luta de Tausk para impedir que os dentes batessem de febre e foi até a janela para poupar-lhe o embaraço de que alguém testemunhasse o seu sofrimento. Ficou olhando o rio por um bom tempo e então, como se estivessem trocando idéias com todo o conforto em seu escritório, perguntou a Tausk, num tom de voz absolutamente comum, se conhecia a famosa frase do príncipe Metternich, "A Ásia começa na minha janela". Quando Tausk fez que não com a cabeça, por desconhecer a citação ou pela doença, o conde-governador explicou que o grande estadista e defensor dos privilégios aristocráticos, que dominara o país depois das guerras contra Napoleão, divertia-se pensando em si como o último bastião da Europa contra as hordas das estepes orientais.

— Mas o espantoso é que Metternich disse isso em Viena, na varanda do seu palácio, a milhares de quilômetros da fronteira. Imagine só o que diria se estivesse no meu lugar, com a fronteira quase à vista. Aqui entre nós, Tausk, acho que todos esses personagens famosos da história foram culpados de exageros despudorados.

Sem responder diretamente ao conde-governador, Tausk esperou um instante e perguntou:

— Chegou alguma notícia importante de Viena? — Conseguira recuperar-se do último ataque e reconheceu que a irritação de Wiladowski brotava de alguma coisa muito mais imediata e pessoal do que alguns pronunciamentos enfáticos demais de algum antecessor ilustre.

Wiladowski virou a cabeça de volta para o leito do doente com um aceno apreciativo por ter sido compreendido tão depressa.

— Bem, sim, de certo modo — disse. — Uma das minhas tias me escreveu para contar, em total confiança, que, em nome de Sua Majestade, Trautmannsdorff vai me presentear com a Ordem do Tosão de Ouro no final da cerimônia. É a honra mais elevada de toda a escala oficial de precedência e me será trazida com um longo elogio do próprio imperador a "todo o meu serviço destacado em prol da dinastia".

Tausk estava a ponto de congratulá-lo quando notou que o rosto do conde-governador não parecia nem um pouco contente, e assim decidiu nada dizer e esperar uma explicação. Embora o quarto fosse muito menor do que qualquer cômodo onde Wiladowski estivesse acostumado a conversar, por hábito continuou andando de um lado para o outro enquanto falava e, avaliando mal onde tinha de virar-se, apavorou a enfermeira e os soldados do lado de fora ao esbarrar nas duas mesinhas cheias de equipamento médico e jogar com fragor tudo no chão.

— Não sei quem teve a idéia de dar as condecorações mais prestigiosas aos perdedores na luta pelo poder — explicou a Tausk, ignorando por completo a destruição a seus pés — mas foi claramente um gênio político. Já notou que, invariavelmente, são os generais vencidos que são homenageados com uma parada luxuosa e as medalhas mais vistosas, de modo que a população não perceba que o país foi mais uma vez derrotado por causa de líderes ineptos? É isso o que significa a Ordem do Tosão de Ouro e não sou burro a ponto de não entender a mensagem. Trautmannsdorff e os outros não fizeram toda essa viagem até aqui para admirar um campanário de província, mas para me informar que houve uma mudança no Ministério do Exterior e que a minha influência terminou.

Wiladowski rejeitou com impaciência a tentativa de Tausk de fazer um comentário.

— E a coisa que realmente me enfurece nessa história toda — continuou — é que supõem que eu me preocupo com a minha dita influência de bastidores ou, caso eu me preocupasse, que me consolaria com mais uma fita colorida para a minha coleção.

Tausk não vira o patrão neste estado de espírito antes e sentiu-se tentado a reagir a um sinal de confiança tão inesperado fazendo alguma revelação pessoal também, mas quase imediatamente conseguiu refrear o impulso. Sabia que o conde-governador estava absorvido demais na própria história para interpretar qualquer confidência sua como algo além de intrusão sem sentido. Mas, mesmo que não fosse assim, Wiladowski podia dar-se ao luxo de ter esses gestos; Tausk não. Era quase tão simples assim. Mas Tausk também temia dar voz ao que o importunava. Mais cedo, naquele dia, quanto Roublev viera vê-lo, sua aparência quase fez Tausk ter convulsões outra vez. Não conseguiu ouvir o relatório de Roublev sobre o que acontecera depois que ele e Brugger deixaram juntos a clareira e mandou-o embora após fazê-lo prometer que nunca mencionaria nada a ele sobre aquele dia de novo, a menos que lhe pedisse expressamente. Concentrar-se na situação de Wiladowski era um modo maravilhoso de banir os seus próprios pesadelos e Tausk apreciou dedicar-lhe o máximo de concentração que o seu estado de fraqueza permitia.

— Como posso ajudar, Excelência? — perguntou Tausk. Não havia nada que pudesse fazer quanto às maquinações políticas nas quais o conde-governador parecia envolvido. Ocorreu a Tausk que, ao voltar, Moritz Rotenburg poderia intervir no ministério e ajudar Wiladowski a recuperar a sua posição, mas por enquanto era mais prudente não mencionar a sua própria ligação com o financista. Em vez disso, Tausk levou a conversa de volta à segurança física de Wiladowski, tema que sabia que absorveria instantaneamente a atenção do conde-governador. Wiladowski queixou-se de que, com seu espião-chefe preso ao leito, ficaria se sentindo ainda mais exposto durante um dia inteiro de comemoração e não se incomodou de admitir que uma das suas razões para ir à enfermaria fora buscar as asseverações e os conselhos de Tausk.

Embora sentisse que as suas forças começavam a falhar de novo e preferisse que o deixassem voltar a dormir, Tausk fez o que pôde para dar-lhe os dois. Sugeriu que talvez aliviasse a ansiedade do conde-governador encontrar alguém, preferivelmente com treinamento militar e inteiramente dedicado ao governo, para acompanhar Wiladowski como um misto de ajudante-de-ordens e guarda-costas até que Tausk pudesse de novo estar de pé. Nenhum dos soldados regulares do Castelo serviria, já que teria de ser aceito pelos hóspedes mais exigentes de Wiladowski. Teria de ficar ao lado do conde-governador durante toda a cerimônia, desde os discursos públicos até as recepções mais íntimas, e ser igualmente apto nesta esfera. Infelizmente Tausk não podia recomendar ninguém da sua equipe, já que os melhores eram judeus, mais experientes em infiltrar-se em reuniões sediciosas no bairro Josef do que em tornar-se apresentáveis numa festa aristocrática.

— Talvez algum dos convidados da própria condessa pudesse ser convencido a assumir a tarefa — propôs Tausk.

Quando Wiladowski pareceu em dúvida, Tausk prontamente remendou o conselho.

— A lista de convidados era responsabilidade de Pfister — disse —, e assim nunca me familiarizei inteiramente com ela, mas tenho certeza de que, se Sua Excelência a examinasse, uma opção plausível logo se apresentaria.

A mera noção de fazer alguma coisa concreta para proteger-se atraiu Wiladowski, que de repente percebeu que já passara da hora de deixar Tausk descansar. Ordenou que a enfermeira voltasse ao quarto para cuidar do paciente. Quando saiu, observou-a catar a pilha de vidros quebrados e ataduras no chão e cumprimentou-a pela enfermaria bem cuidada. Para Tausk, gritou, com voz que se pretendia encorajadora mas que saiu bem mais alta que o necessário, que era visível que estava a caminho da total recuperação e esperava que logo voltasse ao trabalho.

De volta ao seu escritório, examinando os nomes dos candidatos, Wiladowski congratulou-se pela argúcia de visitar Tausk.

— Quem disse que as boas ações nunca são recompensadas? — disse ele, contente, a Aloïs. — Deste modo alegrei Tausk, que parece mesmo muito mal, coitado, embora eu não tenha deixado que notasse o que pensei, e ao mesmo tempo recebi uma excelente sugestão.

Embora o patrão não estivesse olhando em sua direção, Aloïs compôs o rosto para combinar com a mistura de gratificação e preocupação na frase do conde-governador. Em seus anos de serviço, o rosto de Aloïs desenvolvera uma plasticidade notável que deixaria envergonhado um ator experiente. Como raramente lhe exigiam que falasse, a sua expressividade física florescera com os anos, assim como dizem que os outros sentidos de um cego ficam compensadoramente ampliados. Na verdade, havia gente no Castelo que nunca o ouvira murmurar uma só palavra e pensava que ele talvez fosse um daqueles criados mudos que costumavam acompanhar os heróis das lendas antigas.

Pelo contrário, infelizmente, quem Wiladowski indicasse como seu ajudante-de-ordens temporário teria de ser minimamente hábil na conversa e, do seu ponto de vista, isso eliminava a maior parte dos convidados para a cerimônia. Enquanto examinava as pastas, Wiladowski viu-se a sentir tanta falta da capacidade de Tausk de acomodar o seu tom de voz ao estado de espírito do conde-governador quanto da competência profissional do espião-chefe. No entanto, de modo quase imperceptível, um novo plano começou a tomar forma na mente de Wiladowski. Ocorreu-lhe que talvez pudesse fazer mais do que apenas convocar um protetor socialmente competente para si. Já que não podia mais desconcertar Zichy-Ferraris e os outros obrigando-os à companhia de um judeu, por que não ir no sentido oposto e mostrar que ainda tinha contatos de primeiro nível com os jovens da nobreza com possibilidades próprias e invejáveis na capital? Todos sabiam como o imperador prezava o seu corpo de oficiais mais jovens e nada alarmaria mais os inimigos de Wiladowski do que a idéia de que tinha intimidade com algum soldado de carreira das famílias mais distintas, alguém claramente cogitado para o Estado-Maior Geral. Usando isso como critério, de repente a escolha ficou clara. O filho mais novo de von Alpsbach, Karl Gustav, acabara de voltar para a província com uma licença especial da sua unidade para participar da cerimônia e, ainda que fosse improvável que se encantasse com a possibilidade de passar todo o seu tempo livre ajudando o conde-governador, o seu famoso senso de dever o obrigaria a aceitar a missão. Além disso, a família devia ao conde-governador um favor por não se ofender com a rudeza chocante do primogênito, que enviara um bilhete pessoal diretamente a Wiladowski e Marie-Luise declinando do convite para participar das festas, ostensivamente por preocupar-se com a saúde de alguém muito querido. Que afetação! Todo o conselho da província fofocava sobre o caso tempestuoso de Ernst von Alpsbach com a sua amante judia e, agora, parecia que ela estava doente em Brunnenberg e provocando um corre-corre interminável entre os von Alpsbach e sua própria família. Bem, Viktor Demetz era considerado um dos melhores médicos da região, a quem o próprio médico de Wiladowski consultara mais de uma vez e, sem dúvida, era talentoso o bastante para cuidar do problema da filha. Fossem quais fossem as verdadeiras razões para a ausência de Ernst — e a ficha dele sugeria um orgulho demasiado sensível e um desejo indecente de recusar as obrigações inerentes a alguém da sua posição —, deixavam o pai e o irmão numa posição incômoda e praticamente garantiam a concordância de Karl Gustav. Wiladowski rabiscou um bilhetinho pedindo que o Tenente von Alpsbach fosse vê-lo assim que possível e entregou-o ao oficial de serviço para ser entregue imediatamente. Então, inclinando-se em sua cadeira com profunda satisfação visível no rosto, permitiu que um Aloïs de expressão igualmente gratificada lhe entregasse um grande charuto e lhe servisse um cálice do seu *brandy* predileto. Enquanto terminava ambos, lembrou-se de mandar levar um pouco do chá e dos bolos da recepção de Marie-Luise na enfermaria, pensando consigo mesmo quanto prazer a enfermeira, e talvez também Tausk, teriam ao serem assim lembrados.

◆ ◆ ◆

O domingo de Páscoa começou com um dobrar triunfante dos sinos de todos os campanários das igrejas da cidade. As torres faiscavam à primeira luz e os telhados das mansões luziam como ouro avermelhado enquanto o seu metal e as suas pedras capturavam lascas do esplendor da manhã e refletiam-nas sobre as ruas numa torrente fina e translúcida. As colunas branco-rosadas do majestoso teatro de língua alemã mal começavam a surgir da escuridão circundante e, do outro lado da Elisabethplatz, os extravagantes mosaicos Jugendstil da fachada da nova sede da Seguradora Allianz eram uma explosão inesperada de cores num bairro dominado pelas paredes acinzentadas dos prédios comerciais mais antigos. Ao longo de todo o percurso do desfile, os balcões estavam cheios de profusos arranjos de gencianas azul leitoso da primavera e precoces prímulas amarelas, e por toda parte, da prefeitura às tabernas, flutuavam as conhecidas bandeiras negras e amarelas com a águia dupla heráldica da dinastia. Já há semanas as autoridades municipais tinham assegurado que o centro da cidade parecesse um palco colorido no qual os cidadãos felizes buscavam apenas demonstrar o seu amor espontâneo pelo imperador e o próprio Pfister ordenara que a polícia pressionasse qualquer família que parecesse limitada em sua demonstração de ardor.

Felizmente para o estado de espírito de Pfister, não fora programada a passagem da procissão pelo bairro Josef. Uma névoa baixa continuava a flutuar sobre o rio, perto da Ponte Nepomuk, durante o início da manhã, mas finalmente também se dissipou e o bairro Josef foi inundado pela brilhante luz do sol primaveril que parecia ao mesmo tempo enfatizar e atenuar a sua falta de cor. Alguns proprietários, esperando obter as boas graças do governo, puseram guirlandas com as cores dos Habsburgo na entrada da frente de seus prédios, mas assim que anoiteceu elas foram rapidamente vandalizadas pelos habitantes ingratos. Para garantir que, pelo menos ao longo das ruas principais, fossem visíveis pelo menos alguns sinais de fervor patriótico, grandes bandeiras foram livremente distribuídas a todos os moradores, tendo os mais espertos negociado um acordo para ganhar alguns dias de desconto no aluguel em troca de pendurar as bandeiras nas janelas. Mas além de arrancar à força os poucos cartazes sediciosos e remover uma ou outra bandeira vermelha de algum poste, a polícia sabia que era melhor não interferir ali e, apesar dos repetidos memorandos de Pfister sobre o assunto, ninguém tentou obrigar a população local a exibir os sentimentos adequados pelos seus governantes.

Mas embora os trabalhadores do bairro Josef não se dispusessem a embrulhar a sua área com flâmulas dos Habsburgo, também resistiram à idéia de encenar uma contrademonstração para perturbar a cerimônia do Campanário. No último momento, um contingente de agitadores trabalhistas de nível médio e jornalistas radicais de Viena se enfiou num vagão da terceira classe do mesmo trem dos dignitários do governo, que enchiam todos os compartimentos da primeira classe. A greve improvisada do ano anterior contra a Madeireira Hollweg encorajara os líderes socialistas de Viena a esperar que, com um pouco de persuasão, os mesmos homens pudessem ser estimulados a ocupar as ruas e a usar a festa da Páscoa para protestar contra as condições de trabalho em todo o Império. Mas, para o seu desgosto, os organizadores encontraram poucos recrutas dispostos a correr o risco de prisão para dar um exemplo animador ao resto do país. O ataque à meia-noite à casa de Brugger e a prisão inesperada de Nathan Kaplansky mostraram até que ponto o governo se dispunha a ir para manter a ordem e, de sua cela, Kaplansky conseguiu enviar a mensagem de que era hora de cautela, não de correr riscos desnecessários. Não que os escritores mais teoricamente sofisticados de *A voz do trabalhador* se surpreendessem com o fracasso da missão. Como indicaram numa série de textos pungentes, Marx não provara decisivamente que, quanto mais se ia para o leste, menor o potencial revolucionário das massas?

Mas o dilema dos radicais vienenses era pequeno se comparado ao problema espiritual enfrentado por muitos judeus religiosos do distrito. A quase conjunção do *Pessach* e da Páscoa neste ano criara-lhes um grave dilema teológico. É claro que jogar cartas era estritamente proibido para eles; na verdade, era o próprio arquétipo da *goyishe naches*, a tolice que os gentios adoravam e com a qual desperdiçavam estranhamente tantas horas preciosas. No entanto, duas vezes por ano, no Natal sempre e na Páscoa quando não se sobrepunha ao *Pessach*, os rabis não só permitiam como encorajavam ativamente a sua congregação a passar a noite toda jogando cartas como sinal de desdém pela religião herética que surgira entre eles só para se tornar a sua maior perseguidora. "Mas com certeza não nesta Páscoa", perguntavam-se os fiéis, mais incertos do que nunca, agora que tinham perdido, de repente, dois de seus guias mais poderosos, Brugger e o Rabi de Buczacz. Quase por milagre, a crise forçou um armistício temporário entre os líderes religiosos que viviam brigando e se reuniram para decidir uma política uniforme. Depois de horas de debate acalorado, foi anunciado que, este ano, o jogo de cartas seria estritamente proibido, em primeiro lugar devido ao *Pessach*, mas também para exprimir a gratidão com Sua Majestade Imperial, que protegeu os súditos judeus dos terríveis *pogroms* de Páscoa que tinham explodido de novo do outro lado da fronteira. Como disse o Rabi Rechnitz, um dos mais cultos e afáveis do conselho: "Afinal de contas, somos todos naturais da Áustria, onde o exílio nos pesa menos que em outros lugares e onde nossos pensamentos se voltam naturalmente para coisas mais alegres." Infelizmente, entretanto, ninguém no governo sabia que sinal profundo de lealdade os judeus da província tinham acabado de oferecer às autoridades. Quando a manhã nasceu, os ortodoxos ficaram em casa, na cama, em vez de caminhar pelas ruas e mostrar, com a sua exaustão e expressão cansada, como tinham passado a noite. Mas nos aposentos de Marie-Luise, tomando café depois que todos voltaram da missa da manhã, von Kirchstein virou-se para sua anfitriã e queixou-se de que o seu criado acabara de voltar do bairro judeu, onde correra atrás de um alfaiate para fazer um consertinho fundamental na farda do patrão, e descobriu que todos os judeus ainda dormiam profundamente. Sem dúvida, encorajados pela famosa simpatia do seu marido por eles, faltava-lhes agora a decência elementar de se fazerem úteis num dia sagrado para os bons cristãos que tinham o coração mole o bastante para permitir que esta raça pretensiosa e estrangeira vivesse em seu meio.

Era tradição antiga na província que o conde-governador, sua família e sua equipe celebrassem as missas de Natal e Páscoa na capela de Santa Hildegarda, no próprio Castelo, em vez de ir à Catedral na cidade. Ninguém conhecia a verdadeira origem do costume, mas acreditava-se que datasse de uma época em que a extensão da autoridade de Viena sobre a região ainda era contestada. Como muitas crises políticas, esta fora resolvida com um gesto puramente simbólico: duas vezes por ano, para as duas missas mais solenes do calendário litúrgico, os representantes do poder imperial cederiam o seu lugar de direito na Catedral à nobreza da província e se retirariam para a sua capela particular. A solenidade especial desta Páscoa, em que quase toda a atenção da cidade estaria voltada para o conde-governador e os dignitários visitantes, dava uma pungência singular a esta exclusão simbólica no começo do dia.

Embora nunca o dissesse diretamente a Marie-Luise, que achava o costume local de um desrespeito chocante, Wiladowski adorava qualquer coisa que reduzisse o tempo em que teria de aparecer em público. Além disso, as cerimônias na capela de Santa Hildegarda tendiam a ser bem rápidas, já que ninguém gostava de demorar-se num lugar tão pouco convidativo. Apesar das tentativas de gerações de governadores da província e suas esposas para embelezá-la, continuava a ser uma estrutura desagradável, mal iluminada e fria até nos dias mais ensolarados, mais adequada para suportar um cerco do que para inspirar devoção religiosa. O Padre Kakuska, que oficiava as missas no Castelo, viu-se encurtando os sermões para poder voltar aos seus aposentos aconchegantes o mais depressa que o seu senso de decoro lhe permitisse. Wiladowski aprovava inteiramente a tendência do padre, principalmente na manhã de Páscoa, quando a missa acontecia antes do café-da-manhã e todos tinham de comparecer de estômago vazio. A maioria dos visitantes hospedados no Castelo ainda dormiam quando o dobrar dos sinos chamou-os à missa. Sabendo quantos outros deveres aguardavam os seus congregantes, o Padre Kakuska superou-se em sua brevidade, embora realizasse todas as solenidades requeridas. Marie-Luise ordenara que um lauto desjejum fosse preparado para que os hóspedes, juntamente com o Padre Kakuska, se servissem à vontade antes de vestir os uniformes de gala para o desfile cerimonial.

Apesar da ocasião, Wiladowski, como era de seu costume nas manhãs comuns, tomou o café-da-manhã sozinho no escritório. Suspeitou que a sua ausência provocaria comentários hostis, mas precisava de algum tempo consigo mesmo antes de lançar-se na ciranda constante dos deveres da festa. Além disso, sabia como os visitantes e Marie-Luise gostariam de trocar fofocas da corte sem ele para atrapalhar-lhes o prazer e previu que, quando o dia acabasse, seus hóspedes teriam exemplos suficientes da sua negligência para fazer o desleixo da manhã apagar-se da lembrança. Com Tausk internado na enfermaria, o conde não tinha informações confiáveis sobre o clima na cidade, mas se houvesse um relatório detalhado sobre o bairro Josef disponível sentiria solidariedade com a falta de entusiasmo dos moradores pela cerimônia do Campanário.

Enquanto pensava no longo dia à sua frente, nenhuma das diferentes facções do bairro Josef conseguiria sentir-se mais infeliz com o desfile que Wiladowski estava prestes a encabeçar do que o próprio conde-governador. Ficou se levantando da mesa do café para examinar o horizonte, atrás de algum sinal de chuva, mas ao ver o céu sem nuvens a se estender até as estepes, abandonou toda esperança e, mal-humorado, ordenou que Aloïs lhe trouxesse a farda e o ajudasse a vesti-la. Como a maioria dos membros da sua classe, Wiladowski detinha um posto honorário em pelo menos um dos regimentos de elite e esperava-se que usasse a farda em ocasiões cerimoniais e feriados nacionais. Havia sempre muita competição entre as diferentes armas em que o exército imperial se dividia e a artilharia, a infantaria, o corpo de engenharia e a cavalaria gozavam todos de períodos de relativo prestígio e declínio. Cortesãos bem cotados como Zichy-Ferraris, Trautmannsdorff, Hohenlohe-Schillingsfurst e von Kirchstein evitavam o risco de associar-se a qualquer uma das armas momentaneamente desfavorecidas fazendo-se nomear coronéis honorários de unidades famosas de todas elas e havia muita especulação em todo o Castelo a respeito de que farda, entre as muitas a que tinham direito, os visitantes escolheriam. Eles mesmos faziam tanto mistério sobre a sua escolha quanto as esposas sobre o corte e a cor dos vestidos para o primeiro baile da estação, mas não era segredo que Zichy-Ferraris tentara subornar o valete de Trautmannsdorff para descobrir com antecedência que farda o seu preferiria. Embora somente Wiladowski tivesse o direito de usar a imponente Grã-Cruz da Ordem de Leopoldo, com o passar dos anos o imperador concedera a todos eles abundantes condecorações e medalhas de modo que, quando finalmente saíram inteiramente adornados de seus quartos para dar início à grande procissão pela cidade, um observador pensaria que, a não ser pelo cabelo grisalho e pela barriga, passava por ele uma coluna sem igual de heróis militares desde os lendários paladinos de Carlos Magno.

Em seus pesadelos, Wiladowski costumava viajar numa carruagem fechada, acompanhado por Marie-Luise e pelo menos um assessor, quando o estilhaçar das janelas lhe dizia, um segundo antes da verdadeira explosão, que uma bomba fora lançada no coche. Mas hoje teria negada a proteção da sua carruagem especialmente reforçada, já que a tradição exigia que liderasse a procissão a cavalo. Enquanto pensava no que o aguardava, Wiladowski progrediu aos poucos de um leve desagrado para um ódio ativo por toda espécie de cavalo. Concluíra que a sua morte podia resultar, com a mesma probabilidade, tanto da queda de um desses animais quanto da bala de um assassino. Como comentário mordente sobre o absurdo da coisa toda, escolhera montar o garanhão cinzento que ganhara jogando bilhar com o Tenente von Sulzbach. Já que o pobre oficial estaria a pé durante o desfile, se visse o conde-governador cair para a morte do mesmo cavalo que perdera numa aposta poderia arrepender-se menos daquela noite e a vida de Wiladowski terminaria num ato de gentileza caridosa, ainda que extremamente relutante, para com um de seus próximos.

 Os cavalos escolhidos para a procissão diferiam tanto em cor e tamanho quanto as variadas fardas usadas pelos cavaleiros. Ninguém cometera a gafe de aparecer num garanhão branco que pudesse ser confundido com um dos renomados Lipizzaners do monarca, mas com esta exceção praticamente todas as raças eqüinas estavam representadas. Trautmannsdorff, depois de horas de indecisão agonizante, fora audacioso o bastante para escolher uma farda cor de creme com punhos dourados e alamares vermelhos e brancos que, aos olhos de Wiladowski, lembrava de forma inadequada o famoso retrato do próprio Francisco José. Pelo menos, evitara usar em seu capacete um daqueles penachos enfeitados de plumas de que o Imperador tanto gostava. De qualquer modo, comparado ao capacete altíssimo e encimado de crina que Zichy-Ferraris usava para completar a sua farda de artilharia, azul como ovos de tordo com uma fila dupla de botões dourados, Trautmannsdorff parecia quase casto. A aparência mais esquisita de todas era a de Konrad von Hohenlohe-Schillingsfurst. Talvez já começasse a ser vítima da tendência à loucura que uma vez a cada geração surgia em sua linhagem ou talvez, simplesmente, mas com certa excentricidade, tivesse concluído que, já que iam comemorar o tricentésimo aniversário da reconsagração do grande Campanário, seria adequado que se vestisse como os seus antepassados na esplêndida festa original. De qualquer modo, tirara dos cofres da família uma armadura completa toda enfeitada em prata e negro, com botas altas de couro branco, uma larga faixa dourada e escarlate presa ao ombro esquerdo para tremular solta atrás dele enquanto cavalgava e, pendurada ao lado, numa intrincada bainha negra e dourada, uma enorme espada de combate de punho grosso. A sua única concessão ao calendário foi modificar em cinqüenta anos o adorno da cabeça, de modo que, em vez do capacete que deixaria o seu rosto invisível para a multidão, Hohenlohe-Schillingsfurst escolheu um vistoso gorro de feltro negro com uma pluma vermelha, imitação do que o Cardeal-Infante Ferdinando usara na Batalha de Nördlingen, em 1634, na qual um dos seus próprios ancestrais lutara com toda a valentia. Infelizmente, a prática de aprender a manter-se sobre o cavalo vestido de armadura completa caíra em desuso nos séculos intervenientes e, embora a armadura cerimonial fosse bem mais fina e leve do que a que realmente se usava em combate, ainda assim era pesadíssima se comparada com qualquer coisa na qual Hohenlohe-Schillingsfurst já tivesse tentado se mover antes. Em conseqüência, em vez da sua fita escarlate dançar ousadamente na brisa, foi o cavaleiro que ondulou precariamente de um lado para o outro enquanto o corcel negro avançava. Wiladowski fora treinado desde a primeira infância a controlar as expressões do seu rosto mas, quando avistou Hohenlohe-Schillingsfurst no pátio, lutando para montar com a ajuda de três criados, os seus olhos se arregalaram de estupefação. Agora, cavalgando ao seu lado pela Ponte Nepomuk e descendo a Mariahilferstrasse na direção da Radetzkyplatz e do Clube Mendelssohn, o conde-governador estava positivamente alarmado, certo de que, a qualquer momento, Hohenlohe-Schillingsfurst despencaria do cavalo e, na queda, arrastaria consigo todos os que estivessem em volta.

Mas embora a opinião de Wiladowski sobre o equilíbrio mental e físico de Hohenlohe-Schillingsfurst fosse pouco generosa, a sua avaliação sobre o efeito do homem sobre a multidão que ladeava as ruas não poderia ser mais errada. O conde-governador estava convencido de que, assim que avistassem o personagem curvado e fantasiado como um extra da Casa de Ópera Imperial, um jorro de risadas com toda a certeza irromperia e a cerimônia seria superada pelo tipo de humilhação pública quase tão perigosa para o governo quanto a violência revolucionária. Contudo, para o seu espanto foi Hohenlohe-Schillingsfurst que pareceu inspirar a admiração irrestrita dos espectadores. Em cada parada ao longo da passagem do desfile ele foi saudado com muito aplauso e gritos de "Hurra!", como se aprovassem a sua disposição de vestir-se para o papel sem nenhuma limitação. Assim que o povo o avistava começavam as saudações, que subiam de volume até atingirem o que seus ancestrais deviam ter ouvido ao voltar vitoriosos para a capital vindos do campo de batalha. O próprio Hohenlohe-Schillingsfurst agradecia modestamente a aclamação erguendo, o mais brevemente possível, a mão blindada das rédeas às quais se agarrava com a devoção de uma relíquia sagrada, balançando o corpo numa aparente apreciação das saudações entusiasmadas antes de cair de volta sobre a manta trabalhada em vermelho e ouro decorativamente disposta sobre a sua sela.

Enquanto os olhos de Wiladowski continuavam examinando a multidão, mantida a uma distância respeitosa por uma linha de soldados regulares com as capas castanhas e plumas vermelhas do uniforme de gala, o conde-governador pensou reconhecer alguns rostos que se moviam entre os espectadores como pertencentes aos homens de Tausk e sentiu-se mais confortado com a sua presença do que com os soldados armados. Somente Karl Gustav von Alpsbach, que pretendia manter o mais perto possível de si ainda que isso significasse cavalgarem os dois juntos em vez de ir na frente do desfile, inspirava-lhe alguma confiança. Às vezes dava uma olhada rápida e invejosa para Marie-Luise e os civis importantes que seguiam bem atrás numa fila de carruagens de ébano e rodas altas e constituíam um alvo muito menos convidativo que os homens que lideravam o desfile a cavalo. A inspeção "de surpresa" do quartel do exército que dera início à manhã fora admiravelmente sem incidentes. Depois que os soldados passaram marchando pelo conde-governador no pátio, houve uma troca de ensaiadíssimas saudações aos oficiais superiores estacionados na cidade e aos distintos visitantes. A coisa toda fora agradavelmente curta e culminou num voto fraterno de fidelidade vitalícia à Igreja e ao Trono ao qual toda a tropa e o grupo cerimonial se uniram com entusiasmo. O conde-governador, que via todas as funções públicas a que sobrevivera sem graves danos como triunfos pessoais, afastou-se do quartel com uma sensação de alívio porque os eventos do dia tinham começado de forma tão encorajadora. Só quando se aproximaram da estátua de Schwarzenberg é que começou a se preocupar com a possível esquisitice da função toda no Clube Mendelssohn. Concebera a visita ao clube judeu principalmente como um toma-lá-dá-cá em troca das contribuições financeiras de Moritz Rotenburg e, em segundo lugar, para irritar Zichy-Ferraris. Mas com o financista nalgum lugar da Suíça, a principal razão para uma parada oficial ali se desfizera. Era impossível cancelar a visita, mas faria o máximo possível para abreviá-la, ao mesmo tempo que ainda irritaria a todos do grupo que estavam ofendidos com o envolvimento de judeus na cerimônia da Páscoa. Wiladowski não pensara em reescrever o discurso preparado, dedicado em grande parte a louvar as muitas contribuições patrióticas de Rotenburg à província e ao Império. "Com o seu espírito público e a sua generosidade, este homem de origem humilde tornou-se mais do que apenas um crédito à sua raça; demonstrou sem dúvida alguma como se pode confiar que esta raça, com tanta freqüência mal interpretada e perseguida, produz cidadãos cuja lealdade não é, de modo algum, inferior à dos outros súditos do imperador." Wiladowski decorara estas linhas semanas atrás e sabia que conseguiria dizê-las com o *páthos* necessário. No entanto, o problema imediato é que o conde-governador não tinha idéia de quem receberia o seu discurso e, quando a procissão parou na frente do clube, examinou sem sucesso o comitê de boas-vindas reunido na soleira em busca de algum rosto conhecido. No decorrer dos seus deveres recebera no Castelo numerosas delegações de judeus ricos, mas Rotenburg era o único que viera a conhecer pessoalmente, e assim não surpreendia que, entre os doze ou mais homens que enchiam os degraus, todos usando cartolas negras e ternos formais escuros, nenhum rosto lhe fosse familiar. O que Wiladowski registrou, divertido, foi o contraste entre o arco-íris dos uniformes do seu grupo e a discrição sóbria das roupas usadas pela diretoria do Clube Mendelssohn. No grupo de Zichy-Ferraris, a tendência inata dos judeus aos excessos levantinos e de mau gosto em suas roupas e maneirismos era fonte freqüente de piadas maliciosas e Wiladowski não conseguiu resistir a acenar para Zichy-Ferraris e perguntar-lhe se o visitante de algum país longínquo, ao ver os dois grupos e ser informado das suas supostas características, não se enganaria ao dizer quem seriam os judeus e quem seriam os cristãos.

É claro que a disposição de Wiladowski para defender os seus judeus contra alguém como Zichy-Ferraris era coisa bem diversa de ter alguma familiaridade com eles. Felizmente, assim que um dos integrantes mais idosos da delegação se aproximou da procissão e fez uma elaborada reverência para Wiladowski, um ajudante-de-campo se aproximou entre Wiladowski e Karl Gustav e sussurrou aos ouvidos do conde-governador:

— Gerhard Himmelfarb, negociante aposentado, Excelência.

Era tudo de que Wiladowski precisava. Apeou e ouviu com um sorriso benévolo o interminável discurso de boas-vindas — era impossível negar que essa gente era mesmo extraordinariamente prolixa! — e quando finalmente chegou a hora de responder dirigiu-se ao homem como se fossem conhecidos há muito tempo e gritou para que todos os que estivessem perto pudessem ouvir:

— Meu caro Himmelfarb, em nome de todos nós aqui hoje, agradeço-lhe por sua saudação tão hospitaleira.

Como Wiladowski previra, ser reconhecido publicamente na frente dos colegas do clube pelo representante do próprio imperador foi o momento mais alegre da vida do camarada. Apesar da sua tez desagradavelmente acinzentada, era óbvio que Himmelfarb corava com o orgulho envergonhado de uma adolescente. Wiladowski aproveitou a excitação de Himmelfarb para correr com a sua própria declamação o mais depressa que a decência permitia. Começou pedindo desculpas por não poder entrar e visitar o clube. Tivera esperanças de fazê-lo, mas as exigências das suas numerosas responsabilidades — e fez com a cabeça um sinal para Himmelfarb, como se fossem igualmente sobrecarregados e, assim, pudessem entender bem a situação — obrigavam-no a adiar aquele que, sem dúvida, seria um raro prazer. Mas estava decidido a não partir sem falar a todos sobre seu elevado apreço pelo ilustre membro-fundador, infelizmente enfermo demais para estar presente hoje. Nisso, Wiladowski fez o seu encômio a Moritz Rotenburg, certo de que, como colega empresário, Himmelfarb gostaria de saber que um homem com quem dividia não só a religião como também a profissão podia conquistar a estima dos setores mais elevados da terra.

— Não preciso dizer mais — concluiu categoricamente — além de que as realizações do seu compatriota foram favoravelmente notadas por Sua Majestade Apostólica em pessoa e não tenho dúvidas sobre a profunda satisfação que isso deve trazer aos senhores e aos outros membros importantes da sua comunidade. — Então, auxiliado por Karl Gustav, Wiladowski voltou a montar meio sem jeito o seu cavalo cinzento. Deu com o braço um aceno que esperava elegante para assinalar à procissão que avançasse, deixando Himmelfarb, que contara com o prestígio de levar pessoalmente o conde-governador e os seus acompanhantes mais distintos até as salas da diretoria, onde mandara preparar petiscos elaborados, de pé na porta com expressão desconsolada.

Embora os acontecimentos mais árduos ainda o esperassem, Wiladowski começava a sentir-se quase alegre. A visita ao clube judeu fora bastante bem.

A única coisa lamentável era terem escolhido um velho tão chato para recebê-lo no lugar de Rotenburg. Wiladowski sempre gostara da música vocal de Mendelssohn e, sem dúvida, o clube devia ter um coro excelente e ensaiado para executar as suas composições. Teria sido um prazer ouvi-lo em vez daquele Himmelfarb mas, pelo menos, conseguira deixar contente um dos conhecidos de Rotenburg. A parada final antes que a procissão chegasse à Praça da Catedral era politicamente a mais importante das três, mas de forma muito indireta, e não se esperava que oferecesse alguma dificuldade. A Igreja Ortodoxa Grega de Santo Atanásio, o Grande, ficava no cuidadíssimo Largo Freudenau, entre o Clube Mendelssohn e a Catedral da cidade. Era uma construção relativamente modesta, erigida há setenta e cinco anos para servir à pequena e próspera comunidade de negociantes gregos e suas famílias que se tinham instalado na província e era notável principalmente por um esplêndido ícone bizantino de Santo Atanásio doado por um dos fundadores da congregação. O ministro do Exterior só sugerira a visita depois que todos os especialistas, inclusive Wiladowski, concluíram que parar em frente à Igreja Ortodoxa Russa seria provocador demais. Na linguagem da diplomacia, parar na frente da Igreja de Santo Atanásio assinalaria a determinação do imperador austríaco de assumir a responsabilidade por todos os seus súditos ortodoxos, quer vissem Moscou ou Constantinopla como o seu centro religioso. Mas desviar a visita para a igreja grega em vez da russa mitigava parte do veneno da declaração e mantinha a possibilidade de uma acomodação em outras áreas. Traduzindo o gesto em palavras, representava a diferença entre "assumir a responsabilidade" e "afirmar um direito". Para os membros do grupo cerimonial — e, com igual importância, para os assessores do czar em São Petersburgo — esta linguagem era tão clara quanto incompreensível para os paroquianos de Santo Atanásio ou para o Padre Dimitrios Kastanas Spyridon, o seu jovem sacerdote.

O discurso que Wiladowski preparara para a ocasião diferia levemente daquele que acabara de proferir com resultados tão felizes no Clube Mendelssohn. Queria elogiar toda a comunidade ortodoxa grega pela sua industriosidade e pela fidelidade ao imperador. Como ponto culminante da visita, concederia a Medalha Imperatriz Elisabeth a Theodor Chorafa, o mercador grego mais rico, cujo avô doara o ícone de Santo Atanásio à igreja e que sempre fazia contribuições generosas ao fundo de caridade de inverno do conde-governador. Numa versão adequadamente reduzida, Wiladowski pôde aplicar a Chorafa algumas frases que usara para elogiar Rotenburg e esta economia de esforço agradou-lhe como se fosse uma fórmula elegante no texto de um tratado político. Ali, contudo, Wiladowski contava incluir referências aos costumes comuns de Páscoa que ligavam os ortodoxos gregos às muitas outras denominações cristãs do Império. Esperava ser saudado com um alegre "Christos Anesti! Cristo Subiu!" e espantar a congregação com a resposta ritual correta, "Alethos Anesti! Realmente Subiu!". Mas os seus assessores esqueceram-se de lhe avisar que o calendário ortodoxo grego era diferente do romano e que, para eles, o domingo de Páscoa seria na outra semana. Só quando a procissão avistou a igreja o capelão do exército, que, embora católico, conhecia alguma coisa desses assuntos devido aos soldados aos seus cuidados, informou a Wiladowski que, para os ortodoxos, hoje era apenas o Domingo de Ramos. Ninguém dissera a Wiladowski que essa gente comemorava o Domingo de Ramos e o capelão confessou que ele mesmo tinha apenas uma vaga idéia. Em conseqüência, e para choque dos fiéis, que concluíram que ele devia ter algum preconceito contra a sua fé, o conde-governador ficou temeroso demais de cometer alguma gafe teológica para arriscar-se a alguma referência religiosa.

Quando a procissão virou a esquina e chegou ao Largo Freudenau, as portas da igreja de Santo Atanásio abriram-se de par em par e o som dos louvores saiu para a rua pela entrada aberta. Lá dentro, o prédio todo brilhava com as velas que faiscavam em centenas de jarrinhas vermelhas. O ícone dourado do santo parecia atrair a luz para o fundo da cabeceira da igreja, onde luzia mais brilhante em sua moldura do que o domo de bronze da igreja sob o sol lá fora. Nem palmeiras nem oliveiras sobreviveriam no clima local e assim, para a Festa de Ramos, os ortodoxos usavam ramos de salgueiro, que já tinham brotos na Páscoa. Todo o altar estava coberto de galhos quase floridos de salgueiro, postos ali para serem abençoados e levados para casa. Wiladowski deu uma rápida olhada na igreja e fez com a cabeça um sinal aprovador para o sério Padre Spyridon. Em geral, as seduções estéticas da religião deixavam Wiladowski indiferente, mas alguma coisa nessa exibição o atraiu.

Dali a poucas frases, teve a impressão desagradável de que a visita não ia bem. Se Himmelfarb fora tedioso e prolixo, o Padre Spyridon nada disse e apenas levantou as mãos e pronunciou uma bênção em grego para os visitantes. Em vez de se sentirem, ele e o seu rebanho, honrados com a procissão, o padre parecia incomodado com a interrupção e não parava de fitar o conde-governador com expressão impenetrável. Como nada do que dissesse parecia provocar nenhuma mudança na atitude do sacerdote, Wiladowski correu com o seu discurso o mais depressa que pôde, como fazia quando brindava no aniversário de alguma de suas numerosas tias. Logo terminou, mas nem assim houve resposta. Depois de alguns embaraçosos segundos de silêncio, o Padre Spyridon levantou a mão em oração mais uma vez e, a julgar pela direção do seu olhar, parecia esperar que Wiladowski se ajoelhasse na rua para receber a bênção. O conde-governador não tinha a menor intenção de fazer uma coisa dessas e ficou irritado com o rumo que o encontro tomava. A irritação de Wiladowski deu-lhe energia suficiente para montar sem nenhuma ajuda. Deu rapidamente a ordem de prosseguir para a Praça da Catedral e, em sua mente, começou a redigir uma carta ao ministro do Exterior explicando por que seria um erro terrível para o imperador confiar nos súditos ortodoxos em qualquer conflito com a Rússia. Enquanto cavalgavam lado a lado, Karl Gustav notou o cenho franzido de Wiladowski e, achando que se devia a alguma ansiedade com questões de segurança, garantiu-lhe que havia quase tantos guardas quanto fiéis na pequena área em frente à igreja. Talvez fosse porque falava apenas a um tenente, ou talvez porque, como todo mundo, simpatizara com Karl Gustav, mas, seja qual for a razão, em vez de fugir da pergunta com alguma piadinha, Wiladowski admitiu que achara o comportamento brusco do padre muito desconcertante e não podia deixar de interpretá-lo como mau augúrio para a cerimônia que os esperava. Karl Gustav olhou-o pensativo por um instante e, sem nenhum resquício de crítica ou diversão na voz, explicou que soubera pela mãe, que se mantinha a par de todas as fofocas da cidade e era uma das melhores freguesas de Theodor Chorafa, que o Padre Spyridon chegara de Istambul há menos de seis meses e ainda não falava quase nada em alemão. O discurso de Wiladowski devia ter sido bem incompreensível para ele, ainda mais que, se podia permitir-se uma observação tão pessoal, Sua Excelência só falara no vienês teresiano das classes mais altas, que soava totalmente diferente de tudo o que o Padre Spyridon já ouvira do povo que, até então, conhecera na cidade. O pobre homem devia ter ficado totalmente confuso e era provável que tivesse fitado tanto o rosto de Wiladowski na esperança de decifrar, pela expressão, o que poderia estar dizendo o conde-governador.

Em vez de sentir-se desconcertado com o seu erro, Wiladowski alegrou-se imediatamente. O importante é que a visita não fora uma catástrofe e, assim, não podia constituir um mau augúrio. Todo o resto fora trivial. Ninguém dissera nada abertamente antagônico na igreja e uma cartinha, escrita em grego por alguém contratado para a tarefa, elogiando o trabalho que o Padre Spyridon estava fazendo em sua nova paróquia e convidando-o para um almoço no Castelo, seria suficiente para acalmar qualquer suscetibilidade ferida. Talvez a cerimônia da Praça da Catedral não estivesse condenada a ter um fim horrível. No mínimo, o Conde Wiladowski encontrara em Karl Gustav um jovem soldado com quem se sentia confortável e pretendia fazer o máximo para transferi-lo definitivamente para a sua própria equipe com alguma promoção convidativa e a promessa de responsabilidades bem maiores. Com Tausk recuperado e a cargo da sua rede de espiões e Karl Gustav no comando dos seus soldados, Wiladowski achou que talvez conseguisse passar o resto do seu mandato com a cabeça mais leve.

Uma multidão vinha se reunindo na Praça da Catedral desde o amanhecer. Muitos cidadãos resolveram assistir à missa de Páscoa no início da manhã e ficaram para encontrar um lugar na praça perto do palanque. Um contingente de guardas do Castelo, auxiliado pelo pessoal de segurança que acompanhava os dignitários de Viena, circulava em meio ao público que esperava, garantindo que ninguém com aparência suspeita ficasse por ali. Várias vezes, com aprovação audível das pessoas bem vestidas mais próximas, a polícia removeu discretamente um ou outro rapaz cujas roupas puídas indicavam um histórico pouco confiável. Em toda a praça a profusão de monumentais chapéus de Páscoa de todas as cores, flores e laços da engenhosidade milagrosa das chapeleiras era espantosa, como se, numa sutil homenagem ao grande Campanário, suas donas competissem para ver quem conseguia equilibrar sobre a cabeça a estrutura mais complexa, enquanto as filhas mais novas permaneciam ao seu lado em vestidos brancos e simples com ramalhetes de botões de flores azuis presos aos cabelos. A maior parte das mulheres levara guarda-sóis de primavera de vistosa decoração para protegê-las do sol, mas como era quase impossível abri-los numa multidão tão fechada, foram entregues à guarda segura dos maridos acompanhantes e ociosos, de pé atrás das esposas, cada um imaginando se conseguiria avistar a amante com a família nalgum ponto da multidão. Dez filas de cadeiras de madeira com almofadas de seda vermelha nos assentos numerados tinham sido arrumadas logo abaixo do palanque, mas estavam cercadas de guardas fardados e para ter acesso a elas era preciso um convite assinado pessoalmente por Mathias Pfister. Esses lugares estavam reservados aos membros da nobreza local e às principais famílias de classe média, que não tinham importância suficiente para merecer um lugar no palanque mas ainda assim precisavam ser separados da população em geral como forma especial de reconhecimento. O restante dos espectadores teria de ficar de pé atrás, mas nem o desconforto da longa espera antes do início da cerimônia nem a dificuldade de ver o que acontecia na frente da praça através da espessa aglomeração de chapéus pascais e cartolas desencorajavam alguém. Até aqueles que tinham convites, que poderiam vir mais tarde para enfatizar que tinham cadeiras confortáveis à sua espera, começaram a chegar bem antes do meio-dia, mais preocupados em não perder nenhuma fofoca do que em exibir a sua distinção. Os mais importantes dentre eles logo se encontraram e formaram um salão improvisado ao ar livre no qual ninguém realmente se sentava mas perambulava suficientemente perto do seu lugar para conversar com todos sem ter de virar-se o tempo todo mas sem deixar de mostrar em que fila fora colocado.

Como as maciças portas de bronze da catedral e as famosas esculturas de pedra dos 12 apóstolos sobre o pórtico estavam encobertas pelo palanque, a eminência do Campanário destacou-se ainda mais. A própria construção sofrera tantas alterações, principalmente depois do grande incêndio há trezentos anos e de novo durante a moda de modernizações do século XVIII, que pouquíssimo do seu projeto original sobrevivera. Em sua mais recente encarnação, a Catedral tinha uma planta-baixa em forma de cruz latina, com transeptos arredondados, uma grande cúpula central e seis capelas independentes de cada lado da nave. O interior era luxuosamente decorado com estuco e folha de ouro, afrescos bem coloridos da vida da Virgem e, onde fosse possível, uma profusão de enfeites complicados em branco, rosa e ouro. Nos dias claros toda a estrutura era inundada pela luz do sol e, embora fosse uma catedral menor do que as que várias autoridades visitantes tinham visto noutros lugares e não contivesse obras de arte que algum conhecedor pudesse considerar de primeira classe, ainda assim era um prédio atraente que compensava com graça e uma certa teatralidade plácida o que lhe faltava de grandeza. A princípio o conde-governador pensara em realizar a cerimônia de reconsagração do Campanário depois da missa do meio-dia, mas o Arcebispo Hartenstein convencera-o de que seria mais adequado para os representantes do estado fazer os seus discursos e só depois, quando todos os negócios mundanos terminassem, levar a procissão solene para a igreja para uma missa que seria o clímax emocional perfeito para um dia tão sagrado. Quando a cavalgada avistou a praça, Wiladowski gostou de ter aceitado a sugestão de Hartenstein. Quanto mais cedo terminasse o seu próprio papel no caso, mais cedo poderia parar de se preocupar e voltar aos seus próprios pensamentos. Em vez de ficar sentado durante mais uma missa, ansioso com o que poderia acontecer depois, ficaria aliviadíssimo ao saber que, assim que estivesse abrigado na catedral, nada mais se exigiria dele até o banquete de despedida à noite.

Como planejado, a procissão deu duas voltas na praça inteira de modo que todos, não importa onde estivessem, pudessem ver os cavaleiros. Wiladowski não se surpreendeu mais quando mais uma vez Hohenlohe-Schillingsfurst recebeu as saudações mais entusiasmadas. Quanto mais cansado ficava e menos firme em seu cavalo, maior a impressão que Hohenlohe-Schillingsfurst causava e o aplauso talvez se intensificasse porque os córregos contínuos de suor que desciam da testa para o peitoral negro e prateado pareciam-se muito com o que deveria ter sido o sangue escorrendo de alguma ferida em séculos passados. A praça mal comportava tamanho grupo a pé e assim a cavalgada terminou a sua rota atrás da catedral, onde havia soldados à espera para cuidar das montarias e ajudar as mulheres e os visitantes civis a descer das carruagens. O grupo então arrumou-se em pares, segundo posto e precedência, e, liderado por um sorridente Wiladowski com Marie-Luise, seguiu para a praça e subiu ao palanque por sobre o tapete vermelho que Pfister impusera ao conde-governador.

No momento em que a procissão saiu de trás da catedral e voltou a ser vista, a banda militar começou a tocar o grande hino de Haydn adotado pelos Habsburgo como música oficial da dinastia. O tema foi aproveitado e repetido pelos sinos da torre até que de repente, sem nenhum aviso oficial, todo o público da praça começou a cantar a conhecida letra, "Deus preserve, Deus proteja, o nosso imperador e a nossa terra". Até Wiladowski, que raramente se emocionava com manifestações de devoção a uma família que conhecia desde a infância e de cuja aptidão para o cargo não estava nem um pouco convencido, viu-se começando a murmurar baixinho os versos de Lorenz Haschka. Sentiu a mão de Marie-Luise segurar-lhe o braço com mais força enquanto caminhavam juntos para o palanque, passo a passo, em consonância instintiva com a música.

A explosão do primeiro tiro atingiu a procissão ao mesmo tempo que um rufar triunfante dos grandes tímpanos. Durante meio segundo todos acharam que a salva penetrante e aguda das armas seria um novo efeito musical, habilmente criado pelo mestre da banda para dar um toque dramático à lenta passagem da coluna pela multidão. Mesmo um segundo depois, quando o corpo de Zichy-Ferraris balançou e caiu para a frente na fila de cadeiras, a percepção do que estava acontecendo não atingiu ninguém a não ser as testemunhas mais próximas. Só depois que um grito aterrorizado, ninguém soube de quem, foi ouvido acima dos outros barulhos um surto de medo se espalhou pela praça apinhada. Mas a partir daquele momento o pânico foi incontrolável. Era impossível dizer quanta gente disparava, já que os tiros pareciam vir ao mesmo tempo de várias partes da praça. A incerteza intensificou o terror geral e as pessoas começaram a correr freneticamente para a rua, derrubando-se umas às outras no desespero de escapar, só para colidir com uma tropa de soldados armados que tentava abrir caminho até os dignitários para protegê-los. Antes que alguém se movesse, Wiladowski jogou-se no chão, debaixo de uma das cadeiras. Dali viu Karl Gustav, já sangrando de um ferimento no ombro, tentar proteger Marie-Luise quando uma segunda bala, disparada de mais perto, arrancou-lhe parte da cabeça e ele caiu onde estava, deixando Marie-Luise de pé, sozinha e espantada, salpicada com uma mistura de sangue e tecido cerebral. Ali ficou ela, em choque, aparentemente incapaz de mover-se, até que, finalmente, um dos guardas a alcançou e puxou-a para lugar seguro. Com todo mundo correndo na direção oposta, foi fácil para Hohenlohe-Schillingsfurst abrir caminho até o palanque, onde ficou o tempo todo observando a cena aos seus pés, sereno e confiante de que sua armadura continuaria a protegê-lo das balas. Teve mais sorte que Pfister, que estava perto do fim da procissão e estaria seguro em seu lugar invisível entre os convidados civis menos importantes. A julgar por sua expressão, não deve ter-se considerado em perigo também porque, quando caiu de repente, como um prédio cujos suportes fossem retirados, o rosto só mostrava surpresa, em vez de dor ou medo. Parecia ofendido, quase como se fosse obrigado a testemunhar alguma quebra incompreensível da etiqueta, e as últimas palavras que se ouviram dele foram um lamento perplexo sobre a má sorte imerecida que o perseguira durante toda a carreira.

Apesar de toda a sua fúria, os tiros duraram menos de um minuto. Assim como todos demoraram para perceber que estavam presos num mortal fogo cruzado, levou algum tempo, depois do último tiro, para que ficasse claro que o ataque terminara. Wiladowski só concordou em sair do seu esconderijo debaixo da cadeira quando o oficial superior da guarda lhe garantiu que tudo estava novamente sob controle e que um grande grupo dos companheiros de Sua Excelência estava reunido em segurança atrás do palanque, cercado por um anel de soldados. Marie-Luise e Hohenlohe-Schillingsfurst faziam o possível para confortar as famílias enlouquecidas. Todos os feridos tinham sido imediatamente evacuados para o hospital da cidade e a maior parte da nobreza local preferira correr de volta para as suas próprias propriedades sem esperar uma escolta adicional. No entanto, levou algum tempo para que a praça ficasse completamente vazia de espectadores. Esperavam-se reforços militares a qualquer momento e, assim que chegassem, o resto do grupo do conde-governador seria escoltado de volta ao Castelo em carruagens fechadas. Fariam um caminho diferente, caso houvesse algum terrorista ainda à solta, mas o oficial era da opinião que o perigo já passara. Um dos assassinos já fora preso na Mariahilferstrasse. Com a excitação, disparara a arma por acidente na própria perna e sangrava muito com o ferimento. Sem dúvida não levaria muito tempo para que os outros também fossem presos. Wiladowski ficou perplexo ao saber que o terrorista, levado acorrentado diretamente para a prisão do Castelo, era o jovem Leo von Arnstein e suspeitou que houvesse algum engano na identificação. Mas tudo isso logo seria esclarecido. O que importava agora era preparar-se para ouvir até que ponto tudo desandara. Apesar dos pesares, o Major Tatrallyay permitiu-se dizer ao conde-governador na hora da partida, considerando que a procissão se permitira ser encurralada numa emboscada à prova de fuga, por sorte não morrera mais gente.

— Diga isso ao ministério em Viena — explodiu rudemente Wiladowski. Agora que estava em segurança, achou aconselhável usar um tom duro com todo mundo e decidiu ficar com o major, fingindo assumir o comando, do que unir-se ao grupo sob o palanque e arriscar-se a ouvir algum comentário desagradável. Apesar das tentativas de palavras de encorajamento do major, o relatório preliminar era devastador. Houvera três mortes: o Conde Zichy-Ferraris, o Tenente Karl Gustav von Alpsbach e o Primeiro-secretário Mathias Pfister morreram instantaneamente de seus ferimentos. Quatro outros membros do grupo cerimonial tinham sido feridos, o Barão von Kirchstein com gravidade, embora o médico do exército que o examinara dissesse que tinha boa possibilidade de se recuperar. Pelo menos 12 espectadores tinham se ferido no corre-corre tentando fugir, a maioria com pequenas escoriações, mas infelizmente uma criancinha morrera ao cair e ser pisoteada por quem vinha atrás.

Este último detalhe deixou Wiladowski mais deprimido do que todas as outras mortes, com exceção de Karl Gustav. Ele e Marie-Luise nunca tiveram filhos e ele não tendia a ser sentimental com crianças, mas o relatório de Tatrallyay encheu-o de melancolia com uma perda tão sem sentido. Mais tarde percebeu que não pensara em perguntar se era um menino ou uma menina, mas aí parecia infrutífero tentar descobrir. Deu uma olhada no relógio de bolso e percebeu, taciturno, que há menos de uma hora trocara palavras incompreensíveis com o Padre Spyridon e toda aquela gente ainda estava viva. Decidiu, afinal de contas, ir até o palanque e tentar ajudar a sua mulher e Hohenlohe-Schillingsfurst, cuja armadura absurda parecia agora um tanto tranqüilizadora, a manter todos tranqüilos até que fosse seguro voltar ao Castelo. Ninguém disse nada a Wiladowski sobre o seu medo abjeto sob os disparos e até Marie-Luise, que tinha todo o direito de repreendê-lo por desaparecer, só perguntou, solícita, se ele tinha se ferido. Mas Wiladowski não tinha ilusões. As reprimendas logo viriam, tanto oficialmente quanto em particular. Quando a inevitável comissão de inquérito terminasse a sua investigação, seria obrigado a aposentar-se em desgraça. Mas como já pretendia renunciar ao cargo antes, teriam de fazer o seu inquérito sem ele e enviar quaisquer perguntas a Trieste, onde então estaria residindo, doente demais, coitado, para voltar e depor pessoalmente.

Como o Major Tatrallyay previra, a volta ao Castelo nas carruagens fechadas foi meio apertada mas sem problemas. Wiladowski esperou até que todos estivessem instalados em seus quartos e o médico desse a Marie-Luise um sedativo para acalmar-lhe os nervos antes de correr à enfermaria visitar Tausk. Quando o conde-governador chegou ali, a mesma enfermeira o recebeu e disse que, assim que o seu paciente recebera a notícia do que acontecera na praça, pulara da cama e, sem esperar a licença do médico nem dizer mais nada a ela, vestira-se e descera correndo. Por um momento Wiladowski ficou tentado a seguir Tausk e vê-lo descobrir quem fora o responsável pelo ataque. Mas um labirinto subterrâneo de celas de interrogatório não era lugar que Wiladowski tivesse vontade de visitar naquele momento e, assim, voltou à sua própria biblioteca e pediu a um guarda que lhe trouxesse Tausk imediatamente, não importa o que o espião-chefe estivesse fazendo.

Lá fora, as últimas lascas do pôr-do-sol ainda iluminavam o parque do Castelo. Um cinzento suave, muito diferente do pálio plúmbeo de algumas semanas antes, começava a esconder os contornos da Ponte Nepomuk. Ninguém se dera ao trabalho de tirar as lanternas chinesas que enfeitavam as árvores ao longo da margem. Pfister as encomendara para o banquete de comemoração do final das festas e Wiladowski se encolheu ao vê-las ali penduradas. As noites já não eram mais frias, mas o conde-governador sentia-se mais gelado que em meados de fevereiro e notou, com prazer, que Aloïs acendera um bom fogo na biblioteca. Quando Tausk surgiu na porta, parou e fitou por um momento a forma exausta de Wiladowski, curvado em sua cadeira, e embora nenhum deles conseguisse suportar nenhuma demonstração invasiva de emoção, o alívio de Tausk ao ver o conde-governador de volta ao seu lugar de costume foi palpável. Wiladowski ouviu os passos de Tausk e olhou-o com prazer. Tausk virou-se de leve para acender um cigarro e então, instintivamente, ambos adotaram um tom de voz seco e prático. Os dois suspeitavam que não teriam muitas outras conversas assim e, sem dizê-lo diretamente, estavam contentes que fosse nesta sala, e sozinhos, que se falavam agora.

Wiladowski pôs-se a descrever o dia, desde o momento em que os cavaleiros se reuniram no pátio da frente. Tinha certeza de que Tausk já interrogara a todos no Castelo, mas queria que ele entendesse como os acontecimentos tinham se desenrolado do seu ponto de vista. Também sabia que nenhum dos visitantes importantes, nem os agentes de segurança que tinham trazido consigo, concordaria em falar com o espião-chefe judeu, cuja autoridade fora irrecuperavelmente comprometida pelos assassinatos. O fato de os homicídios não serem culpa de Tausk não fazia diferença. Pelo contrário, o desprezo arrogante pelas suas sugestões para o sistema de segurança na praça tornava ainda mais importante lançar sobre ele o máximo possível de responsabilidade. Quando o conde-governador terminou, Tausk concordou pensativo com a cabeça e agradeceu-lhe pela confiança constante. No entanto, em sua própria cabeça Tausk já se resignara com a ruína da sua carreira. Deitado no leito de hospital, reconhecera tarde demais o seu erro de cálculo ao deixar os conspiradores em liberdade. Devia ter encontrado um jeito de mantê-los todos fora da cidade e prometeu a si mesmo que confiar em meias-medidas não seria um erro que cometeria no futuro. Também tinha certeza de que, se estivesse na Praça da Catedral ao lado de Wiladowski, teria conseguido deter os assassinos antes que pudessem agir. O seu próprio colapso, a única possibilidade que nunca previra, mudara tudo. Num instante terrível recordou o olhar final de Brugger, lá na clareira, e imaginou como reagiria o rabi, onde quer que estivesse, quando recebesse a notícia dos assassinatos da Praça da Catedral.

Wiladowski levantou-se para aquecer-se junto ao fogo. Tausk observou-o ali de pé, mantendo as mãos estendidas à frente, aparentemente perdido em seu cansaço. As chamas lançavam sobre a mobília padrões de sombras que mudavam o tempo todo e Tausk percorreu silenciosamente a sala para acender algumas lâmpadas. Precisava dar um jeito de mudar o clima. A idéia de que este nobre caprichoso, cujas suspeitas eram lendárias, confiava totalmente em sua lealdade enquanto o próprio espião-chefe vivia remoendo tudo o que ocultara dele estava ficando insuportável. Mas admitir a sua culpa agora não ajudaria em nada nenhum dos dois e Tausk não se sentia tentado a acrescentar o peso de uma confissão inútil aos outros problemas de ambos. Em vez disso, decidiu continuar o seu relatório como se não tivesse havido pausa na conversa e ficou aliviado ao ver o conde-governador afastar a tristeza e voltar à cadeira da escrivaninha, parecendo tão atento como sempre que discutiam assuntos importantes de segurança. Von Arnstein confessara imediatamente, disse Tausk ao patrão com um sorriso desdenhoso, e traiu os colegas conspiradores com a mesma rapidez. O espião-chefe não podia levar o crédito por arrancar-lhe a confissão, já que não fora preciso nenhum talento. Tausk encontrara-o soluçando como uma criança por estar algemado numa cela imunda. Parecia totalmente despreparado para ser tratado como um assassino comum em vez de preso político e não parava de se queixar das humilhações vergonhosas a que era submetido. Também sofria muito com a dor na perna ferida e bastou a ameaça de coação física para deixá-lo ainda mais nervoso. Na opinião de Tausk, von Arnstein ainda não conseguia compreender inteiramente o que fizera. O seu próprio sofrimento era-lhe bem real, mas todo o resto era como uma encenação teatral de fim de ano na academia militar, na qual ferira-se várias vezes e tivera problemas também com a direção.

— Enquanto o ouvia — disse Tausk com acidez —, tinha de ficar me lembrando de que gente tinha morrido porque ele e os amigos queriam brincar de ser personagens históricos.

Em vez de se ofender com a comparação, Wiladowski simplesmente abanou a cabeça.

— Tenho certeza de que você está correto quanto a von Arnstein. Só que o caso fica mais estranho a cada semana. Quem disse que a história é escrita pelos vencedores era um idiota. Hoje em dia, quem mais se queixa é que quer escrever o próximo capítulo e, se há alguma coisa de que gente assim tem certeza absoluta é da própria virtude. Os contra-regras e atores-substitutos estão tomando conta da política e, no final, isso sempre leva a mais derramamento de sangue.

Para Tausk, o que contava era ouvir Wiladowski falar-lhe com a sua voz familiar e ironicamente didática, sinal certo de que, apesar de todo o pessimismo das conclusões do conde-governador, emocionalmente era mais uma vez senhor de si mesmo. Pôs nas mãos de Wiladowski a confissão assinada por von Arnstein e disse que, assim que conseguira o nome dos outros três terroristas, mandara seus homens prendê-los. Joachim Gerling e Manfred Langer tinham sido detidos há duas horas, tentando, sem sucesso, encontrar alguém que os escondesse no bairro Josef, e começava a interrogá-los quando o guarda de serviço o chamara para encontrar o conde-governador. Von Arnstein lhe dissera que Christoph von Hradl estaria, quase com certeza, na propriedade dos pais, escondido num quarto secreto sob a estufa da mãe e, dali a pouco, um pelotão de soldados chegaria a Weidenau com um mandado de prisão para o jovem von Hradl. Com sorte, naquela mesma noite estaria na prisão do Castelo, ao lado dos seus camaradas.

Wiladowski deu uma olhada no documento mais ou menos com o mesmo desalento tristonho que sentira ao saber da morte da criança na praça.

Visitara muitas vezes Hirschwang e Weidenau e conhecia bastante bem os von Hradl e os von Arnstein. Os outros dois nomes não eram tão familiares, mas tinha certeza que já ouvira Paul Gerling ser favoravelmente citado em círculos governamentais como intelectual digno de confiança e supôs que este Joachim devia ser seu filho. Tentou ler a explicação de von Arnstein sobre o que os levara a recorrer a "meios de guerra direta, ilegal e revolucionária", mas viu-se incapaz de chegar ao fim do depoimento. Entre expressões de temor pelo próprio futuro e contrição desanimada pelo dano que causara, von Arnstein ainda parecia movido pelos clichês letais que adotara como programa político. Para Wiladowski, nascer ignorante e estúpido era uma coisa; tornar-se assim deliberadamente era indesculpável. Empurrou as folhas de papel de volta a Tausk com a promessa de estudá-las todas com atenção no dia seguinte. Por enquanto, disse, era esperar demais dele ser alvejado primeiro por esses senhores e depois passar a noite lendo a explicação deles de por que esta fora uma boa idéia.

— Mas e Rotenburg e von Alpsbach? — perguntou Tausk, sem pegar a pasta que o conde-governador empurrara em sua direção. — Quando chegar ao fim do depoimento, Sua Excelência verá que o prisioneiro menciona Ernst von Alpsbach e Hans Rotenburg como sabedores da conspiração. Rotenburg chega a ser mencionado como líder do grupo, embora eu ache difícil acreditar que esses aristocratas se deixariam comandar por um judeu, por mais rico que seja o pai. É claro que é uma excelente opção de bode expiatório, ainda mais se não estiver vivo para contradizer os seus acusadores. De qualquer modo, como sabemos que nem o jovem von Alpsbach nem Rotenburg estavam presentes na praça, não tomei nenhuma providência quanto a eles antes de receber as suas instruções.

— Que insolência desavergonhada! — Wiladowski foi arrancado de sua tristeza para a mais pura raiva. — Karl Gustav morreu na frente dos meus olhos protegendo a minha mulher. Alfred e Magdi viram tudo também e não acredito que nenhum dos dois conseguirá se recuperar. Magdi recusou-se a deixar que os colegas oficiais de Karl Gustav levassem o seu corpo e insistiu em transportá-lo de volta a Brunnenberg em sua própria carruagem, para ser enterrado ali. A imagem dela naquele coche com o filho morto ao lado não me deixou desde que os vi partir e posso lhe prometer que, sem muito mais provas do que uma acusação desses covardes, não tenho a menor intenção de levar mais sofrimento àquela pobre família. Quanto a Rotenburg, a sua morte deixa toda a questão sem sentido. Mas se von Arnstein realmente acredita que fábulas como essa lhe salvarão o pescoço, é ainda mais estúpido do que pensei.

— Não tenho certeza de que o pescoço vá ter muito a ver com a maneira como o rapaz vai morrer — respondeu Tausk. — Quando terminei de interrogá-lo e mandei chamar o médico para examinar a ferida, ela já estava infeccionada. O médico realizou uma amputação imediata, mas mesmo sem a perna parece que é altíssima a probabilidade de envenenamento fatal do sangue. Assim, parece que logo teremos de acrescentar Leo von Arnstein à lista de mortos pelas balas dos terroristas. Mas no que diz respeito a Hans Rotenburg, Vossa Excelência deveria saber que há boatos na cidade de que o corpo encontrado nos destroços não era seu.

— O que acha que realmente aconteceu, Tausk? — perguntou Wiladowski, talvez um pouco à toa demais para a paz de espírito do espião-chefe.

Tausk parou por alguns instantes para pensar na pergunta antes de responder.

— Não sei se estou em condições de dar a Vossa Excelência uma resposta útil — disse, finalmente. — Os indícios não são conclusivos. Sem dúvida, a recusa do pai de permitir um funeral ajudou a dar origem aos boatos e assim que essas histórias começam a circular ficam impossíveis de conter. Mas o fato de alguma coisa ser um boato não significa, necessariamente, que seja mentira — disse, enfatizando a sua disposição de examinar a questão por todos os lados. — Com certeza Hans Rotenburg pode ter deixado a área antes da explosão sem que ninguém descobrisse e outra pessoa foi imolada no galpão, mas até agora não temos bases confiáveis para afirmar isso.

— Mas se aconteceu mesmo assim — interrompeu Wiladowski — então o pai deveria saber tudo a respeito, senão teria concordado com o enterro. E se Moritz Rotenburg está envolvido, o desaparecimento de Hans pode estar ligado a algum esquema comercial secreto do velho. É claro que gostaria de saber o que os dois pretendiam, mas seja o que for dificilmente envolveria assassinato de autoridades imperiais. Mas se Hans Rotenburg está mesmo morto ou realizando negócios no estrangeiro, com toda a certeza não matou ninguém aqui hoje e não vejo por que arrastar seu nome para o caso.

Tausk sabia muito bem que não devia concordar depressa demais com uma sugestão tão adequada para ele. Correndo o risco de irritar Wiladowski, insistiu em voltar à pergunta.

— Sim, concordo que envolver os Rotenburg provavelmente só vai complicar as coisas — respondeu. — Mas se a defesa dos assassinos envolver a citação de von Alpsbach ou Rotenburg como cúmplices, acabaremos tendo de investigar suas acusações de qualquer jeito e, assim, talvez o mais prudente seja que eu, ou o meu sucessor, se Vossa Excelência acredita que minha demissão imediata tornará as coisas mais fáceis, cuide do assunto antes como medida preventiva.

Enquanto estavam conversando, ficara completamente escuro lá fora. As cortinas ainda estavam abertas e, quando Wiladowski olhou pela janela e viu como era tarde, tocou repentinamente a campainha para que Aloïs viesse colocar mais lenha no fogo. Encostou-se na escada curva da biblioteca, observando contente o seu criado se ocupar da rotina regular da noite. Tausk estava fora do caminho deles, perto do fundo da sala, e sorriu de apreciação quando ouviu o conde-governador pedir a Aloïs que mandasse buscar um maço de cigarros do espião-chefe em seus aposentos e servisse água mineral para Tausk e um *brandy* para si. Quando Aloïs terminou e voltaram a estar sozinhos, com as garrafas de *brandy* e água numa mesinha perto do fogo, Wiladowski convidou Tausk para sentar-se a seu lado. O conde-governador esperou até terminar o seu charuto antes de voltar à conversa mas, quando o fez, foi com uma acerbidade que Tausk não previra.

— O que o faz pensar que pretendo dar a esses senhores base para acusarem alguém? — perguntou. — Tenho certeza de que adorariam um grande julgamento público no qual teriam a oportunidade de fazer discursos históricos mundiais para justificar-se. Para eles, seria melhor do que ter uma peça aceita pelo Burgtheater, já que num tribunal seriam, ao mesmo tempo, atores principais e dramaturgos. Mas calcularam tudo errado. Ao atirar numa procissão oficial do governo e assassinar oficiais do exército de Sua Majestade, submeteram-se a um tribunal militar fechado e pretendo convocá-lo assim que estiverem todos presos. Se o médico puder garantir o resultado, von Arnstein terá permissão de morrer na cama devido ao seu ferimento, mas os outros irão diretamente da condenação à execução.

— E as famílias? Sem dúvida criarão dificuldades e talvez apelem diretamente à clemência do imperador. — Tausk tinha certeza de que o conde-governador já pensara na questão, mas ainda assim fez a pergunta pelo prazer de ouvir a explicação.

— Contanto que você me entregue uma confissão assinada por cada um dos traidores, ninguém poderá questionar a legalidade da nossa ação — disse Wiladowski, decidido. — Quanto às famílias, temo que os nossos terroristas mataram acima do seu nível social. Além das outras vítimas, mataram Zichy-Ferraris e feriram gravemente von Kirchstein, ambos muito superiores aos assassinos para que seus títulos os protejam. E no conselho da província, von Alpsbach apoiará tudo o que eu fizer para punir quem matou seu filho. Por cortesia, conversarei com ele a respeito, é claro, mas acho que podemos supor que teremos carta branca.

Tausk conhecia bastante bem o patrão para perceber que, debaixo da ironia habitual, Wiladowski estava queimando de raiva e decidido a vingar-se dos assassinos como fosse possível. Mas o que o levava a tamanha fúria era menos a violência dos assassinatos da Praça da Catedral do que a idéia de que os terroristas tinham ousado atirar nele. O conde-governador sonhara tanto tempo com a tentativa de assassinato que passara a vê-la como o seu pesadelo pessoal constante, pavoroso de suportar todas as noites mas, por esta mesma razão, desligado dos acontecimentos do mundo diurno. Falava em ser morto do mesmo modo que um aluno brilhante mas ansioso diz a todos os colegas que com toda certeza não passou na prova, ou que um amante insiste em prever a infidelidade da amada — ou seja, como forma de simpatia mágica, projetada para garantir que a catástrofe muito comentada nunca aconteça de verdade. Agora que a calamidade realmente ocorrera, fora exatamente a sua previsão imaginativa e constante que o deixara tão despreparado para a realidade. Mas, embora Tausk conseguisse se solidarizar com a raiva do conde-governador, ficou surpreso com o sangue-frio com que Wiladowski já determinara a maneira mais rápida de despachar os presos.

— Tenho fama de impiedoso — pensou Tausk —, mas quando me foi dada a oportunidade de matar Brugger, não consegui. No meu lugar, Wiladowski ou Moritz Rotenburg teriam dado a ordem de fuzilá-lo sem hesitação. Com um mero olhar do seu rabi, um zé-ninguém como Sonnenschön semeia a morte por onde vai e sequer decidi ainda o que farei com ele. Já é hora de começar a aprender com os meus superiores.

Tausk sorriu com a decisão tardia de emendar sua conduta. No entanto, com o conde-governador adotou um tom inteiramente diferente. Pensar em Sonnenschön dera-lhe um plano que poderia consertar parte da sua vacilação anterior.

— Se Vossa Excelência decidiu-se por uma solução rápida — disse —, posso sugerir um modo de privar os assassinos do espetáculo público que esperam. Na noite de sexta-feira, invadimos a casa do rabino milagroso no bairro Josef e prendemos os seus seguidores mais próximos. Há muitos indícios para condená-los por homicídio múltiplo e incêndio criminoso e pensei em simplesmente julgar dois ou três discípulos de Brugger junto com os conspiradores da Praça da Catedral numa única sessão do tribunal. Então, depois de dada a sentença, seria um procedimento de rotina executar todos juntos também. Von Arnstein mal pôde acreditar que estava numa cela comum e tenho certeza de que ser tratado como bandido e criminoso comum e seguir para a morte junto com uma matilha de fanáticos religiosos judeus dificilmente seria o fim fantasiado por von Hradl e os outros.

Wiladowski, sombrio, fez que sim com a cabeça.

— Excelente idéia, Tausk. Sim, é exatamente assim que faremos. E quanto mais cedo melhor. Traga-me as confissões e convocarei o tribunal de imediato. Por questão de prudência, não pretendo presidi-lo. O antigo oficial-comandante de Karl Gustav gostará de ser o juiz-presidente e deixarei por conta dele nomear dois juízes-assistentes em quem se possa confiar. Mas e esse tal rabino seu? Esqueci tudo sobre ele até agora.

— Cuidei de tudo à luz do que Vossa Excelência e eu discutimos — respondeu Tausk. — Jamais voltará aqui para nos causar problemas, mas já que, sem dúvida alguma, tem seguidores em outras cidades dos dois lados da fronteira, quem sabe que histórias a seu respeito continuarão a circular? Assim como começaram a fazer com Hans Rotenburg, suponho.

— É Páscoa afinal de contas, Tausk. — Wiladowski levantou os ombros com desdém. — É claro que surgirão novas lendas. A minha igreja não tem patente exclusiva deste tipo de fábula. Suponho que seja assim que a revelação sempre funciona, seja qual for a religião: os executores adormecidos ou ausentes, os que choram cautelosos e discretos e o túmulo vazio. Um grande buraco a ser preenchido por histórias divergentes. A Imperatriz Elisabeth foi vista por toda a Europa na década e meia que se seguiu ao seu assassinato e, o que é igualmente milagroso, tinha sempre a aparência de estar com quarenta e poucos anos, em vez da mulher desgastada de sessenta e um anos que foi esfaqueada no coração em Genebra.

— Mas se Vossa Excelência pretende fazer um único julgamento dos conspiradores e dos seguidores do rabino, devo supor que não quer que eu me demita imediatamente? — perguntou Tausk. Fizera a sua oferta com sinceridade. Tanto ele quanto Wiladowski sabiam que a sua estada no Castelo podia ser medida no máximo em semanas e se partisse no dia seguinte ou no final de abril pouca diferença faria.

— Gostaria de ficar indignado e dizer que cabe a mim e não a Trautmannsdorff e o seu pessoal de Viena decidir quanto tempo você trabalhará aqui, mas depois dos acontecimentos de hoje é provável que eu tenha perdido a autoridade de protegê-lo. De qualquer modo, estão atrás de mim, não de você. Ouvi-o oferecer a sua demissão antes e logo a aceitarei, no espírito em que você a apresentou. Mas, enquanto isso, considerarei um grande favor pessoal se puder ficar até que o julgamento e as suas conseqüências se encerrem.

Tausk notou que, assim que foi decidido o destino dos conspiradores, o conde-governador voltou a usar expressões como *conseqüências* em vez de *execução*. Outro princípio de estadismo que se sentia estranhamente feliz de testemunhar. Mas também se sentiu inexplicavelmente emocionado com o pedido de Wiladowski. Jamais ouvira o conde usar palavras como *um grande favor pessoal* com ninguém, muito menos com alguém da sua própria equipe, e em vez de considerá-las sinal de fraqueza Tausk reconheceu-as como um tipo de despedida, a última declaração de um nobre sobre o estranho companheirismo dos dois.

Depois que Tausk desceu para buscar as confissões dos seus prisioneiros, Wiladowski serviu-se de uma grande dose final de *brandy*. O fogo começava a morrer, mas por enquanto não queria nem a presença quase imperceptível de Aloïs na sala com ele. Levantou-se e olhou a carta de demissão que estava esboçando quando Tausk chegara. Iria datá-la de três semanas depois das execuções, de modo que Tausk pudesse ir embora antes, com Wiladowski ainda no cargo para garantir a sua partida em segurança. Olhou em volta do único cômodo de todo o Castelo que não o enchia de repugnância sempre que entrava e pensou em como sentiria pouco a sua falta. Se seus amigos de

Trieste lhe perguntassem como era largar um cargo daqueles, responderia com honestidade que era como partir de um hotel sem graça do qual se esperava pouco e se recebera menos ainda. No entanto, pensou no que Tausk faria a seguir. Apesar da crise do dia, Wiladowski continuava a ser um homem do *grand monde* social e ainda estava convencido de que observar alguém num jantar elegante ou num camarote de ópera revelava tanto do seu caráter essencial quanto o seu comportamento numa cela de prisão ou num seminário religioso. Ou na biblioteca de um conde-governador, se fosse o caso. Pode-se brincar com o próprio futuro em qualquer lugar. Wiladowski tinha certeza de que há um mês Tausk ficaria mais nervoso com a iminente perda de poder. Então o que mudara? Talvez, refletiu Wiladowski, não passasse da incapacidade profunda de aceitar indefinidamente um papel subordinado. Mas até antes dos assassinatos Wiladowski percebera um sinal, tão leve a ponto de ser praticamente imperceptível, de que Tausk era um homem de olho na porta, que parecia totalmente engajado no que fazia mas que, nalgum ponto interior, já examinava o horizonte além do caminho que o levaria a outro lugar. O conde conhecia bem a sensação; marcara a sua própria carreira desde o princípio e, até em lugares como Roma, onde fora mais feliz, lembrava-se de sentir-se transitório, certo de que em pouco tempo estaria observando outra paisagem e dormindo em nova cama.

No início de junho, uma semana depois do julgamento sumário e das execuções, quando saiu do Castelo pela última vez, Tausk escolheu uma hora em que achou que o conde-governador estaria dormindo. Uma carruagem de aluguel esperava no pátio e, quando Tausk e Roublev entraram, cada um levava consigo pouco mais que uma única mala e um saco de campanha militar. Ninguém do Castelo veio lhes dar adeus. Wiladowski observou a partida dos dois da janela do escritório. Era melhor assim, sem despedidas prolongadas. Tausk levava consigo uma gorda carta de crédito contra o banco particular de Wiladowski e uma carta de recomendação manuscrita com o endereço do conde-governador em Viena e Trieste, embora Wiladowski duvidasse que Tausk viesse a usá-las. Fora difícil evitar a acusação formal de negligência no cumprimento do dever contra Tausk, mas Wiladowski conseguira convencer o ministério que fazê-lo, dando assim ao espião-chefe a oportunidade de refutar as acusações no tribunal, só seria embaraçoso para todos os envolvidos, inclusive para a polícia secreta do próprio governo. Para alívio de Wiladowski, von Kirchmayr, o chefe de polícia, concordou com ele e, assim, na melhor tradição austríaca, o assunto foi temporariamente engavetado. Marie-Luise partira para a capital vários dias antes para preparar a casa deles lá para a aposentadoria iminente do conde e tentar recuperar as relações com algumas das outras famílias que jamais perdoariam o que acontecera na Praça da Catedral. O próprio Wiladowski achou o esforço inútil pelo lado prático e sem sentido pelo lado emocional, mas sabia que era importante para Marie-Luise e não viu razões para dissuadi-la. No entanto, curiosamente, uma família que seria de esperar que cortasse todos os laços sociais com Wiladowski pareceu, pelo contrário, passar a vê-lo quase como um parente. Seu último dever, quase como se fosse um dever oficial, antes de partir para Viena e apresentar em pessoa a demissão ao imperador, seria comparecer ao apressado casamento de Elisabeth Demetz e Ernst von Alpsbach. Aparentemente, o Dr. Demetz não era assim tão confiável. Segundo os von Alpsbach, não foram os escrúpulos médicos, mas a possibilidade de ver a filha desposar alguém de uma das grandes famílias do país, que impediu Viktor Demetz de fazer o que seria de esperar para que o casamento não fosse necessário. Pelo menos seria uma cerimônia pequeníssima em que Wiladowski seria a única pessoa não ligada diretamente às famílias a comparecer. Em vista da origem da noiva e do luto da família pela morte de Karl Gustav, os von Alpsbach decidiram realizar a cerimônia em Brunnenberg com o padre da paróquia local. Wiladowski fora convidado por insistência de Magdi, não pela sua posição de conde-governador, mas devido à sua grande simpatia por Karl Gustav nas últimas horas do pobre rapaz e à compreensão que demonstrara por sua perda. O próprio Wiladowski não tinha vontade nenhuma de comparecer mas, como não conseguiu pensar num modo decente de se desculpar, programou-se para ir diretamente de Weidenau para a estação tomar o trem expresso para a capital assim que a cerimônia terminasse. Como Marie-Luise ordenara que os seus pertences fossem embalados e enviados para eles, seria improvável que Wiladowski jamais precisasse voltar novamente à província.

CODA
1925

Para ele, era impossível amar esse país. Admirá-lo sim, mas nada ali atingia-o tão profundamente quanto a lembrança de estar sentado no andar térreo, junto à grande janela avarandada, observando a neve cair como renda no vento de dezembro enquanto cobria suavemente os galhos no jardim do pai. Até nos mais incríveis dias de outono na Inglaterra, quando o sol se punha num céu de rosa-salmão intenso em campo azul, sentia saudades de ver a névoa de um cinzento perolado a elevar-se dos campos no final da floresta dos von Alpsbach. A lua nova como uma foice sobre aqueles mesmos campos, iluminando palidamente as casas dos camponeses cobertas para as festas de tinta vermelha para se parecer com o sangue dos touros: enquanto ali vivera, mal percebera que tinha notado tanta coisa, muito menos que amasse tudo aquilo tão profundamente. Mas agora, enquanto dava passeios longos e incansáveis pelas estradas campestres ou ao longo das cadeias de suaves colinas ondulantes que todos lhe garantiam ser as mais belas do mundo, os pensamentos que nele surgiam tinham pouca ligação com o que realmente via, mas brotavam como reação a imagens interiores de uma paisagem bem diversa a meio continente de distância. Londres não era diferente. Ainda mantinha aberta a casa da Portman Square e lá ficava sempre que ia à cidade a negócios, mas a não ser quando seguia pela margem do rio olhando para Greenwich, onde as casas quase se dissolviam na névoa da noite, a grandeza daquela cidade imensa parecia-lhe estrangeira, construída com indiferença ao conforto ou à equanimidade humana comum. Havia muito luxo para quem pudesse pagar, mas caso contrário a miséria ali era mais dura e mais inclemente que tudo o que vira em sua terra. Talvez fosse porque a escala estivesse totalmente errada para um austríaco. Também crescera num Império, embora na maior parte terrestre, mas uma certa ineficiência descuidada fazia com que parecesse menos opressor. Seu pai costumava lhe dizer que era quase impossível soar pomposo em iídiche. Do mesmo modo, talvez, a muito caluniada passividade dos Habsburgo, a ambição não de triunfar, mas de meramente sobreviver, tirava um pouco do fio cortante do poder imperial. Aqui, entretanto, não havia esta dúvida quanto a si mesmo. Sabia que, em comparação com os Estados Unidos, a guerra comprometera gravemente a perspectiva econômica de longo prazo da Grã-Bretanha e, já há algum tempo, vinha transferindo boa parte do seu capital para aquele país. Mas a vulnerabilidade do papel deles mesmos no mundo nada fizera para diminuir a arrogância dos ingleses. Até para alguém com o seu acesso às autoridades do governo, este pressuposto de superioridade fácil era irritante. Nos ministérios que Hans tinha ocasião de visitar de vez em quando, as portas das autoridades mais graduadas nunca tinham coisa tão vulgar quanto placas com o nome do ocupante. Se o visitante não sabia com antecedência que sala procurava, era óbvio que não tinha o que fazer no prédio. Hans não tinha certeza se era o fato de ser judeu, ex-cidadão de um inimigo derrotado ou antigo comunista que explicava algumas reações esquisitas que provocava, mas com freqüência conseguia aproveitar a ansiedade provocada por cada uma dessas categorias na hora de negociar algum contrato importante com o governo. Sabia que Lorde Northcliffe, o magnata da imprensa, já se referira a ele como "aquele judeu bolchevique horrivelmente rico" e gostava de usar este conhecimento a seu favor quando precisava que os jornais dele adotassem uma postura editorial favorável aos interesses das empresas Rotenburg. Mas a cada ano havia menos necessidade dessas manobras. Os seus subordinados eram capazes de cuidar de muitas decisões da empresa no dia-a-dia e finalmente estava usando a casa de campo que comprara há cinco anos, mais como investimento do que como residência. Ou pelo menos foi isso que disse a si mesmo na época. Agora que ele e Batya se escreviam de novo, irregularmente a princípio mas cada vez com maior freqüência e sempre com a certeza de encontrar um ouvido receptivo, Hans conseguia admitir que, talvez, tivesse pensado o tempo todo que aquele era o tipo de lugar que ela gostaria de visitar.

 Batya, que costumava gostar tanto de ir para o campo, surgia-lhe na mente com freqüência quando saía, fosse qual fosse o tempo, para os longos passeios que lhe tinham receitado. Para ela, o "retorno à natureza" estivera diretamente identificado com o programa sionista de "retorno à Nação". Anos atrás, quando ainda saíam juntos e ele se recusou, como quase sempre fazia, a unir-se a ela em suas caminhadas, ela reagira implicando com a indiferença típica dos judeus dos *shtetls* a tudo o que não fosse pensamento abstrato. Mesmo naquela época sentira-se tentado a dizer a ela que dinheiro e poder eram as coisas menos abstratas do mundo, mas sabia que seria bobagem discutir. Bem, indiferente ou não, hoje em dia fora obrigado pelos médicos a adotar o que chamava ceticamente de "cura ambulante" para ajudar a sua circulação. Nunca se recuperara inteiramente dos ferimentos da explosão e, às vezes, à noite, acordava apavorado de um sonho em que jazia deitado no galpão de Auer, vendo a própria carne queimar sobre os ossos sem conseguir perder a consciência. Partes do seu corpo ainda tinham vastas cicatrizes e, por mancar levemente devido a uma trave que lhe esfacelara o quadril, caminhar em qualquer lugar que não fosse plano ou apenas levemente inclinado era doloroso. Numa das primeiras cartas depois que refizeram o contato, Batya lhe perguntou se fora por vergonha de sua desfiguração que nunca se casara. Pensou durante muito tempo antes de responder e, quando o fez, disse, de forma pouco característica, muito mais do que a pergunta pedia. Garantiu-lhe que as suas cicatrizes não chegavam a desfigurá-lo e que, até onde podia dizer, considerações deste tipo não tinham papel nenhum em suas escolhas. Tinha gostado de algumas mulheres e uma ou duas vezes quase ficara noivo, mas toda vez diferenças de criação e temperamento entre ele e a mulher o fizeram recuar antes do pedido de casamento. Embora Bátia não tivesse perguntado diretamente, ele se perguntou, em nome dela, se mudara com os seus vários casos de amor e respondeu: "Quanto a aprender com os erros passados, não sei. Acho que as minhas experiências da última década são muito diferentes do que aconteceu quando éramos jovens, mas é provável que não seja porque eu compreenda melhor as coisas hoje ou tenha aprendido alguma coisa específica com os meus fracassos. Cometi erros horríveis de que me arrependo, alguns dos quais você conhece; outros, tenho de confessar, fico feliz de você não conhecer. Mas acho que, se é que aprendi alguma coisa, foi mais do jeito que uma pedra aprende ao ser desgastada pela água e pelo vento. Sinto-me mudado pela idade e pelos elementos, mas também sei que, no fundo, sempre somos os mesmos. Com certeza não adquiri sabedoria com o tempo, ou talvez, no máximo, a sabedoria de uma pedra."

Até agora, a única pessoa a se beneficiar concretamente da determinação de Hans de ser mais tolerante com os outros fora Asher Blumenthal e isso só porque estava suficientemente longe para ser possível alegrá-lo sem se arriscar a nenhuma grande intrusão. As cartas regulares de Asher vindas de Haifa eram uma das poucas fontes confiáveis de diversão de Hans e ele se alegrava de honrar a promessa do pai de mandar a Blumenthal um estipêndio regular em troca de nunca mais voltar à Europa. Chegara a aumentar o volume da sua ajuda de vez em quando, menos em resposta à cantilena de lamentos de Asher do que como um tipo de tributo à sua inabalável coerência. Hans contribuía generosamente para as causas sionistas e, em 1920, quando houve a primeira conferência sionista do pós-guerra em Londres, comparecera a várias sessões como observador interessado. Asher, no entanto, era a prova viva de que se podia ficar inteiramente incólume a começar uma nova vida na Palestina ou à destruição da antiga vida durante a guerra. Para Hans, Asher não fazia nada além de queixar-se do país insuportável onde era obrigado a viver. O seu maior prazer, dizia, era que havia tantos alemães no seu bairro que podia levar a vida em sua própria língua. Reconhecia prontamente que o seu hebraico nunca fora suficientemente bom para que dissesse algo além das frases mais rudimentares encontradas nas cartilhas: "A minha falta de fluência", escreveu lamentoso a Hans, "me faz parecer alguém que vai andando pela praia quando cai uma tempestade violenta. Vê as ondas subindo a alturas enormes antes de se quebrarem fragorosamente contra as pedras e a areia, o vento feroz espalhando água salgada e encharcando tudo em volta, e exprime tudo isso gritando: 'Molhado!' O resultado desta inépcia é que, apesar da minha evidente vantagem material, garantida pela generosidade do seu pai e sua, sobre os outros solteiros da minha idade neste fim-de-mundo levantino infestado de insetos, nenhuma das jovens atraentes sequer se interessa por mim, exceto como fonte de um jantar gratuito. Em troca do qual, devo ressaltar, não são nem honradas o bastante para me recompensar com os favores que parecem prodigalizar sem pensar duas vezes a qualquer imigrante polonês que decida deixar de ser alfaiate e transformar-se em colhedor de laranjas."

Pobre Asher. Devia ter ficado bastante desapontado quando Moritz não o transformou imediatamente em herdeiro depois da explosão. Talvez isso tivesse dado a Asher a primeira pista de que Hans ainda estava vivo. Numa das suas muitas longas conversas no sanatório na Suíça onde Moritz morria mais depressa de câncer do que o filho recuperava as forças e o uso dos membros, o pai divertira Hans contando-lhe como Asher entrara correndo em seu escritório na noite seguinte à explosão do galpão de Auer para lhe dar as condolências e, no mesmo fôlego, recordar discretamente a Moritz que Hans morrera devendo-lhe uma quantia substancial da qual tinha desesperada precisão. No meio da história, a respiração de Moritz ficara tão difícil que o filho implorou-lhe que parasse e descansasse, mas Moritz disse que não com um gesto, ansioso para continuar, não, como Hans só percebeu muito depois, porque achasse a história assim tão divertida, mas porque, até que conseguissem, aos poucos e com muita trepidação mútua, chegar a se entender melhor, Asher constituía um bom tema sobre o qual podiam rir, seguros por já saber que sobre isso tinham opinião parecida. Naquele sentido, pensou Hans, Asher, sem saber, cumpriu o papel de um generoso irmão mais velho que ajudava a reconciliar o pai e o filho caçula.

É comum dizer que a ganância cega, ponderou Hans, mas no caso de Blumenthal ela lhe dera uma clareza negada a todos os outros. Alguma coisa na maneira evasiva com que Moritz reagiu às suas expressões totalmente convencionais de condolências convenceu Asher de que o financista não estava tão triste como tentava demonstrar. Moritz foi incapaz de deixar as palavras *Meu filho está morto* lhe saírem dos lábios e bastou isso para que Blumenthal intuísse a verdade. No entanto, sobre todo o resto errou redondamente. Ficou mais seguro do que nunca que os Rotenburg tinham tramado juntos arruinar as famílias dos outros conspiradores para adquirir as suas propriedades por uma fração do valor real. Desde a suposta morte de Hans, o restante da célula cortara todo o contato com Asher, de modo que ele não tinha a menor idéia dos seus planos e perdeu a oportunidade de ganhar algum repassando-os a Tausk. Mais renda perdida, como se queixou tristemente a Moritz, é claro que na esperança de que o financista se sentisse obrigado a compensar-lhe a perda. No total, disse Moritz ao filho, era claro que a confusão de adivinhações astutas e especulações absurdas de Asher era perigosa para ambos. A única solução em que Moritz conseguiu pensar além de fazer Tausk desaparecer completamente com Asher era contratar Blumenthal imediatamente para acompanhá-los à Suíça no vagão fechado e, lá, dar-lhe a opção de emigrar para a Palestina, com a promessa de uma renda vitalícia modesta mas garantida, ou voltar sozinho para casa e ver como se sairia opondo-se aos Rotenburg. Bastou uma ameaça indireta vinda de tal fonte para reduzir Asher a votos lacrimosos de gratidão pela oferta generosa de Moritz e a promessa de aceitar os seus termos sem questionamento. Segundo Asher, não sentia remorsos de abandonar a província que, de qualquer modo, sempre detestara. Sua única tristeza era que Moritz não permitiria que ficasse em Zurique tempo suficiente para ver Hans de novo com saúde. Se partisse agora, quando Hans ainda precisava de cuidados médicos constantes, não poderia despedir-se adequadamente de alguém que passara a conhecer tão bem e por quem desenvolvera sentimentos tão fortes de camaradagem. No dia seguinte, contudo, Asher voltou com um pedido totalmente diferente. Insistiu a manhã toda para mudar o lugar do seu exílio, mas Moritz permaneceu inflexível, prometendo apenas as mais terríveis conseqüências caso Asher pusesse os pés fora da Palestina. Quando Hans recuperou-se o bastante para sentar-se ao lado do pai na varanda da clínica, Asher já estava a caminho de Eretz Israel, o único judeu do Clube Mendelssohn a fazê-lo desde que os primeiros recrutadores sionistas começaram as suas palestras na cidade.

Com o passar dos anos, ao transformar o mau comportamento constante de Asher em assunto de uma conversa imaginária com o pai Hans conseguiu ignorá-lo. Às vezes, quando Asher bebia demais, circulava em Haifa insistindo que o seu nome verdadeiro era Asher Rotenburg e que era filho ilegítimo do grande financista, que lhe pagava uma mesada para que não envergonhasse a família revelando a sua real identidade. Era inevitável que algumas dessas histórias chegassem a Hans em Londres, mas ele decidiu não tomar nenhuma atitude além de certificar-se de que os bancos da Palestina não honrassem pedidos de recursos além do estipêndio trimestral autorizado por Hans. O desejo bobo de Asher de ser o que não era ajudou Hans a entender melhor o que o pai quisera lhe dizer durante uma longa conversa alguns dias antes que Moritz voltasse para a Áustria. Ele afirmara que, enquanto estava ali cuidando de Hans, passara a aceitar que certas diferenças entre eles não vinham de algum antagonismo profundo entre as naturezas dos dois. Apesar de toda a sua riqueza, Moritz admitia que ainda tinha uma imagem interior da vida judaica como era durante a sua infância, uma luta constante para sobreviver em meio a um labirinto esmagador de restrições e impossibilidades legais, enquanto Hans mal encontrara alguma barreira. Para ele, uma vida brilhante, amigos aristocratas e um futuro aparentemente livre parecia coisa natural, um direito de nascença a ser aproveitado como desejasse e que, assim, não precisava preservar nem lutar por ele. Pessoas como Nathan Kaplansky sempre diziam que as revoluções são feitas por aqueles que, por nada possuir, nada têm a perder, mas até onde Moritz podia avaliar, com mais freqüência eram lideradas por gente como Hans, que crescera tendo tudo e, assim, tinha confiança suficiente para arriscar tudo pelo que considerava um objetivo mais elevado. Longe de sentir alívio com o esforço do pai para entender o que provocara suas ações, Hans só ficou mais profundamente envergonhado. A notícia do que acontecera na Praça da Catedral e a subseqüente prisão e execução dos seus amigos de infância encheram Hans de tanto nojo por si mesmo que só o apelo repetido do pai para que não jogasse fora mais uma vida impediu que Hans embarcasse noutro trem para casa e se entregasse à polícia como instigador da conspiração.

Nas primeiras semanas de convalescença, durante as quais ele e o pai passavam a maior parte do dia juntos, Hans espantou-se ao ver como se sentia distante da pessoa que fora há apenas tão pouco tempo. Precisava de um ato consciente de vontade para recordar-se do Hans que entrara no galpão de Auer para construir uma bomba e sabia que ter sobrevivido à explosão transformara-o de tal modo que não conseguia explicar com palavras. Quando moravam juntos em casa, a conversa de Moritz costumava irritar Hans quase de imediato mas agora, quando davam boa-noite um ao outro, já se via à espera de encontrar o pai de novo no café-da-manhã. Às vezes, intrigava Hans como dera inteiramente as costas às suas antigas convicções sem ter encontrado nada emocionante que as substituísse além de uma gratidão instintiva e impensada por estar vivo, mas sentir seu corpo curar-se lentamente era uma fonte de alegria tão forte que abandonava todas as outras preocupações como vestígios de uma doença que lhe marcara a mente do mesmo modo que a explosão lhe ferira os membros. Estava tão absorto com o funcionamento do seu corpo que, a princípio, achou difícil concentrar-se na explicação do pai sobre a estrutura das empresas da família, mas aos poucos o círculo dos seus interesses começou a ampliar-se de novo para além de seu estado físico imediato e a idéia de interessar-se pelo futuro deixou de parecer um desperdício de energia preciosa. Então, já era meados de junho. Os ferimentos de Hans vinham sarando como seria de esperar e o pai sentiu-se capaz de deixá-lo para terminar sozinho a sua recuperação. Estava claro para todos que Moritz tinha pouco tempo de vida. Os médicos não podiam fazer mais nada por ele e queria morrer em sua própria casa, com seus negócios em ordem. A idéia de que teria de fazê-lo sem o filho ao seu lado dava-lhe uma comoção tão grande que nenhum dos dois jamais a mencionou diretamente, mas a dor de saber disso acompanhava tudo o que conversaram em Zurique e ficou com Hans pelo resto da vida. Ainda não estava em condições de acompanhar o pai até a estação e assim a sua desajeitada despedida na entrada circular e arborizada do sanatório, com a equipe do hospital circulando zelosamente em volta dos dois, foi a última vez que se viram.

    A deflagração da guerra pouco depois da volta de Moritz não interrompeu a troca regular de cartas entre a Suíça e a Áustria. Como Moritz previra, a sua volta para casa a tempo permitiu-lhe dissipar as crescentes perguntas sobre o que acontecera a Hans. Boatos envolvendo Hans nos assassinatos da Praça da Catedral circulavam pela cidade; mas não havia provas reais que o ligassem às mortes e o governo, que precisava, mais do que nunca, do apoio financeiro de Rotenburg, relutava em iniciar uma investigação cujos resultados destinavam-se a ser inconclusivos. Moritz simplesmente anunciou que, pouco antes da Páscoa, mandara Hans ao estrangeiro num negócio familiar confidencial, mas que o filho adoecera gravemente e, durante muito tempo, ficara à beira da morte. A preocupação que todos viram em Moritz era com a gravidade do estado do filho que, embora um pouco melhor, estava ainda longe de ser satisfatório. Com a prova de uma carta dos médicos suíços sobre a grande debilidade de Hans e a garantia pessoal de Moritz, apoiada numa contribuição substancial para o custo da grande mobilização nacional, o próprio ministro da Guerra autorizou a isenção de Hans Rotenburg da convocação militar até quando os médicos declarassem que o rapaz estava em condições para o serviço ativo. Primeiro no hospital e, depois, quando não precisava mais de supervisão médica constante, na casinha que alugou na cidade, Hans pôde acompanhar a análise pessimista do pai sobre a situação política. Os mensageiros particulares dos Rotenburg continuaram trabalhando sem dificuldades pela Europa durante os quatro anos de derramamento de sangue, nos quais o Império de Francisco José se desintegrou. Mas logo eram apenas relatórios empresariais que Hans recebia, já que Moritz morreu menos de um ano depois de sua volta. A não ser por uns poucos presentes a antigos empregados e algumas grandes doações a grandes causas judias, Hans era o único herdeiro da fortuna Rotenburg. Moritz investira boa parte do dinheiro na Inglaterra e nos Estados Unidos e, quando a guerra acabou e as fronteiras européias se abriram novamente às viagens, bastou o aumento do valor de suas posses em libras e dólares para deixar Hans mais rico do que o pai fora em 1914.

A ânsia de voltar a ver a pátria, ainda que só para visitar o túmulo do pai, era muitas vezes quase insuportável, mas nunca tanto quanto nos primeiros meses depois do armistício, antes que transferisse a sede das empresas para Londres. Marcou uma passagem pelo menos em três ocasiões diferentes, mas em todas elas acabou cancelando a viagem no último instante. Com exceção de Bátia, quase todos os que conhecera de sua própria geração tinham morrido na guerra. Ainda que ela quisesse vê-lo, e por muito tempo teve medo demais de uma recusa para perguntar diretamente, viu-se temendo a idéia de um reencontro. Agora ela era viúva, com duas filhas pequenas, e pertencia a uma família para cujo sofrimento contribuíra de modo imperdoável. Ele atravessara os anos da guerra e o colapso da economia do seu país sem sofrer danos e não suportaria ver os olhos dela perguntarem por que ele sobrevivera quando tantos homens melhores, inclusive o seu marido, tinham perecido. Talvez uma idéia dessas nunca ocorresse a Batya; mas voltava a ele com freqüência, e sabia que procuraria por ela em tudo o que ela realmente lhe dissesse. Havia demasiados outros fantasmas também entre ele e até a mais rápida visita à pátria. Em termos legais, jamais houvera acusação alguma contra Hans com relação aos assassinatos da Praça da Catedral e, depois de tantos milhões de mortos, o próprio evento fora esquecido por toda parte, com exceção da sua própria cidade. Os Gerling e Langer tinham se mudado em definitivo para Viena no início da guerra e logo perderam contato com todos na província. Mas o velho von Arnstein ainda estava vivo em Hirschwang e, embora Philip von Hradl tivesse morrido na epidemia de gripe, a mãe de Christoph e as suas numerosas primas sobreviveram. Hans sabia que ambas as famílias o consideravam o demônio maligno que lhes corrompera os filhos e os levara à morte. Era uma opinião que ele mesmo se pegava repetindo em sua própria cabeça com bastante freqüência, mas não se sentia capaz de ouvi-la diretamente da boca daqueles a quem ferira.

Só confessou o seu medo a Batya alguns anos depois, quando já estavam se correspondendo há algum tempo, e ficou surpreso com a facilidade com que ela falava com ele sobre tudo. Com as cartas, percebeu que não havia ninguém em sua vida cotidiana com quem ela pudesse discutir o passado sem restrições e que o fato de Hans estar longe, em Londres, e a muitos anos de distância das experiências que tinham vivido em comum dava-lhe uma liberdade de colocar no papel os seus pensamentos que, para ela, foi muito bem-vinda.

"Com certeza não me sinto daquele jeito a seu respeito hoje", escreveu-lhe ela para Portman Square, "mas logo depois da guerra talvez fosse diferente. Se eu o visse então, próspero e venturoso, quando as minhas filhas jamais conhecerão o pai e com a nossa vida aqui em ruínas, teria sido duríssimo. Sabe, Ernst foi morto na batalha do rio Isonzo apenas um ano antes da guerra terminar. Quando descobrimos que eu estava grávida, naquele mês de abril, falamos em ter uma lua-de-mel atrasada naquela mesma região, depois que o neném nascesse. Visitaríamos Trieste e Gorizia, além de Veneza, mas é claro que ele foi convocado vários meses antes do parto. Acho que no fundo não importa onde se morre, mas sei que ele deve ter pensado nisso quando a sua unidade foi enviada para a frente italiana. Pelo menos chegou a ver Nora quando veio de licença, mas quando Madeleine nasceu já estava morto há vários meses. Não sei nem se chegou a receber a minha carta contando que eu engravidara de novo durante a licença. Sei que várias mulheres na minha posição acabam criando um tipo de relicário para os maridos na memória — afinal de contas, o que mais nos resta a não ser as lembranças? — e lhes atribuem qualidades que na verdade nunca notaram quando estavam vivos. Mas não é preciso imaginar virtudes para Ernst; elas eram evidentes para todos os que o conheceram. Era um bom homem que detestava a injustiça onde quer que a visse. Achava, desde o princípio, que a guerra era uma catástrofe e nunca o vi demonstrar nada do entusiasmo revoltante pela luta que tantos outros por aqui exibiam. Mas sentia que o seu dever era engajar-se e recusou-se a usar os conhecimentos da família para ser transferido para um lugar seguro, longe da matança. Quando voltou de licença e conheceu Nora, nunca vi um sorriso mais alegre. De repente parecia um menino de quinze anos. Apegaram-se no momento em que ele a pegou no colo e tenho certeza de que, se tivesse sobrevivido à guerra, Nora o preferiria a mim. Disse para mim mesma: 'Este homem nasceu para ser pai'; suponho que tenha sido por isso que fiquei tão contente quando descobri que estava grávida de novo. De algum modo, achei que isso ajudaria a mantê-lo vivo. Não que saber disso o tornaria mais cuidadoso, entende, mas, de um jeito meio supersticioso, acho que me convenci de que, onde quer que Deus esteja, seja o nosso ou o cristão, Ele não deixaria um homem como aquele morrer antes que seu filho nascesse. Mas saber tudo o que sei sobre Ernst, ainda mais depois de vê-lo junto a Nora, não me deixa esquecer que eu decidira deixá-lo, pelo menos temporariamente, naquela primavera antes que ela fosse concebida. Lembro-me de muitos sentimentos complicados e contraditórios, mas não estava com muita certeza de que incluíssem o tipo de amor que eu achava que uma moça da minha idade sentiria pelo homem que escolhesse para passar com ele o resto da vida. Não conhecia ninguém mais em quem estivesse interessada; não era este o problema. Simplesmente não me sentia preparada para tomar uma decisão permanente. Ou talvez, apesar de todas as suas nobres qualidades, Ernst não fosse o homem certo para mim. Nunca conseguia me decidir e torturava a nós dois com a minha indecisão. Além disso — e posso vê-lo sorrindo ao ler isso, Hans — embora ninguém me levasse a sério jamais abandonara por completo o sonho de, algum dia, emigrar para a Palestina e, claro, ficar com Ernst tornaria isso impossível. Suponho que queria manter abertas todas as possibilidades e achava intolerável a idéia de abrir mão de qualquer uma delas.

"De início, quando descobri que estava grávida, não tive certeza de que queria a criança. Ao contrário de mim, Ernst nunca teve um segundo de hesitação, embora eu não pudesse dizer com certeza se era por amor a mim, pelo desejo de ser pai ou pelo senso de dever dos von Alpsbach. É claro que Magdi e Alfred foram absolutamente horríveis e me acusaram, a mim e à minha família, de todas as vilezas imagináveis, mas tanto Ernst quanto o meu pai recusaram-se totalmente a discutir o aborto. Por algum tempo representamos este drama pequeno e bizarro em Brunnenberg, com Magdi, Alfred e eu, que nos detestávamos mas, naquele momento, fomos aliados temporários, ensaiando todas as razões pelas quais, a longo prazo, a gravidez só traria infelicidade a todos enquanto do outro lado Ernst, parecendo cada vez mais sombrio e alimentando a raiva fria que vi às vezes explodir nele, avisando que ninguém faria mal ao seu neném enquanto ele tivesse forças para defendê-lo. O tempo todo o meu pobre pai ficou ali desamparado, sem dúvida com toda a certeza que todos nós éramos bem malucos. As ameaças e contra-ameaças mais sórdidas foram trocadas. Num dia os von Alpsbach juravam deserdar Ernst em favor do irmão mais novo e, no seguinte, Ernst anunciava a sua decisão incontornável de abrir mão do título e da propriedade e partir — na esperança de que eu fosse junto, é claro — para algum destino não especificado para começar vida nova. Então, a morte de Karl Gustav mudou tudo para eles. Quando Magdi chegou em casa com o corpo, não se falou mais em aborto nem em oposição ao nosso casamento. Ninguém, nas duas famílias, parecia notar que eu estava tão indecisa quanto antes sobre o que eu queria. Mas fui em frente com tudo, e assim suponho que, se não estava exatamente felicíssima, estava pelo menos resignada com o que acontecia. Para mim, só quando Nora realmente nasceu é que tudo mudou para sempre. Ainda não sei de onde surgiu a mulher que só queria passar o dia todo ao lado da filha, para quem a falta de sono da qual as outras se queixavam parecia coisa levíssima que mal valia a pena mencionar e para quem os seus próprios desejos não contavam nada perto das necessidades do bebê. Uma feliz Bátia doméstica. Quem poderia adivinhar? Com certeza nenhum de nós, e talvez seja por isso que consigo lhe escrever a respeito com tanta facilidade. Agora, contudo, tarde da noite, quando as duas estão dormindo, às vezes me preocupo com quem serei — ou se *serei* alguma coisa que consiga reconhecer — quando aquela mulher desconhecida que nasceu já adulta junto com Nora e Madeleine para cuidar delas não for mais necessária.

"Estou tão contente que você tenha notado imediatamente a semelhança, mesmo com a fotografia formal que consegui lhe mandar. Foi quase impossível fazer com que as duas ficassem paradas na frente do fotógrafo, mas queria que você visse com seus próprios olhos como elas são. A pequena Madeleine e Nora costumam me espantar por serem uma mistura tão perfeita de mim e Ernst em nossos melhores dias e parecem ser prova de que a natureza, apesar do que todos dizem, é muito mais leal do que a história. Mas também dou muito valor à sua lealdade à nossa história pessoal, Hans, principalmente porque hoje ela é apenas nossa. Acho que nunca lhe disse que ninguém, a não ser você, ainda me chama de Bátia e, assim, adoro mais do que nunca ver este nome em suas cartas. É estranho estar ligada ao próprio passado principalmente por um nome, mas acho que é para isso que os nomes servem, não é? Para nos chamar de volta quanto não estamos mais ali."

Hans duvidava de parte do que Batya lhe escrevia, mas era tudo absolutamente característico dela e poucas coisas lhe davam tanto prazer naqueles dias quanto uma de suas cartas. Ela escreveria sobre a natureza ser mais leal que a história caso tivesse se mudado para a Palestina?, pensou Hans. É provável que não. Por um instante imaginou-a fazendo realmente a viagem e o seu desalento ao encontrar Asher Blumenthal num café de Haifa, mas embora risse com a idéia foi uma diversão solidária. Toda a descrição lembrava a antiga Batya na romantização de tudo o que estivesse fazendo e recordou-lhe as muitas horas que passavam debatendo de forma apaixonada a melhor maneira de viver a própria vida. As pessoas que conhecera ali achavam essas questões absurdas. Entre os seus conhecidos ingleses, era quase de mau gosto falar nesses assuntos. "Coisa chata, todos esses nebulosos ademanes continentais", era como até o mais arguto dos seus filhos destinados à universidade desdenhavam a questão quando ele buscava a sua opinião. Mas para Hans a busca da vida certa e da maneira certa de vivê-la continuava a ser um impulso poderoso que o ligava, apesar de todos os seus desentendimentos, muito mais a Batya, Ernst e os outros de sua geração na pátria do que a todos os que conhecera ali. Tendo Moritz em mente, Hans dispunha-se a admitir que, talvez, todos tivessem começado impelidos por pouco mais que o medo da sua própria superfluidade num mundo com pais tão poderosos mas, se assim fosse, a busca deles superara o bastante a sua origem para merecer ser avaliada em seus próprios termos. Não que isso desculpasse qualquer um dos seus erros horrorosos, menos ainda os dele mesmo. No mínimo, a importância daquilo que buscavam só lhe aumentava o fardo da culpa. A dor que causara aos outros pesaria para sempre sobre ele e a sua responsabilidade pelo que acontecera na Praça da Catedral não era mitigada pelos horrores muito maiores causados a todo o continente tão pouco tempo depois. Mas, nas incertezas de Batya sobre o futuro dela mesma, Hans ouvia uma pergunta que os animara a todos quando jovens e alegrou-se ao ver que ela continuava a fazê-la e que a vida lhe dera este direito. Espantava-o agora que o que costumava ver como pouco mais que autodramatização irritante vinha da mesma idéia provisória e fugidia de si mesma que salvara Batya das respostas doutrinárias às quais ele sucumbira com resultados tão catastróficos.

Pegou na gaveta a fotografia que Batya lhe mandara e examinou-a com mais atenção. A imagem fotográfica fora cuidadosamente colorida à mão e mostrava duas meninas, a mais velha posando com um avental marrom-claro de fustão fino, que usava com uma blusa bordada de algodão branco e uma fita cor-de-creme combinando no cabelo, enquanto a irmã portava um simples vestido azul e branco de marinheiro do tipo que só meninos usavam quando Hans era jovem, com o cabelo cacheado caindo solto em torno das suas bochechas. Olhavam para Hans como crianças saudáveis e felizes, mas se lhe pedissem que dissesse com quem se pareciam, ficaria perdido. Fazia onze anos que vira Batya e Ernst e, embora pensasse neles com freqüência, não conseguiria recordar-lhes o rosto. Além disso, sempre tinha dificuldade de perceber a suposta parecença entre filhos e pais, mesmo quando ambos estavam de pé na sua frente e todos em volta falavam entusiasmados das semelhanças. Mas sabia que as mães gostavam de ouvir observações assim e alegrou-se porque o seu comentário agradara a Batya. Com certeza ainda era bastante jovem para tentar construir uma família e, de vez em quando, a idéia de passar a vida sem esposa nem filhos parecia insuportavelmente solitária. Mas a perspectiva de casar-se e criar filhos sumira da sua imaginação a ponto de fazê-lo sentir que pertencia ao futuro de outra pessoa, não ao seu. Talvez, se Moritz ainda fosse vivo, Hans se sentisse na obrigação de dar-lhe netos. Era uma das coisas que falaram de passagem quando Moritz finalmente contou a Hans as providências que tomara para garantir as posses da família, transferindo o grosso do seu patrimônio para o exterior. Mas, por temperamento, ambos eram pouco afeitos às demonstrações de emoção e com rapidez — rapidez excessiva, Hans achava agora — voltaram à discussão de como a empresa deveria ser administrada na Suíça até que ficasse claro onde Hans pretendia se estabelecer depois de se recuperar. Paradoxalmente, em vez de deixá-los mais dispostos às revelações pessoais, o fato de saber que nunca mais se veriam de novo inibiu-os ainda mais. Precisavam dizer coisas demais no tempo que lhes sobrava, e assim decidiram dizer pouquíssimo. Certa vez, entretanto, depois de um dia dificílimo no qual Moritz achara quase impossível engolir algum alimento, permitiu-se dizer que, com Hans melhorando tanto, não se importava muito de morrer, mas ficava triste porque a doença faria com que nunca conhecesse os netos. Contudo, quase na mesma hora rejeitou o comentário com uma expressão levemente envergonhada, como se tivesse transgredido uma das regras nunca ditas que dominavam a conversa dos dois naquelas últimas semanas. Para seu remorso, Hans não conseguiu pensar em nada para dizer em resposta e, assim, só estendeu rapidamente a mão para segurar a do pai, soltou-a logo e voltaram à discussão anterior. Nenhum dos dois voltou a mencionar o assunto. Mas, hoje em dia, às vezes Hans pensava se a falta de filhos não era uma sentença adequada a quem fora tão descuidado quanto ele com a vida dos outros. Talvez um homem que cometesse os erros que cometera não merecesse ver seus filhos continuar-lhe a vida no futuro e estivesse condenado a morrer sozinho num país estrangeiro, menos como um ajuste de contas do que simplesmente como conseqüência lógica das suas próprias opções anteriores. Mas Hans também era demasiado filho do seu pai para entregar-se por muito tempo a tais pensamentos e colocou as fotos de Batya de volta no envelope e guardou-as na gaveta da escrivaninha. Compraria, assim que possível, uma boa moldura para elas e as colocaria no grande piano da sala de música, mas por enquanto não tinha vontade de olhá-las mais.

Felizmente, Hans sempre podia contar com as cartas de Batya para afastar a sua tendência à melancolia. Ela mantivera boa parte do humor malicioso que costumava chocar todo mundo no Clube Mendelssohn e, embora costumasse abordar questões perturbadoras sobre a sua experiência, também deliciava Hans com as descrições de sua vida social. De início foi difícil para Hans lembrar-se de que agora ela era, afinal de contas, a Condessa von Alpsbach e senhora da maior propriedade da área. Como acontecera com muitas outras famílias nobres, boa parte do dinheiro dos von Alpsbach sumira na guerra quando os títulos do governo perderam o valor, mas pelo menos a sua propriedade nunca fora pesadamente hipotecada. Mesmo antes da morte de Ernst, Moritz oferecera a Bátia os serviços de um dos seus mais competentes especialistas financeiros, esperando assim fazer alguma coisa por uma família de quem seu filho tanto tirara. Aos poucos, com a ajuda do especialista de Rotenburg, que continuara a administrar a propriedade para Batya, boa parte da prosperidade da família foi restaurada e, dois anos depois do fim da guerra, Brunnenberg era novamente uma das grandes casas da província. Numa de suas cartas, Batya escrevera que agora ocupava com tanta firmeza a posição de grande dama da região que, quando alguns parentes de Ernst voltaram para uma de suas raras visitas, nenhum dos jovens da cidade entendeu a tentativa deles de zombar da origem dela. Numa festa que deu em sua homenagem, a irmã sobrevivente de Ernst e a prima Gretel von Wallderdorf, de Salzburgo, comentaram com sarcasmo que Bátia devia toda a sua ascensão na sociedade à esperteza com que usara o seu talento no quarto de dormir, mas os outros convidados se limitaram a ouvir com um silêncio chocado, supondo que as duas estavam prematuramente senis. É claro que Bátia ouviu todas as palavras, mas sentiu-se amplamente vingada pela piedade generalizada com que as duas mulheres foram recebidas. Mas houve um farrapo de malícia social cuja intemperança a divertiu, embora fosse o seu alvo, e estava curiosa para saber o que Hans pensaria a respeito. Depois de pagar a última dívida de guerra e consertar todos os danos causados à grande casa e ao terreno, Bátia deu uma esplêndida festa ao ar livre, a primeira da região desde o armistício. Enquanto passeava sozinha pelos limoeiros, perdida em reminiscências de ter caminhado ali com Ernst durante os seus primeiros dias felizes juntos numa paisagem que ele amava, ouviu, de repente, a Baronesa-Viúva von Kirchstein, em seu mais alto sussurro teatral, dizer a alguém do seu círculo que Bátia não podia ver: "Sim, querida, esta ex-judia, agora nossa mui respeitada Condessa von Alpsbach, conseguiu subir tanto no mundo que em suas festas a única pessoa que não vem das melhores famílias é a própria anfitriã."

Hans divertiu-se menos com a história do que Batya pensara. Viver na Inglaterra afiara as suas antenas para um certo tipo de reflexo anti-semita de salão que parecia ser um dos poucos elos que ligavam a aristocracia do país aos seus intelectuais. Mas a cena também lhe recordou de forma desagradável o tom de uma das peças de Alexander Garber, *O infortúnio do judeu*, a cuja estréia, no West End, Hans comparecera há pouco tempo. Em Londres, naquela época, tudo o que fosse austro-húngaro estava na moda e os últimos dias dos Habsburgo se tornaram um tema bem cotado. Ninguém fornecia ao mercado uma versão confeitada daquele mundo desaparecido com mais perfeição do que Garber, mesmo nas traduções execráveis com que as suas obras costumavam ser servidas. Mas, para Hans, as peças de Garber pareciam demasiado sentimentais, tão sem substância quanto o algodão doce multicolorido consumido pelos turistas num feriado à beira-mar. Hans saíra do teatro no primeiro intervalo, desconcertado ao ver as questões que costumavam atormentar os melhores integrantes da sua geração transformadas em material para lendas e contos de fadas tranqüilizadores. A peça parecia tão decidida a encantar o público que tudo o que havia de difícil e doloroso em seu tema se dissolvera. Segundo os relatórios que Hans recebera da Palestina, além de gabar-se de ser filho ilegítimo de Moritz Rotenburg, Asher também gostava de anunciar que era amigo de infância do famoso escritor Alexander Garber. Hans sabia que desta vez Asher falava a verdade, mas suspeitava que todos em Haifa que conhecessem os textos de Garber e tivessem passado uma hora em companhia de Blumenthal suporiam que as duas afirmações de Asher estavam igualmente longe da realidade.

Sem dúvida, fora também o fato de Bátia mencionar o nome von Kirchstein que deixara Hans tão desconfortável. Adrian von Kirchstein recuperara-se dos seus ferimentos no ataque da Praça da Catedral, como previra o médico na época, mas morreu dois anos depois na batalha do vale do rio Trotus, na Romênia. A Baronesa-Viúva, cujo comentário zombeteiro Batya entreouvira, talvez fosse a viúva dele e Hans ficou surpreso por ela ter voltado à província, ainda que para uma festa daquelas. Só poderia ser por lealdade à afeição do falecido marido por Karl Gustav que aceitara o convite de Bátia e com certeza o seu mau humor fora provocado tanto pelas lembranças amargas do que acontecera ali em sua última vista quanto pelo ressentimento de ver Bátia considerada agora como sua igual. Mas quando Hans refletiu mais sobre as cartas de Batya, começou a perceber que as suas histórias cômicas sobre a vida em Brunnenberg eram muito mais cheias de angústia do que pensara a princípio e que suas anedotas engraçadas podiam ser uma tentativa não só de diverti-lo como de aliviar as suas próprias preocupações. Hans voltou ao escritório e abriu o grosso maço de cartas dela para lê-las todas em seqüência. Desta vez teve uma impressão diferente. Não era exatamente oposta à primeira, mas ao lado das histórias alegres de Bátia registrou com mais força, desta vez, um tipo de estado de espírito secundário, quase subterrâneo, assim como um trecho musical pode levar alguém a ouvir uma sugestão de tons mais escuros e discordantes em meio a uma melodia alegre e festiva. Reagira mais à voz despreocupada de Batya porque era o que procurava nas cartas dela, não porque fosse tudo o que contivessem. Mas, quando se permitiu penetrar imaginosamente na verdadeira situação dela, Hans compreendeu quantas dificuldades fora obrigada a suportar depois da morte de Ernst e quanto esforço era necessário para manter tranqüilos os seus modos.

Embora nunca tivesse se convertido, Bátia concordara, relutante, em permitir que as filhas fossem batizadas, para que pudessem herdar as terras dos von Alpsbach sem questionamentos. Não havia indicação de que Batya se sentisse diretamente ameaçada pelo sucesso eleitoral cada vez maior dos partidos anti-semitas de seu país, mas a lembrança da violência sectária que varrera o distrito no fim da guerra jamais a abandonara. Nos três ou quatro anos anteriores, a situação parecera relativamente estável, mas as batalhas acirradas entre as gangues de rufiões de direita e os comunistas que aterrorizaram tantas cidades grandes durante meses deixaram-na cada vez mais inquieta com a estabilidade das novas instituições políticas. Nas poucas vezes em que se referiu às mortes da Praça da Catedral em suas cartas a Hans, foi para dizer como era insignificante a escala do terrorismo anterior à Grande Guerra comparada ao derramamento de sangue que se seguiu. Mas, na época, abalara profundamente a todo mundo. "Assim, deve ser até que ponto um acontecimento atinge a nossa imaginação e não o número de homens envolvido que importa", aventurou. E imediatamente corrigiu-se: "Mas isso também não pode ser inteiramente verdade, pode, Hans?", perguntou. "Como os milhões de mortos, inclusive o meu marido e a maioria dos seus amigos, podem não fazer uma diferença absoluta? É claro que fazem. Só que não tenho como pensar na guerra sem que ela diminua tudo o que vivemos antes e isso também me parece erradíssimo."

Ao contrário das suas cenas cômicas, que parecia gostar de escrever para diversão mútua e que se permitia desenvolver à vontade, Batya raramente prolongava-se sobre os seus temores além de algumas poucas descrições fragmentadas. Mas uma única frase ficou na mente de Hans, de sua descrição de como barricara os portões de Brunnenberg e se escondera com as filhas e alguns criados antigos da família durante um choque violento entre pelotões políticos rivais em 1919. "O homicídio não assusta tanto assim, mas sim a sua legitimação", disse ela, e ao reler, embora Hans tivesse certeza que ela não pretendera repreendê-lo, a frase atingiu-o com mais força do que qualquer crítica explícita das suas antigas crenças. Não admira que deixara de ver este padrão em suas cartas. Quando começaram a se corresponder, ainda não estava preparado para ouvir dela diretamente estas palavras, ou pelo menos ela devia ter temido isso — e assim colocou-as ali quase que por acaso, para que ele as encontrasse e as aceitasse ou não, dependendo da sua própria disposição interior. Sempre era mais fácil para Hans aceitar a culpa no papel do que em pessoa e, se Batya estivesse sentada à sua frente, não tinha a menor idéia se não se esforçaria para defender-se.

Como o pai, Hans se acostumara a usar um dos grandes cômodos do andar térreo, bem defronte à entrada principal da casa, como escritório e biblioteca particular. Mas para desprazer dos seus visitantes recusava-se a permitir que se colocasse na lareira, fosse em Portman Square ou na casa de campo perto de Headington, quantidade adequada de lenha. Fosse qual fosse o tempo, nunca havia mais do que algumas achas inexpressivas de lenha queimando e os convidados costumavam voltar para casa resmungando sobre aquela indigna parcimônia hebraica. Mas o próprio Hans passara tantas horas no escritório de Moritz que não conseguia respirar confortavelmente numa atmosfera superaquecida. Certa noite, no fim de novembro, Hans não conseguiu dormir e desceu para o escritório, onde colocou um único pedaço de lenha, onde ainda havia pedaços de musgo antigo, nas brasas quase extintas do seu antecessor. A madeira fumegou desagradavelmente por alguns segundos antes de surgirem as chamas, mas Hans pareceu não notar enquanto se enrolava melhor no roupão de seda. Foi até a grande escrivaninha e sentou-se para esboçar um memorando preliminar ao advogado. Depois de anos ouvindo-o insistir, Hans finalmente decidira-se a redigir seu testamento. O resultado chocaria a todos os que conhecia, mas não tinha dúvida de que fazia a coisa certa. Pretendia nomear como suas principais beneficiárias a Condessa von Alpsbach e as duas filhas, deixando-lhes todas as suas ações na empresa da família, assim como todas as suas posses particulares na Inglaterra e nos Estados Unidos. A casa em Headington deveria ser imediatamente entregue a ela como propriedade sua e Hans se comprometia a custear a manutenção do imóvel enquanto vivesse. Com a morte de Hans, Asher Blumenthal deveria receber um pagamento imediato em dinheiro correspondente a cinco anos da sua pensão anual normal. Esta quantia seria dele, livre de impedimentos, não importa para onde decidisse se mudar. Se quisesse permanecer na Palestina, a pensão anual continuaria a ser paga segundo os termos anteriores e dobrada depois que se passassem mais cinco anos. Os detalhes remanescentes, inclusive as quantias exatas a serem doadas a várias instituições sionistas de caridade, ele trataria com o advogado, a quem pretendia mandar um memorando pela manhã junto com instruções para encontrá-lo em Portman Square no final da semana com um documento formal pronto para ser assinado.

Hans não tinha a menor idéia de como Batya reagiria. Não mencionara a ela nada do seu plano até agora e, enquanto examinava a carta, podia imaginar facilmente que ela recusaria tudo. O pior seria se ela entendesse erradamente os seus motivos, mas nem ele tinha certeza de que conseguiria descrevê-los de forma clara. Para ele, era muito mais fácil dizer o que não eram. Com certeza não alimentava nenhuma esperança de que ele e Bátia voltassem a ser íntimos outra vez, nem mesmo que viessem a se ver muito no futuro. Dava-lhe a casa de campo simplesmente como um refúgio caso precisasse de uma mudança de sua situação em casa. Teria de discutir a decisão toda com ela em pessoa, mas pretendia deixar inteiramente por conta de Batya se ele viajaria a Brunnenberg ou se ela preferia visitar Londres. O próprio Hans não tinha certeza que solução esperava que ela escolhesse e, por dentro, preparou-se para as duas. Mas, pelo menos, ficara claro para os dois que já era hora de se encontrarem. Numa de suas cartas recentes, Batya mencionara que ninguém menos que Alexander Garber acabara de escrever-lhe de Salzburgo com perguntas muito esquisitas. Ela se lembrava de ter ido com Hans, anos atrás, assistir à encenação de uma montagem curta de Garber e de não ter gostado, mas não acompanhara a carreira dele desde então e só o conhecia de fama como escritor importante cujas peças costumavam ser montadas no distrito. Parece que, ultimamente, Garber se interessara pelos assassinatos da Praça da Catedral — sem dúvida para alguma peça — e Batya supôs que entrara em contato com ela como cunhada de uma das vítimas. Pela carta era evidente que Garber sabia pouquíssimo a respeito dela e não tinha certeza se respondia ou não ao seu pedido de informações. Em todo caso, não pretendia fazer nada a respeito sem antes consultar Hans. Bátia admitiu que achara inquietante a curiosidade de Garber, já que ela mesma vinha brincando com a idéia de escrever as suas memórias do que acontecera a todos eles nos meses anteriores à guerra. Queria ser totalmente sincera sobre os seus sentimentos por Hans e Ernst, sobre o que acontecera quando engravidara e depois, mais tarde, quando enviuvara, sobre a luta para manter Brunnenberg para Nora e Madeleine. Sua meta era, principalmente, deixar às filhas um registro escrito sobre o mundo dos pais e não pensara muito em publicar as suas recordações. Mas era uma possibilidade que não queria excluir inteiramente e a idéia de que, se fosse publicada, sua história fosse vista como concorrência à de Garber era intimidadora. Queria o conselho de Hans sobre se ia em frente ou não e, embora não dissesse diretamente, também era evidente que temia que ele acabasse se ferindo com alguma coisa que pudesse escrever a seu respeito.

No entanto, em vez de se preocupar, Hans se viu excitadíssimo com a idéia de Batya redigir suas memórias e, como quer que ele fosse nelas retratado, estava feliz de encorajá-la como lhe fosse possível. Pretendia levar-lhe o seu testamento para que ela o examinasse, mas quer se encontrassem em Londres ou em Brunnenberg, agora teriam outra coisa da mesma importância para conversar. Quando terminou um curto bilhete a Batya propondo um encontro, não pôde resistir a acrescentar que, quanto a ele, não havia razão para que ela cooperasse com Garber. Pelo contrário, podia pensar no novo projeto de Garber como mais um estímulo para terminar as suas próprias memórias antes que ele fixasse a impressão de todos sobre como fora a vida deles quando eram jovens. "Não posso prever que versão vai parecer mais fidedigna para quem nunca esteve lá", escreveu a Bátia. "Mas acho que é importante haver mais de uma opção. Quanto a mim, não tenho dúvidas sobre a avaliação em que confio mais e admito que estou curiosíssimo para saber o que você acha que vale a pena recordar."

Este livro foi composto na tipologia Latin725 BT,
em corpo 10,5/15, e impresso em papel off-white 80g/m²,
no Sistema Cameron da Divisão Gráfica
da Distribuidora Record.

Seja um Leitor Preferencial Record
e receba informações sobre nossos lançamentos.
Escreva para
RP Record
Caixa Postal 23.052
Rio de Janeiro, RJ – CEP 20922-970
dando seu nome e endereço
e tenha acesso a nossas ofertas especiais.

Válido somente no Brasil.

Ou visite a nossa *home page*:
http://www.record.com.br